東アジア文化講座 1

はじめに交流ありき

東アジアの文学と異文化交流

染谷智幸〔編〕

文学通信

目次

第2部　海域と伝承

第3部　島嶼の文化

第4部 交易と文化

第5部　東アジアの聖地

※原文の引用は各論中に断りがない場合、読みやすさに配慮して、かなに濁点・半濁点を付し、漢字は通行の字体に改めるとともに適宜ふりがなを施して、句読点を付けた。

総序——東アジアの文化と文学

小峯和明

1　今、なぜ、東アジアか？

二十一世紀の日本社会は、人類がいまだかつて経験したことのない高齢化社会を迎えている。とりわけ少子化による大学生人口の激減は、大学の基盤をゆるがし、存続自体を脅かしつつある。ことに大学院生の慢性的な定員割れとその一方での博士学位取得者の非正規就業者（オーバードクター）や任期制雇用の増加が学問の発展や継承そのものにおおいなる危惧をもたらしている。これに加えて、世界的傾向でもある理系主導の学術体制の強化によって人文系は劣勢に立たされ、学問の実利主義や功利主義、即効性指向が常態化している。世は実学偏重の時代になった（中国では、外国語系でも、研究以上に翻訳や通訳専攻が重視されている）。さらには趣味、娯楽、教養等々の価値観の多様化による文学の教養主義からの脱落も大きくかかわる。文学を必要としない人口が増加し、インターネットの普及も加速してますます本が売れない時代となり、出版業界も不振が続く。その原因の一端に学校教育における英語の偏重と国語（古典はもとより文学）の軽視もあるだろう。

要するに役に立つか立たないかが学問の価値基準に据えられ、これに該当しないものは容赦なく切り捨てられ、排除される時代になったのである。しかし、役に立つとはどういうことか、それは薬を飲んですぐに効き目が現れるような即効性のものばかりではない。時間がたって後から次第に効いてくるものもある。とくに人間教育としての人文学は大学卒業後の人生の変転にむしろ深くかかわり、その効用はすぐには推し量れない。理系も含めておしなべて基礎学はすぐに効果が現れず、影響の度合もわかりにくく、時間や労力がかかるものである。かつてはそのことを後ろ盾に安閑と惰眠をむさぼる傾向もないわけではなかったし、研究成果を不断に出し続ける必要があることもまた確かであろう。とくに研究が研究として自己完結して、同じ業界の研究者のみに発信され続けている研究論文は、それ自体学問の進展のために欠かせないものではあるが、それだけでは一般社会とますます乖離していかざるをえない。学問の社会還元の要請が今後さらに社会的にも強まるだろう。ましてや近年の人工知能ＡＩの進化は目を見張るものがあり、もはや人間と非人間の相克の時代を迎えつつあると言いうる情勢になってきた。将来、人口減に伴い、かなりの領域をＡＩが担い、研究者が不要となる分野も出てくる可能性もあるだろう。

そこで第一にもとめられるのは、人文系と理系との協同、相互乗り入れの試行である。理系主導の潮流に抗して孤立を深めるのではなく、むしろ協同研究への積極的参入を模索すべき学際化の時代に入ったといえる。具体的には生命学と生命科学、環境学と環境人文学・環境文学をはじめ、相互の橋渡し的なあり方が措定できようか。今後さらに学際化への舵切りを迫られるであろうことは必須である（人文と理系の協同でいえば、宮沢賢治や南方熊楠などはその恰好のモデルケースとなると思われる）。

これに加えて、少子化に伴う大学生激減の対応策としては、外国人留学生や高齢社会人依存が惹起されるから、おのずと大学は国際化を指向せざるをえなくなる。学際化と国際化は好むと好まざるとを問わず必然化している。そこで問題視されるのは、国際化がおのずと英語化に置き換えられていることだ。結果として欧米依存志向が強く、それに比べてアジアへの学的視界は希薄である。圧倒的に欧米よりアジアからの留学生の方が多いにもかかわらず、である。大学の世界ランキングを上げるために文科省によるスーパーグローバリゼーション政策が打ち出されたが、要は世界の共通語としての英語化を推進する方策で、二十一世紀は地域固有の言語文化と世界共有の言語文化とのせめぎ合いの時代に入ったといえる。

水村美苗『日本語が亡びるとき』（初版二〇〇八年、ちくま文庫二〇一五年）は、この危機的状況を作家の立場からいち早く提起して反響を呼んだが、〈普遍語〉〈現地語〉〈国語〉の位相から、「〈普遍語〉としての英語」に対して、日本文学はすでに「〈現地語〉文学」であり、「〈国文学〉が〈現地語〉文学に成り果てる可能性」「普遍と特殊との非対称的な関係」を指摘する。その傾向は刊行から十年後の今日、さらに助長され、水村予言はよりリアリティをおびてきている。「「国際的に活躍する」などという言葉が意味をもつのは、国内向けにしか活躍できない分野に身を置く学者の話だ」なども、身につまされる発言である。

とりわけ国際情勢で見逃せないのは、日本の学術誌は日本語で書かれている限り、世界の評価から対象外であることで、これは中国や韓国における日本研究でも同様である。海外の日本研究者が日本の学術誌に論文を日本語で載せたとする、そのことは外国語文学の研究として評価されるべきはずだが、実際はそうはならない。中国でも韓国でも日本語で公刊されたものは評価のランキングはきわめて低い。評価の対象外になる場合さえある。私も含めて日本の学界はそのような問題を、そもそも問題としてさえ認識していなかった。それは日本文学研究において、日本＝世界でしかなかったことを意味する。まさに我々のやっていることはいくら声高に「国際化」を叫んでも、「国文学」を「日本文学」と言い換えてみても、しょせんはかつての「国文学」のままであり、〈現地語〉研究であることが露呈しただけのことであった。日本に留学して日本の学問研究法を身につけ、学位を取得して自国に戻って大学に就職し、研究と教育に従事する海外の研究者が随分増えた。彼らが当面するのはまさにその問題であり、結局は英語や自国語（母語）で論文を公表しなければ評価の対象にならない、という自己矛盾を抱えている。そういう彼らを目の前にして、我々はまったく無力である。

これに加えて、近年、目を引くことに、海外における日本学の進展がある。海外の日本研究者人口が増えているかどうかはさておき、英語をはじめ外国語による日本文化・文学関連著書や論文の公刊が増えていることはまぎれもなく、水準の高さも群を抜くものが少なくない。たとえば、私が交流のある人に限っても、ハルオ・シラネの四季と日本文学・文化をめぐる研究（英語、ごく最近、翻訳が刊行。角川選書、二〇二〇年）、メラニー・トレーデの『大職冠』の研究（英語）、クレア・アキコ・ブリッセの葦手絵の研究（フランス語）、丁莉の王朝物語研究（中国語、『永遠的唐土』）、馬駿の『古事記』『日本書紀』等の上代文学における漢訳仏典の影響をめぐる精細精密な研究（中国語）等々、それまでの研究水準をはるかに上回る重要な成果であるが、日本語訳がないため日本では対象化されていない。知らない間に海外の日本学が進展し、日本で日本語だけで研究している学界が置き去りにされる事態が進みつつある。まさに研究の鎖国化、井の中の蛙、蛸壺の中の蛸であり、翻訳が出ないと国内では逆に蚊帳の外状態になってきているのである。

このような状況にあって言えることは、欧米以上にアジアへの視野が必要だ、ということにつきる。稿者は英語に対して、「共通語」という語彙を使っていたが、水村著書にふれてそんななまやさしいものではなく、まさに「英語の世紀」の時代に入り、〈普遍語〉と化していることを再認識させられた。こうした英語化への対処としては、その動向に即して「国文学」に英語を取り込めるか、あるいはそれに抗して、東アジアの文学圏から日本文学をとらえ返す方策しかないと考えられる。それは、日本に留学して海外で日本研究を推進している研究者との共闘であり、彼らを媒介に、さらには、各国地域でのそれぞれの〈現地語〉文学を研究している研究者とつながりあうことである。いわば、中国や台湾で中国古典を研究する人、韓国で朝鮮半島の古典を研究する人、ベトナムでベトナム古典を研究する人、さらにはそれぞれの地域で東アジア研究を指向している人たちとのつながりを模索することである。日本での外国文学研究者はもとより、海外で日本研究を推進している研究者はその橋渡し役を担うことになるだろう。

東アジア研究は、かつて私にとって個人的な研究テーマの発展形態として出てきたが（琉球から始まって朝鮮、ベトナムへと推移）、今や机上のテーマ上の問題にとどまらない、研究状況そのものから必然的に将来されるものとなってきたことを痛感させられる。

2　東アジアというフィールド

近代に始まる日本文学研究は、歴史学の「国史」と並ぶ「国文学」として、日本文化のよりどころたるべく、その意義が究明されてきた。要は、近世の国学の延長線上にある日本文化・文学のアイデンティティの模索であり、言挙げであった。必然的に日本だけの内部に収束する内向きの指向性が強いことは、西洋をモデルにした、日本にしか通用しない古代・中世・近世・近代といった文学史や文化史の時代区分に端的にうかがえる。あるいは、和漢比較研究に代表されるように、中国古典との比較から日本文学の特徴を引き出す、一方通行的な受容論の路線が主導的であることからも明白だ。しかし、近年の漢文訓読論が明らかにしてきたように、訓読は日本だけではなく、漢字漢文の文化圏においては共通の方法であり、相互の比較を通してその位相を問い直す方位に研究が進展してきている。

無人島の領有をめぐる問題や植民地化時代の慰安婦や徴用工問題等々、難しい局面にある政治情勢をはじめ、多方面の文化情勢から東アジアが問題視され、研究面でも東アジア路線が急速に多面的かつ多角的に展開しつつあるが、その起点として我々が今もなお漢字と仮名を使い続けていることを見直し、その意義を問うところから始める必要があるだろう。それは文字の次元だけではなく、漢字漢文による漢訳仏典や漢籍をはじめ、そこから生み出された学芸、宗教、思想、文芸等々、多岐にわたる膨大な文化の蓄積を対象とすることを意味し、たとえば今も箸を使い、米を主食とする食文化など生活の基点を問い直すことにもつながっているだろう。

本講座は、そのような意味合いでの漢字漢文の文化圏の諸問題をめぐって、従来の歴史学中心の観点と異なる、文化・文学を基軸とし、さまざまな角度から問いかけようとする、叢書としてはほとんど初めての試みである。従って、ここでの東アジアとは、中国、朝鮮半島、日本、琉球、ベトナムなど、漢字漢文の共有圏にあった十九世紀以前の前近代が主対象になる。韓国やベトナムが漢字漢文を使わなくなったとはいえ、漢語の語彙は日常語にそのまま生きているから、ふだん意識されないだけであって、現代においても無縁の問題ではありえない。中国から広まった漢字漢文に基づく思想や文学、文化が各地域でどのように展開し、継承と反発を繰り返し、独自のものに再創造されていったのか、漢字をもとに、あるいは漢字を拒否して発明された、仮名、ハングル、チュノム（喃字）等々の文字文化をはじめ、以後、漢字を捨ててしまった、もしくは捨てつつある文化との相互比較を通して、東アジアの〈漢字漢文文化圏〉から日本文化総体を問い直し、それを日本的なるものに回帰させるのではなく、世界にいかに拓いていくかを追究していきたい。

はじめに述べたように、今日、少子化や国際化に伴う理系主導の大学改革および文科省が打ち出した文系軽視路線により、文学研究はもとより人文学全体の危機感が高まっている。本講座はそういった風潮への一つの回答をめざすものでもある。たとえば、岩波書店の雑誌『文学』休刊は人文学退潮を象徴する出来事であったが、このような危機認識を梃子に文学・人文研究の活性化や巻き返しを積極的に働きかけ続けなくてはならない。打開策の鍵を握るのは、先に述べた「国際と学際」しかなく、その内実をいかに拡充していくかが課題となっている。

もとより日本語だけでアジアを問い直すことには限界があるが、逆に日本語を基軸にどこまで東アジアを問い直せるかが試されるともいえる。日本文化を東アジア文化として世界に拓いていく新たな枠組み作りをめざす、挑戦的な試みに取り組み続けていきたいと思う。

3　「東洋」から「東アジア」へ

近年、「東アジア」を書名に冠する書籍の公刊があいついでいる。この語彙は、かつての「東亜細亜」「東亜」から、戦後に至って片仮名書きの「東アジア」に変更され、意味づけを変えて今日に及んでいる。「東アジア」を銘打つ書名は、すでに一九五〇年代からみられ、一九六〇年代にほぼ問題群として確立し、九〇年代から二〇〇〇年代にかけて急速に展開、その傾向は二〇一〇年代に及んでさらに拍車がかかってきた傾向がうかがえる。出版の量や雑誌特集なども圧倒的に増えているのが現状で、今や人文社会の各分野で「東アジア」を標榜していない領域はないといってよいほどの盛況ぶりである。とりわけ社会科学系に著しく、人文系では歴史学を筆頭に文学系にも及んできた。文学研

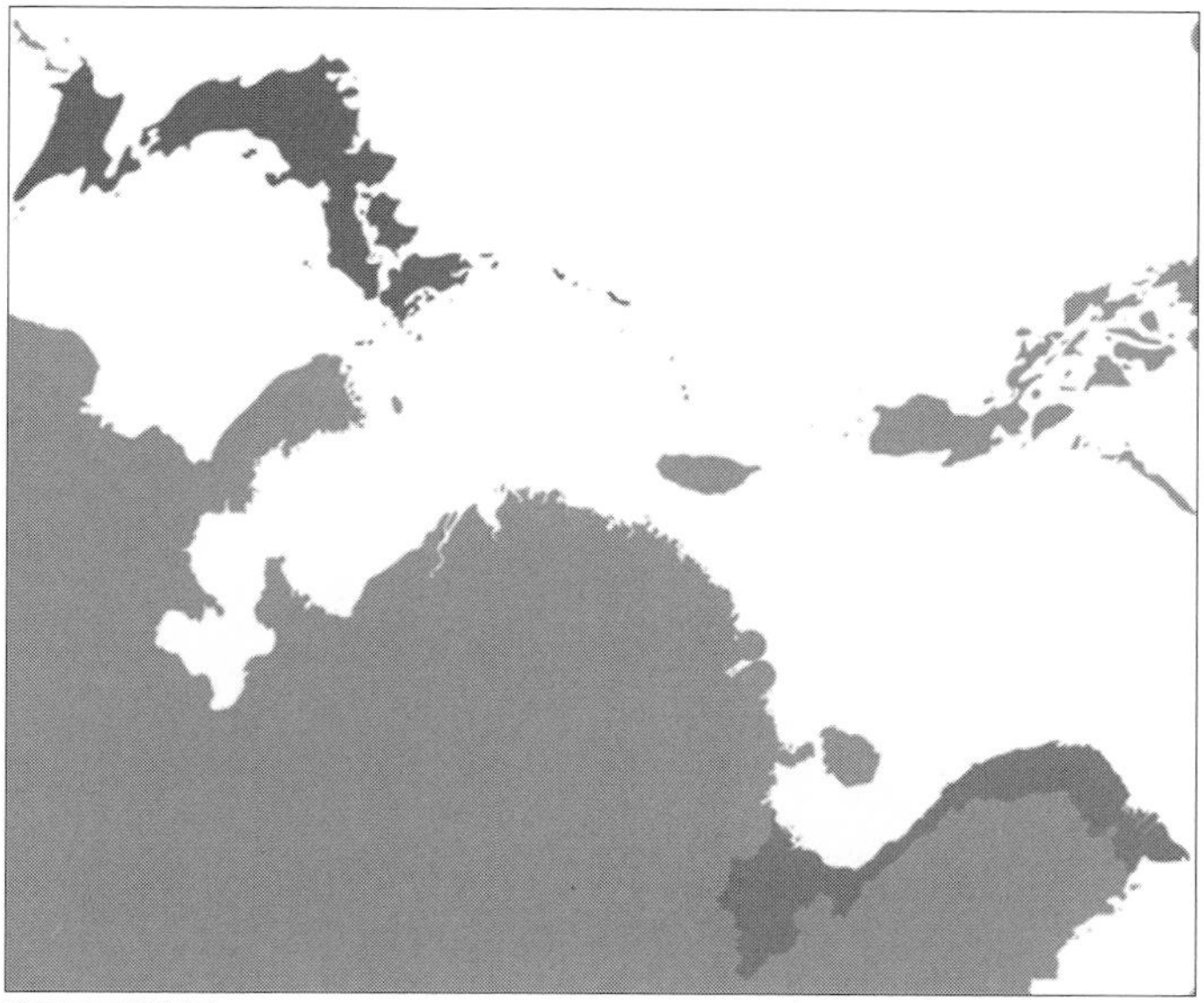
東アジア概念図

究の閉塞を打開すべく外部に活路を見いだす方策や方便として、通時代の各領域ジャンルから「東アジア」のフィールドが注目されてきたとみなせるが、他分野に比べて動きは鈍いと言わざるをえない。

しかしながら、この用語についた刹那から、そもそも「東アジア」とは何をどこからどこまでさすのか、その語彙はいつ頃から使われ始めたのか、いかなるイデオロギーを負っているのか、という難問に向きあわざるをえなくなる。時代の差異はもとより国や地域によって位相差があり、一様には規定できない複雑な問題である。ここでは、先述のごとく「東アジア」＝〈漢字漢文文化圏〉として用いているが、ベトナムまで含むのが従来の東アジア論と異なるし、従って「東北アジア」という用語は不適切である。ベトナムはとくに北部が中国との関係が深く、秦漢から唐代あたりまでは中国の支配化に置かれ（北属期）、その後も宋、元、明、清と王朝ごとに抗争が続くが、文学・文化的には圧倒的な中国の影響化にあったといえる。また、仏教の伝来が、インド・南アジアのルートのいわゆる南伝と、西域・中国（朝鮮半島・日本）へ伝わる北伝とが交差するのがベトナムであることも意義深い（南伝はベトナムから中国に及ぶ）。

テクニカルタームには必ず特定の意味作用がともない、思想イデオロギーが介在せずにはおかないから、「東アジア」といっただけで、すでにある種の指向性や偏向を持ってしまうことは避けられない。とりあえずカッコ付きで使わざるを得ず、関係概念になるが、かつて日本と琉球・沖縄との一対一対応の関連性に苦慮し、はなはだ窮屈な思いをした身にとっては、「東アジア」はたしかに魅力的なひろがりのある概念であり、その言葉のもつある種のひろがりは、「日本」というフィールドの内部で汲々としている者にとっては、きわめて有効な概念装置としてあるのではないか。東アジアは研究上の戦略的な概念として、今日の研究を活性化しうる仕掛けや磁場となっているとみることができよう。それもまたたんなる幻想に過ぎず、あやうい落とし穴があるかもしれないが、そうした陥穽への危惧をはらみつつも、まずはその路線に徹して追究してみたいと思う。

日本文学研究の現状は依然として旧態然とした時代割、ジャンル割による学会が主導しており、そこに研究主体としてのアイデンティティーをもとめる研究者も少なくない。従前の国文学研究の保守的状況を打開するためにも、「東アジア」は一つの有効な鍵になるだろう。より広い地球規模のグローバル世界(中国では「全球」)への視野拡大を意識し、東アジアだけに限定する見方そのものへの批判も当然あるが、まずはできることから始めるほかないし、〈漢字漢文文化圏〉はそうした国際化路線の起点となるべき喫緊の課題と考える。たとえば、十九世紀以降の近代化の問題として、「東アジア」の近代文学・文化の研究を推し進める立場も当然ありうるだろうが、今日の沖縄問題の本質が前近代の琉球王国時代から検証し直さなくてはなかなか見えてこないように、あくまで前近代の視野からとらえていくべきだと考えている。

前近代の東アジア概念は、中国を中心とする冊封体制を基軸に、漢字漢文を用い、宗教は仏教、道教、儒教による等々があげられるが(西嶋定生『古代東アジア世界と日本』岩波現代文庫)、より具体に即して言えば、筆と墨、硯を使うとか、先にもふれた箸を使い米を主食とするとか、楽器の笛や琴、琵琶などを使うとか等々、いくつもの特徴をあげることができる。近代と前近代の区分けは十九世紀にあり、西洋文化の圧倒的な影響、中国主体の冊封体制の崩壊、貨幣経済の浸透、都市文化の発展、出版文化の隆盛等々にとどまらず、宇宙観、世界観、死生観、身心観等々、精神的観念的な領域にまで及ぶ。その意味でも最初の西洋との出会いである十六世紀の大航海時代（キリシタン時代）が意義をもつ（秀吉の朝鮮侵略は冊封体制への反逆を意味する）。十九世紀の近代化の起点、お膳立てが十六世紀であったと位置づけうる。従って、近世、江戸時代は近代とつなげてとらえうる、という以上に近代の始発にほかならない（近世は英語で pre-modern または early-modern）。

たとえば、西洋と出会う以前は、天竺（インド）・震旦（中国）・日本の三国観がまず基本にあり、それが当時の全世界でもあった。朝鮮半島は中国と日本のはざまで中国とのつながりで概括されることが多く、現実的には種々の交流や交渉があったにもかかわらず、三国観のなかに独立したかたちで正当に位置づけられることがなかった。この三国観とは仏教の創始と伝来のルートそのものでもあり、十二世紀の『今昔物語集』が三国観を構成の基本的な枠組みとしているように、おのずと仏教の世界観に立脚する。世界の中心に聳える須弥山を主体とする世界観の一環にある。この須弥山世界観は想像上の所産とはいえ、神話的始原の形象としてさまざまな図像や造型を通して、確実に実体的な世界に認識されており、閻浮提、南贍部州の一小地域に浮かぶ「粟散辺土」として日本は意識されていた。こうした三国観や須弥山世界観はいわゆる大航海時代のキリシタン渡来にともなって批判されるようになり、近世では蘭学の導入もあって、地動説の立場から根本的に否定され、論争にもなる。儒教側は現実主義路線からつとに仏教世界観に否定的でかえって西洋の地動説を受け入れるが、仏教側は最後まで抵抗し、近代化の波によって次第に克服されていく。

このような伝統的なアジア観の崩壊こそ近代の始発といえるが、近代に「東洋」（オリエント）の語がせり出してくるのは、一方でこの三国世界観の焼き直しや復権にほかならず、「東洋」の内実にはインド世界まで含まれていた。本来なら、「中東」「中近東」と呼び習わされるイスラム世界も入るはずだが、日本ではアラビア語をはじめイスラム教及びその文化圏はやや縁遠い地域であった（ペルシャの波斯国などは意識されていたが）。仏教という思想的な骨格を背景にした、きわめて観念的、想念的な世界観であり、それによって「東洋学」なる学の形成も可能になった、といえるであろう。東洋哲学、東洋思想、東洋史、東洋美術などの分野が確立し、大学の学科編成にも組み込まれたが、「東洋文学」という括りはほとんど見ることがなかった。「文学」がいかに各国の「国文学」というナショナリティに立脚しているかがよくわかる。言語の差異に深くかかわるだろう。

「東洋」といえば、「東洋文庫」の資料蓄積の質量、水準の高さが世界有数であるように、「東洋学」の担ってきた意義は決して軽くはない。その背後に西洋学（洋学）の急速な普及と進展があり、西洋と東洋という二項対立の学の図式が確立する。「印度学仏教学」という括り方もあるように、インドが学の対象になったのは、仏教学が明治期の廃仏毀釈から立ち直るために欧米の宗教学を取り入れ、インド古代のサンスクリット語の原典に戻ろうとしたからである。中国のバイアスがかかった漢訳仏典一辺倒だった学がまさに近代的な脱皮をはかった所産といえる。

以上からすれば、三国観から東洋観への変転は基本的には地続きであり、学の形成がかような路線でなされたことの意義を再検証すべきであろう。そして、今日の「東アジア」への視界は、そのような「東洋学」の基本路線を相対化しつつ、より実質的な近隣諸国との交流や政治経済的、文化的な課題を背後に焦点がしぼられた結実としてあるようだ。要するに、大時代的にインドまで視野に入れた観念的な世界観はもはや意味をなさなくなっており、それは対西洋という意識から急進的に二項対比として設定された文化概念の装置であり、その枠組みが今日ではすでに崩れたことを意味する。かわりに「東南アジア」と呼ばれる地域やこれに相応させた「東北（北東）アジア」といった、より実質的な国際関係に応じた細分化された概念が導入されているが、「東南」「東北」の呼称には必然的に「東」への方位が刻まれているわけで、一般化すれば、やはり相対としての「東アジア」とならざるをえない。これに応ずれば、インドから東南アジアは「南アジア」、中東は「西アジア」となり、アジアがそもそも西洋からとらえたオリエンタリズムの地域観であることがよくわかる。中国では、「東亜」とは別に「東方」がアジア全体を指す学術用語となっており（日本でも「東方学会」あり）、「東洋」にほぼ匹敵するわけだが、全体を括りうる方法論はまだ確立しているとは言いがたい。「東洋学」の解体もしくは変質から〈東アジア学〉への変転が今日の学的状況といえるだろう。

しかし、一方でギリシャ以東のイスラム、インド、南アジア、東アジア一帯を包含して「東洋哲学」を再領域化した井筒俊彦の業績も見のがせず、西洋からみたアジア観とそれをアジア化して再定位する弥永信美などの研究と双方向から重なりあう。アジア観の構造化が問い直され続けるであろう。

4　比較文学から共有文学へ・方法論の課題

「東アジア」の文学研究はまず中国との関連がおおきな課題としてあることは言をまたない。かつての「漢学」がまさにこれであるし、近年の和漢比較文学研究がもっぱらそれを代表する領域といえる。和漢比較文学会という学会も主体的に活動しているが、一般的に和漢比較文学研究といえば、中国古典と日本古典を一対一対応させて中国から日本への受容を説くのが常道であり、結局は日本文学の域内に回収されてしまうことになる。

そうした研究は、結果として日本を主張するための方便ともなりかねない。たとえば、近年の『源氏物語』論でも「東アジア」の視野からの読み直しが主張されるようになったが、結局は「東アジア」を表看板に出して内実は『源氏物語』の評価をより強化させ徹底させる措置に止まるだけのようにも見受けられる。極言すれば、『源氏物語』絶対史観（カノン論）の方便として「東アジア」が利用されているだけではないか。従来の和漢比較文学研究の範疇を超えるものではありえないし、日本を相対化させるようにみえて、それはしょせん見せかけにすぎない。日本語世界にとどまる限り、日本に偏した研究をついに抜け出ることはできないが、よりひろい「東アジア」の視角から追究するためには、日本と「東アジア」に共通する文学事象を発掘し、その位相を取り出す必要があり、さらには西洋との連関にも視野をひろげなくてはならない。何より、中国はもとより、朝鮮やベトナムのテクストそのものを読み込み、多面的に比較していくことだろう。日本にふみ止まっているだけでは道は開かれない。こちらから向こうへ渡って、向こうの世界や資料とつきあい、向こうからこちらを見る視座を確立しなくてはならない。

繰り返すが、古典研究の東アジア論で最も危険なのは、結果として「東アジア」を梃子にして、その古典が優れていることを証明しようとする、いうならば内向きの論理である。それは「東アジア」による相対化にはならない。そのような方便としての「東アジア」論やカノン論に収束しない方向性の開拓には、朝鮮やベトナムの漢文原典を読み込むほかになく、東アジア文学史の構築に向かうほかないだろう。そこで意味をもつのが〈漢文訓読〉である。訓読というアクロバティックな手法による解読法、これはまさに外国語の漢文を外国語としてではなく、訓読という便法で日本語として読み解いてしまう力技、一種の技芸である。外国語ができない者にとってこれしかない、苦肉の手段であり、逆に絶好の手段でもある。逆手にとれば、訓読によってどの国や地域の漢文でも、漢文でさえあれば、それなりに解読できてしまう、簡便な翻訳法といえる。

さらにここで問題とすべきは、〈比較〉という方法そのものである。学問の基本が分野を問わず比較にあることは、こと改めて言うまでもないことだが、その比較とは、何と何を、何のために、どのように比較するのか、不断に検証されなくてはならないだろう。

個人的な研究例でいえば、十二世紀前半の『今昔物語集』の依拠資料として知られる十一世紀、中国北方の遼（契丹）の非濁編になる仏教説話集『三宝感応要略録』（以下、『要略録』と略称）に関して、私も含めて従来の日本の研究は、『今昔物語集』など日本の説話集が『要略録』をどう受け入れたかという視角から関係説話を比較検討し、日本でどのように利用されたか、といった享受や受容の視点でのみ検討してきた。しかし、これは従前の和漢比較研究そのものの路線にほかならず、文字通りの一方通行でしかなかった。『要略録』は『今昔物語集』研究の方便でしかなかったわけで、『要略録』そのものをどう位置づけ読み解くかという視点がほとんど欠落していた（李銘敬『日本仏教説話集の源流』〔勉誠社、二〇〇七年〕の研究はその否を明らかにした）。しかし、問題は『要略録』をあらためて十一、十二世紀の「東アジア」の状況に位置づけて読み直すこと、「東アジア」の文化交流の一環に『今昔物語集』以下の日本の説話も同じように位置づけられること、中国ではつとにテクストが湮滅し、日本で十二世紀の古写本が複数伝存し、十七世紀には和刻本が刊行されていたこと（いわゆる逸存書）の意義を、「東アジア」の文脈においてとらえ直すこと、中国東北部の遼と日本の交流がかつての渤海との直接ルートや朝鮮半島の高麗を経由することなど、文化交流の文脈において読み直すことであり、一方の得失を明らかにするための比較文学ではなく、双方の交流のありようを見極める、〈交流文学〉としてとらえ返すべきであろう。

このようにみてくると、もはや〈比較〉だけを自己目的化した論はその根拠を失うのではないか。比較という方法論は、何か拠るべきものがあって、その本性や特性を明らかにするためにほかと比べるのを常道とする。比較とは本来、一方通行になりやすいものである。しかし、Aの特徴や意義を言うためにBと比較するだけでは真の比較とはいえない。先の『今昔物語集』と『要略録』の関係のごとく、逆にAと比較されたBの特徴や意義は何かを同時に明らかにしなくてはならない。あるいは、AとBだけではなく、CやDなど比較対象を輻輳させた複合的な比較も必要であろう。双方向や多方位から等価値に比較しあうことは、つきつめていくと、もはや一方に偏した比較の根拠を喪失させるだろう。

そこで改めて提起される概念が、〈共有〉である。〈比較〉から〈共有〉へ、という論点をここで主張したいと思う。先の『要略録』の例でいえば、もはや『今昔物語集』を論ずるために『要略録』と単線的に比較するのではない、「東アジア」に共有された『要略録』の課題として、『今昔物語集』に翻訳された説話も『要略録』説話も、同等に等価値で扱い、追究することを意味する。「東アジア」圏に共有される説話問題群として再提起されるべき課題の解明の方策にほかならない。

言い換えれば、単線的な一対一対応の比較ではなく、複合的で輻輳し、重層しあう多層の編み目を比較しあう、ということになる。「東アジアの文学圏」の何がどう共有しあい、共有しえていないか、何がどうずれるのか、さまざまな局面や位相を解明し、解きほぐす方策をもとめていきたいと考える。比較論は、一方にあって他方にないものを強調しがちであり、比較を通した一方の独自性に論が収束しやすい。問題は変容の諸相の解明と同時に、なぜそこまで共有しあうのか、共有の位相の解明にも向かわなくてはならないところにある。

自己と他者の差異化をもとめるのは自己のアイデンティティーにかかわる。従来の研究が比較による差異にばかり視点がいきがちだったのもそのためである。しかし、もはやアイデンティティーは差異化にあるのではなく、「東アジア」の共有にこそあるのではないか。そこからあらたに問題を立ちあげるべき地点に至っているのではないだろうか。

比較文学から共有文学へ、東アジアの共有文学圏へ、研究のシフトを転換すること、そこからはじめたい、と思う。共有圏の前提をふまえて、そこから初めて重なるところとずれるところなど、種々の位相が見えてくるはずである。たとえば、絵巻は日本の文学・美術の優れた所産とみなされるが、紙の発明にともない、紙を横に貼り継いでできた巻物（書誌学では「巻子《かんす》」）に絵や言葉を描いた形態は、まさに中国から東アジアに広まり、共有された文化であり、〈漢字漢文文化圏〉の一環としてある。日本の絵巻だけ抽出してほかを捨象してその特性を論ずるのはもはや偏頗な観点と言わなければならない。巻子文化における絵画と言葉の相関の課題として、東アジア全体の視野からとらえ返すことで、初めてそれぞれの地域における絵巻の特性が見えてくるだろう。

以上の見地から第一巻「東アジアの文学と異文化交流」、第二巻「東アジアの漢字漢文文化圏」、第三巻「東アジアの文学圏」、第四巻「東アジアの環境と風俗」という構成で、近年関心の集まっている東アジアをめぐって、文学を中心としつつ、広く歴史、宗教、美術、民俗等々の文化領域をも視野に入れ、新たな研究の世紀を拓いていくことを指向（試行）したいと考えるものである。

参考文献

・『東アジア海域叢書』全二十巻、汲古書院、二〇一〇年〜。
・『東アジア海域に漕ぎだす』全六巻、東京大学出版会、二〇一三〜一四年。
・『東アジア仏教』全五巻、春秋社、一九九五〜九七年。
・『新アジア仏教史』全十四巻、佼成出版社、二〇一〇〜一一年。

・渡辺浩『東アジアの王権と思想』東京大学出版会、一九九七年。
・西嶋定生『古代東アジア世界と日本』（李成市編）、岩波現代文庫、二〇〇〇年。
・李成市『東アジアの文化圏の形成』山川出版社、二〇〇〇年。
・李成市『闘争の場としての古代史―東アジア史のゆくえ』岩波書店、二〇一八年。
・弥永信美『幻想の東洋―オリエンタリズムの系譜』ちくま学芸文庫、二〇〇五年。
・金文京『漢文と東アジア―訓読の文化圏』岩波新書、二〇一〇年。
・深谷克己『東アジア法文明圏中の日本史』岩波書店、二〇一二年。
・石川九楊『漢字とアジア―文字から文明圏の歴史を読む』ちくま文庫、二〇一八年。
・石井公成『東アジア仏教史』岩波新書、二〇一九年。
・井筒俊彦『意識と本質―精神的東洋を索めて』（一九九一年）、『意味の深みへ―東洋的哲学の水位』（二〇一九年）、『コスモスとアンチコスモス―東洋哲学のために』（岩波文庫、二〇一九年）。
・小峯和明「東アジアにおける日本文学―研究の動向と展望」、『日語学習与研究』対外経済貿易大学、二〇〇九年二月。
・小峯和明『中世日本の予言書―〈未来記〉を読む』岩波新書、二〇〇七年。
・小峯和明「東アジアの〈東西交流文学〉の可能性―キリシタン・天主教文学を中心に」アジア遊学114『東アジアの文化圏―比較から共有へ』勉誠出版、二〇〇八年。
・小峯和明「東アジア文化圏と中世文学」、『中世文学』64、二〇一九年。
・小峯和明編『漢文文化圏の説話世界』竹林舎、二〇一〇年。
・小峯和明編『東アジアの今昔物語集』勉誠出版、二〇一二年。
・小峯和明編『日本文学史』吉川弘文館、二〇一四年。
・小峯和明編『東アジアの仏伝文学』勉誠出版、二〇一七年。
・小峯和明監修『日本文学の展望を拓く』全五巻、笠間書院、二〇一七年。

序――はじめに交流ありき

東アジアの文学と異文化交流

染谷智幸

1 はじめに

「はじめに言葉ありき」とは、すべては神の言葉から始まったというキリスト教の聖句である（新訳聖書ヨハネによる福音書）。解釈に諸説があるが、事物に付随する形で「ことば」が生まれたのでなく、「ことば」が逆に事物を存在させたという摂理の意で使われることも多い（鈴木孝夫『ことばと文化』岩波書店、一九七三年など）。このひそみにならえば、いま東アジアの文化・文学を考える際、最も重要な視点の一つとは「はじめに交流ありき」ではないだろうか。

2 激動の七世紀と日本

たとえば、すでに人口に膾炙した話だが、日本という国号や、その国号制定の折に生まれた制度（律令制）の背景を探る時、この「はじめに交流ありき」という摂理がまさに縦横無尽に力を奮っていたことに気付く。

日本が「日本」という国号を使う前に「倭」と呼ばれたことはよく知られている。その倭が日本になったのはいつなのか。[*1] これも諸説があるが、七世紀後半から八世紀初頭[*2]であることには学者の意見がほぼ一致している。すなわち、隣国の朝鮮半島が大いに乱れ、高句麗・百済・新羅の三国体制が動揺し、最終的に、唐と新羅の連合軍が高句麗・百済を滅ぼした時である。日本は百済との同盟的関係から朝鮮半島に出兵したものの、唐と新羅の連合軍に破れた。これが白村江の戦い（六六三年）である。

この後、倭（日本）は、新羅と唐との連合軍（とくに新羅）との戦いに備えて、防衛線策定による土塁の建設など準備しながら、国内の豪族連合的体制を中央集権的、とくに中国で行われていた先進的な政治体制、すなわち律令制を整えることで新しい事態に対峙しようとした。結局、唐と新羅が対立したことで、日本の備えは杞憂に終わり、北東アジア情勢はさらに複雑化するのだが、そうした中で日本という国号が登場してくるのである。つまり、日本という国号を旗印にし、天皇を中心にした中央集権的な政治体制を作りだした日本は、激動の東アジアとの交流によって開眼した世界観と、唐と新羅に対する緊張感・恐怖感の中から立ち上がってきたということになる。

このことは、東アジア、とくに日本の文化・文学を考える上で決定的に大事である。なぜならば、日本という国は東アジアの激動の交流という坩堝《るつぼ》から立ち上がってきたからである。日本は「はじめに交流ありき」の国だったと言っても良い。むろん、中国や朝鮮もそれは同じなのだが、日本はとくにその傾向が色濃かったのである。*3

ところが、日本は島国だという地理的条件が曲解されて、古代から独自の文化を育んだかのような幻想が横溢してしまった。それは無理ないことでもある。先の中国・新羅に対抗しようとした日本という図式は、いかに相手側からさまざまな影響を受けようとも、さもそれらは自らが作り出したかのように振る舞うことを要求したからである。いささか古めかしい言葉を使えば、ルサンチマン（怨恨）ということになるが、そうした心性からは相手からの影響を認めるような資料は残りにくかったであろうし、また事実あまり残っていないのである。しかし、先の七世紀の日本の状況を考えれば、東アジアの日本への影響が計り知れなかったことは言うまでもない。要は、影響には表面化するものとしないものがあり、実は表面化しないものの方がより深刻な影響の授受があることになる。

よって、東アジアの異文化交流とは、そうした表面化しないものにも十分注意を払って見ていく必要があるのである。

3　交流からみる東アジアの文化と十六世紀

この交流の視点の重要さを鑑みるに、従来の日本文化・文学研究が、あまりにそうした視点を等閑《なおざり》にしてきたことに驚かざるを得ない。自省の意味も込めて言えば、その象徴が、従来の日本古典文学研究であろう。たとえば、日本の古典文学研究における、東アジアへの視点は、中国（古典）との比較、つまり中国から日本への線条的、かつ一方通行的影響の検証に終始してきた。むろん、これとて一国中心主義よりはましなのだが、こうした視点からは、朝鮮やベトナムを始めとする他の東アジア周辺国家・民族の文化活動や、そことの日本の交流が抜け落ちてしまうだけでなく、周辺国家や民族同士に広がろうとする交流や葛藤も抜け落ちてしまう結果になった。

もちろん、これは先に述べた表面的な交流ということになるから、ここからさらに一段、表面化しない、見えない文化交流の影響を捉える必要があるのだが、そこへ行く前に、やはり表面的な、目に見える文化交流の歴史を押さえておく必要がある。

とはいえ、この限られた紙幅で交流史全般に眼を向けることは無理であろう。そこでここでは、東アジア史を見渡して、最も重要だと思われる文化交流の歴史に絞って叙述を試みたい。その最重要の交流史とは、時期は十六世紀、エリアは東アジアの周辺域である。

東アジアの周辺は、古くから活発な交流・交易が行われていた。代表的なのは、三世紀に始まる中国の入竺僧によるインドとの交流、日本がまだ倭であった時代（四世紀末）の朝鮮（三国時代）半島との交流（好太王碑文に載る倭の半島進出や侵攻）や、その後の百済滅亡と倭への文化人や文化の渡日、また中国南部の東南アジアとの南海交易などがあった。しかしこれらは東アジアとその周辺という域内を出るものではなかった。

また、東アジアとグローバルな世界との交流と言えば、古くはシルクロードを通しての地中海世界との交流があり、元《げん》のヨーロッパ侵攻（十三世紀）、南海交易を通してのムスリムとの交易（十三世紀）、明の中東・アフリカへの大遠征

（鄭和、十五世紀）などがあった。しかし、これらも限定的なもので、本格的なグローバルな世界との接触・交流は、世界史を画すことになった十五・十六世紀の大航海時代に至って起こったのである。

この時代における東アジアのヨーロッパ世界との接触・交流は、中国海岸部、日本、琉球、台湾、ベトナム、マニラといった東アジアの周辺国家・民族・都市を中心に、国家や民族の枠を越えた海商・海賊などの勢力が積極的にヨーロッパ勢力と交流を繰り広げたものだった。

この大航海時代のグローバルな東西交流を第一波とすれば、第二波は近代の産業革命によって強国となった西欧諸国の世界システム化（イマニュエル・ウォーラスティン『近代世界システム』）の中に東アジア諸国が組み込まれた十九世紀のことである。そして、この第二波の中からいち早く近代的な発展を成し遂げていったのも、同じく日本を始めとした東アジア島嶼部、中国海岸部といった東アジアの周辺領域の国家や都市だった。

4 中心・周辺・亜周辺

先に、日本の古典文学研究が、アジアや東アジアに目を配る時、中国から日本への線条的、かつ一方通行的影響の検証に終始してきたと述べ、その弊害として朝鮮やベトナムなどの他の周辺文化の見落としがあると述べた。たが、その周辺でも、朝鮮と日本を比較すればすぐ分かるように、中心との位置の取り方、周辺同士との関係の作り方など大きな違いがある。そこで、こうした東アジアの周辺域そのものへの見直しから、中国の周辺国家・民族を「周辺」（＝朝鮮・ベトナム）と亜周辺（＝日本・島嶼部）に分ける視点が提出され、注目されている（湯浅赳夫『「東洋的先制主義」論の今日性』、柄谷行人『帝国の構造―中心・周辺・亜周辺』[*4]）。東アジアを中心と周辺という単純な構造ではなく、周辺をさらに区分け・階層化することによって、周辺領域自体の複雑な動向や関係に目を向けようとする視点である。

この亜周辺が重要なのは、周辺が中心文明・文化の影響力下あって、そこからなかなか自由になれなかった（と同時に中心よりも中心足らんとすることもあった）のに対して、亜周辺は比較的に自由であったことに加えて、他の中心文明・

文化の亜周辺と対等で自由な交流が可能だった点である。

地理的観点から言えば、海岸部や島の位置であり、宗教的観点から言えば、なんでもありの多神教であり、言語的にはハイブリッドな多様性を保持し、人間として見れば、あぶれ者・はみだし者ということになる。しかし、この亜周辺は、中心や周辺に比べて、交通と交易が発展しやすかった。とくに商業や資本制は、この亜周辺で著しく発展したと言ってよい。そして、この商業や資本制、とくに資本制が現代文明の礎《いしずえ》の一つになっているとすれば、亜周辺の生成と展開の歴史を探査してみることは、現代を読み解くことはもちろん、未来を考えてみる上で魅力的な視点を我々に提供してくれるはずである。

たとえば、かつて大林太良は「海と山に生きる人々」[*5]（『山民と海人』日本民俗文化体系・第五巻）という文章の中で、この亜周辺のシステムとしてきわめて魅力的な視点を指摘していた。それは、西日本と朝鮮・中国東海岸の港湾における人的・文化的交流の様相を明らかにした上で、そうした遠方域の港湾同士では、酷似した文化現象が現れるのに、港湾のすぐ近くの後背地とは、その文化に著しい違いを見せていたという指摘である。

すなわち、この亜周辺に展開する文明・文化とは、たとえ遠方であっても、無主の海、そこでの海運を介して直接につながり、同じ文明・文化を育むことができたということである。いわば、トポス（場所）を越える文明・文化の存在が、この亜周辺には可視化されていたのである。

とすれば、東アジアの亜周辺・島嶼部の港湾を中心にした都市において、他の地域・海域・亜周辺域とどうつながっていたのかはきわめて重要な問題である。たとえば、十六・十七世紀にアジア全域に広がった日本人町の多くは、アユタヤ（現タイ）やホイアン（現ベトナム）が良い例のように、その周囲に当地の町のみならず、フランス・オランダ・中国といった主要国家の人間達が居住する地域に隣接していた。ここでさまざまな交流があったはずだし、また、近代以降もそうした港湾都市で世界の国家・民族が交流を深めたことは言うまでもない。

なお、この場所の制約を逃れて自由につながることができるという原理は、現代のＳＮＳ（ソーシャルネットワークサービス）にも通じることである。デジタル回線でつながるＳＮＳやインターネットと同じ原理が、過去にも無主の海という回線を通じて存在していたとすれば、それはたとえ原初的なものにとどまっていたにしても、現代の問題を考える上でさまざまな知見をもたらすことになるだろう。

5　表面化しない交流

こうした中心・周辺・亜周辺、あるいは周辺の複雑な構造・階層を理解する上で重要なのは文化・文学、とくに文学の視点である。

言うまでもなく、文学研究とは、森羅万象を、事実の指摘やその考察のみならず、人間の想像力を基にした詩歌・物語などから心意伝承に至るまでを扱い、多面的で豊かな視点から、人間やその社会を探索することにある。

本巻のテーマである「交流」には、古くからこうした心意伝承が神怪譚や奇瑞譚として深く関与していた。本巻に、東アジアの交流を跡付ける「東アジアの往還」、東アジアの周辺文化を解き明かす「島嶼の文化」に加えて、「海域と伝承」「東アジア聖地」を盛り込んだ意図はそこにある。また、現在では資本制（資本主義）という洋装をまとっている交易の世界でも、近代以前は様々な心意伝承や信仰と結び付いていた（「交易と文化」）。これらは言わば表面化しない交流である。

さらに人間の想像力や心意伝承に注目することは、人間の共同体や国家・民族がそうした想像力や心意伝承抜きに成り立ち得ないことを見出すことになる。先にも述べたように、豪族の連合国家に過ぎなかった倭が、律令国家として脱皮して日本となったのは、白村江の敗戦以後の、唐・新羅中心の新しい東北アジア体制への緊張から来る、恐怖幻想抜きには考えられない。また新しくは、ヨーロッパや明治以降の日本を始めとする近代国家が、国家・国民・国語という共同幻想を持つことで初めて成り立ち、またその共同幻想がドミノ倒しのようにさまざまな国家・民族の近代国家化を誘発していったことが示すように（ベネディクト・アンダーソン『想像の共同体――ナショナリズムの起源と流行』）、交流に即して喚起される人間の想像力やそれに伴って生まれる心意伝承こそが、共同体間、国家、民族間の対応を左右することになる。

むろん、想像力や心意伝承は人々の緊張感・恐怖心を呼び起こすものだけでなく、時に人々の心を深くつなぎとめることもある。そうした例を交流の歴史の中から一つ挙げておこう。それは、江戸時代に唯一対等に国書を交わした隣国朝鮮との間で行われた朝鮮通信使行である。

江戸時代には十二回ほど朝鮮通信使の来日があった。その第十一回目の宝暦十四年（明和元／一七六四年）の使行（いわゆる*宝暦使行）は、朝鮮通信使行中、とりわけ重要な問題を日朝内外に提起した。一般的に使行における日朝文士の交流は、筆談や手紙における詩文の交換に依ったが、この十一回目の宝暦使行では江戸からの帰途大坂において、使行員（都訓導）の崔天宗が対馬《つしま》の伝語官・鈴木伝蔵《すずきでんぞう》に殺害されるという一大事件が勃発したため、日朝文士の間で詩以外にもさまざまな文章が筆談・手紙などによって交わされる結果となった。またこの事件処理のために朝鮮使節は一ケ月もの間、大坂に滞留を余儀なくされ、結果的により多くの日朝文士の詩文・記録等が遺されもした。

それらの交換された詩文を見ると、驚くことに、崔天宗殺害という外交上の大事件が勃発したにも関わらず、文士同士の相互信頼に裏打ちされた交流が終始行われていた。この背景には日朝文士間の詩文の才能への信頼があったと考えられる。中国を中心にした漢文文化圏（金文京『漢文と東アジア──訓読の文化圏』）の知識人の一員として、相互の才能を認め合う文学上の交流回路が開かれていたからである。

翻って、現代の政治家による国益を振りかざしての国家間の衝突を見る時に、もはやこうした文学的・文化的交流の回路が失われてしまったことに気付く。今の政治家に文学・文化的交流を求めるのは無理だとしても、そうした回路を担保しておく必要があることを、この朝鮮通信使行は我々に教えてくれている。と同時に、表面化しない交流の多寡こそが、交流の強度に深く関わることも、である（なお、この朝鮮通信使行については、本巻第一部「東アジアの往還」における高橋博巳の論文、鄭敬珍のコラムを参照されたい）。

＊この十一回目の使行についてはさまざまな呼称が行われているが、一七六四年は六月に宝暦より明和に改元されている。六月は朝鮮通信使が帰国した後であり、その帰国を待って改元されたと考えられることから、宝暦使行と呼んでおく。

6　本巻の各テーマについて（一）

こうした表面化しないものまでを含めた、東アジアの交流の実態を浮かび上がらせるために、本東アジア文化講座の第一巻では、「東アジアの文学と異文化交流」というテーマを設定し、さらに内容を「東アジアの往還」「海域と伝承」「島嶼の文化」「交易と文化」「東アジアの聖地」の五つに分けた。

まず「東アジアの往還」。東アジアには中国が冊封体制（中国の皇帝と周辺諸国の支配者の間に君臣関係を結ぶ国際秩序）があったために、中国と周辺諸国にはさまざまな「往還」があった。しかし実際には、中国以外の支配者同士、またその支配者の周辺との「往還」がさまざまにあり、それが多様な文化の駘蕩《たいとう》を生んでいた。よく知るところでは、朝鮮と日本との間の朝鮮通信使であり、日本と琉球の慶賀使・謝恩使であった。こうした言わばヨコやヨコに近い関係は、中国との冊封というタテ関係とは質の違った文化交流を生みだしていた。また、そうした正式な交流とは別に「渡海」や「漂流」といった私的な交流も盛んに行われた。とくに表向きには「漂流」と称する密貿易があったように（江戸時代中期の唐船によるものが有名）、支配層以外の「往還」も東アジアではきわめて盛んであった。また、この亜周辺の「往還」は当然、東アジア以外との「往還」につながり、大航海時代におけるヨーロッパ諸国との交易、キリスト教とのつながりは、その象徴的事象であった。

次の「海域と伝承」であるが、これも周辺や亜周辺、そして海域を考える際にきわめて重要な視点である。十九世紀の近代に至るまで、東アジアの海域は人知の及ばぬ場所であった。それゆえに神怪の領域であり伝承の宝庫であった。この海域は亜周辺であるために、他の亜周辺の海域と深く結び付くこともあった。たとえば、中国で生まれた航海神媽祖《まそ》への信仰が、南はベトナムから北は日本の東北地方まで、国家・民族を越えてつながっていたことは良く知られているが、媽祖を観音信仰の一体だと考えれば、それはベトナムを越えてインドシナ、さらにはインドの世界につながってゆく。観音はきわめて広範囲にわたる航海神であると同時に、東アジアと南アジアをつなぐ世界神（世界宗教）でもあったことになる。亜周辺と他の亜周辺がどうつながっていたのかを考える時に、この観音を代表とする海域の伝承はきわめて重要な視点となる。

次の「島嶼の文化」であるが、海域を第一に象徴するのは半島と島である。とくに島は半島や陸とは全く違った文化の発展や交流の現象が見られる。よく知られたことだが、九州の南、大隅諸島から奄美、沖縄、そして八重山諸島までの群島で、隣接する島々でも文化・風俗が大きく違うことが指摘されている。こうした群島の交流は、それぞれに独特なものがあり一様ではない。また、琉球と朝鮮の済州島《チェジュ》に活発な交流のあったことが昨今指摘され始めており、遠方との類似、隣接との相違・隔絶と、島嶼の文化交流の多様性は、実に興味深いのである。これを一つ一つ明らかにしてゆくことが、亜周辺の文化の特色を解明する上できわめて重要である。

7　本巻の各テーマについて（二）

次の「交易と文化」は海域や亜周辺の文化を考える上で、最もアップツーデイトな問題であろう。なぜならば、交易は最も古くて最も新しい問題であるからだ。この海域や亜周辺が古くから交流・交易の盛んな世界であったことは前にも述べた通りだが、東アジアで大航海時代にいち早く結びついたのも、この海域・亜周辺であった。文献などには残っていないが、恐らくこの海域・亜周辺は、古くから世界の海域・亜周辺と結び付いていたと考えて間違いない。一方、現代においても、この問題は重要な意味を持ち続けている。その第一は、私も拙論「経済小説の胎動と東アジアの交易」の最後で少し触れたように、東アジアの資本制（資本主義）が日本とその周辺の海域、すなわち東アジアの海域・亜周辺から立ち上がり、欧米諸国の資本制に対峙していった点である。

これは従来ともすると、日本が海域・亜周辺の雄であったと夜郎自大的に言挙げされることがあるが、そうした方

図１　現カンボジアのアンコール・ワット。中央に見えるのは中央祠堂（撮影：染谷）

図２　森本右近太夫の落書き（墨書）。注６の石澤（2009）より引用。現在はポル・ポト政権時に棄損されたため、ここまで鮮明には読めない。

向のみに海域・亜周辺発展の原因を帰一させてはならない。その日本も含んだ海域、ベトナム・中国海岸部・朝鮮半島南部・島嶼部など、すなわち媽祖の信仰域において重商主義が培われたことが何よりも重要だからである。そして、それは日本の江戸期の解禁・鎖国という言わば熟成期間を経由することで、明治期以降の近代に花開いたと考えるべきだからである。

　最後の「東アジアの聖地」は、聖地とのみ言うより、聖地巡礼と言った方が良いかも知れない。聖地とは万人にとっての聖なる地ではない。イスラム教のメッカしかり、キリスト教その他のエルサレムしかり、信奉する者たちにとってのみの聖なる地である（日本の秋葉原がオタク［特定の趣味を持った人及びその集団］の聖地と言われるのも同じ原理である）。重要なのは、その聖地もさることながら、その聖地への巡礼によって、さまざまな人やモノの移動と相互交流が起きるからである。

　たとえば、十七世紀前半の寛永九年（一六三二）に、現カンボジアのアンコール・ワットを日本の熊本藩の武士、森本右近太夫が参拝している。森本がこんな遠くまで行ったのは、父母の作善（仏縁を結ぶための善行）のためであったが、そのことが分かるのは、森本がアンコール・ワットの十字回廊（第一回廊と第二回廊の間）の柱に、その旨の落書き（墨書）を残しているからである。[*6] ところが、アンコール・ワットは言うまでもなくヒンズー教の寺院である。ではなぜ森本がそこで仏縁を結ぼうとしたのか。それは森本がこのアンコール・ワットを仏教の祇園精舎と間違えて認識していたからである。実は、日本にこの森本が作ったとおぼしき祇園精舎の図が伝わっていて、その伽藍配置が完全にアンコール・ワットと重なるのである。そしてさらに、このアンコール・ワットの遺跡には日本人の落書きが十数例も発見されている。つまり、アンコール・ワットは江戸時代の日本人にとって祇園精舎であり、聖地であったのだ。現地に多くの日本人が行っていながら、なぜその齟齬に気付かなかったのか不思議だが、[*7]この聖地への旅の途次、ベトナム中部にホイアンなる港町があり、そこには日本人町があった。このホイアンを始めとする日本人町は、そうした日本人たちの巡礼や交易の中継地として栄えた。

こうした日本人町は十七世紀の初頭、朱印船の交易・交流によって東アジアの海域全般に広がっていたことがすでに指摘されて久しい。しかし、その実態がどのようなものであったのかはまだ不分明である。その一端を解明するものとして、この森本右近太夫のアンコール・ワット巡礼は重要な視点を提供してくれる。

いずれにしても、こうした聖地とその聖地への巡礼が、さまざまな交流や交易を生んだことは間違いなく、またその過程は交流史・交易史として実に興味深いのである。

8 おわりに

「はじめに交流ありき」で述べたことと重なるが、人は「文化」と「交流」を考える時に、どうしても最初に「文化」を設定し、その後に「交流」を考えてしまう。すなわち、個々に確固とした「文化」があり、それが後に「交流」を重ねることによって、「文化」が発展あるいは衰退してゆくという発想である。しかし、「はじめに交流ありき」はその逆で、まず「交流」「関係」を設定する。その「交流」「関係」という中から多くのものが生みだされてゆくという発想である。むろん「文化」の固有性を認めないわけではないが、「文化」を先にする発想からは、国家・民族の独我論に陥ってしまう危険性があることに加えて、本巻で主に取り扱った海域や亜周辺への理解は乏しいものにならざるを得ない。

今、個別の地域を越えた「世界史」への理解が求められている。経済や政治を中心にグローバル化した社会が、そのグローバル化そのものも含めて、さまざまな問題を生むようになったからである。その「世界史」を考える上で、本巻で取り上げた海域や亜周辺はきわめて重要な歴史である。こうした海域・亜周辺を中心に据えた世界史、世界の文化史を再構築することが、今何よりも求められているのである。

注

1 この「日本にな」るという意味は、単なる自称・他称としての謂《いい》でなく、自らの意思として国号を認定・採用した時期という意味である。

2 学者の意見はさまざまだが、大宝律令（七〇一年）を下限とし、上限を天武天皇時代（六七三〜六八六年）、飛鳥浄御原令制定（六八九年ごろ）とする大方の意見に従っておきたい（川崎晃「日本の国号の成立に関する覚書」学習院史学、一九七六年・小林敏男『日本国号の歴史』吉川弘文館歴史文化ライブラリー、二〇一〇年・神野志隆光『「日本」とは何か』講談社現代新書、二〇一六年など）。一部、大化の改新（乙巳の変、六四六年）までさかのぼらせる考えもあるようだが、本章では国号が天皇制＋律令制と共に発揚された点を重視する。よってその発揚された時期として、七世紀後半〜八世紀初は動かないものと見て良い。

3 昨今、書家・書道史家の石川九楊が、倭や倭以前の日本を孤島と呼び、ここは大陸からの「亡命に適した地」であったとして、独自の文字論・文化論を展開している（『図説・中国文化百華』農山漁村文化協会、二〇〇八年）。亡命にしろ漂流にしろ、大陸から多くの人間が日本列島に流れてきたことは間違いない。この人間達は土着の人間たちよりも大陸の文化やその情勢に通じていたことは間違いない。当然、大陸の動きに敏感であったと考えてよい。

4 湯浅赳夫『「東洋的先制主義」論の今日性』新評論社、二〇〇七年。柄谷行人『帝国の構造―中心・周辺・亜周辺』青土社、二〇一四年。

5 大林太良「海と山に生きる人々」『山民と海人』日本民俗文化体系・第五巻、小学館、一九八三年。

6 石澤良昭「アンコール・ワットにおける日本語墨書」ユネスコ刊、碑文集、二〇〇〇年八月。同じく石澤『興亡の世界史11 東南アジア多文明世界の発見』講談社、二〇〇九年。

7 本巻第1部05「大航海時代のキリスト教とアジア」で岡美穂子が触れているように、ザビエルによって日本に伝えられたキリスト教の一部が仏教として誤って伝えられていた可能性があり興味深い。戦国末期から江戸初期にかけて、言葉と宗教の違いは、今考える以上に大きな齟齬を生みだしていた可能性がある。

第1部　東アジアの往還

01 渡海記と漂流記

十六世紀以前を中心に

鈴木 彰

1 渡海記・漂流記という資料群

「渡海記」とは、第一義的には、ある目的のもとで意志的に海を渡って異国・異郷を訪ねた、あるいは訪ねようとした人々、また、図らずもそうした状況に追い込まれてしまった人々によって著された体験記・見聞記ということになろう。ただし、とくに文芸・文化という視座からそれと向き合おうとするとき、渡海者本人の著作のほかに、当事者の談話に基づく聞書や各種の史書類にみえる渡海記録、それらを含む諸資料をもとにした後世の編纂物や考証的著作、あるいは逸話・口碑《こうひ》伝承、各種の創作文芸なども併せて視野に入れておくべきだろう。分析・解明したい事柄との関係で、それらには資料・史料としての性質や価値が異なることはいうまでもない。

水や炎や大地や風といった自然の圧倒的な力に対して、生身《なまみ》の人間はじつに無力である。人の体力と風の力が船の主動力であった時代から今日に到るまで、渡海には常に困難と危険が伴ってきた。人がどれほど準備し、操船術を磨き、知識と智恵を身につけていようと、渡海に万全はありえない。そうした、人の力ではどうにもならない領域へのはたらきかけが、神仏にすがるという行為であった。渡海という営みには、祈り・信仰という心の領域にかかわる活動が必ず付随している。

しかし、どれほど心を込めて祈ろうとも、天候の変化による漂流、座礁、海賊行為による被害、漂着先での二次被害など、命を失う可能性をも含んださまざまな望まぬ事態に巻き込まれることもある。まして、全地球規模で世界の姿かたちが細部まで可視化され、知識・情報化されている今日とは大きく異なる状況下でのことである。船が未知なる海域へと進み、初めての地（異郷・異国）に入り込む際の不安や恐怖や覚悟は、もちろん経験の多寡や感受性の違いによっても濃淡があったはずだが、いずれにしても、それが自らの生死と直結した、避けがたい実感であったという点を看過することはできない。

渡海記のなかには、風や波に翻弄されて海上を漂流した体験を語るものがある。それらは「漂流記」（漂海録）としての意義を併せ持つことになる。

漂流記について、日本では近世の漂流記をめぐる議論が最も進んでいる。そこでは、海禁政策によって海外渡航が公的に制限されていた時代における制度史（とくに東アジアの漂流民送還体制）の研究を中心として、対外認識・自国観の様相や海外情報の流通をめぐる問題などを検討するための歴史史料としての意義が追究されてきた。日本近世の漂流記は、他の諸国や他の時代のそれと比べて、作成数も残存点数も圧倒的に多い。[*1] それらを分類する試みもなされており、漂流者主体と記述者との関係を考慮して、①漂流口書《くちがき》、②編纂物漂流記、③炉辺談話《ろへんだんわ》型漂流記、④自筆記録の四種に分類する案や、漂流記か漂流記録かという議論とも連動させつつ、「漂流記録」を①口書、②手書、③聞書、④実録本に分ける案が提出されており、なお議論が続いている。[*2]

ただし、実際には中世以前にも、近代以後にも、また日本以外の国々にも漂流記（あるいは漂流記事を含む文献や漂流記録）は数多く存在する。性質の異なるそれらを大局的に論じることは難しいのだが、文学史や文化史、とりわけ人の営みとしての表現史という観点から渡海記・漂流記という資料群と向き合おうとする際には、いったん時代や国、地域といった制限を解き、人の力ではどうにもならない状態に陥る漂流・漂海という体験が、ある立場・観点から、何らかの目的のもとで記されているものを、漂流記の要素をもつ資料群として俯瞰し、通史的に把握しようとする姿勢を放棄してはなるまい。その一方で、個々の検討課題と各資料の性格を踏まえた個々の議論を、実証的に深化させていけばよい。

渡海記も漂流記も、実際には海上での出来事・体験のみを記しているわけではない。解纜《かいらん》までの様子、渡海先での生活ぶりやさまざまな見聞（説話・伝承や言語なども含む）、帰朝・送還の際の様子、帰朝・送還後の出来事（漂流民の場合は取り調べの様子を含む）、故郷に戻ったあとの様子などが、その構成要素となる。したがって、これらが紀行文というジャンルの作品群と隣接し、交錯した著作であることは明らかである。また、異国・異郷への渡海ではないが、たとえば紀貫之《きのつらゆき》『土佐日記』（十世紀）や源通親《みなもとのみちちか》『高倉院《たかくらいん》厳島《いつくしま》御幸記《ごこうき》』（十二世紀末）のように、海路をとって複数の地点に立ち寄りながら、ある目的地に向かう道のりを記した渡航記とでもいうべき著作も少なからず存在する。そうした、海と人間の関わりを扱う文芸作品群との連続性にも配慮しておきたい。

海をめぐる東アジアの文芸史・文化史は幅広く多彩で、そこには海とともに生きてきた人々の姿と心性が刻み込まれている。渡海記・漂流記はそのなかに系譜をなす一群として存在している。近年、「海域アジア」という地理認識が提唱されているが、[*3]本章では、そうした陸地だけではなく海を含めた地域把握を志向しながら、東アジアの文芸圏を問うという意味で、海で結ばれた複数の国や地域の間を往還した異国・異郷体験を記した渡海記・漂流記を、おもに念頭において記述を進めていきたい。

2 渡海記・漂流記の分布と系譜

『漢書』地理志に、「楽浪海中、倭人あり。分かれて百余国と為す。歳時を以て来たり献見すと云ふ」とある。このころすでに、前漢は楽浪郡を通して倭人の住む地を認識していたのであり、今日でいう日本列島と朝鮮半島の間には定まった交流関係が成り立っていたと考えられている。以来、外交、交易・流通、伝法・求法、流刑、戦争・侵略、亡命といった目的をもって、あるいは、漂流したり捕虜となったりすることで本人が望まぬままに、多くの人々が東アジアの海を渡った。

近世日本の漂流者の漂着先として、八丈島・青ヶ島・鳥島・小笠原諸島・パラオ諸島・ハワイ諸島・沿海州・朝鮮半島・中国大陸・琉球・台湾・バタン諸島・呂宋《ルソン》・香港・マカオ・安南（ベトナム）・ミンダナオ島・千島列島・カラフト・カムチャッカ半島・アリューシャン列島・アラスカ・カナダ・北アメリカを確認できるという。*4 漂流期間や漂流先には本来の渡航目的や船の大きさ、乗員の構成などが少なからず影響するため、この分布をそのまま過去にさかのぼらせることはできないが、遣唐使関係でも漂流記事が散見するように（『日本書紀』『続日本紀』など）、古来、記録に残らなかった事例も併せて、じつに多くの漂流者が意図せざる渡海をしたことがうかがえる。そして、漂流記は生き延びた人の記録であるから、その背後にはさらに多くの漂流事件と海上または異国異郷で亡くなった人々の存在を想定しておく必要がある。

渡海者のなかには、渡海記・漂流記を記した者も少なからずおり、その残存例も相当数にのぼる。なかでも膨大な数にのぼる日本近世の漂流記・漂流記事については、すでに年表やリストの作成が進められているため、ここではまず十六世紀以前の東アジア海域と関わる日本の渡海記・漂流記をいくつか例示し、その様相を概観してみよう。

まず、古くは伝法・求法を目的としたものとして、九世紀の円仁《えんにん》『入唐《にっとう》求《ぐ》法巡礼行《ほうじゅんれいぎょう》記《き》』が、最後の遣唐使船にかかわる渡海記としての意義をもつ。こうした求法のための渡海僧の著作としては、他に十一世紀の成尋《じょうじん》『参天台五台《さんてんだいごだい》山記《さんき》』もある。また、慶政《けいせい》は、寛元元年（一二四三）の渡宋の際に琉球に漂着した人々の伝聞を記した『漂到琉球国《ひょうとうりゅうきゅうこく》記《き》』を著しているほか、永保二年（一〇八二）に入宋した僧戒覚《かいかく》の渡海記『渡宋記《とそうき》』を自ら書写してもいる。さらに、自らの入宋体験をまとめた「證月上人《しょうげつしょうにん》渡《と》唐日記《とうにっき》　一巻」（『本朝書籍目録』）もあったらしい（散佚）。渡海記が伝播する状況や動機をうかがわせ、興味深い。

南方海上にあると信じられていた観音浄土をめざした補《ふ》陀落《だらく》渡海は、一種の捨身往生行として平安末期にはすでに行われていたと考えられている（『台記《たいき》』康治元年［一一四二］八月十八日条）。基本的には片道の渡海であるが、そうした渡海行が長く続けられていたこと*5と併せて、関連する渡海記として、十六世紀に補陀落渡海をめざして琉球に漂着し、以後琉球・薩摩で活動した日秀《にっしゅう》に関わる『開山日秀上人行状記』『日秀上人伝記』などが視野に入ってくる。これらの中には、過酷な漂流体験を記すものも含まれている。

禅僧を中心として元・明には多くの僧が渡った。そのさまは、各種の「語録」類に収録された文章からうかがい知ることができる。日明貿易に関わる渡海記としては、笑雲瑞訢《しょううんずいきん》（宝徳度遣明船の従僧）の『笑雲入明記』、策彦周良《さくげんしゅうりょう》（天文八年度船副使・天文十六年度船正使）の『初渡集《しょとしゅう》』『再渡集《さいとしゅう》』の三点が伝わり、永享四年度船と宝徳度船に乗った樟葉西忍《くずばさいにん》の談話の聞き書き集『唐船日記《とうせんにっき》』もある。

十七世紀に入ると、海外渡航が制限されることになるが、渡海記としては文禄・慶長の役や琉球侵攻といった、戦乱に関わった武士や僧の体験記としての渡海記・漂流記が多く残されている。慶念《きょうねん》の『朝鮮日々記《ちょうせんにちにちき》』、毛利家配下の吉見元頼《よしみもとより》の命で記された下瀬頼直《しもせよりなお》の『朝鮮渡海日記』、佐竹氏の渡海を記す『大和田重清《おおわだしげきよ》日記』、島津氏配下の新納忠増《にいろただます》による『忠増渡海日記』、市来孫兵衛《いちきまごべえ》『琉球渡海日々記』などじつに多彩である。

近世には航路の拡張と船の構造の進化により、海運が発達するが、それに伴って海上遭難事件も増加する。そうした船に乗るのは僧や武士ではないため、以後は海上輸送に関わる人々の体験・見聞をもとにした漂流記が作成されるようになる。海禁政策とも関わって、それらは膨大な量にのぼるが、なかでも『船長《ふなおさ》日記』（三河国新城《しんしろ》の池田寛親《ひろちか》が、尾張船督乗丸の船長重吉の談話をもとにまとめた漂流記。文政五年〔一八二二〕成）は文学としての分析、評価が試みられている代表作例である。*6

近世の日本で大量の漂流記が作られたのと対照的に、同時期の中国では漂流記にあたる著作はきわめて少ない。その理由の一つは、清政府がアヘン戦争以前には外国事情や情報に無関心であったことだという。*7そうしたなかで、蔡廷蘭《さいていらん》『海南雑著』は貴重な漂流記として注目される。道光十五年（一八三五）、厦門《アモイ》から出船して漂流し、越南国（ベトナム）広義省へ至った海上体験（「滄溟紀険」）と、厦門までの帰路の旅日記（「炎荒紀程」）、そして越南見聞記（「越南紀略」）の三部構成でまとめられている。[*8] このほか、独立した漂流記としては「漂泊異域」（清・鄭光祖《ていこうそ》撰『醒世一斑録』五所収。日本への漂着）や、清・潘鼎珪《はんていけい》の「安南記遊」（清・呉震方《ごしんぼう》編『説鈴』前集第九所収。ベトナムへの漂着）の存在が知られる程度である。

ただし、古くは法顕《ほっけん》『仏国記《ぶっこくき》』（『法顕伝』とも。五世紀初頭）に南海航路が描かれるように、諸書に関連記事が含まれている。とりわけ、『元史《げんし》』『明実録《みんじつろく》』『諸蕃誌《しょばんし》』といった史書・地誌類には多くの海域・渡海・漂流記事を見いだせる。それらのなかには、表現史や説話・伝承の分析といった観点から注目に値するものも少なくない。

朝鮮時代の渡海記としては、一四二〇年に使節として日本を訪れた宋希璟《ソンヒギョン》『老松堂日本行録《ろうしょうどうにほんこうろく》』のほか、歴代の朝鮮通信使によってまとめられた多くの漢文体の日本見聞録（申維翰《シンユハン》『海游録《かいゆうろく》』一七一九年など）が視野に入ってくる。主なものは『海行摠載』に収録されているが、他にもハングルで書かれた唯一の通信使日記『일동장유가（日東壮遊歌）』や壬辰倭乱での捕虜の著作や伝記（姜沆《カンハン》『看羊録《かんようろく》』や「趙完璧伝」など）にも、日本やベトナムなどへ渡った際の記事がみえる。

日本近世の多くの漂流記と異なり、朝鮮時代の漂流記には、各地へ漂流した当事者の著作がいくつも残されており、貴重である。一四八八年、任地済州島《チェジュド》からの帰路で漂流し、明を経由して帰国するまでの体験を、朝鮮国王成宗《ソンジョン》の命で著述して進呈した崔溥《チェブ》『漂海録』は、十六世紀に朝鮮と日本で刊行されており、最もよく読まれた漂流記である。

この他、粛宗《スクチョン》二十二年（元禄九年［一六九六］）五月、蝦夷地に漂着した李志恒《イヂハン》の『漂舟録』[*9]、済州島の儒生張漢喆《チャンハンチョル》が、英祖《ヨンジョ》四十六年（一七七一）、済州島から琉球の島への漂流体験をまとめた『漂海録』、純祖《スンジョ》二十二年（一八一七）、筑前の大島浦（現在の宗像市内）に漂着した大芚寺《テドゥンサ》（現在の全羅南道海南郡大興寺《テフンサ》）の僧楓渓《プンゲ》が、帰国後の一八二一年にまとめた『日本漂海録』[*10]などがある。また、一六八七年の済州島吏民のベトナム漂着を記した「安南漂流記」（鄭東愈《チョンドンユ》『昼《ちゅう》永編《えいへん》』所収）は、訳官だった李斉聃《イジェダム》が一七二七年に済州島で高商英《コサンヨン》から漂流の顛末を聞書して作成した漂流記をもとに、それを略述したという形式をとる。[*11]

森山貞次郎撰・西清美編画『清国漂流図』文化 11 年（1814）序（早稲田大学図書館蔵）より

ベトナムで著された漂流記としては、一八一五年、薩摩国に漂着した越南船の船員だった鄧有杯《とうゆうはい》（环《かん》とも）の談話に基づく張登桂《ちょうとうけい》「日本見聞録」の存在が知られている。[*12] そして、これらと並んで、西洋社会の人々によって著されたアジアへの渡航見聞記や東アジア各地間の渡海記も数多く存在する（『ハメル報告書』など）。

3　文芸としての渡海記・漂流記

渡海記・漂流記は、特定の国や地域、特定の時期におきた出来事について記している。したがって、個々の事例の分析から検討が始まるのは当然のことだが、とりわけ文芸・文化史の面から東アジアの姿かたちを見渡すためにそれらを読もうとするとき、時代や地域をまたいでゆるやかに連なった資料群としてとらえ、それらを著し、読み、受け継いで来た人々の一連の営みを文化的な動態として把握してみたいところである。

日本では、漂流記への注目は奇譚としての関心から始まった。[*13] しかし、そうした観点は、精緻な実証をめざした歴史史料としての可能性が吟味される過程では必然的に相対化されていく。いくつかの研究領域で、漂流体験が文芸化されていく動きに関心が向けられたこともあったが、いまだ本格化するには到っていないというのが実状である。[*14] 今後、日本近世の漂流記をめぐる重厚な研究史を参照しつつ、中世以前・近代以降に著された渡海記・漂流記の発掘とあわせて、文芸としての渡海記・漂流記論を深めていくことが課題となる。そして、それは日本だけの問題、文学研究だけが担うべき課題ではなく、海域としての東アジア、ひいては全地球的な動向のなかで、ヒトという生き物、文化的存在としての人間のありかたを人文学はどれほど多様に、深く観察しうるのか、そして人類と地球の未来に向けて何をどのように提言できるのか、という問いと対峙しながら進められるはずのものであろう。

そうした展望と関わって、ここでは四つの視座を示しておきたい。

(1) 当事者の言葉と感性

まず、渡海記に記された言葉の質について。渡海記、とりわけ漂流記には、日常とは異なり、自分の命のゆくえを強く意識せざるをえない生活を余儀なくされ、ときには辛うじて生死の境を乗り越えるという経験をした人々の言葉が埋め込まれている。そうした言葉をもとに再構成・編纂・創造された編著もあるが、その表現の根底を突き詰めれば、当事者の言葉に行き当たる。また、渡海・漂着先(異国・異郷)での生活や見聞を語る、何気ない言葉にも、故郷での日常とは異なる感覚が内包されている可能性がある。たとえば、作中には、ときに非現実的とも思えるような体験、判断、解釈が記されているが、それと並んで、現地で見たそれは故郷にあるものと同じだったという意味の言葉がくり返されてもいる。こうした発言を、現実離れした奇談、あるいは取るに足らない証言としてなげうっておいてよいものだろうか。それらを、生死のかかった極限の状況や望まぬ制約下に置かれ続けている人間の観察眼が反映した言葉としてどれだけ受け止められるか。この点は、渡海記・漂流記を読む際のひとつの分かれ目となるのではないか。自力ではどうにもならない危機に陥り、周囲から一線を画された状態で生きることになったとき、人はどうなるのか。そしてどのようにそれを克服したり、挫折したりしていくのか。人間の生態や本性の問題、つきつめれば人間観を問い直す糸口がそこにあるように思われる。

命のかかった非日常的空間から戻ってきた人々の言葉という意味では、渡海・漂流者の言葉は、いくさ・戦場から戻った武士が語る言葉と類似した響きがある。そうした意味で、渡海・漂流者の言葉が記録され、他者によって描き直され、読者を得て文学として展開していく過程は、さまざまな戦争体験を語る言葉がすくい上げられ、軍記が生み出され、読み継がれる過程で物語として変容、再生していく様相を連想させるものがある。

(2) 文学史・表現史との連続性

次に、文学史・表現史との連続性について。これは今後、さまざまな系脈の発見と議論の展開が期待される。たとえば、渡海・漂流に関わる記事やモチーフは、仏典や漢籍でも多く扱われている。その他、物語・文集・地理書・史書・信仰資料(たとえば寺社縁起など)・芸能演劇・覚書などにも散見する。日本文学でいえば、すでに『竹取物語』に漂流や偽装渡海のモチーフが含まれており、その後も、『うつほ物語』『浜松中納言物語』『松浦宮物語』といった渡海・漂流譚を含む物語が作られ続けていく。[*15] 説話集・随筆・唱導資料等に収められた渡海・漂流説話も少なくない(『今昔物語集』『宇治拾遺物語』等)。既知の文献であっても、それを読み返すほどに、関連言説・関連話の裾野は広がっていくことだろう。前述したように、もちろんこれは一国・一地域に限られる問題ではない。また、渡海記・漂流記には、その体験を語る際に、さまざまな地域伝承(たとえば戦争や事件の記憶)や古典に取材した話題や表現や話型が利用されていることも、文学史・表現史の問題としてすくい上げるべき事象である。そしてここには、対外認識・自己認識・地域認識はいかに形成されるのか、という問題も当然関わってくる。

(3) 絵図という方法

三つめは渡海・漂流絵図について。渡海記・漂流記には、順調に渡海する船や激しい波風に翻弄される船の様子、船中での生活風景、海上や渡海先での見聞、地図・海図などを描いた絵図(彩色図もあり)を伴うものも多い。天保九年

（一八三八）に漂流し、生き残ったわずかな者たちが十一年の時を経て故郷富山に帰る過程を記す『時規《とけい》物語』はその代表例といえよう。

絵巻としては、延享五年（一七四八）の通信使の船団が海上を進む様子が詳細に描かれた「朝鮮人来朝《らいちょう》覚《おぼえ》」がある。船内の人々や船を見物する人々の姿が細かく描かれており、船や役人の名前を記すなど記録性を重んじるとともに、戯作の精神をもって記された絵巻として注目されている。[*16] また、来航した通信使船を萩藩の船が警固し、上関港に入る様子を描いた「朝鮮通信使船上関来航図」（山口県上関町超専寺蔵）のような作例もある。

表現・記録の方法には、文字で記すだけではなく、絵図に描くという手段もある。こうした絵図を広義の渡海記として読む試みも進められてよいだろう。言語表現とあいまって、絵という視覚表現を通して、体験者の記憶と、表現者の知識や技法、享受者（読者）の理解力や想像力がせめぎあう関係が生み出される。そこには、単なる事実の伝達・伝播にはとどまらない文化的な脈絡が発生することになる。

また、渡海・漂流中の出来事を絵で描いた作品としては、さかのぼれば、『華厳宗祖師絵伝《けごんしゅうそしえでん》（華厳縁起）』（新羅の華厳宗開祖元暁《がんぎょう》・義湘《ぎしょう》大師の伝記）、『東征伝絵巻《とうせいでんえまき》』（鑑真《がんじん》伝）、『真如堂縁起《しんにょどうえんぎ》』（円仁の遣唐使船）、『漂到琉球国記』といった絵巻群がある。また、「八幡縁起」関係の絵巻・絵入り本やお伽草子『御曹子島渡《おんぞうししまわた》り』、幸若《こうわか》舞曲「大織冠《たいしょくかん》」など、異国との往還・衝突を主題とする物語にももちろん、渡海・漂流場面が描かれており、受容の過程でその絵自体が変容、増殖していく。

こうした絵画をめぐる系譜と動態もまた、渡海記・漂流記から表現史を問い直す際の重要な論点となろう。

（4）既知の文芸を読みなおす

最後に、渡海記・漂流記に関する理解を踏まえて、既知の文芸作品を読みなおし、再評価することについて、簡潔に展望を述べておきたい。

趙緯韓《チョウィハン》が天啓元年（光海君十三年［一六二一］）にまとめた『崔陟伝』は、壬辰《じんしん》倭乱・丁酉《ていゆう》再乱（文禄・慶長の役）を歴史的な背景とし、全羅北道南原を起点に、日本・中国・ベトナムを舞台として展開する、崔陟《チェチョク》とその家族の離散から再会へ展開する壮大な物語（漢文小説）である。本作は「趙完璧伝」との類似・影響関係が指摘されている。趙完璧《チョワンビョク》は実在した人物で、丁酉再乱で捕虜となって日本・京都に連行され、その後、日本の船に乗ってベトナム・フィリピンへの航行経験を経て、故郷晋州に戻った。その体験をまとめた「趙完璧伝」は朝鮮の文人に広く読まれていたことが確認されている。*[17]『崔陟伝』のような海域としての東アジアを往還するモチーフをもつ文学が創成する基盤には、渡海記・漂流記としての性格をもつ文献に加えて、著者と読者のあいだで、漂流体験への関心が累積的に共有されていたことを想定しておかねばなるまい。

実際の漂流体験に基づく漂流記が新たな文芸創作に影響するという関係性は、日本でも成り立っていた。漂流者の証言が制度として蓄積されるようになる日本近世の文学には、とりわけそれが多く見られる。たとえば、『韃靼《だったん》漂流記』（『異国物語』）→『寛永漂流記』→木村理右衛門『朝鮮物語』という書きかえの流れが指摘されている。*[18]伊豆から南方への島渡りや琉球渡海といった展開を含む滝沢馬琴『椿説弓張月《ちんせつゆみはりづき》』の表現も、渡海記・漂流記をめぐる近世社会の動向を背景におかずには理解できまい。

中世以前の文芸にも同様の事情は想定できる。*[19]たとえば、文禄・慶長の役や琉球侵攻に関する渡海記・漂流記は、のちに幕府や各藩で編纂される軍記や史書に利用されていく。それだけではなく、たとえばお伽草子『浦島』（渋川版）の、①女性の漂着、②龍宮への渡海（本話では龍宮は海上にある）、③渡海先での豊かな生活、④帰郷した浦島を知る人がいなかった（すなわち、世が変わり果てていた）という要素に注目してみたい。①に関して、女房がその漂流体験を語り、本国へ帰してほしいと願う言葉が記されているのが注目される。また、②にあたる浦島の渡海は、女房の観点からいえば、漂流者の帰郷・帰国に他ならず、③に関しては、中国へ漂着した漂流者は丁重に扱われ、さまざまな財産が与えられて帰国が取りはからわれたという現実を想起させる。そして、④に関しては、国を出てから足かけ九年ののちに帰国するまでの過程を記した漂流記『華夷九年録《かいくねんろく》』の末尾で、「替り安きはうき世也」として、故郷に戻ってみると、漂流者たちの仏事がすでに済んで墓が築かれており、妻が再婚しているものもある、と語られるのと響き合う。お伽草子『浦島』は、構造面でも、そこに表現される人間の体験の質としても、じつは漂流記ときわめてよく似ているのである。『浦島』につながる古来の浦島伝承は、異界訪問譚としてだけではなく、海域生活者の現実とつながる、渡海・漂流をめぐる人々の体験と記憶の蓄積が下支えしているという観点から読みなおしてみる必要があるだろう。

文芸・文化史の観点から渡海記・漂流記を読む試みは、海域としての東アジアで生きた人々の体験と記憶、そしてそのなかで育まれてきた言葉が形づくる文芸圏と向き合う試みとして、これから本格化するはずの、魅力溢れる領域なのである。

注

1 服部純一編『日本人漂流記文献目録』(同志社大学図書館、一九八四年)では一一〇〇点以上の写本・刊本が項目化されている。他に、加藤貴「日本近世漂流記年表」(『漂流奇談集成』国書刊行会、一九九〇年)などが参考になる。

2 前者は春名徹a「文学としての漂流記」(『江戸文学』32、二〇〇五年六月)による。春名氏は、これ以前には④自筆記録を除く三分類を提唱していた。同b「歴史から文学へ—漂流物語の変質」(『調布日本文化』9、一九九九年三月)など参照。後者は倉地克直『漂流記録と漂流体験』(思文閣出版、二〇〇五年)による。これらをうけて、池内敏「江戸時代日本に残された漂流記」(『絶海の碩学』名古屋大学出版会、二〇一七年)などが提出されている。

3 桃木至郎編『海域アジア史研究入門』岩波書店、二〇〇八年。

4 川合彦充『日本人漂流記』社会思想社、一九六七年。

5 根井浄『補陀落渡海記』(法蔵館、二〇〇一年)など。

6 益田勝実「『船長日記』箋」(『日本文学』10-10、一九六一年十月)の提言にあらためて注目したい。

7 劉序楓「「鎖国」体制下における日中交流—漂流・漂着船を通して」、辻本雅史・劉序楓編『鎖国と開国—近世日本の「内」と「外」』国立台湾大学出版中心、二〇一七年。

8 「海南雑著」を読む会「蔡廷蘭「海南雑著」とその試訳」、『史苑』54-1、一九九三年十二月。

9　池内敏「李志恒「漂舟録」について」、『鳥取大学教養部紀要』28、一九九四年十一月。二種の本文が翻刻されている。

10　金庠基「日本漂海録題辞」「〔附録〕日本漂海録（全文）」、『考古美術』5―1、一九六四年一月。

11　片倉穣「済州島吏民のベトナム漂流記録」（『朝鮮とベトナム　日本とアジア　ひと・もの・情報の接触・交流と対外観』福村出版、二〇〇八年）など。

12　金永鍵「「日本見聞録」について」、『民族学研究』2―1、一九三六年一月。

13　石井研堂は、自らが編集主幹であった児童雑誌『小国民』で漂流記を扱い、そこから漂流記の収集と研究を開始した。そして『漂流奇談全集』（博文館、一九〇〇年）や『異国漂流奇譚集』（福永書店、一九二七年）などを編纂、刊行していく。

14　注2春名論文a・b、白石良夫・法月敏彦・渡辺憲司『江戸のノンフィクション』（東京書籍、一九九三年）、石上敏「漂流記に関する試論―文学ジャンルの問題として」（『文学・語学』159、一九九八年五月）など。

15　丁莉「『竹取物語』に読む古代アジアの文化圏」（小峯和明監修・金英順編『シリーズ日本文学の展望を拓く第一巻　東アジアの文化圏』笠間書院、二〇一七年）、小峯和明『遣唐使と外交神話　『吉備大臣入唐絵巻』を読む』（集英社、二〇一八年）など。

16　『牛窓町史資料編Ⅰ』所収。倉地克直『近世日本人は朝鮮をどうみていたか　「鎖国」のなかの「異人」たち』（角川書店、二〇〇一年）が取りあげる。

17　片倉穣「「趙完璧伝」の一研究」（『朝鮮とベトナム　日本とアジア　ひと・もの・情報の接触・交流と対外観』福村出版、二〇〇八年）など。近年では、朴知恵「『崔陟伝』紹介―韓国における先行研究を踏まえて」（『古代学研究所紀要』26、二〇一八年八月）が、『崔陟伝』に関する研究動向を整理している。

18　注2春名論文a・b。

19　鈴木彰「薩摩海域の龍宮伝承―中近世移行期における薩摩の文化環境」（『立教大学日本学研究所年報』12、二〇一四年七月）、同「文芸としての渡海記・漂流記―海と海域をめぐる表現の系脈」（『淵民學志』24、二〇一五年八月）など。

02

漂流と漂着

『韃靼漂流記』を中心に

水谷隆之

1　はじめに

日本の海運業は江戸時代、商品の大量輸送を目的に沿岸航路が整備され、飛躍的に発展した。しかしその一方、海外への渡航が禁じられていたために、当時の船には造船上の制約に伴う構造的な欠陥があり、外洋航海には不向きで、海難による危険な漂流の報告例も枚挙にいとまがない。

今日多く残された漂流記録については、主に歴史学において研究がなされてきた。しかしながら、歴史学が対象とする漂流記録と、文学における記述とはかならずしも一致しない。たとえば元禄期（一六八八～一七〇四年）に紀伊国《きのくに》屋《や》文左衛門《ぶんざえもん》が、江戸でみかんが品薄との情報を得て、嵐のなか果敢に紀州（和歌山県）から江戸へ海路でみかんを運び巨利を得た逸話は現在も実話としてよく知られるが、それを示す歴史的資料は全く確認できない。それもそのはずで、この逸話は二世為永春水《ためながしゆんすい》の講談、それをもとにした歌舞伎『黄金水大尽盃《おうごんすいだいじんさかずき》』によって江戸時代になされた虚構であり、それを集大成し実話のごとくまとめた明治の実録『今古実録　名誉長者鑑《めいよちようじやかがみ》』（明治十五年刊）によって広く認知された、事実無根の作り話なのである。*1 危険ととなり合わせの海の冒険は、物語を創造する恰好の題材なのであった。

漂流記は、とりわけ近世後期・末期に急増する。なかでも天明二年（一七八二）に駿河沖で遭難してロシアに渡り、エカテリーナ二世に対面してラクスマンとともに寛政四年（一七九二）に帰国した大黒屋光太夫《だいこくやこうだゆう》、あるいは天保十二年（一八四一）に遭難して鳥島に漂着し、アメリカ船に救助されて渡米したジョン万次郎らの壮烈な漂流譚は現在でもよく知られるが、それ以前の日本人の漂流に注目されることはあまりない。

そこで本章では、江戸時代のとくに中期までの俗文芸を例にとり、当時の漂流の史実と庶民文芸とがどのような関係を持ち、あるいは持たなかったのか、またそのなかで日本人の異国へのイメージがどのように形成され、表現されたのかを追ってみることにする。

2　近世前期の漂流

鎖国下にあって異国の情報は限られていたものの、海外への漂流を記した非公式の写本はかなりの数が残されており、当時の人々の異国への関心の高さがうかがわれる。文学においてもいまだ見ぬ異国への憧れや興味を題材にした作品は多い。漂流記事の受容のさまを追うにあたって、まずは近世前期の西鶴《さいかく》（一六四二～一六九三年）作品をしばらく例にとってみよう。西鶴は当時の世相や風俗を最もよく理解し表現した作者の一人だからである。

斬新で奇抜な発想や表現による西鶴の俳諧は、当時「阿蘭陀《おらんだ》流」と揶揄されもしたが、西鶴は「そしらば誹《そし》れ、わんざくれ」（『生玉万句《いくたままんく》』序文、寛文十三年〔一六七三〕刊）と言い放ち、旧来とは異なる新風の俳諧を推し進めた。その西鶴が筆を執った浮世草子『好色一代男《こうしょくいちだいおとこ》』（天和二年〔一六八二〕刊）の主人公世之介《よのすけ》は、日本諸国の好色を経験し尽くしたのち、女ばかりが住むという「女護《にょご》の島」を目指して船出する。浄土を目指して渡海し捨身した「普陀落《ふだらく》船」を、船いっぱいに性具を積み込んだ「好色丸《よしいろまる》」に置き換えて笑いを誘ったパロディであるが、[*2]海に閉ざされたこの国の読者の異国へのあくなき興味に訴えることで、限りある現世の好色から世之介を解き放った結末であると言ってよい。

しかしながら、見知らぬ異国は憧ればかりでなく、怖れの対象でもあった。西鶴が描いた異国漂流譚には『本朝《ほんちょう》二十不孝《にじゅうふこう》』【図1】（貞享三年〔一六八六〕十一月刊）巻二の三「人はしれぬ国の土仏」がある。主人公藤助は、親の諫

図1 『本朝二十不孝』巻二の三（国立国会図書館蔵）

めを聞かず家業を捨てて船出し、大風に流されて漂流する。そして異国で捕らえられ、逆さまに釣り上げられて手足の筋を抜かれ、身体が弱れば薬を与えられ人油を搾られ続けるという、おぞましい末路をたどるのである。つとに指摘されているように、この結末は、『宇治拾遺物語』第一七〇、慈覚《じかく》大師が中国で、人の生き血を絞って布染をする纐纈《こうけつ》城に迷い込んだという仏教説話に材を得たものである。[*3] 西鶴は見知らぬ異国への漂流の漠然とした恐怖を、『宇治拾遺物語』に重ねることで具体化したのであった。

とはいえ、『本朝二十不孝』におけるこの漂流譚が全くの虚構ではないらしいことも見過ごせない。貞享元年（一六八四）、伊勢国度会《わたらい》郡の商船が江戸からの帰路難破してマカオに漂着し、翌年六月、ポルトガル船で十二人が送還された。前田金五郎は、主人公藤助の出身地が「伊勢の国鳥羽といふ大湊」であることに着目し、本話にこの事件がふまえられていると指摘する。[*4] 同事件はこののち『長崎虫眼鏡』（元禄十七年［一七〇四］刊）にも取り上げられているように当時広く知られた話題であり、西鶴が本話にこの事件をかすめたと考えて不自然はないであろう。

さらに、藤助は、「老たる社人」の忠告を聞かずに五色の枝や宝玉を拾っていたためにひとり唐人に捕らえられ、悲劇的な結末を迎えたのであったが、実際、漂流地の宝に目をくらませて惨殺され

図2　『寛永漂流記』巻一（『韃靼漂流記』を版本化した書）（稀書複製会編、米山堂、1939年より）

た当時の実話が伝わっている。すなわち『韃靼《だったん》漂流記』【図2】には、寛永二十一年（一六四四）、松前に向かう越前商人が難破して中国東北地方に漂着し、北京に送られたのち朝鮮を経て正保三年（一六四六）に帰国したことが記されるのである。同書には、漂着した折、女真《じょしん》族が持っている人参を目にし、「あの者共をたらし、人参の有所を教させ、取に可参と談合申、彼者共に、米を取せ可申候間、有所を見せ申候へと申ければ」とあるように、漂流民らが女真族をだまして人参を奪い取ろうとたくらんだ結果、四十三人が殺され、十五人が生け捕りにされたとの本人らの供述が載る。朝鮮人参は当時の日本では栽培できず、対馬藩による輸入に頼るばかりで甚だ貴重であった。江戸初期のこの漂流については多数の写本が伝わっており、西鶴もこの事件を耳にしていた可能性はあろう。

『韃靼漂流記』が記す漂流譚を西鶴が自作に取り入れたのか、あるいは西鶴の想像力がたまたま事実と重なったのか、その実際は定かではないが、本章では当時、異国への漂流をめぐり、虚構と現実の境が崩されつつあったことを確認しておきたい。説話の中のかつての想像ばかりの異国は、縷々もたらされる漂流者たちのニュースによって現実味を帯び、当世に再生された。海外への漂流と「纐纈城」との接合は、それがいかにも現実にありそうであるがゆえに読者の恐怖をかきたてたのである。

3　漂流文芸の展開

ところで、外海航行の機能をもたない近世の日本船は、海難の際には転覆を避けるため帆柱を切り捨て、海流にまかせてあてもなくさまようほかなかった。ゆえに外洋での漂流や見知らぬ土地への漂着といった苦難は凄絶を極めたが、それでも漂流記を残すことができた漂流民はまだしも幸運であった。運良くどこかに漂着し、しかもその地で多大な助力を得るという僥倖にでも恵まれない限り日本への帰還は不可能で、漂流記は残されようがないからである。実際、先に紹介したポルトガル船による漂流民の送還は、日本との通商を目的になされたもので、それゆえ漂着民たちはマカオで厚遇されたのであった。ただし、このとき幕府はポルトガル船の再来航を堅く禁じて帰し、これ以降漂流民は清国あるいはオランダ船以外からは受けとらないという、より厳しい対応をとることになる。

『韃靼漂流記』の越前国の漂流民も、清朝による公式な取り調べののちに手厚く遇されている。『韃靼漂流記』はその理由を明確には記していないが、江戸幕府の命で大学頭林復斎らが編纂した外交事例集『通航一覧』（嘉永六年〔一八五三〕頃成）には「この標民を殊遇ありしは、彼国、本邦を敬憚せし事のよし引書中に見ゆ」とあり、清国が日本を敬い、はばかったためと見なしている。しかしながら、春名徹が指摘するとおり、首都を北京に遷し、中国皇帝の位置を清が占めた事実を日本に伝え、さらには皇帝の仁心や威信をも示す思惑が清国の側にあったとみて誤らないであろう[*5]。外国側にとっても、漂着した日本人から情報を得るばかりか、漂流民を日本との関係構築の手段として利用しようというもくろみがあったので、漂流民のあずかり知らぬところで時にそれが彼らに幸運をもたらしたのである。すなわち漂流には国家的な問題がついてまわり、そのため幕府の側でも漂流民の扱いには慎重を期す必要があったのであった。

さて、『韃靼漂流記』の漂流は一六四四年、先述したようにまさに清国が首都を北京に遷し中国支配を開始したときで、漂流民達も女真族とともに北京へと移動した。本書は清のその北京入関の様子を具体的に伝える資料としても貴重であるが、文芸においても中国におけるこの明清交替の騒乱を題材にした演劇として、正徳五年（一七一五）以来好評をもって興行された近松門左衛門（一六五三〜一七二五年）作の浄瑠璃『国性爺合戦《こくせんやかっせん》』がある。主人公和藤内《わとうない》（のちに国性爺）は、中国人の父と日本人の母をもち、台湾を拠点に明朝の清朝からの回復運動に活躍した鄭成功《ていせいこう》（国姓爺）がモデルで、明が韃靼国に攻められていることを知り、両親とともに中国に渡って異国の地で大活躍をする。本作は異国を舞台にした異色作であったが、鎖国下における人々の異国への関心を背景に大人気を得て、歌舞伎にも演じられた。さらに『国性爺後日《ごにち》合戦』（享保二年初演）、『唐船噺今《とうせんばなしいま》国性爺』（享保七年初演）などの後日譚が創作され、これらを下敷きにした浮世草子『国性爺明朝太平記《みんちょうたいへいき》』（江島其磧《えじまきせき》作、享保二年刊）、『風俗傾性野群談《ふうぞくけいせいやぐんだん》』（未練《みれん》作か、同年刊）等が続々と刊行されたことからも、その人気のほどがうかがわれよう。

享保二年（一七一七）に刊行された『今和藤内唐土船《いまわとうないもろこしぶね》』（閑楽子《かんらくし》著）も如上の『国性爺』の流行をあてこんだ書である。本書は実際の漂流にもとづく記録と思しいが、漂流民が唐船に救助されたことにちなみ、『国性爺』の「和藤内」を書名に冠したのであろう。九州の大名家中の山田才右衛門が肥州の蔵屋敷へ米を運ぶ途上、暴風に遭って漂流するが、広東船に救助されて広東に連れられ、三年後に送還された。その間の経緯や広東における見聞を記した書である。口《こう》書《しょ》のような内容で文飾は乏しいが、本書によってもたらされた異国情報は庶民にとって珍しかったであろう。もちろん『国性爺合戦』との内容的な関連はないが、異国を舞台とした創作に実際の漂流が重ねられた一例としてあげておく。

もっとも、漂流の実体験を記した刊本は稀であり、『今和藤内唐土船』の伝本も現在二点が確認されるのみである。*6同じく版本として刊行された希少な例としては、先の『韃靼漂流記』をもとにした『寛永漂流記』（宝永・正徳頃刊か）、さらにその『寛永漂流記』を書きかえた『朝鮮物語』（寛延三年［一七五〇］刊）があるものの、いずれも朝鮮通信使の江戸参府に触発された特異な出版と推察される。事実、漂流記の刊行はこの他には数例を数えるに過ぎない。*7鎖国下の出版統制のために刊行が困難であったためであり、たとえば、奥州の大乗丸が安房《あわ》沖で漂流し、安南（ベトナム）に漂着したことを記す寛政十年（一七九八）刊『南瓢記《なんぴょうき》』も刊行された漂流記として知られるが、夢の中で南瓢道人が現れて語った話という体をとり、実際の漂流記ではなく見せる工夫をしたにもかかわらず、刊行後まもなく寛政十二年に絶版処分をうけ、在庫本も没収されている。

鎖国下にあって一般人が知り得た外国の情報は、キリスト教と関係のない外国事情書のほかには、官吏による帰国時の聴き取りを記した漂流口書、あるいは学者が聴き取って編纂した漂流記しかなかった。しかも漂流民が異国の情報を口外することは厳しく禁じられ、もちろん刊本としての出版もできなかった。しかしその貴重な情報は多方面から求められたらしく、それら口書や漂流記は写本として多く流布して享受された。文学作品もそれに同じく、仮に知り得たとしても異国の情報をそのまま取り込んで出版するわけにはいかなかったのであろう。文学作品においては虚構や教訓のなかに情報の一部を取り入れたり、あるいはそれをかすめるのであり、いわばそうした文学や演劇における創造が人々の異国への関心を満たしたのである。

なお、架空の漂流を題材とした作品には、南阿遊谷子《なんあゆうこくし》『和荘兵衛《わそうびょうえ》』（安永三年［一七七四］刊）がある。長崎の四海屋和荘兵衛が漂流し、不死国・自在国・好古国・自暴国・大人国等を遍歴するというもの。本作は、仙人の羽扇で日本諸国、さらに大人国、小人国、長脚国、穿胸国、唐などを遍歴して女護島に漂着するという筋で世相を諷刺した風来《ふうらい》山人《さんじん》『風流《ふうりゅう》志《し》道軒伝《どうけんでん》』に倣った作であり、異国への漂流を奇抜な記述で描きつつ、教訓色を露わにしている。馬琴の『夢想兵衛《むそうびょうえ》胡蝶物語《こちょうものがたり》』（文化七年［一八一〇］刊）もこれらの作に材を得たもので、浦島仙人の凧に乗って少年国・色欲国・強飲国などといった国々を遍歴する。これも奇矯な発想のもと、社会諷刺を含む滑稽な描写で読者を楽しませている。いずれもさながら和製版『ガリバー旅行記』とでもいえようか。

こうした異国遍歴物は古来珍しくはないものの、異国漂流譚が身近になったがゆえに、説話の域を脱し、現世的な教訓や滑稽と、異国遍歴とが、近世的な感性のもとで接合され、再構築された典型例としてあげるものである。

4　無人島への漂着

さて、日本人の無人島への漂着記録はほぼ鳥島に限られている。もちろん実際はそれ以外の無人島にも多く漂着したのであろうが、漂流民が還らないと漂流記は残されない。過酷な環境であったためわずかではあったが、鳥島からの帰還はかろうじてなされたのである。

江戸時代における鳥島への漂着はおよそ十五例が確認される。[*8] なかでも享保四年（一七一九）十一月、遠州の廻船筒山五兵衛船が九十九里浜で難破し、約二ヶ月間漂流して鳥島に漂着し、その後二十年もの間無人島生活を続け、ようやく元文四年（一七三九）に江戸に帰還した事件は当時からよく知られた。鳥島はその名のとおり鳥（アホウドリ）が多く棲息する島で、生還した漂流民達はその「大鳥」を食料として生きながらえたと述べている。この漂流は日本人の無人島滞在の最長記録であり、帰還後すぐ将軍吉宗の上覧に召されるなど当時話題になり、神沢杜口《かんざわとこう》の『翁草《おきなぐさ》』（安永五年［一七七六］序、寛政三年［一七九一］成）、大田南畝《なんぽ》の『一話一言《いちわいちげん》』「享保三年無人島へ漂着之談」（安永八年［一七七九］起稿、文政三年［一八二〇］成）等々にも記されている。遭難した一七一九年は、デフォーの『ロビンソン・クルーソー』の刊行年にちょうど一致することもしばしば言及される。なお『ロビンソン・クルーソー』は江戸時代の日本においても膳所《ぜぜ》藩の蘭学者黒田行次郎《こうじろう》（麹廬《きくろ》）による邦訳『漂荒紀事《ひょうこうきじ》』（嘉永初年［一八四八］頃写）が写本で流布し、さらに横山保三《やすぞう》による『魯敏遜《ろびんそん》漂行紀略』（安政四年［一八五七］刊）が刊行されている。

さらに、多田南嶺《ただなんれい》（一六九八～一七五〇年）作の浮世草子『世間母親容気《せけんははおやかたぎ》』（寛延五年［一七五二］刊）巻三の一も、この漂流譚を取り入れたものと思しい。主人公作太郎は「遠江灘（遠州灘）」で難破し、およそ百日間、海上を「東南」に五千七百里流されて、「大鳥」たちが治める「禽王国」に漂着する。ともに漂流した十八人の仲間たちは、危険を伴う帰国をあきらめて当地での居住を希望して残るものの、作太郎だけは「大鳥」に運んでもらって「三十年」ぶりに江戸に帰還するという話である（「　」内は原文表記）。『世間母親容気』には漂流日数や漂着先への距離等に誇張の跡がみられはするが、「東南」に流されて孤島に漂着し、「大鳥」に助けられて「三十年」（実際は二十年）ぶりに帰還するという設定に鑑みて、作者南嶺もこの漂流を耳にして創作したとみなしてよいであろう。
ただし、江戸に戻った作太郎は、助けてもらった「大鳥」への恩を忘れてこれを見世物にして金を儲け、あまつさえ義母に邪念をいだき、その報いで狂死する。本話は前半の漂流譚と後半の義母の話とのつながりが希薄とされるが、*9本章で指摘したように、それが上述の漂流の時事を取り入れて「母親」気質の一話として結構した結果であるとみるならば、本話も、実際の漂流を教訓と笑いに昇華させた近世的な創造の典型例とみなしてよいのではなかろうか。

5 おわりに

漂流を題材とした近世文芸の様相を駆け足で追ってみた。近世の鎖国下にあっても漂流民からの情報が流入し、異国への憧れや怖れは現実感を増しつつ継承された。しかし、本章で少しく述べたように、漂流記録の出版は規制されていたため、そのほとんどが写本で流布し、異国のナマの情報が文芸作品にそのまま直接取り込まれることは少ない。外国への渡航やその情報を文学作品に直接描くこともはばかられたであろう。したがって、文芸作品における異国への漂流は、それを既存の古典に置き換えたり、架空の国として設定したり、教訓を述べつつ登場人物の言動を滑稽に描くなど、近世の俗文芸が多く採った一定の「型」のもとに描かれた。近世期の庶民の異国への認識や感覚は、そうした「型」をもって形成され、継承されたために画一化したのであったが、しかしむしろその「型」を共通基盤として享受しえたがゆえに、漂流は単なるもの珍しさに留まらず多彩に描き出されたのだともいえる。規制と限界が、文学の新たな創造をうながしたのである。

注

1 水谷隆之「虚像としての紀伊国屋文左衛門―「今古実録」『名誉長者鑑』を中心に」、『江戸文学』29、二〇〇三年十一月。

2 松田修「西鶴―世之介の船出」（『日本逃亡幻譚』朝日新聞社、一九七八年）が、女護の嶋は「南方洋上に観音普陀落世界を求めて船出した古代＝中世の普陀落船の近世版《パロディ》」であると指摘、さらに中嶋隆「『好色一代男』終章の「俳諧」―女護の島渡りと普陀落渡海」(『日本文学』42-9、一九九三年九月)は、「普陀落船を好色丸に、めざすべき観音浄土を、男の極楽浄土である女護の嶋に変えてしまった」ところに俳諧的な笑いがあると解説している。

3　山口剛「好色一代男考・その二」、『文学思想研究』11、一九三〇年六月。

4　前田金五郎「西鶴散考」(野間光辰編『西鶴論叢』中央公論社、一九七五年)。なお二村文人「『本朝二十不孝』と西鶴の創作意識—付合語による構想」(『国語と国文学』一九八四年七月)は、本話が下敷きにした『二十四孝』の「呉猛」は親のために自分の血を蚊に吸わせるが、その「膏血」は藤助が漂着する「纐纈」城と同音で通い合い、纐纈からはくくし染めが連想され、そこから伊勢という舞台設定が導き出されたとする。

5　春名徹『世界を見てしまった男たち—江戸の異郷体験』ちくま文庫、一九八八年。

6　国立国会図書館本、相模女子大図書館本を確認。なお、本書もやはり夢のなかの出来事という体裁をとり、出版統制を逃れる工夫をしている。

7　『漂流奇談集成』(国書刊行会、一九九〇年)は、江戸時代に刊行された漂流記はほかに、『南海紀聞』(文化十四年[一八一七]刊)、『万次郎漂流譚』(嘉永六年[一八五三]刊)、『海外紀聞』(嘉永七年刊)、『漂流記』(文久三年[一八六三]刊)があげられる程度とする。

8　小林郁『新編　鳥島漂着物語—18世紀庶民の無人島体験』天夢人、二〇一八年。

9　佐伯孝弘(『江島其磧と気質物』若草書房、二〇〇四年)は、「義母が登場はするものの話中の役割の乏しい点からも、気質物の作に相応しからぬ話である」と指摘する。

03 遣唐使の文学

往来する人々

水口幹記

1 遣隋使・遣唐使概要

西暦六〇〇年（推古八年、隋・開皇二〇年）、日本（倭。以下、便宜上「日本」とする）は、隋の皇帝文帝《ぶんてい》に使者を送った。隋は、南朝の陳を滅ぼし、久しぶりに中国を統一した大国家であった。朝鮮三国は、すでにそれぞれ百済《くだら》が五八九年、高句麗が五九一年、新羅が五九四年に遣使しており、日本の使者派遣は、東アジアにおいては最も遅れたものであった。この時の様子は、『隋書』倭国伝に詳細に記されているが、ここでは、隋によって日本の後進性が指摘されており、そのためか、『日本書紀』にこの遣使については触れられていない。

『日本書紀』では、次の六〇七年の遣隋使が初見となる。このときの日本側の使者が小野妹子《おののいもこ》で、有名な「日出ずる処の天子、書を日没する処の天子に致す。恙《つつが》無きや、云々」（『隋書』倭国伝）という国書を携えて行った。国書は、多くの漢籍・仏典などによって潤色がなされ整えられることが通常であり、この文章も『大智度論《だいちどろん》』を出典としている。[*1]以降、六〇八年、六一四年と日本は立て続けに使者を送っていた。

ところが、六一八年、三度にわたる高句麗遠征の失敗などにより隋が滅び、唐が中国を統一した。高句麗は早速六一九年に使者を派遣し、百済・新羅も六二一年に遣使している。日本の唐への使者派遣は、やはり朝鮮三国よりも遅く、六三〇年が第一次となる。大使は犬上三田耜《いぬがみのみたすき》であった。以降、遣唐使は八九四年に正式に派遣中止となるまで約二百六十年間続くこととなる（実際には、八九四年には派遣されなかったため、八三八年の承和度のものが最後の遣唐使となる）。

二十次（実際に派遣されなかったものも含む回数）にわたる遣唐使においては、人・モノ・コト、さまざまなものの往還が見られる。たとえば、大宝度の遣唐使（大宝二年［七〇二］派遣）では、当時完成したばかりの大宝令の一部（官位令・官員令）を唐へ携行し、律令編纂にかかわった粟田真人《あわたのまひと》（大宝度遣唐使の執節使）が日本の律令国家としての変貌の様子を伝えたとされる。[*2] そして、この遣唐使には、山上憶良《やまのうえのおくら》（六六〇?~七三三?年）が少録として加わっていた。『万葉集』巻一（六十三番歌）に収載されている

いざ子ども　早く日本へ　大伴の　三津の浜松　待ち恋ひぬらむ

は、唐地において日本を想い詠じた歌である。なお、日本の文学に大きな影響を与えた唐代伝奇『遊仙窟《ゆうせんくつ》』は、このとき将来されたという（山上憶良も「沈痾自哀文《ちんあじあいぶん》」で本書に言及している）。

このように、それぞれの遣唐使にはさまざまな人がかかわり、また、モノの往来も行われた。中でも、養老度の遣唐使は文化的意義が大きい。[*3] 本章では、養老度の遣唐使を軸に、遣唐使の文学について述べていきたい。

2　渡り往く日本人――阿部仲麻呂・井真成

天の原　ふりさけ見れば　春日なる　三笠の山に　出でし月かも
（『古今和歌集』巻九・羇旅歌・四〇六）

『百人一首』にも選ばれている本歌は、左注によると、阿倍仲麻呂《あべのなかまろ》（七〇一~七七〇年）の帰国に際し、明州《めいしゅう》（寧波《ねいは》）で仲間が送別会を開いてくれ、そのときに詠まれた歌だとされている。ただし、当時は蘇州出帆が通常であるため、左注には疑念があることが早くから指摘されている。[*4]

阿倍仲麻呂が留学生《るがくしょう》の身分で入唐したのは、養老度の遣唐使である。この遣唐使は霊亀二年（七一六）に任命され、

翌養老元年（七一七）に日本を出航した。仲麻呂は、唐に入ると名を唐風の「朝衡《ちょうこう》」（「晁衡」）と改め、太学に入学し、その後科挙に合格して唐朝の官人として立身していく。

右の歌の作成過程は不明だとしても、仲麻呂が早くから帰国の意志を有していたことは、当時の唐人たちが仲麻呂に送った詩から明らかである。たとえば、趙驊《ちょうか》「晁補闕の日本国に還るを送る」（『唐詩紀事』巻二十七など）は、仲麻呂が左補闕《さほけつ》であった時期（七三一年に着任）に詠まれたことから、天平度の遣唐使（七三三年、日本出航）とともに帰国をするつもりであったことがわかる。しかし、それは実現せず、天平勝宝度の遣唐使（七五二年、日本出航）で大使藤《ふじ》原清河《わらのきよかわ》の船に乗り込んで、日本へ向かった。その際、詠まれたのが、王維《おうい》「秘書晁監の日本国に還るを送る」（『王右丞集』巻十二など）、包佶《ほうきつ》「日本国聘賀使晁臣卿の東帰するを送る」（『文苑英華』巻二百九十六など）である。結局、船は難破し仲麻呂は安南（ベトナム）に漂着し一命を取り留めた。このとき、仲麻呂死去の報が流れたようで、李白は「晁卿衡を哭す」（『李太白文集』巻二十三など）という詩を詠み、仲麻呂の死を悼んでいる。

このように、仲麻呂は玄宗《げんそう》に重用され、唐朝の官人として活躍し、唐の詩人たちと交流を育み、そして、唐地において命を落とした。生前の仲麻呂は、日本において実績を残しておらず、あくまでも一留学生に過ぎない。しかし、このことは、別の物語を生み出していく。仲麻呂が唐で鬼になったり（『吉備大臣入唐《きびのおとどにつとう》絵巻』）、仲麻呂が日本へ帰ってきたという話が、日本で醸成されるようになるのである（『今昔物語集』巻二十四第四四）[*5]。異国での死は、人々に想像力をもたらし、物語を生み出す土壌となるのであろう。

なお、養老度の遣唐使で仲麻呂と共に海を渡り、客死した人物に井真成《せいしんせい》（六九九～七三四年）がいる。二〇〇四年、中国西安において彼の墓誌が発見された。彼の出自は、葛井《ふじい》氏であるとか、井上氏であるとか、はたまた唐人姓であるなど議論は分かれている。墓誌は『論語』や『荘子』などにより潤色された文章で構成された正式な唐代墓誌であり、彼の墓誌作成の背後に阿倍仲麻呂の活躍があったとする向きもある。ただし、数行の空白があるなど、やや粗雑な点も見られ、彼の死を悼んで玄宗が特別に作らせたというのは当たらないというのが妥当であろう。[*6]しかし、これもまた人々に想像力と物語をもたらした。無名の人物の墓誌発見は日本でも大きな話題となり、発見の翌年すぐさま東京や奈良で特別展示が開かれ、多くの人が詰めかけた。ポスターには「おかえり。」という感傷的な謳い文句もみられたのである。

3　往来する日本人――藤原宇合・吉備真備・玄昉

養老度の遣唐使の副使に任じられたのが、藤原馬養《うまかい》（?〜七三七年）である。彼は藤原不比等《ふひと》の三男であり、後に表記を唐風の宇合とした。宇合の詩は、『懐風藻《かいふうそう》』に六首、『経国集《けいこくしゅう》』に一首、『万葉集』に和歌が六首残されている。『尊《そん》卑分脈《ぴぶんみゃく》』宇合卿伝には軍国の務めにあったとしても「心を文藻に留める」人物であり、「集二巻」があったとされている。そうした文武両道的な性質は、若い頃からであろうし、唐滞在は短期であることから、留学生ほどの文化摂取は不可能であっただろう。そのため、一概に宇合の作品すべてを遣唐使経験に還元するわけにはいかない。しかしながら、改名していることからわかるように、より一層中国色が強くなっていったことは想定できる。その一つが、神仙思想への傾倒であったであろう。たとえば、『懐風藻』の「暮春南池に曲宴す」（八八）の序に「翰《ふみて》を染むる良友、数は竹林に過ぎず有り」というとき、明確に清談で有名な竹林七賢を念頭においているし、「吉野川に遊ぶ」（九二）は仙境と見られていた吉野を詠み込んだ詩である。また、『経国集』巻一所収の「棗賦《なつめのふ》」は、『続日本紀《しょくにほんぎ》』神亀三年（七二六）九月庚寅条の「内裡《うち》に玉棗《しば》生ひたり。勅して、朝野の道俗等をして玉棗の詩賦を作らしめたまふ」で提出された「文人一百十二人玉棗の詩賦」（同年同月壬寅条）の一つである。*7 賦には「神草区を分かちて千藂《せんそう》なり」「特《ぬき》づるは西母が玉棗」とあるが、西母は仙女であり不老不死の薬を持つという西王母のことであり、神仙的表現が見られる。*8

もちろん、長屋王《ながやおう》を始め当時の文人たちにとっては、竹林七賢も神仙思想もいわば常識であり、宇合の専売特許ではない。しかし、注目しておきたいのが、『常陸国風土記《ひたちのくにふどき》』に神仙思想に基づく記述があることであり、宇合が帰国翌年に常陸国守となっていることである。宇合が入唐したころの皇帝である玄宗は、道教を深く信奉しており、自ら

『老子』の注釈書である『開元御注道徳経《かいげんぎょちゅうどうとくきょう》』を撰するほどであった。また、鑑真《がんじん》来日に際して、玄宗は道士を帯同することを条件として提示してきたが、日本側は道士来日を拒否し、その代わりに春桃原《しゅんとうげん》ら四名を唐に留め、道士の法を学ぶことで決着をみている（『唐大和上東征伝《とうだいわじょうとうせいでん》』）。宇合がすでに有していた神仙思想に関する知識が、隆盛する当時の唐の道教を目の当たりにして触発され、より認識を深めていったとしても不思議ではない。こうしたことから、『常陸国風土記』は、宇合を編述者のひとりとするのが妥当であると考えられよう。*9 遣唐使での経験が、日本の地誌に反映されたのである。

命を懸けた渡航となる遣唐使として、二度唐に渡り、帰朝した人物がいる。吉備真備《きびのまきび》（六九五～七七五年）である。彼の一回目の渡航が、養老度の遣唐使の留学生としてであり、天平度（天平五年派遣）の遣唐使に伴い帰国した。このとき、真備は大量の書物・文物を将来した。『続日本紀』天平七年四月辛亥条に、「唐礼一百卅巻」をはじめ数種の物品が掲げられているが、これらはすべて礼楽《らいがく》思想整備にかかわるものであることや、兵法・軍楽についても実際に利用し整備することを想定したものであったという。*10 この中に開元十七年（七二九）に公式に使用されるようになった大衍暦が含まれている。真備は、当時最新の暦を日本にもたらすと同時に、暦を自前で作成するため必須の数値や表が記されている『大衍暦立成《だいえんれきりつせい》』・観測器具である「測影鉄尺」も将来しており、真備が大衍暦を実際に日本で作成しようと考えていたことがうかがわれる。ほかに、当初三史の一つと数えられていた「東観漢記《とうかんかんき》」も将来しており（『日本国見在書目録《にほんこくげんざいしょもくろく》』正史家）、真備は「衆芸を該渉」（『続日本紀』宝亀六年十月壬戌条）し、諸物を日本にもたらしていた。

そして、真備将来物と思われるものの一つに、『顔氏家訓《がんしかくん》』がある。本書は、江南顔氏の祖となった顔含《がんがん》の子孫であり、北斉・北周・隋の各王朝に仕え生涯を終えた人物である顔之推《がんしすい》が、孫へ宛てて記した家訓書である。日本古代において『顔氏家訓』が最も多く引用されているのは『私教類聚《しきょうるいじゅう》』である。『私教類聚』は、現在は散逸しており『政事要略』などいくつかの書物に逸文が残る程度であるが、『拾芥抄《しゅうがいしょう》』第十六・教誡《きょうかい》部には「吉備大臣私教類聚目録」として三十八項目が記され、その構成を確認することができる。『私教類聚』は偽作説もあるが、瀧川政次郎の見解通り吉備真備の手になる教訓書と考えて構わないであろう。瀧川は、「私教類聚は、顔氏家訓を模倣して作られたものであろう」とその影響力の強さを指摘した。[*11] つまり、真備は『顔氏家訓』をかなり深く読み込んでいたことが想定されるのである。そのためか、『顔氏家訓』は、一部貴族や僧侶の間で流通していたようで、『日本霊異記《にほんりょういき》』上巻第十一縁にも本書が引用されており、物語の中で早くも活用されていたことが確認できる。

また、真備と同時に入唐・帰朝した玄昉《げんぼう》(?〜七四六年)は、成立からわずか五年しか経過していない最新の目録である『開元釈教録《かいげんしゃっきょうろく》』を含む五千巻以上もの仏典を持ち帰っている。この中には、インド原典の翻訳経典以外にも中国撰述経典(偽経・疑経)も多く含まれており、[*12] 玄昉は「大唐所行」(『日本紀略』延暦十九年十月庚辰条の言葉)の仏教をすべて持ち帰ろうと考えていたのかもしれない。遣唐使を評した「得る所の錫賚《しらい》にて、尽《ことごと》く文籍を市《か》い、海に泛《うか》びて還る」(『旧唐書』日本伝)ということばは、まさに真備や玄昉のような人物を目の当たりにした唐人の率直な感想だったのであろう。

4 渡り来る唐人・天竺人――袁晋卿・鑑真・菩提僊那

遣唐使は、日本人だけではなく異国人も乗せていた。真備と共に来日した袁晋卿《えんしんけい》(生没年不詳)という唐人がいる。彼は、当時、十八、九の青年であったが、「文選爾雅音《もんぜんじが》」を学得していることから大学音博士として登用された(『続日本紀』宝亀九年［七七八］十二月庚寅条)。実は、日本における音韻(中国音の発音)の問題は、養老度の遣唐使に伴い帰国した道慈《どうじ》にはじまる。その流れを受けて、真備は袁晋卿を唐から連れ帰ったのである。[*13] 袁晋卿は、「両京之音韻」(『性霊集《しょうりょうしゅう》』巻四)、すなわち「漢音」を発音できる人物として真備のめがねに適ったのである。真備は、儒学、とくに釈奠《せきてん》の整備に深くかかわっていた。古代において唯一天皇が臨席した神護景雲元年の釈奠は、真備が主導したものであり、袁晋卿はこのとき音博士として参加している。なお、この釈奠で不備が見つかったため、宝亀度の遣唐使(宝亀八年［七七七］、日本出航)では、伊与部家守《いよべのやかもり》を明経請益生《みょうぎょうしょうやくしょう》(儒学専任の短期留学生)として派遣し、日本に最新の音韻書『切《せつ》韻《いん》』を習得・将来させている。[*14]

袁晋卿は儒学の場面だけではなく、文学作品披露の場でも活躍したことが考えられる。彼が来日した聖武朝は、上記「玉棗の詩賦」を命じた事例でもわかるように、数多くの詩宴が催されており、真備帰朝後にも詩宴は開かれていた。天平十年七月癸酉《きゆう》（七日）、聖武は大蔵省で相撲を覧じたのち、西池宮で宴を催した。この時、殿前の梅樹を指して、真備らに詩を賦すことを命じた。結果、「文人卅人」が詩を賦したという（『続日本紀』同条）。この時は和歌を詠んだという説もあるが、[*15]真備がとくに名指しされていること、「賦」という文字が表現されていることから、全員ではなくても何名かは漢詩を賦した可能性が高いであろう。当然、『文選』をはじめとした諸漢籍が詩作には援用されたことと思われる。もしそうであるならば、ここで賦された詩は漢音で披露された可能性が考えられよう。この時、「文選爾雅音」を身につけている袁晋卿が同席していた可能性はないであろうか。確かに、梅樹を題材とすることは想定外であったであろう。しかしながら、この日は七夕であり、七夕の詩を賦すことは想定されていてもおかしくはない。ならば、同じ遣唐使船に乗って日本へ渡ってきた吉備真備の推薦により、漢音をもって詩を披露する役割として袁晋卿が同席していた可能性を考えてもよいのではなかろうか。

渡ってきたのは、一般人ばかりではない。僧も多く日本にやってきた。真備が副使となり二度目に唐へ渡った天平勝宝度の遣唐使により来日したのが鑑真（六八八〜七六三年）である。鑑真は、日本人留学僧普照《ふしょう》と栄叡《ようえい》の要請を受け、何度か渡海を試みるものの、弟子僧の密告や難破により苦難の時期を過ごし、第五次渡海の失敗の際には漂流先からの帰路において失明までした。そして、六度目の挑戦でようやく来日を果たすことができたのである。それは、天平勝宝五年（七五三）のことであった（翌年、入京）。

こうした来日までの苦難の道を現在我々が知ることができるのは、『懐風藻』の編者ともいわれている淡海三船《おうみのみふね》（真人元開）が撰した鑑真の伝記『唐大和上東征伝』が残されているからにほかならない。井上靖の『天平の甍《いらか》』は、本書を基にしている。そして、本書にも基となる資料が存在していた。それは、鑑真と共に日本へ渡ってきた弟子僧思《し》託《たく》が撰述した『広伝《こうでん》』（『大唐伝戒師僧名記大和上鑑真伝』などとも称す）三巻である。淡海三船はそれを一巻となし、宝亀十年（七七九）に『東征伝』を完成させたのである。両書共に「伝」であるため、さまざまな点で物語化がされており、当然ながらそのまますべてが史実であったと断定することはできない。すでに指摘されているように、『広伝』は鑑真を玄奘《げんじょう》になぞらえていたと思われ、『東征伝』も玄奘の伝記である『大唐大慈恩三蔵法師伝』からの影響が濃厚である。[*16] 両伝ともに、先行する「伝」を参照・利用して成立しているのである。

こうした仏教関連記事における高僧伝類の影響は、天竺僧・菩提僊那《ぼだいせんな》（七〇四〜七六〇年）をめぐる文章にも色濃くみられる。菩提僊那は、真備らが帰国した天平度の遣唐使に随い来日した。来日後は、僧正となり、東大寺大仏開眼導師となるなど、日本の仏教界において活躍をした人物である。菩提僊那については、彼の入室弟子であった修栄《しゅうえい》が、師の没（天平宝字四年〔七六〇〕）後の神護景雲四年（七七〇）に、師の賛およびその序を碑文の形で残した。現在、碑そのものは遺されていないが、その銘文『南天竺婆羅門僧正《なんてんじくばらもんそうじょう》碑并序』は写本として伝わっている。『碑并序』は、『梁《りょう》高僧伝《こうそうでん》』など中国高僧伝類を参照して記述されているが、それは、撰者修栄が菩提僊那に中国の高僧像を投影させて、その中国仏教史の伝統につながろうとしたからである。[*17]

とはいえ、ことはそう簡単ではない。『碑并序』によると、菩提僊那来日に際し、行基《ぎょうき》が出迎えていることになっている。この話は、後世になると物語化が進み、両者の出会いの場面では、両者による和歌の応答が行われる設定まで登場する（『三宝絵《さんぼうえ》』巻中・行基菩薩など）。行基の迎接は史実ではなく、高僧伝類に見える高僧迎接記事を基にしており、菩提僊那が高僧として扱われることを狙っての記述であった。

鑑真来日以後、仏教界は良くも悪くも鑑真を中心に展開していた。思託など弟子僧らによって、鑑真は盛んに顕彰されていたようである。それに対し、菩提僊那の業績は、鑑真来日以後、霞んでいったかのように思える。『顕戒論縁《けんかいろんえん》起《ぎ》』上所引、延暦二十四年（八〇五）八月二十七日付内侍宣《ないしせん》では、「天竺上人」（菩提僊那）が来日したものの「真言妙法」を伝えることができなかったと語られているが、これは、少なくとも平安初期までの菩提僊那に対する評価そのものであろう。弟子僧修栄は、そうした状況を忸怩たる思いで眺め、そして、行基迎接記事を述作したのであろう。すなわち、行基迎接記事は、単に高僧伝という書物だけの世界を背景としたものではなく、現実の仏教界における鑑真と菩提僊那の位置――『東征伝』では、菩提僊那が来日した鑑真を迎接している――を背景とし、さらには、菩薩と称されまだ人々の記憶に生々しく残っていたであろう行基を持ち出し、利用することによって、初めて記述することができた記事であったのだ。[*18]

本章では、養老度の遣唐使にかかわる人々を中心に、当時の文学やその背景について紹介してきた。遣唐使は、その後も続き、多くの文物・書物が往来した。第三節で触れた伊与部家守は『切韻』のほかに、「五経大義」や『春秋公《く》羊《よう》伝』『春秋穀梁《こくりょう》伝』を習得し、帰国後、日本の儒学発展に寄与した。平安期には、最澄・空海らが渡海し、日本に新たな仏教宗派を伝え、最後の遣唐使で渡海した円仁《えんにん》は『入唐求法巡礼行記《にっとうぐほうじゅんれいこうき》』という優れた渡航記を残した。そして、遣唐使廃止後も非公式に交流は続き、多くの文学作品や歴史史料が生み出されていったのだが、紙幅の都合上、それはここでは触れない。

注

1 東野治之「日出処・日本・ワークワーク」、同『遣唐使と正倉院』岩波書店、一九九二年。
2 河内春人「大宝律令の成立と遣唐使派遣」、『続日本紀研究』305、一九九六年。
3 東野治之「遣唐使の文化的役割」（前掲注1東野著）。
4 阿倍仲麻呂については、主に杉本直治郎『阿倍仲麻呂傳研究〈手沢補訂本〉』（勉誠出版、二〇〇六年）による。
5 この点は、荒木浩「阿倍仲麻呂帰朝伝説のゆくえ」（劉建輝編『日越交流における歴史、社会、文化の諸課題』国際日本文化研究センター、二〇一五年）、小峯和明『遣唐使と外交神話』（集英社、二〇一八年）に詳しい。
6 専修大学・西北大学共同プロジェクト編『遣唐使の見た中国と日本』（朝日新聞社、二〇〇五年）所収の各論考。
7 東野治之「玉來の詩賦」、同『正倉院文書と木簡の研究』塙書房、一九七七年。

8　小島憲之『国風暗黒時代の文学』中（下）Ⅰ、塙書房、一九八五年、二三一四頁。
9　志田諄一「『常陸国風土記』と神仙思想」、同『『常陸国風土記』と説話の研究』雄山閣、一九九八年。
10　中丸貴史「吉備真備の礼楽思想」（上原作和企画『〈琴〉の文化史』勉誠出版、二〇〇九年）、北條勝貴「鎌足の武をめぐる構築と忘却」（篠川賢・増尾伸一郎編『藤氏家伝を読む』吉川弘文館、二〇一一年）。
11　瀧川政次郎「私教類聚の構成とその思想」、『日本法制史研究』有斐閣、一九三六年。
12　山下有美「日本古代国家における一切経と対外意識」、『歴史評論』586、一九九九年。
13　音韻の問題については、主に水口幹記「奈良時代の言語政策」「非唐人音博士の誕生」（同『古代日本と中国文化』塙書房、二〇一四年）による。
14　水口幹記「伊与部連家守と釈奠」、同『日本古代漢籍受容の史的研究』汲古書院、二〇〇五年。
15　『新日本古典文学大系　続日本紀』二、岩波書店、一九九〇年、三四一頁注十四。
16　蔵中進『唐代和上東征伝の研究』桜楓社、一九七六年。
17　蔵中しのぶ『奈良朝漢詩文の比較文学的研究』翰林書房、二〇〇三年。
18　水口幹記「出迎えられる僧」、加藤謙吉編『日本古代の氏族と政治・宗教』下、雄山閣、二〇一八年。

04 遣明船と策彦周良

黒衣の交渉人

空井伸一

1 はじめに――策彦の「涙」

貞享二年(一六八五)に刊行された井原西鶴《いはらさいかく》の浮世草子第三作『西鶴諸国《しょこく》はなし』は、それまでの好色物二作とは趣を異にし、諸国の奇談三十五話を収める。その中に、室町後期の臨済僧策彦周良《さくげんしゅうりょう》の登場する「八畳敷の蓮の葉　名僧」と題する話がある。吉野の奥に住まう法師の庵で、小蛇が竜と化して昇天するという奇事が出来。目撃した村人たちは驚愕するが、法師はそれしきのことは広い世間にいくらでもあると自らの見聞を誇らかして語る。その最後に策彦と信長の逸話が紹介されるのだが、それは奇事の例示という枠には収まらぬ含みを持つ。

策彦は信長の求めに応じ、霊鷲山《りょうじゅせん》の池の蓮の葉は人が昼寝するほど大きいという話を披露する。しかしなぜか信長はそれを聞いて笑い、引き下がった策彦は涙をこぼす。居合わせた者が涙のわけを尋ねると、「信長公天下を御しりあそばす程の御心入れには、ちひさき事の思はれ、泪を洒《こぼ》す」と答えた、というのである。興味深いのは、「ちひさき事の思はれ」の解釈が二つに分かれることだ。一つは、信長の気宇壮大さに策彦が感じ入ったと見るもので[*1]、この場合策彦の知見が小さいことになる。対して、信長の夜郎自大ぶりを嘆く涙という見方[*2]もあり、小さいのは信長の度量ということになる。

果たして策彦の「涙」をどう読むべきだろうか。ここでは策彦の関わった天文年間の二度にわたる遣明船の事蹟をたどりつつ、それを通じて浮かび上がってくる彼の人となりや遣明船禅僧のありようを概観するが、[*3] それを踏まえて、最後に西鶴描くところについても考察してみたい。

2　朝貢・勘合・遣明使禅僧——日元貿易との比較から見る日明貿易

さて、自ら述べるところを参照すれば、[*4] 策彦は文亀元年（一五〇一）管領細川家の家老井上宗信の第三子として生まれ、京都北山鹿苑寺《ろくおんじ》心翁等安《しんのうとうあん》のもとで仏門に入る。細川家は等安の檀越《だんおつ》でもあった。十八の年に天龍寺にて薙髪《ちはつ》し具《ぐ》足戒《そくかい》を受け、後にその塔頭である妙智院《みょうちいん》に住し、そこで生涯を閉じることにもなる。天龍寺といえば後醍醐《ごだいご》天皇の鎮魂を祈念して創建された京都五山の筆頭格であり、その造営資金調達のため開山夢窓疎石《むそうそせき》の発案により元との交易船、いわゆる「天龍寺船」を仕立てたことが知られる。策彦のかかわった末期遣明船・日明貿易の特徴を捉えるため、それに二百年ほど先立つ、彼に所縁のある天龍寺船・日元貿易のあり方を引き比べ、その差異を三つほど挙げる。

一つは、「天龍寺船」はそのような任に当たる特別な船があったわけではないということである。当時の元は交易について格段の制限は設けず、多くの商船が日中間を往来していた。天龍寺船のような「寺社造営料唐船」は、「勧進元寺社勢力がそれをチャーターし、そこから利益を吸い上げて寺社の造営料を稼ぎ出していた」とされる。[*5] これに対し、明代に入りいわゆる「海禁」政策が取られるようになると、中国皇帝から臣下として認められた、つまり「冊封《さくほう》」された国の船が貢物をもって参じるというかたち（朝貢）に限られることになる。貢物に対しては過分の返礼品が下しおかれることで中華帝国の威光が示され、参じる側はそれによって利を得る。いわゆる「朝貢貿易」である。

次に、これと連動することだが、従って日元貿易の場合には要しなかった、冊封国からの船（進貢船）であるという証が日明貿易においては必須となる。いわゆる「勘合《かんごう》」である。勘合は台帳（底簿）と割印・割書するかたちで作成され、それにより照合を可能とした一枚の書面であるとされる。百枚単位で作成され、通し番号を付し、渡航以前にあらかじめ一括して付与される。渡航の都度持参し、底簿と照合される。原理的にほぼ偽造不可能だが、まとめて先渡しされることがミソで、分与することもでき、分与された船はそのまま正式の遣明船となる。最初期の遣明船でこそ幕府が一元管理したが、後には有力商人や社寺、守護大名に分与され、遣明船経営自体も委託されることになる。また、管理が行き届かず、明応の政変による将軍併立の混乱期には、期限切れの旧勘合が更新後のものと入り乱れて分与され、それが細川氏・大内氏の遣明船主導権争いの火種ともなった。

　大永三年（一五二三）、期限切れながら将軍お墨付きの勘合を手にした細川船が寧波（ねいは／ニンポー）に入港、新勘合を有する大内船の機先を制することで正式の使節として振る舞う。大内側はこれに反発して襲撃、中国側にも多くの死傷者を出すという惨事を引き起こす。いわゆる「寧波の乱」である。事後、巧妙に立ち回った大内氏は遣明船特権を幕府に確約させる。策彦の乗った遣明船最終二便はそれに基づく大内氏独占のものであるが、乱によって日本に強い警戒感を抱いた明側は厳重な警備を敷き、さまざまな制限を加えることになる。策彦はこの対応に腐心する。日元貿易では要しなかった「勘合」の招いた事態とも言える。

　最後に挙げるのは船に乗る僧の立場・属性である。日元貿易の場合、僧侶は船に便乗するかたちで渡唐した。それ以前の遣隋・遣唐船も同様である。ところが遣明船においては、最初期の堅中圭密《けんちゅうけいみつ》以来、京都五山の禅僧が正使を務めることが一つの定式となる。僧自身が外交通商を取り仕切るのである。彼らがその任についた理由は漢文力に長けていたことにあるが、通訳（通事）は帯同しており、会話能力が求められたわけではない。外交文書を点検・作成し、筆談交渉する文字通りのリテラシーや事務遂行能力がその要件である。しかし、ならば漢文力に長けた俗人でもかまわないはずだが、よろず交渉事には語学だけでは達し得ない機微というものがあり、それを円滑にこなすためには交渉者同士に文化的共通基盤があるにしくはない。禅、漢詩文、儒教（宋学）的教養、喫茶といった中華のハイファッションをまとった禅僧は、交渉相手である士大夫階層と気脈を通じる上で格好の人材であり、それゆえ重宝された。そしてそれは結果として彼らに外交スキルを蓄積させることにもつながった。とはいえこれは表向きのことで、その一方で非合法のチャンネルに熟達した禅コネクションも存在した。

策彦の渡唐初回は副使という立場であり、正使は五山僧ではなく博多聖福寺《しょうふくじ》の湖心碩鼎《こしんせきてい》。聖福寺は「扶桑最初禅窟」の勅額を掲げる臨済禅日本発祥の古刹だが、当時は大内氏の密貿易に暗躍するエージェンシーでもあった。京五山の、幕府官僧的な立場の策彦が、遠く京を離れた大内氏からの要請の下で遣明使の任を果たせた背景には、博多を拠点に、非合法のやり口にも通じていた聖福寺幻住《げんじゅう》派との人脈によるということが指摘されている。*6 清濁あわせ呑む器量がなければ務まらぬ、それが遣明使禅僧のありようなのである。そもそも彼らにはそれ以前の入唐僧たちとは決定的に異なる点がある。「求法《ぐほう》」を目的としないということである。日明に正式な通行関係が結ばれる直前、つまり遣明船以前に入明した天龍寺所縁の絶海中津《ぜっかいちゅうしん》などは、求法の強い思いによって渡海し、洪武帝《こうぶてい》の求めに応じて逆に法要を説くほどの力量も示したが、策彦ら遣明使禅僧からはそのような思いは伝わらない。

3 策彦の入明体験——黒衣の交渉人

さて、策彦は二十二の年に師を喪い、以後大内義隆《おおうちよしたか》から遣明船についての要請を受けるまで約四半世紀の動向は詳らかではない。求めに応じて山口に下り、天文八年（一五三九）と十六年（一五四七）の二度に渡って入明、その体験を克明に記した日記を残すことになる。それぞれ『初渡集《しょとしゅう》』『再渡集《さいとしゅう》』と称されるテキスト*7は、それに九十年ほど先立つ宝徳度船（一四五三年）の笑雲瑞訢《しょううんずいきん》の入明記とあわせ、遣明船の実態を知るまとまった記録として重んじられ、それぞれその時代状況を映しており興味深い。

笑雲の渡航記からうかがえるのは、「厚往薄来」という言葉に象徴される明側の厚遇ぶりである。着岸するとすぐに使節として認められ上陸、速やかに北京に進貢、かなり自由なかたちで観光も許され、皇帝直々の目通りも九回を数えたとされる。実はこの間に価格交渉のトラブルや暴力沙汰が出来し、結果として明側はいわゆる「景泰《けいたい》条約」を通告、これ以降の遣明船は十年一貢などの制限を加えられることになるのだが、それ以前の、鷹揚に迎え入れられた雰囲気を伝える記録とされる。

引き比べて、策彦の両入明記からうかがえるのは、端的に言えば明側の警戒感に由来する冷遇ぶりである。風を待ってようやく中国大陸に到達したものの入国審査は厳重で寧波への入城もなかなか認められない。寧波では半年にわたって留め置かれ、やっと許可の下りた北京進貢は五十名の代表団に限られ、観光と商機の当ては外れる。寧波における宿所は従来のものから変更され、設備は粗末で湿気に苦しみ、支給される水・食料は不良、健康を害し亡くなる者も出る始末。外出も厳しく制限され、相当ストレスが溜まった様子がうかがえる。策彦は宿舎の床材張替の手配、武器とみなされて没収された刃物類からの日用品取り戻し、上京人数や観光許可の談判まで、正使の碩鼎に代わり交渉事を実質的に切り盛りする。こうした冷遇ぶりは八年後の『再渡集』では冒頭の着岸時から始まる。景泰条約により朝貢は十年に一度と釘を刺されながら、その間をおかずにやってきた大内船に明側は厳しくあたり、貢期が来るまで寧波入城は許されず、食糧の供給もろくにないまま停泊を余儀なくされ、半年以上を海上で費やすことになる。北京進貢もやはり滞る。そして、笑雲の時には多くを数えながら、策彦の両入明体験では一度もなかったことがある。それは皇帝との謁見である。策彦は、二度の入明を通じ一度も目通りを許されていない。

このような冷遇は、寧波の乱後に初めて船を寄せてきた、しかも惨事を出来させた張本人である大内船に対する警戒感のなせる業であり、言ってしまえば自業自得である。その責めを問われた策彦は、当事者はすでに死亡したなどと弁明に終始するが、その一方で大内船が残していった積み荷の返還要求を行うなど、なかなか押しの強いネゴシエーションぶりを見せている。しかし明側にしてみれば「厚顔無恥」ともいえる振る舞いであろう。とは言えこのような強心臓の交渉ぶりは策彦に限ることではなく、永正度（一五一一年）には輸出主要品目である日本刀の買い叩きを圧迫交渉ではねのけた了庵桂悟《りょうあんけいご》のような猛者もいた。九十に近い老僧が武器売買に与るというのも凄まじいが、それこそが遣明使禅僧に求められた手腕なのだ。

そのような交渉事の数々に比べ、二つの入明記からうかがえる策彦の仏法への関心は希薄である。数多くの寺院探訪は記録されるが、その住持と仏道について何事かをやり取りしたというような記述はない。それは言ってしまえば「観光」である。多くの知識人と交流もしているがすべて俗人。購入した書籍に仏書もなくはないが、ほとんどは漢詩文のネタ本や科挙対策参考書、小説など、中華趣味を満たすものである。策彦は初渡の際二幅の肖像をあつらえている。一つは禅僧お定まりの頂相スタイルだが、もう一つの方がよく知られたもので、**【図1】**のように儒者風の帽子を被り書籍を開く体である。書籍はどうやら仏書ではなく経書詩文の類とおぼしい。そのように、彼の自意識は明らかに中国士大夫階層としての「文人」を志向している。黒衣はまとうが、中身は中華の文事によって彩られた俗人なのだ。

図1　策彦周良像（牧田諦亮『策彦入明記の研究』上、法蔵館、1955年より）

4　謙虚な策彦

策彦研究の基盤を築いた牧田《まきた》諦亮《たいりょう》は、策彦が清廉の人であったということを繰り返し筆に上している。*8 しかしその根拠は、『初渡集』の中で策彦自ら述べた半生記を元に、およそ百年後に法曽孫蘭室玄森《らんしつげんしん》がまとめた「前円覚策彦良禅師行実」なるテキストである。言ってしまえば、策彦を悪く言うはずのない者の証言であり、客観的な人物評とは言えない。牧田の評はいささか好意的に過ぎるのではないか。たとえば当初に言及したが、策彦は細川氏に所縁ある身の上であり、師と共にその恩恵を被ってもいた。にもかかわらずそれと敵対した大内氏に身を寄せ、その際陶晴賢《すえはるかた》と交誼を結び、彼が大友氏を滅した後も良好な関係を保つのである。そのような身の振り方について、牧田はそうせざるを得なかった彼の苦衷を慮るのだが、忖度し過ぎではあるまいか。もちろん混乱を極めた室町末期において致し方のない処世ではあり、そこに狡猾さのようなものを見るのは酷かも知れない。信玄や信長との交流についてもあら探しをする筋合いはないのかも知れない。とはいえ、折々の権勢者を渡り歩く嗅覚のようなものが策彦になかったわけでもあるまい。策彦が、その自撰詩集に冠した「謙斎」という号の、文字通りに控えめで慎ましい人物であったとは必ずしも言い切れないのではないか。

たとえば、策彦は和漢聯句によって里村紹巴《さとむらじょうは》と連なっている。策彦・紹巴の交流は咄本『百物語』でも取り上げられており、衆知のことなのだろう。紹巴は、連歌という社交ツールによって貴顕の人脈を綱渡りした男である。清閑の手遊びと見るにはいささか生臭過ぎる相手だ。入矢義高《いりやよしたか》は、詩作と求道のバランスという自身の五山文学評価基準を満たすような作者は室町後期に一人もいないと切って捨てるが、[*9] その切り捨ての中にはもちろん策彦も含まれる。和漢聯句自体が五山文学の俗化という見方もある。そもそも言うまでもないことだが、詩文に通じることは人格の向上となんの因果関係もない。清閑の境地が詠じられたとしても、本人がそこに到達している保証はない。策彦は幼少のころから詩に打ち込み、名を馳せたことは知られるが、仏道について何事かを精進したという記事を私は知らない。対して、漢詩に精通することを誇示する一面があった[*10]というのは興味深いし、その自己語りや詩文にはかなりの虚構が盛られてもいるようだ。二十代はじめに師を喪って以降長きにわたる不遇をかこっているが、実際はさほどでもないらしい。見ていないはずの銭塘江海嘯《せんとうこうかいしょう》を詠むのは能因《のういん》ばりのご愛敬かも知れないが、[*11] 拝謁のかなわなかった皇帝との詩文応酬をひけらかすのはどうなのだろう。[*12] 洪武帝に招かれて詩を唱和した絶海中津とは天地ほどの差がある。謙虚どころか、虚栄の人ではあるまいか。

ただし、このような虚栄は一人策彦の個性に由来することではない。遣明船以前は、多くの僧が日中を往来し、双方向の文化交流があった。唐土での長期滞在もかなえられ、日本にも多くの渡来僧が在住した。しかし朝貢というかたちで管理が進む中、そのような交流は痩《や》せ細ってゆく。短期的に見聞きした情報や、急いで買い集めた「唐物《からもの》」によって入唐の箔を付けることになる。そして彼らを用いる側もその箔によって自らの権威を飾る、それで十分なのだ。今日私たちが誇らしげに自文化を語るとき必ず挙げられるのが「禅」と「茶」であるが、それは、こうした黒衣の交渉人、買付人たる遣明使禅僧たちの、細く限られた通路から外部を将来しようと腐心した働きの結果であると言えなくはない。

5　蓮の葉の上でまどろむ「名僧」——再び策彦の「涙」について

さて、そのほかこの人について知れることとしては、愛猫家にして酒好き、囲碁が強く、夢見の多いこと、それを逐一記すようなメモ魔ということくらいで、それ以上立ち入った何かがわかるわけでもない。それなのに、重ねて言い散らすことになるが、当初に述べた『諸国はなし』について立ち返りたい。信長に笑われた策彦はなぜ涙を流したのだろう。

策彦と信長のかかわりは妙智院所蔵の書簡で確認される事実であり、『きのうはけふの物語』『戯言養気集《ぎげんようきしゆう》』などの咄本では二人の問答を題材化しており、『諸国はなし』にも影響を与えている。一方、この関係に即して策彦が「謙虚」であると評したものがある。小瀬甫庵《おぜほあん》『信長記《しんちようき》』。自分の見るところこれをさかのぼって謙虚な策彦を語るテキストは見当たらない。策彦は安土山の記を認めるよう信長に依頼されるが、固辞して南化《なんか》（玄興《げんこう》）を推薦、南化も辞退し策彦に譲ろうとするも拒みがたく染筆、結果信長大いに気に入って両者に相当の褒美が与えられるという話である。そして策彦については他人に功を譲るその行き方が「謙斎」の名に違わぬと激賞されるのである。同様の逸話は上村《かみむら》観光《かんこう》『五山詩僧研究』などでも注釈抜きに語られるが、出所はおそらくこれである。牧田諦亮もこの話を引いている。牧田が「謙虚な謙斎」を語る上で依拠した「行実」も、甫庵『信長記』以後のものであり、その潤色を織り込んでいるのではないか。早稲田大学図書館蔵「晩過西湖《ばんかせいこ》二首」と題する軸には、策彦の略伝と共に甫庵『信長記』当該部分の抜書が添えられているのも興味深い。甫庵本のネタ元である太田牛一《おおたぎゅういち》『信長公記《しんちょうこうき》』は、策彦のことは没年について簡略に示すだけである。「謙虚な謙斎」は、甫庵が創ったキャラクターではなかろうか。

では、西鶴や『諸国はなし』の同時代読者は策彦をどう捉えていたのだろう。当時甫庵の『太閤記《たいこうき》』は広く読まれ、かなりの虚構を交えた秀吉像は、江戸期のみならず現代の太閤様イメージにも影響を及ぼしている。彼の潤色した英雄信長像についても同様であり、それは「謙虚な謙斎」にも言えるのではないか。とはいえ、フェイクを見透かす注意深い読者もいたはずである。現に甫庵のやり口は同時代評において手厳しく批判されてもいた。

そういうことを踏まえ、「八畳敷の蓮の葉　名僧」を改めて読み返してみると、信長の笑いはかなり辛辣なものに見えてくる。現今ではお前の謙虚さを俺がべた褒めしたことになっているようだが、本当にそうかね。霊鷲山の蓮の葉を見てきたように語るが、釈尊説法の地にあって、こともあろうに蓮の上で眠りこけるやつとは一体誰のことだ?俺たちが登場するこの話には「名僧」という目録題が付けられているが、ずいぶんパンチが効いてるじゃないか。遣明使禅僧の通俗性、自己粉飾、虚栄を見透かされた面目なさ故の「涙」というのは、深読みにも度が過ぎるだろうか。

注

1　新編日本古典文学全集版（小学館、一九九六年）宗政五十緒による解説。

2　新日本古典文学大系版（岩波書店、一九九一年）井上敏幸による解説。

3　本章における日明貿易、遣明船に関する記述は、最新の研究成果・動向を集大成した『日明関係史研究入門』（勉誠出版、二〇一五年）に依拠し、そこからたどることのできる参照文献については紙面の関係上省略したが、特記すべき場合には個別に注する。

4　策彦『初渡集』嘉靖一八年（一五三九）八月十一日の条。『初渡集』『再渡集』両入明記については、『牧田諦亮著作集』第五巻（臨川書店、二〇一六年）および須田牧子ほか「妙智院所蔵『初渡集』巻中・翻刻」（『寧波と博多』汲古書院、二〇一三年）による。

5　橋本雄『日本国王と勘合貿易』ＮＨＫ出版、二〇一三年。

6　伊藤幸司『中世日本の外交と禅宗』吉川弘文館、二〇〇二年。

7　注4参照。
8　注4牧田前掲書、第2部研究編。
9　新日本古典文学大系『五山文学集』（岩波書店、一九九〇年）の解説。
10　中本大「天文・永禄年間の雅交―仁如集尭・策彦周良・紹巴そして聖護院道澄」、『古代中世文学研究論集』第二集、和泉書院、一九九九年。
11　須田牧子「杭州へのあこがれ、虚構の詩作」、『日本史の森をゆく』中公新書、二〇一四年。
12　伊藤幸司「遣明船時代の日本禅林」、『ヒストリア』235、二〇一二年。

05

大航海時代のキリスト教とアジア

ザビエルの鹿児島伝道

岡 美穂子

1 はじめに

一五四九年八月十五日、薩摩の一港（坊津《ぼうのつ》と山川の二説あり）に一隻の華人ジャンク船が到来した。のちにキリシタンと呼ばれる日本特有のキリスト教信仰が生み出される契機となった出来事である。その船には、ナバラ出身のイエズス会士フランシスコ・ザビエル（一五〇六～一五五二年）とその通訳案内人で鹿児島出身のパウロ・デ・サンタフェ（日本人名アンジロー または ヤジロー）と呼ばれる日本人らが乗っていた。パウロは、先行研究によって、通常「アンジロー」と呼ばれるので、ここでも便宜的に、彼をアンジローと呼びたい。本章では、アンジローの経歴と、通訳アンジローを通じた日本へのキリスト教導入時の諸現象についての相関性を、当時の薩摩の地域的状況から考えてみたい。アンジローは一五四六年に薩摩へ来航したポルトガル人の船でマラッカへと渡航したが、そこへ至るまでの経緯について、簡潔に述べておこう。

2 坊津一乗院とアンジローのかかわり

アンジローが発信者の欧文書簡は二通（①一五四八年十一月二十九日付ゴア発、②一五四九年十一月五日付鹿児島発）[*1]存在するが、神学的素養に満ちた流暢なポルトガル語であるので、彼自身が記したというより、彼が語ったことを同伴の宣教師が文章化したと考えられる。とはいえ、自分自身の体験部分については、おおむねアンジローが語ったことに依拠すると考えられるので、その信憑性はある程度評価できる。②は短文で、故郷に帰還後、「妻、娘、母、親戚多数」がキリシタンになった以外の特筆すべき事柄は書かれていない。①の書簡には、日本を出国した経緯などが記され、かなり興味深い内容である。その出国の経緯については、「私が祖国日本におり、異教徒であった頃、ある理由から一人の人間を殺すことになりました。そして、罪を逃れるために同地の仏僧たちの寺院に引き籠もりました」とある。着目するべき点は、「仏僧たちの寺院に引き籠もっていた」という記述である。この箇所はこれまでの研究では、「アジールとしての寺院」という点のみ着目されてきたが、アンジローの仏教知識に対する素養は、後述するように、布教初期の用語の問題と強く関連しており、この「寺院での滞在」は、彼の思想・教養基盤において重要な要素と考えるべきであろう。果たしてこの、アンジローとかかわりの深い寺院とは特定しうるものであろうか。

同じアンジローの書簡では、「同じ海岸にある別の港で、まさに出航しようとしていたポルトガル人の船」に乗るため、その寺院を出奔したことが記される。結果としてそのポルトガル人（ドン・フェルナンド）には会えず、別のジョルジ・アルヴァレスというポルトガル人船長に出会い、その船でマラッカへと出立した。アルヴァレスの記録によれば、彼の船は当時山川港に停泊していたので、そこではない「同じ海岸の別の港」にその寺院は存在したことになる。また同じアンジロー書簡では、「（自分がその寺院に引き籠もっていた）その頃、ポルトガル人たちの船一隻が停泊しており、そこ（ali）に商売のためにやってきていました。それらのポルトガル人の中に、以前から知己のアルヴァロ・ヴァスという一人の男がいました。彼は私の身の上に生じたことを知って、彼の国へ来たいかと尋ねました」とある。その続きの箇所に、ヴァスの商用が長引くことになり、アンジローの国外脱出の緊急性に鑑み、ヴァスは出港間際の別の船長へと紹介状を書いた、とある。右の箇所の「そこ」はポルトガル語の指示代名詞であり、既存の邦訳では厳密に意味が考えられていないが、寺院に隠れていたアンジローがポルトガル人と接触できたということは、やはり「そこ」

は寺院を指すと考えられる。すなわち、アンジローが身を隠していた寺院は、山川港ではない同じ海岸の港に所在し、なおかつ交易と深いつながりのあった場所にほかならない。そのような条件を満たす仏教寺院が、当時の薩摩半島に一箇所だけ存在した――それは薩摩半島の東端部分に位置する坊津（坊泊）の一乗院《いちじょういん》である。*2 坊津が華人《かじん》船、遣明《けんみん》船、倭寇《わこう》船が寄港する中世を代表する九州南部の港町であったことはよく知られており、そこにランドマークとして存在した真言宗の一乗院は、九州南端の人・モノの移動において少なからざる重要性を持っていたことが従来指摘されてきた。江戸末期まで一乗院には膨大な数の聖教、聖画の類が保管されていたが、明治期、とりわけ薩摩で吹き荒れた廃仏毀釈《はいぶつきしゃく》運動により、それらはほとんど散逸したと言われる。近年、一乗院関係の史資料が集まり始め、中世の一乗院の実態が少しずつながら解明されつつある。

3　一乗院と薩摩の交易

十七世紀後半に執筆された『一乗院来由記《らいゆき》』を題材に、中世の一乗院について分析した藤田明良氏の研究をもとに、一乗院の特徴を示すと次のようになる。*3　一、聖徳太子が招聘した百済《くだら》の日羅《にちら》が開山したという伝承　二、根来寺《ねごろじ》、仁和寺《にんなじ》（広沢流真言密教）との結びつきが強化される（十四世紀後半から十五世紀前半）　三、島津宗家当主（守護）は一乗院にて修学する義務　四、後奈良院の綸旨により勅願寺となる（一五四六年）　五、宝塔創建（一五五五年）　六、灌頂《かんじょう》道場となる（十五世紀）。

藤田氏は、『一乗院来由記』に登場する坊津一乗院を経て明へ渡った東林居士《とうりんこじ》なる人物が、近江の佐々木永春《ささきながはる》であると明らかにし、この人物が実際に遣明船に乗っていた記録と照合して、堺発の遣明船が坊津へ立ち寄った可能性を示している。一五五五年に完成した宝塔であるが、そこには五体の仏像が奉納され、当時の島津宗家当主貴久《たかひさ》（一五一四～一五七一年）やその父忠良《ただよし》らの名が台座の銘に刻まれている。これらの仏像の中には大日如来が含まれ、その台座の銘は、島津忠良である。一乗院には貴久修学時の硯などが保管されており、勅願寺指定の綸旨も貴久の働きかけで与えられたことを考えると、とりわけ島津貴久と一乗院の関係は深いものであったことが推察される。

先述のとおり、アンジローがマラッカに渡航する前に滞在していたのは、坊津の一乗院であった可能性が極めて高い。また、当時の薩摩で一乗院が有していた寺格、島津氏との関係、またアンジローが日本出国にあたり自らの従者（洗礼名ジョアン）を連れていたことを考えると、アンジローはある程度の身分ある武士であったと想定される。補足材料として、当時のイエズス会史料ではアンジローのことを「貴人（nobre）」とした記録が散見される。ザビエルならびにアンジロー研究の泰斗である岸野久氏は、アンジローを「貿易商人」と推定しているが、中国、琉球や堺などとの交易が盛んであった当時の薩摩の沿岸部、とりわけ坊津周辺の状況を考えれば、武士といえども少なからず交易にかかわり、入港したポルトガル人とも接触があったと考えるべきであろう。[*4] 日本出国を勧めたヴァスとアンジローは、一五四六年以前から面識があったといわれるので、アンジローは侍で、坊津を拠点とした交易に関係する役職にあった可能性が考えられるのではなかろうか。アンジローがザビエルと共に帰国した折、自身の家族、さらには島津貴久と容易に接触できたことを考えると、アンジローのもともとの身分に比して、犯した罪はそれほど重いとは見なされていなかったとも考えられる。

ちなみに先述の一乗院宝塔に納められた五体の仏像に名が刻まれる島津忠良、貴久、尚久《なおひさ》（貴久の弟）以外の人物は、坊津の西側頴娃《えい》の地頭頴娃兼賢《かねたか》と「坊津之住人」曽山道珍《そやまどうちん》であり、藤田氏は、曽山道珍は坊津の在地勢力の代表格であったと考察している。アンジローが坊津出身、もしくは坊津に所縁の深い人物であると仮定した上で、ザビエルの鹿児島到着に関するイエズス会史料を読み返すと、興味深い記述にいくつか行き当たる。

4　アンジローの宗教知識

ザビエルはアンジローと共に薩摩に上陸した後、島津家宗主の貴久のもとへアンジローを遣わした。当時貴久は鹿児島ではなく伊集院城に居住していた。そこには貴久の母（寛庭夫人）もおり、アンジローが持参した聖母子画に強い関心と信仰心を見せたようである。岸野久氏は、島津貴久らははじめ、キリスト教を真言宗の一派と理解していたものと推察している。その根拠には、アンジローがキリスト教の主要な用語を、たとえば「デウス（キリスト教の全能神）」を「大日」、「聖母マリア」を「観音」として訳していた事実を挙げている。岸野氏に拠れば、アンジローはキリスト教を真言密教系の宗教と理解し、ザビエルのキリスト教布教もアンジローによる通訳を経て日本人に伝達されたので、キリスト教は「真言密教の一種」として薩摩に伝わった可能性が高い。当時、薩摩地方では真言宗のほかに、臨済宗、曹洞宗も盛んで、一向宗や法華宗は禁じられていたものの、民衆の間では密かに支持されていた。しかしながら、アンジローはキリスト教に、ほかの仏教宗派ではなく真言宗との共通性を見いだしていたのであろう。その背景には、アンジローと真言宗の密接な関わりがあったことが考えられる。そうでなければ、ザビエルと福昌寺《ふくしょうじ》（曹洞宗）住持忍室文勝《にんしつもんしょう》との対話なども成立しえなかったはずである。ザビエルは日本滞在中に各地で仏僧たちと宗論を交えた**【図1】**。そのザビエルに日本の宗教の概要を教えたアンジローのもともとの宗教知識の由来は、坊津の一乗院とのかかわりであったかもしれない。

図１　山口で仏僧と宗論を行うザビエル。サン・ロケ教会所蔵「フランシスコ・ザビエルの生涯」（アンドレ・レイノーゾ）（『描かれたザビエルと戦国日本』勉誠出版、2017年より）

5　「倭寇」アンジロー

さて、ザビエルの従者として知られるアンジローは、実のところ鹿児島から平戸、山口、京都、豊後へと続くザビエルの日本布教の旅には同行していない。ある時点から、ザビエルの書簡の中では一切言及されなくなる。アンジローの従僕ジョアンや、アンジローとほぼ同時期にザビエルの従者となった元奴隷の日本人アントニオは、ザビエルの死の間際までザビエルの周辺にいた事実を考えれば、ザビエルにとって最も重要であった日本人アンジローとザビエル一行の間には、鹿児島滞在中に何らかの亀裂が生じたものと考えられよう。アンジローがザビエル一行のもとを離れたのは、公式には「鹿児島の信徒の霊的指導」のためであったとされるが、諸情報に共通するアンジローのその後を考えた時、それは果たして真実であったかという疑問が残る。岸野氏の整理によれば、アンジローの末路に関する情報は複数あるものの、ザビエル一行と別れて数年後、「海賊がらみの一件で、中国で殺された」という点では共通している。岸野氏が、本件に関しては信ぴょう性が低いと評価するフロイス『日本史』には、「八幡《ばはん》（倭寇）に参加し、海賊の一船に身を投じ、中国で死亡」と記される。[*5] いずれにしても、アンジローが「倭寇」に身を投じた点は疑いがないようである。その死亡に関し、海賊同士の争いで殺害されたのか、明朝軍による討伐で死亡したのかは明らかではない。一五五三年（嘉靖三十二）は、ちょうど「後期倭寇」最後にして最大の活動「嘉靖大倭寇」が始まったとされる頃で、中国の海商らを中心に、中国沿海民や薩摩や大隅、五島、博多等の日本人（真倭《しんわ》）が参加した中国沿岸部の掠奪行為が全盛を極め始め、それに対する明軍の大規模な軍事鎮圧行動により、沿岸部では多数の死者が出た。アンジローは「真倭」の一人として、この騒乱のさなかで死んだのであろう。

興味深いのは、フロイスがアンジローの「八幡としての出奔」について述べた際に、「薩摩国は非常に山地が多く、従って、もともと貧困で食料品の補給を（他国に）頼っており、この困窮を免れるために、そこで人々は八幡と称せられるある種の職業に従事している。すなわち人々はシナの沿岸とか諸地域へ強盗や掠奪を働きに出向く」と、薩摩人にとっては「倭寇」への参加は、一種の職業であったことが明確に記されていることであろう。「（後期）倭寇」の構成員をめぐっては、中国人の海商、海民などがクローズアップされがちであるが、やはり日本人も相当な数で参加していたことは、留意されてしかるべきであろう。『枕崎市史』によれば、ザビエルが来日した頃、坊津は島津貴久の実父（伊作）忠良支配下にあり、貴久の弟尚久は南薩摩人を統率して東シナ海での掠奪活動に従事したことが知られ、[*6] ザビエルを伴って帰国し、南蛮貿易への有利な足がかりと詳細な海外情報を薩摩にもたらしたアンジローは、尚久の配下に取り立てられたのかもしれない、と想像するのは穿ち過ぎであろうか。

6　その後の薩摩のキリシタン

ポルトガル人との貿易への関心から、当初ザビエルの来航を喜んだ島津貴久であったが、領民と宗教の結びつきを警戒した貴久は、宣教師の定住を望まなかった。貴久の父忠良（日新斎）はもともと、領民の間で密かに支持される一向宗、法華宗を「邪教」であるとみなしていた。そのため、ザビエルが鹿児島を離れた後、実質的には宣教活動は中断されたのである。しかし、島津貴久はポルトガル船の来航で沸く平戸や豊後府内の活況を知るにつけ、自領へのポルトガル船来航を促すため、豊後府内にいたコスメ・デ・トルレスに、宣教師派遣を要請した（一五六一年十月八日付書簡）。その関連であろうが、取引のため薩摩に入港したポルトガル人船長マヌエル・デ・メンドンサが、わざわざ豊後府内を訪れ、薩摩への宣教師来訪を誘った。これらの要請に応じて、修道士のルイス・デ・アルメイダが日本人の修道士見習いと共に、薩摩へと派遣されたのが一五六一年一二月のことであった。翌年十月二十五日付のアルメイダ書簡では、この道中の委細が語られる。地名は明確に記されないものの、市来《いちき》（領主は新納康久《にいろやすひさ》）と考えられる場所を訪れた際、ザビエルが直接洗礼を授けた「市来のミゲル（新納家の家老）」と呼ばれる老人によって、市来のキリシタン信仰は保たれていたことが報告される。ザビエルはミゲルに新生児への洗礼を授ける資格などを与えていたことも記され、イエズス会がその布教当初より、宣教師不在でも信徒間でさまざまな秘跡をおこなうよう推奨していたことが判明する。この事例は、長崎県で現存する「かくれキリシタン」信仰の、水方《みずかた》、オジ役などの指導者の役割とも共通しており、両者の間に確かな連続性を見ることができる。市来のキリシタンの間では、ザビエルが自身で書き残した「連禱《れんとう》」の祈りが守り袋に収められて信仰対象とされており、病気の際にこれを首筋に当てると多くの者が快癒し、キリシタンではない領主さえも、病を得た時にはそれを用いていたことが語られている。また、同じ書簡の別の箇所には、鹿児島のキリシタンに与えられたキリスト教の教えに関するものは、アンジローが作成したといわれる「ドチリナ・ブレベ（簡易教理）」のみであったので、各人がこれを何度も唱えたり、そこに書かれている内容を個人的に反芻したり思索を深めるしか、宗教的実践の方法はなかったことも記される。

市来を後にしたアルメイダは、貴久に面会後、坊津の泊港に停泊するマヌエル・デ・メンドンサの船に赴いた。そこでは病気の船員の治療のほかに、その地で取引され、ポルトガル人に買われた人々（奴隷）をしかるべく処遇する対応（男性と女性の部屋を分離する、女性の監督係を任命する等）をおこなった。メンドンサの船には非常に多くの女性奴隷が積載されており、彼女たちは「シナの戦争」＝「倭寇による掠奪」で攫われてきたか、日本国内で身売りされた者であったと記される。奴隷の待遇改善は、豊後府内にいた上長コスメ・デ・トルレスの命令であったと記されるから、奴隷取引そのものは、この頃のイエズス会も容認していたと考えられる。

一五七四（天正二）年、島津義久（一五三三〜一六一一年）は坊津宮一丸船頭の渡辺三郎《わたなべさぶろう》五郎《ごろう》に琉球渡海朱印状を与えているが、渡辺三郎五郎は、石見銀山の銀積み出し港温泉津《ゆのつ》へ出入りしていたことが知られている。*7 つまり坊津は奴隷だけではなく、本州の銀山から産出される銀が取引される港であった。

7　十七世紀初頭の薩摩のキリシタン

一六〇六年のイエズス会日本年報では、鹿児島のキリシタンについて、非常に興味深い記述がある。*8 小西行長《こにしゆきなが》の遺臣でキリシタンの小西行重（木戸作右衛門）が関ヶ原の合戦で滅亡した小西行長に代わって島津家久《いえひさ》に取り立てられた際、彼に宛がわれた領地には「天竺宗」と呼ばれている宗派があった。長年薩摩には宣教師は入っていなかったが、この年、小西行重一族との縁により、有馬から宣教師が訪れた。彼らの礼拝と信仰の形態から、「天竺宗」が本来はキリシタンであった可能性が高いと推測され、宣教師が古老たちに聞き取り調査をおこなった。その結果、「（キリシタンの）若干の痕跡や記憶が残っており、キリシタンの事物をいくつか保持していた」ので、彼らがザビエル一行またはアルメイダによって洗礼を授けられたキリシタンの子孫であることが判明した。明確には記されないが、その地域ではこの「天竺宗」は「天竺」すなわち「インド」から教えが伝わった仏教の一派としてみなされていたようである。さらに詳しく探索を続けると、その地の要人の縁者にあたる老婆が、聖遺物の入った「古い木綿の布の小さな袋」を所持しており、その中に、ラテン語で「十字架の木」と書かれた紙に、二点のヨーロッパ製メダイがくるまれているのが発見された。その地では、この老婆がその袋を病人の体の上に置き、病気治癒の祈禱をおこなうことで知られていた。

これらのエピソードを、前述の一五六二年にアルメイダが市来で見たことと照合してみると、非常に興味深い一致が見られることがわかるであろう。おそらく、島津家久から小西行重に宛がわれた領地は市来であり、聖遺物の袋を用いて病気平癒をおこなっていた老婆は、市来のミゲルの子孫であった可能性が高いと考えられる。これらの「天竺宗」の人々には、自らの信仰が「キリシタン」であるという自覚はなく、ただ、「天竺」より伝わった教えとして残っていたのであった。

8　おわりに

一般的には、「嘉靖大倭寇」の鎮圧と倭寇の首魁王直《おうちょく》の処刑（一五六〇年）、明朝の海禁緩和、ポルトガル人によるマカオを拠点にした大型船舶による仲介貿易の開始等を背景に、倭寇は姿を消したと理解されている。しかしながら先述のように、一五六二年の時点でも、薩摩の坊津では、倭寇によって攫われてきた人々が取引されていた。一五九〇年代には、薩摩からスペイン領マニラに多くの船舶が来航していたことが確認される。これらの事実を俯瞰して考えれば、十六世紀の後半、薩摩の人々は、倭寇の盛衰に関係なく、周辺の海域を往来し続けていたと考えるべきであろう。堺と薩摩・大隅の港は、黒潮で結ばれており（南海路）、秀吉の朝鮮出兵の際も、島津氏の兵站《へいたん》は堺商人が担っていたことが知られている。それだけに、海上に生業をもとめる薩摩の人々は、いくら領主島津氏が布教を厭ったとはいえ、キリシタンに接触する機会は、それなりにあったと考えねばならない。ゆえに市来集落の「かくれキリシタン化」は非常に特異な現象である。ザビエルがアンジローを通じて薩摩で広めようとしたキリスト教は、その後の日本でのイエズス会の布教体制の整備とキリシタンの全国的な広がりからは取り残されたとはいえるが、それだけに、初期布教の実態を忠実に伝えるものであったとも考えられよう。

注

1　松田毅一監訳『十六・七世紀イエズス会日本報告集』第三期一巻、一九九七年、一一頁～一五頁および六九頁～七〇頁参照。ただし、筆者は欧文史料の引用に際しては、必ず原典を確認し、場合によっては訳も改めている。本章で引用するほかの史料に関しても、同様の扱いである。本章では主に、*CARTAS QUE OS PADRES E IRMÃOS DA COMPANHIA DE IESUS, QUE ANDÃO NOS REYNOS DE IAPÃO ASCREUERÃO AOS DA MESMA COMPANHIA DA INDIA, & EUROPA*（通称エヴォラ版、一五九八）を参照した。

2　橋口亘「中世港湾坊津小考」、橋本久和・市村高男編『中世西日本の流通と交通』高志書院、二〇〇四年。

3　「中世後期の坊津と東アジア海域交流―「一乗院来由記」所載の海外交流記事を中心に」、九州史学研究会編『境界からみた内と外　九州史学創刊五〇周年記念論文集』下巻、岩田書院、二〇〇九年。

4　本稿では、全般にわたって、岸野久氏の以下の著書を参考にした。『ザビエルの同伴者アンジロー』吉川弘文館、二〇〇一年、同『ザビエルと日本』吉川弘文館、一九九八年。

5　松田毅一・川崎桃太訳『フロイス　日本史』第六巻、中央公論社、一九七八年、七二～七三頁。

6　枕崎市史編さん委員会『枕崎市史』一九六九年、一五八～一五九頁。

7　上里隆史「古琉球・那覇の「倭人」居留地と環シナ海世界」、『史学雑誌』114-7、二〇〇五年、一一七九～一二一一頁。

8　松田毅一監訳『十六・七世紀イエズス会日本報告集』第一期五巻、一九八八年、二〇四～二〇七頁。

06
朝鮮通信使と燕行使の文学

高橋博巳

1　はじめに

鎖国海禁の時代だった近世の東アジアに「学芸共和国」と呼べるような国境を超えた文人の横のつながりがあったとは、にわかには信じがたいかもしれない。しかし朝鮮通信使を介して日・朝間に、燕行使《えんこうし》を介して中・朝間にも文人同士の交流があった。それを限られた紙幅で概観するために、洪大容《こうだいよう》の「日東藻雅《にっとうそうが》跋《ばつ》」（『湛軒書』内集巻三）を手がかりにしよう。『日東藻雅』には通信使の副使書記、元玄川が持ち帰った日本文人の詩が収められていたようだ。李《り》徳懋《とくぼう》の成大中《せいだいちゅう》宛て書簡には、「昨日、柳・朴二寮、果たして書局に来たり、日本人の詩に略《ほ》ぼ抄選を加う」（『青荘館全書』十六）とあるように、「日本人の詩」は「柳」得恭・「朴」斉家や李徳懋たちによって「抄選」されていたことが知られる。大容はそうした日本情報から刺激を受け、それが燕行使に随って北京に赴くきっかけとなった。そこで大容はゆくりなくも厳誠《げんせい》・潘庭筠《はんていいん》・陸飛《りくひ》の杭州挙人トリオと出会って「天涯知己」となり、その後の中・朝文人交流の起点になったのは、奇跡というほかはない。*1

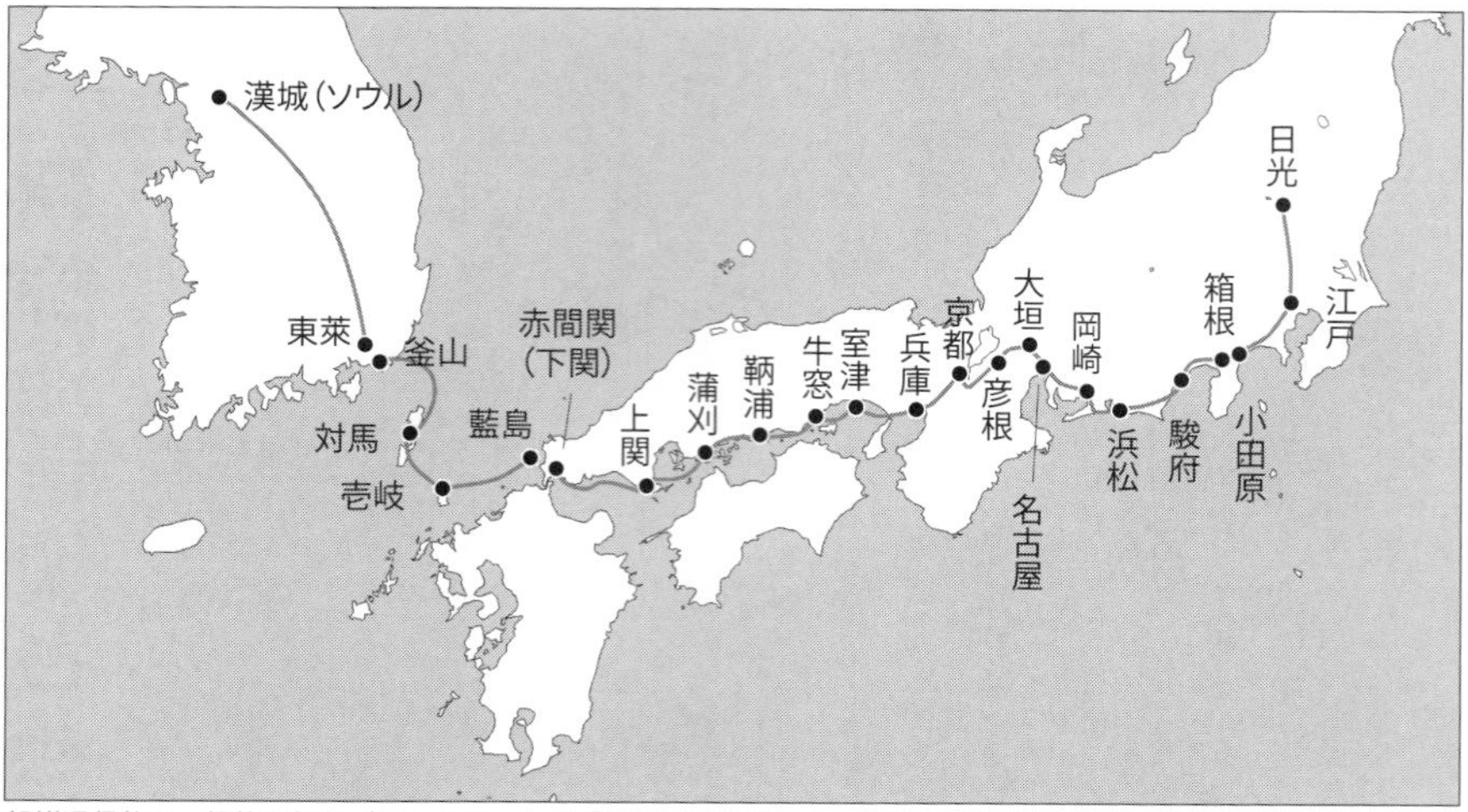

朝鮮通信使の一般的な行程（ロナルド・トビ『鎖国という外交』小学館、2008年を参考に作成）

2　種種風致の交流

先の跋で大容は、「斗南の才、鶴台の学、蕉中の文、新川の詩、蒹《けん》葭《か》・羽山の画」に始まり、「文淵・大麓・承明の筆、南宮《なんぐう》・太室《たいしつ》・四明《しめい》・秋江《しゅうこう》・魯堂《ろどう》の種種風致」に至るまでの多様な魅力を列挙して、それらは「我が邦《くに》に論無く、之《これ》を斉魯江左《せいろこうさ》の間に求むるも、亦《ま》た未だ得易からざるなり」と絶賛した。*2 その多くは甲申《こうしん》一七六四年の第十一次通信使に応接した人々で、もはや大半の人々は忘れられて久しいが、通信使一行には鮮やかな印象を与えたようだ。またわずかながらそのすぐ前の戊辰《ぼしん》一七四八年や、さらに二次前の己亥《きがい》一七一九年の通信使に面会した人々が含まれているのは、大容の関心が長期に渡っていたことを示している。

たとえば「文淵」朝比奈玄洲《あさひなげんしゅう》は、己亥の秋九月十六日に尾張の客館で第九次の製述官申維翰《しんいかん》（号青泉）らと会い、帰途の十月二十五日にも面会した。一行に好印象を与えた様子は、『客館璀粲集《きゃっかんさいさんしゅう》』（享保五年刊）に詳らかである。そこに青泉は「木・朝両君に謝す」として、

二公、璧を高堂に聯《つら》ね、光焔万丈、孰《たれ》か驚駭せざらんや。賜う所の高和、謂う可《べ》し、海外の謫仙《たくせん》、殊域の大王なりと。深く以て欣羨《きんせん》す。将に持ち去りて、同志に示さんとするのみ。

と記していた。玄洲は木下蘭皐《きのしたらんこう》（名実聞、字公達）とともに応接に当たり、蘭皐の詩も玄洲が代書している。これによって蘭皐は「謫仙」

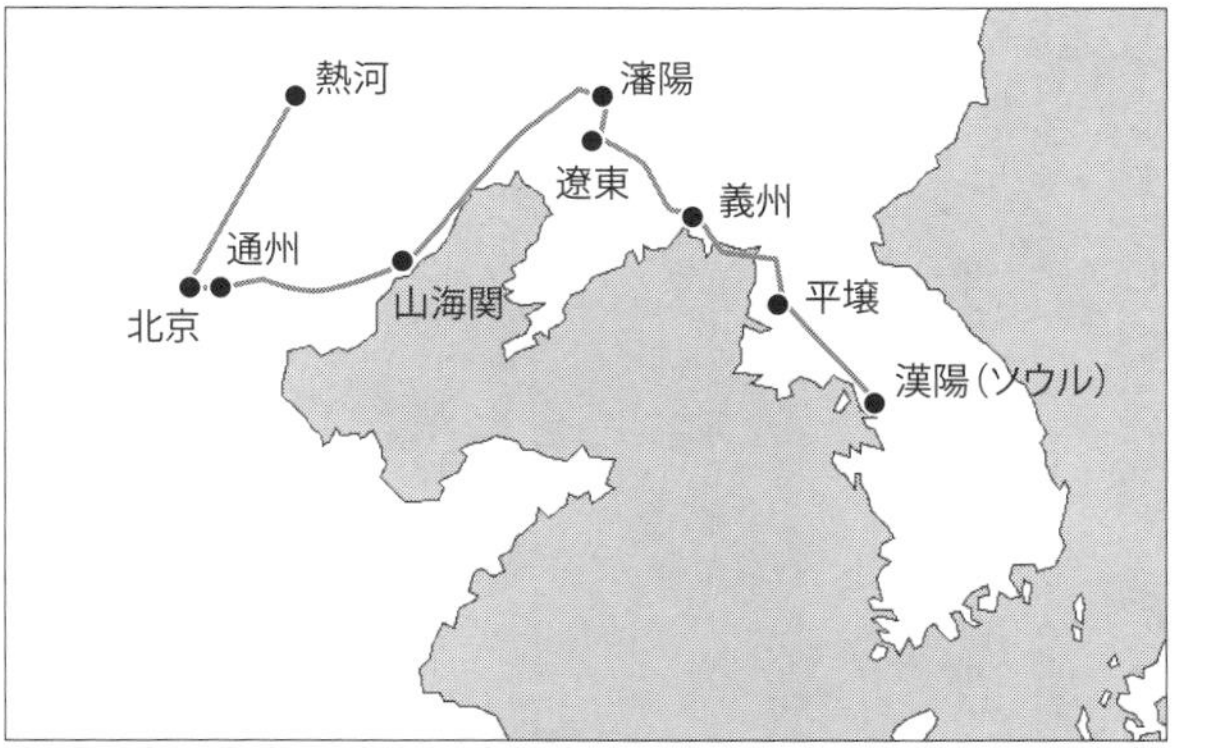

燕行使の行程（夫馬進訳注『乾浄筆譚』平凡社、2016年を参考に作成）

李白に、玄洲は「大王」王羲之《おうぎし》になぞらえられて、両人の書や詩は持ち帰られたようだ。しかも二人は「唐音を以て口談」し、「公等の漢語、善く解す。奇《あや》しむ可し、奇しむ可し」と書記の菊渓《きくけい》に言われるほど、「唐音」にも通じていた。二人は徂徠《そらい》門下だったからである。同じく耕牧子の「朝玄洲に贈り奉る」にも、

玄洲が為人《ひととなり》、清痩衣《い》に勝《た》えざるが如し。而して最も墨妙に長ず。二王顔柳の筋骨肉幹、体として之を得ずということ無し。（中略）詩を為《つく》りて灑灑《しゃしゃ》愛す可し。尤も漢語を善くす。一人にして、三つの難き有り。信に通才なり。

（『蓬島遺珠《ほうとういしゅ》』享保五年［一七二〇］刊）

と記されているように、「墨妙」に加え「詩」や「漢語」（中国語会話）をよくする「通才」だった。「二王顔柳」は、王羲之・王献之《けんし》父子に顔真卿《がんしんけい》と柳公権《りゅうこうけん》。こうした情報がどこまで伝えられたかはともかく、肝心の書作品が洪大容の目に触れなければ、先の評価にはならなかっただろう。*3

しかし「種種風致」となると作品で確かめるわけにもいかず、もっぱら伝聞に頼らざるを得ない。どういう話柄が伝わったのだろうか。まず「南宮・太室」

南宮大湫《たいしゅう》・渋井太室《たいしつ》の二人については、南宮の『大湫先生集』巻五（明和元年［一七六四］刊）に、「朝鮮の製述官典籍朴仁則《ぼくじんそく》に贈る、名敬行、号矩軒」以下の五句が載るうち、正使書記の李聖章《りせいしょう》への贈詩には、

城中昨夜望星文　城中 昨夜 星文《せいぶん》を望む　（お城で昨夜お見かけしました）
使者抽毫才出群　使者 毫を抽きて 才 出群《しゅつぐん》　（皆さんの書は抜群の才）
今日満堂多少客　今日 満堂 多少の客　（今日満堂の人々は皆）
共言風藻不如君　共に言う 風藻 君に如かずと　（あなたの作が一番とほめています）

というように、その「風藻」詩文の出来映えを褒めている。「星文」は星の輝き、使節を喩える。「出群」は抜群の才能。また副使書記の柳子相《りゅうしそう》には、「風流迥《はる》かに出づ、使乎《しこ》の賢」といって、「使乎」すなわち柳子相の風流が抜きん出ているという。「使乎」は、孔子が「使いなるかな」といって使者を褒めたのによって使者を指す（『論語』憲問篇）。さらに従事書記李子文《りしぶん》にも、「翩翩《へんぺん》たる書記、使臣の中。優渥看る、君が大国の風」と詠んで、使臣にまで看取される「大国の風」が、使節の送り主である天子の恵みが行き渡った結果であるという。このような「風流」に対する共感は南宮自身の志向を示して、通信使にも共感を持って迎えられたであろう。

渋井太室もまた『献紵稿《けんちょこう》』（延享五年〔一七四八〕序、内閣文庫蔵写本）をのこしているが、殊に「種種風致」が偲ばれる逸話としては、中井竹山《なかいちくざん》や細井平洲《ほそいへいしゅう》、井上（南宮）大湫、井上四明ら年長の友人から「志行卓絶」と称賛され、さらに『逢原記聞《ほうげんきぶん》』が伝えるエピソード、

> 多市（木村蓬莱）病て死せんとするとき、井太室に『申つかわしたきことあり、筆研を持来れ』と云て筆をとつて、『足下天下豪傑』と書して、息絶たりとなん。
> （岩波新古典大系）

によって、その「風致」が「天下の豪傑」といわれるような人間的な魅力に発していることをうかがわせる。

「四明」井上仲竜の唱酬は、『槎客萍水集《さかくへいすいしゅう》』巻三（都立中央図書館蔵写本）に収録されている。そこで目を引くのは成大中が、

> 亀井道哉は絶世の奇才なり。僕、之と周旋すること十数日を得て、久しくして益々忘ること能わず。今、足下の藻思風雅を看るに、真に元賓なる者に似たり。他日、長慶の争衡《そうこう》、足下に非ずして誰か与《とも》にせん。境外通じ難しと云うと雖も、必ず相見の日有らん。吾が言の誣《しい》ざるを識る可し。

と言って、亀井南冥《なんめい》の詩稿を取り出して見せると、四明が一誦して「嘆賞の容を為」したので、大中は「莞爾《かんじ》として其の稿を収む」というような場面があったことである。「長慶の争衡」は唐の長慶年間に白楽天と元稹《げんしん》が応酬して、詩文集をともに『長慶集』と呼ぶのになぞらえたものなので、この「元賓」は元稹の誤記であろうが、なんという豪華

な比擬であろうか。

「秋江」は岡田新川《おかだしんせん》門下の日比野秋江であるが、その『秋江詩稿』はいまだ管見に入らず、ひとまず措く。最後の「魯堂」については、使行に同行した記録『東遊篇《とうゆうへん》』（明和元年刊）によって知られる事柄のうち、興味深いのは南秋月が江戸の客館で、「魯堂昨日、木貞貫・井孝徳と觴詠す。詩中多く余に説き及ぶ」として、

千里随人海上来　千里 人に随い 海上より来たる　（はるばる使節に従い海を越えて来ました）
彩霞春館好詩裁　彩霞春館 好詩を裁す　（彩霞館では見事な作詩）
詩中一半思秋月　詩中 一半は秋月を思う　（その詩の半分は秋月を思い）
秋月明時夢幾回　秋月 明時 夢幾回　（平和な世に何回夢みるやら）

と詠むうち、「彩霞春館」は魯堂の詩に「井氏彩霞館」と見える渋井太室の館号とすれば、「木貞貫」木村蓬莱《きむらほうらい》と渋井太室（名孝徳）は魯堂らとともに甲申の使節とも唱酬があったことが知られる。魯堂の「剣南詩鈔の後に題す」には、「学士秋月南先生と同行数千里、心交特に深し」とある一方で、成大中からは、「神交幸いに異方の人を得たり。日日相い看て意更に新たなり。万里、縁に随い同《とも》に客と作《な》り、武州の煙柳、已《すで》に深春」という和詩を贈られている。大坂から江戸まで通信使とともに往還するあいだに親交を深め、それが「心交」や「神交」にまで高められたとすればこれまた素晴らしいことである。「種種風致」に接する機会も多かったにちがいない。

3　成大中と朴斉家

成大中の「李懋官哀辞」（『青城集』巻十）によれば、大中が李懋官（諱徳懋）を知るきっかけは、通信使行に出かけるさい元玄川の使行を送る詩文のなかに「一詩序の光鋩人を射る。狎視《こうし》す可からず」とされるような作品があったからという。誰の作かと驚いて尋ね、帰国して早速訪ねると、そこには「年尚お少《わか》く、文弱甚だし。然れども著書已に累《るい》篋《きょう》なり」という徳懋がいた。注目されるのは、「洪湛軒大容・朴燕巌趾源、最も其の得意の交なり」という条で、こ

こに北学派の系譜が見て取れる。徳懋自ら、「大願する所は、乃ち古人を学び、中国を慕うのみ。湛軒先生は奇士なり。燕に遊んで帰る。毎《つね》に篠飲・鉄橋・秋庫《しゅうろう》三先生の風流文物、江左を照耀するを説く」（「潘秋庫庭筠」宛て書簡、『青荘館全書』巻十九）というとおりである。「江左」は長江下流の江蘇・浙江省あたりを指す。さらに大中の先の「哀辞」には、

> 嘗《かつ》て燕都に入り、其の才俊に遇えば、則ち心を傾け交を結ばざる無し。欣若搬《きんじゃくはじ》めて覩《み》て、浙江の潘庭筠、其の眉目を相して、之を異人と謂う。後に復た詩を寄せて、許すに東溟第一流を以てす。

とも伝えられている。潘庭筠は徳懋を「東溟」すなわち朝鮮の一流と認めたわけである。奎章閣《けいしょうかく》の検書官になった徳懋と大中は一時近所付き合いがあり、「歩趣（趨）常に之と偕にす」という親しさだったが、大中より九歳の年少にもかかわらず先立って没したために、大中は「吾れ質疑する所無し。反顧して悵悵《ちょうちょう》たり」と記している。「反顧」は振り返って。「悵悵」とは道に迷って行くところがないさま。

懋官とともに燕行した朴斉家《ぼくせいか》もまた、北京の文人に歓迎された一人である。それには直前に、この二人に柳得恭《りゅうとくきょう》・李書九を加えた四人の詩が『韓客巾衍集《かんきゃくきんえんしゅう》』として北京に伝えられ、李調元・潘庭筠の序と評を得ていたことが重要である。この運びの遠因には成大中や元玄川らによって伝えられた蒹葭堂らの詩会の様子が作用していたかもしれない。朴斉家の「戯れに王漁洋の『歳暮、人を懐かしむ』に倣う、六十首、并びに序」には、「余は百に一能無し。楽しみは賢士大夫と遊び、既に之と交わり好し。又た終日亹亹《びび》として已むこと能わず。人は頗る其の間日無きを笑う」（『貞蕤閣集』初集）といいながら、列挙した六十人のなかに滝鶴台《たきかくだい》・竺常《じくじょう》・周奎《しゅうけい》・木弘恭・岡田宜生《おかだよしなり》・惟周兄弟の名前が含まれているのは、そうした可能性を感じさせる。ここには面識のない人たちがただ詩によって結びつけられているからである。

4　孫星衍と伊秉綬

そうした人物が北京で人々の注目を集めたのも当然であろう。刑部郎中翰林院編修の孫星衍《そんせいえん》（字淵如）は詩文のみならず経史・小学ほかの著述に富む学者詩人であるが、その「書堂問字」には次のような前書きがある。

予、始め瑠璃廠《りゅうりちゃん》の橋西に僑居す。宅前に大樹有り。海内の士、奇を賞し疑を析する者、咸《みな》其の居を識るなり。後に寓を孫公園の小拓に移す。室宇、諸名士の燕集の地と為る。毎歳、朝鮮使臣至る。必ず門を款《かん》し刺《し》を投ず。朴卿斉家、予が為に問字堂額を書す。又た崔儦《さいひょう》の語を大書して云う、「五千巻の書を読まざれば、此の室に入ることを得る毋《な》かれ」と。

「僑居」は仮住まい。「燕集」は安んじ楽しんで集まること。この文人交歓の場に、「毎歳、朝鮮使臣」が訪れたのが、とりもなおさず学芸共和国が機能していた証左である。「崔儦」は隋の人（『隋書』七十六）。そして詩には、こう詠まれている。

瑠璃廠西青廠口　瑠璃廠の西 青廠の口　（瑠璃廠の西の入り口に）
廛鬻図書衒尊卣　廛《みせ》は図書を鬻ぎ 尊卣《そんゆう》を衒《う》る　（店は図書や酒を商う）
十丈紅飛過客塵　十丈の紅飛は 過客の塵　（高くあがる紅塵は客のたてたもの）
一株緑認先生柳　一株の緑は認む 先生の柳　（一株の緑柳は先生宅の目印）
高冠褒服来叩門　高冠褒服 来たりて門を叩く　（立派ないでたちの儒者が訪ねてくる）
登堂画字口不言　堂に登り字を画し 口言わず　（堂に上って字を画くも語らず）
愛才異域且同志　才を愛す 異域且つ同志　（才を愛す外国の同志）
豈有文誉雞林伝　豈に文誉の雞林に伝うる有らん　（文名が朝鮮の地に伝わったのだろうか）
異書海舶有時出　異書海舶 時有りてか出で　（珍本が海を越えて運ばれ）
不似大航留偽帙　大航の偽帙を留むるに似《しか》ず　（大船が偽版を留めるにしかず）
開成石刻贈殷勤　開成の石刻 殷勤に贈り　（開成石刻を尊ばせようとした）

要使薄海尊経術　薄海をして経術を尊ばしむるを要《もと》む　（海内に儒教を尊ばせようとした）
興来落筆蛟螭翔　興来たり落筆すれば 蛟螭翔がる　（感興によって書き始めれば竜が躍るよう）
五千巻室崔儦蔵　五千巻の室 崔儦が蔵　（崔儦の言にある五千巻の書堂）
似聞比歳朝天客　似《ほの》かに聞く 比歳 朝天の客　（聞けば毎年朝貢の客が）
猶訪当年問字堂　猶お当年の問字堂を訪うがごとしと　（なお当時の問字堂を訪問しているそうな）

（『冶城絜養集』巻下、『孫淵如詩文集』七）

「尊卣」は酒。「衒」は、街でふれ売りをすること。「紅飛」は紅塵。「高冠褒服」は立派な冠をつけた儒者。「文誉」は文名。「雞林」は朝鮮。「大航」は大船。「偽帙」は偽版。「薄海」は海内、天下。「蛟螭」はみずち、竜の一種。書が躍動している譬え。「比歳」は毎年。「朝天」は天子に謁見すること。

翰林院庶吉士で萊州知府になった張問陶《ちょうもんとう》（号船山）の「問字堂図、淵如前輩の為に題す」（『船山詩草』巻十二）にも、「朝鮮朴斉家、額を書し、羅両峰、図を作る」と割注が付されていて、斉家は羅聘《らへい》（号両峰）とともに孫星衍のために「額」と「画」をそれぞれ分担したことがわかる。斉家の帰国に当たっては、羅聘が肖像と墨梅図を、揚州知府の伊秉《いへい》綬《じゅ》（字組似《そじ》、号墨卿）が「高麗の朴検書斉家の帰国を送る」と題する詩を贈っている。*4

伊秉綬にはまた「張水屋刺史道渥の画冊に題し、高麗の金履度《きんりど》の帰国を送る」と題する作があり、そこにはこう詠まれている。

呉中山水天下無　呉中の山水 天下に無し　（呉の山水は天下無比）
十年不見心縈紆　十年見ざれば 心縈紆《えいう》す　（十年見ないと心にかかる）
緊誰導我江干路　緊《ああ》誰か我を導く江干の路　（誰か私を川べりの路に導いて）
眼前漠漠飛烟鳧　眼前 漠漠たり 飛烟の鳧　（目の前にたちこめる霞の鳧）

（中略）

誰能写此石谷子　誰か能く此を写す 石谷子　（この見事な景色を写したのは石谷子）
百余年来張刺史　百余年来 張刺史　（百年たったいまは張水屋）
倪迂范緩元章顚　倪迂 范緩 元章が顚《てん》　（倪瓚や范寛や王冕の奇行）
由来絶芸非偶然　由来 絶芸は 偶然に非ず　（もともと比類ない芸は偶然ではない）
（中略）
君帰勝日集詞人　君帰りて 勝日 詞人を集むれば　（帰国して節日に詩人を集めれば）
貞蕤居士知情親　貞蕤居士 情の親しきを知らん　朴斉家検書　（朴斉家君と親しいのがわかる）
言瞻刺史不可見　言瞻刺史 見るべからず　（張水屋を見ることはできないが）
披図題遍江南春　図を披けば題は遍ねし 江南の春　（図をひらけば江南の春が広がる）

（『留春草堂詩鈔』巻二）

「張刺史」は清代中期の地方官（蔚州知州）で、詩書画三絶を謳われた張道渥（字水屋）。伊秉綬は朝鮮の使臣「金履度」（字季謹、号松園）の帰国にあたって、道渥の「画冊」に題して送別とした。そこには見事な呉中の山水が描かれていて、かつては「石谷子」すなわち清初の文人画家、王翬《おうき》の十八番だったが、いまはこの「張刺史」が勝れている。「倪迂」は元末の倪瓚《げいさん》。「范緩」は北宋初期の山水画家、范寛《はんかん》。「元章」は元の画家、王冕《おうべん》（字元章）で、『儒林外史』に実名で登場する（陳舜臣『中国画人伝』新潮社、一九八四年）。道渥はこの三人に劣らず「顚」だったというのである。「勝日」は五行説で木は土に、土は水にというように勝つ五日をいう。「貞蕤居士」は注にあるように朴斉家。「言瞻刺史」は張水屋。

その『水屋賸稿《すいおくとうこう》』下巻には、「寄謝朝鮮友人金松園遠贈騎驢筆」（朝鮮の友人金松園の遠く騎驢筆《きろひつ》を贈らるるに寄謝す）が収録されている。

廿載流光染鬢糸　廿載の流光 鬢糸を染む　（二十年の時の流れは白髪に変え）

不堪回憶訂交時　回憶するに堪えず 訂交の時　（交りを結んだ時を思い出すのもつらい）
魚沈雁杳書仍到　魚沈み雁杳《はる》かにして 書仍お到る　（魚や雁はいなくても手紙は届く）
海隔関圍夢不知　海は関圍を隔て 夢にも知らず　（海が国境を隔つのに気づかない）
人遠一天猶共戴　人遠く 一天 猶お共に戴き　（離れても天を共にいただき）
月明両国総相思　月明らかに 両国総て相い思う　（月の光に相方から思いを交わす）
他生縁会皆痴想　他生《たしよう》の縁会 皆な痴想　（来世の因縁はすべて迷いである）
未抵伝情筆一枝　未だ抵《いた》らず 情を伝える筆一枝　（まだ友情を伝える筆は届かない）

清時何用慮辺疆　清時 何ぞ用いん 辺疆を慮るを　（太平の世に辺境を心配する必要はない）
尺素頻通也未妨　尺素 頻りに通ずるも 也《ま》た未だ妨げず　（頻繁な手紙の往来も邪魔されない）
可識九重軽衛霍　識る可し 九重 衛・霍を軽んずるを　（朝廷は衛青と霍去兵を軽んじた）
那能一処合金張　那ぞ能く 一処に金・張を合せんや　（どうして金君とわたしを一処におこうか）
衰年作吏逢瘠土　衰年 吏と作り 瘠土に逢う　（年老いて役人となりやせ地に赴任した）
老境催人思故郷　老境 人を催《うなが》して故郷を思わしむ　（老境は人に故郷を思わせる）
小影寄来湘管裏　小影 寄せ来たる 湘管の裏　（私の肖像を筆で描いて送ってくれた）
騎驢笑我旧時狂　騎驢 我が旧時の狂を笑う　（驢馬に騎乗する姿を見て昔の風狂を笑ったことだ）

「流光」は流水のように過ぎ去る年月。「訂交」友人になったのは二十年前のこと。途絶えていた書信が復活して、「一天、猶お共に戴」いていることを実感した。「衛・霍」は漢の衛青《えいせい》と霍去兵《かくきよへい》、匈奴《きようど》を征した武将。「金・張」は漢の金《きん》日磾《につてい》と張安世《ちようあんせい》で、ともに権勢を縦にした。この二人に同姓の金履度《きんりど》と張道渥《ちようどうあく》を連想させているのが微笑を誘う。詩の末尾に付された割注に、「昔年、京に在りて、長く一驢に騎る」と見えるように、張水屋は好んで驢馬に乗っていたという。二十年後に遥々「騎驢筆」が届けられたのには、そういう背景があったわけである。

5　おわりに

このように中朝間の交流ははなはだ盛んで、日朝間との比較を絶している。しかし、深い考察が日本の文人になかったわけではない。その一例を引いて、ひとまず稿を閉じることにしよう。竺常、すなわち大典禅師の『小雲棲手簡』三編巻上には「以酊和尚別紙」が収められ、そこにはこう記されている。

> 之を聞く、貴地の大夫士近ごろ盛んに文武を講ずと。乃ち不慧《ふけい》、昨《さく》、以酊に在りて賦せし所に云う、「秖今《ただいま》聖代の文、武を将って安し。危を忘れざるは君子の情」と。恰《あたか》も之と相い吻合す。喜び勝《あ》げて言う可けんや。但だ未だ知らず、講ずる所、果たして何如《いか》なるかを。夫れ文は虚なる可からず。武は固より実なる可し。実にして虚ならざるを欲せば、先務を急にするに如くは莫し。窃《ひそ》かに嘗て以為《おも》えらく、対《つしま》の国為る列国と相い属連せずして、独り朝鮮と相い対し、実に障徼《しょうきょう》を司る。是れ其の文を用い、武を用うる、之を我と我と相い当たる者に比すれば、宜しく其の撰を異にすべし。隣交の尚ぶ所は辞命を要と為す。而して辞命の務めは道理に長じ、文詞に達するより先なるは莫し。知らず、大夫士、焉《これ》に心を用うるや否やを。惟《おも》うに武も亦た然り。彼其の鳥蛇《ちょうだ》排布《はいふ》の法、控弦擐《かん》甲《こう》の具は、吾れ識らざる所。聊か概して之を論ずれば、一国以て城と為し、大海以て塹《ほり》と為す。外寇をして崖を望みて退かしむ。抑《そもそ》も豈に障徼権勁《けんけい》の要とする所に非ざらんや。不慧は方外の一老夫、何ぞ暁暢《ぎょうちょう》する所あらんや。顧うに身は碩学の末に居て、未だ敢えて国家を忘れず。其れ敢えて対馬を忘れんや。狂妄の言も亦た中悃《ちゅうこん》に出づ。満山生《みつやませい》が輩、謁見すること有らば、茶話の次いで告ぐるに邇言《じげん》を以てし、渠《かれ》をして之を哂《わら》わしめば幸甚なり。
>
> （寛政六年刊本）

「文武」は文事と軍事。「先務」は急務。「鳥蛇排布」は軍の布陣。「控弦」は弓を引く兵士。「擐甲」は鎧を着ること。対馬と朝鮮の外交にふれて、「隣交の尚ぶ所は辞命を要と為す。而して辞命の務めは道理に長じ、文詞に達するより先なるは莫し」というのは至言であろう。軍事よりも外交が大事で、そのための「辞命」使者の弁舌には、「道理」と「文詞」が不可欠というのである。大典が『詩語解《しごかい》』（宝暦十三年刊）や『文語解《ぶんごかい》』（明和九年刊）をはじめ、『初学文軌《しょがくぶんき》』（寛政十二年刊）などの手解きに力を入れたのもそのためである。「狂妄の言」どころか、これほど核心に触れた意見を他処で見かけたことはない。

注

1 高橋博巳「文人研究から学芸の共和国へ」（『人文論叢』93、二松學舍大学人文学会、二〇一四年）を参照。夫馬進訳注『乾浄筆譚』1・2（平凡社東洋文庫、二〇一六・二〇一七年）によって、洪大容の旅をたどることができる。

2 高橋博巳「蒹葭堂が紡ぎ、金正喜が結んだ夢―東アジア文人社会の成立」（『徳川社会と日本の近代化―一七～一九世紀における日本の文化状況と国際環境』思文閣出版、二〇一五年）参照。

3 尾張文人については、高橋博巳「尾張文人と朝鮮通信使」（『国語と国文学』94-11、二〇一七年）をも参照。

4 高橋博巳「通信使行から学芸の共和国へ」（『日本近世文学と朝鮮』勉誠出版、二〇一三年）参照。

07 琉球と唐・ヤマトの交際・交叉

一七一四年の江戸立を中心に

島村幸一

1 はじめに

琉球は古くから唐（中国）・ヤマト（薩摩・日本）と深いつながりを持っている。琉球国と中国との冊封《さくほう》関係をいえば、建国まもない明の洪武帝《こうぶてい》からの招諭（一三七二年）を請けて、中山王察度《さつと》が泰期《たいき》を派遣し進貢した後、「永楽二年」（一四〇四）に明が時中《じちゅう》を派遣して中山王武寧《ぶねい》と山南王汪応祖《おうおうそ》を冊封した。それ以来、唐（明・清）は一八六六年の尚泰王の冊封まで四百六十年余りにわたり、二十二回の冊封使節を琉球国に派遣してきた。冊封使節の正副使は官僚であるが、使節には文人・医者・道士・芸人から料理人等の職人までいて、琉球にさまざまな文物をもたらした。また、琉球国は冊封関係にある間、時期によっては毎年のように唐へ進貢《しんこう》船や接貢《せっこう》船等を派遣して、交際・交叉を継続した。さらに、官生《かんしょう》（国費留学生）を派遣して国子監で学ばせ、福州の琉球館においては勤学（私費留学生）が学んだ。当然のことではあるが、唐の文物はこれらのエリートばかりではなく、唐に渡った水主たちや唐からの渡来民、唐栄等によってもさまざまに入った。

一方、薩摩を始めとするヤマトとの交流も深い。琉球（沖縄本島）が統一された以降の琉球国と日本とのつながりに限っても、将軍足利義持《あしかがよしもち》が尚思紹《しょうししょう》（一四〇六～一四二一年在位）の遣使に「応永二十一年」（一四一四）の年紀が記される返書が確認され、少なくとも第一尚氏の時代から室町幕府と交流があったことがわかる。ヤマトとの交易には、五山僧が関与していたことから、禅林の将来は国をあげた組織的なものであったと考えられる。十六世紀初頭から十七世紀中葉頃に作られた碑文類や辞令書、王府の宮廷歌謡集『おもろさうし』等の古琉球期の国内文書は、琉球語を正確に反映した仮名書きを基調とする正書法で書かれている。それを考えると、琉球とヤマトとの組織的な交際・交叉は、第一尚氏以前の時代からあったと考えられる。琉球とヤマトとの関係も唐と同じく、琉球に統一的な政権が成立した当初から、組織的なつながりを持っていたと推測できる。民間の文物の流入、交叉は、それを越えるはるか以前から大きな規模であったと考えられる。

本章では、程順則《ていじゅんそく》・玉城朝薫《たまぐすくちょうくん》が江戸立の使節のメンバーになって、江戸に参府した帰途、前摂政近衛家熙《このえいえひろ》と会見をした事例を中心にみながら、琉球と唐・ヤマトとの交際・交叉を考える。この時の江戸立（一七一四年）は、尚敬王《しょうけいおう》襲位の謝恩使《しゃおんし》と徳川将軍家継《いえつぐ》就任の賀慶使が同時に派遣された。この時期の琉球は、唐とヤマトの両国に朝貢する国にふさわしい体制を作ろうとしていた。

2　近衛家熙と会見した程順則

二〇一八年二月十日の『琉球新報』『沖縄タイムス』は、程順則（名護親方寵文《ちょうぶん》）が近衛家熙に献上した「孔林楷杯《こうりんかいはい》」（横二六センチ、縦二一・五センチ、内側に金泥が塗られている）が、「楷杯記」「物外楼記」とともに、陽明文庫に保管されていたことを沖縄県文化振興会史料編集室が確認したと報じている。その後、詳しい報告書が『沖縄史料編集紀要』第四十二号に掲載されている。[*1] 程順則が江戸立の帰途、近江の草津で近衛家熙と会い、帰国した後「孔林楷杯」を家熙に献上したことは、『程氏家譜（六世 程泰祚）』[*2] に記されており知られていた。それが保管されていたのである。

『程氏家譜（六世 程泰祚）』によれば、程順則は「康熙五十二年（一七一三）」に「慶賀掌翰史」の命を受け、翌年の五月二十六日に江戸立して十一月二十六日に島津の「江戸芝御屋敷」に到着した後、十二月二日に登城して「御書翰」を

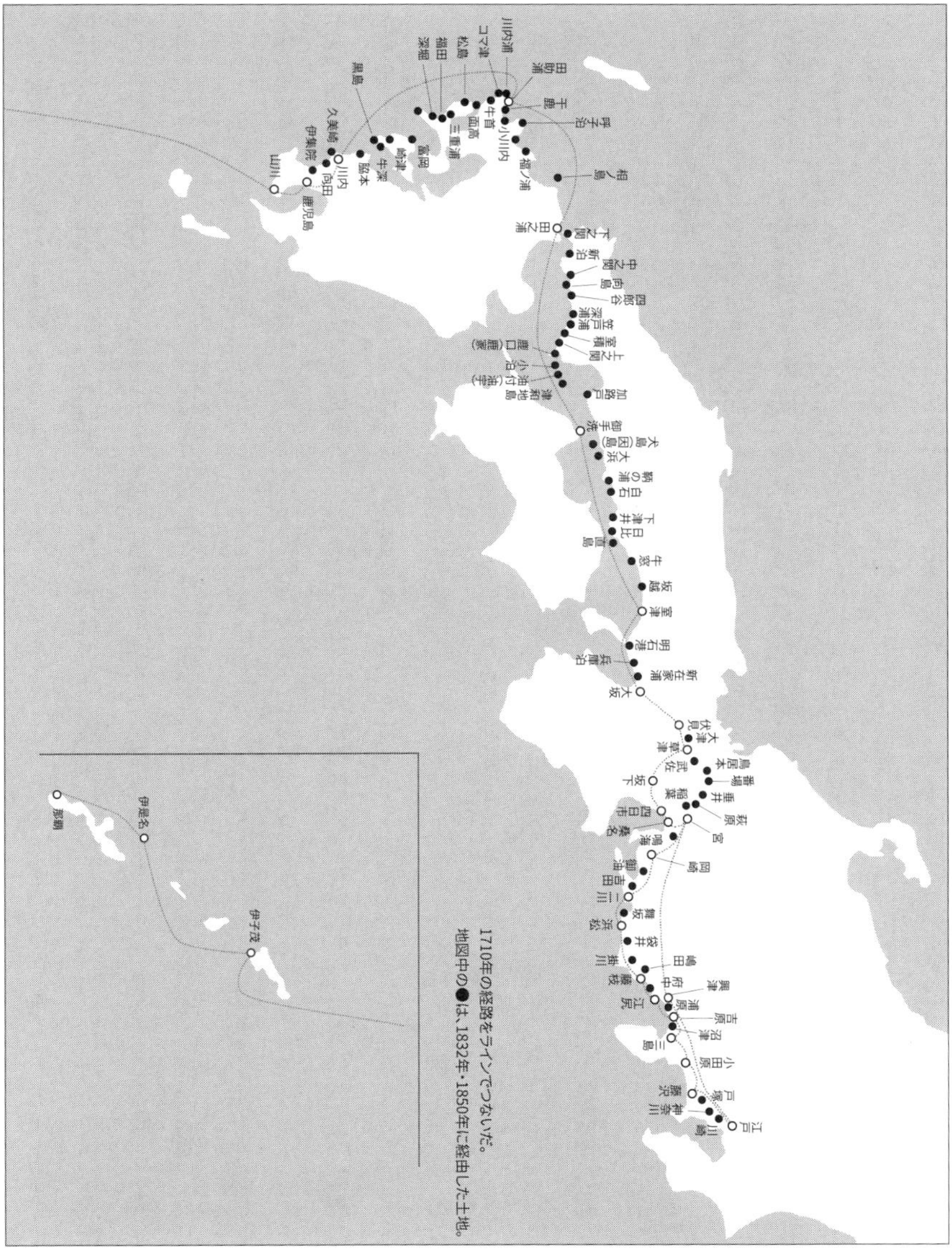

琉球使節江戸上りのルート（沖縄県教育委員会『沖縄県史ビジュアル版8』2001年を参考に作成）

将軍に捧じ、四日に「楽上覧」のために再び登城する。六日に三度目の登城をして「御返翰並拝領物」を受け、九日には上野の「東照大権現宮」を参拝したとある。こうした江戸での一連の公務を果たして帰国の許しを得て、二十一日に江戸を発ち、明くる年（一七一五）の正月九日に近江の草津に着いた時に、当地に赴いていた近衛家熙から会見を申し入れられ、「物外楼」（鴨川にある家熙の別邸）を詠んだ「詩文」をもとめられる。この時、家熙からは「御自筆小武当山八景手巻一軸」「欹案壹個」等を下賜されて、順則は三月二十四日に帰国している。順則はその年の六月に、返礼として「康熙皇帝御詩宸筆石摺壹枚」「詩韻釈要壹部」と「孔林楷杯壹」を島津吉貴《しまづよしたか》を通じて家熙に献上する。新聞で報じられた「孔林楷杯」は、この時の献上品である。その翌年（一七一六）に、家熙の書翰が伝えられる。書翰には、家熙が順則献上の三つの品を「御熟覧」し、とりわけ「孔林楷杯一枚」は「他邦之奇物」で、「深志旁御感悦不斜忝御秘蔵御事候」と記されている。*3 確かに「孔林楷杯」は、今日まで「御秘蔵」されていた。

「孔林楷杯」にかかわる話は、さらに続く。「康熙五十七年」（一七一八）に家熙の「御家老」である近藤刑左衛門の書翰が伝わる。書翰には、家熙が楷杯を「旦暮」に「御賞愛」するが、酒を飲まない。そこで杯のままでは「残念」に思い、「杯をうち返し御覧」になるとその形が「木仮山」（「仮山」は築山）に見立てられ、床の間に置いて「御自愛」している。それで、今度は蔡温《さいおん》（具志頭親方文若《ぐしちゃんウェーカタぶんじゃく》）に「木仮山之記」を作ってほしいとの依頼が記されていた。蔡温は、楷杯が崑崙《こんろん》山や蓬莱《ほうらい》山を髣髴させるとする「木仮山之記」を贈ると、翌々年（一七二〇）に蔡温には「硯箱壱通」、順則には「薫物壱香合」が贈られてきて、「木仮山之記」が「結構」なる文章であること、順則の「楷杯記」とともに物外楼の「珍玩」であることが記されて、さらに、蔡温に「物外楼之詩」をもとめてきた。蔡温は、「物外楼記」と四首の七言律詩「再題物外楼」を贈っている。*4 前述した沖縄県史料編集室の報告（注1）によれば、「物外楼之詩」をもとめてきたのは、蔡温ばかりではなかったようで、陽明文庫には蔡文溥、陳其湘、楊大正、蔡肇功、曾暦、蔡淵の漢詩が所蔵されている。蔡文溥、陳其湘、蔡肇功は『中山伝信録』巻六「中山贈送詩文」に名を連ねる人物、曾暦は程順則とともに謝恩掌翰使として江戸立した人物、蔡淵は蔡温の異母兄にあたる人物である。いずれも、当時の勝れた漢詩人であったと考えられる。

程順則（一六六三〜一七三四年）と蔡温（一六八二〜一七六一年）は、ともに唐からの渡来民が集まる那覇の久米村の士族（唐栄）である。程順則は「康熙五十四年」（一七一五）には「紫金大夫」に昇り、久米村を統括する「総理唐栄司職」になり、「康熙五十八年」（一七一九）には三司官座敷に昇っている。順則の「勲庸」（業績）は輝かしい。それをたどれば、「康熙二十二年」（一六八三）から四年間、閩（福建）で学ぶ（この間、北京に行っている）。「康熙二十七年」（一六八八）から翌年まで「講解師」を勤める。翌年には「接貢在留通事」になって三年間「閩」に勤務し、この間「捐資二十五金」をだして「十七史」（一五九二巻）を購い、帰国後久米村に創建された「孔子廟」に献じている。「康熙三十年」（一六九一）には「漢字筆者」に就き、再び「講解師」を勤める。「康熙三十五年」（一六九六）には「重修臨海橋碑文」を作ることを命じられ、同年「進貢北京大通事」となって渡唐し、翌年北京に赴いて公務を果たす。次の年（一六九八）に帰国するが、この時、琉球館のある福建から北京までの往還を詠んだ自身の漢詩集『雪堂燕遊草《せつどうえんゆうそう》』を福建で板行する。「康熙四十三年」（一七〇四）には「世子尚純公世孫尚益公」に「四書」と「唐詩」を講ずる。「康熙四十五年」（一七〇六）は「進貢正議大夫」になり、翌年「閩」に渡唐して北京に赴くが、その途中で曲阜県の「孔子本宅闕里廟」を訪れて、前年に書いた「琉球廟学紀略」を収めて「三跪九叩頭」の礼を行う。家熙に献上した「孔林楷杯壹」は、この時に「孔林」の「楷樹」の「盤根錯節」を取って作ったものである。「康熙四十九年」（一七一〇）には、「春秋貞観政要」を侍講する。家熙に会見をもとめられる「慶賀掌翰使」の命を受けるのは、その三年後（一七一三）である。順則、五十歳の年である。

家熙に会うまで、順則は四度の渡唐経験を持ち、北京には少なくとも三度行っている。家熙が順則に「物外楼」を賦す「詩文」をもとめてきたのは、順則が漢詩集『雪堂紀栄詩《せつどうきえいし》』（一六九三年）を編み、自身の漢詩集『雪堂雑俎《せつどうざつそ》』（一六九六年）、『雪堂燕遊草』（一六九八年）を板行していた漢詩人であったことが理由になろう。とくに、『雪堂燕遊草』は、家熙と会う前年（一七一四）の一月に京都の書林奎文館主人瀬尾源兵衛（用拙斎）が再版（『琉球程寵文詩編　附世法

録琉球考　雪堂燕遊草』）している。瀬尾源兵衛は漢詩人で京都で書肆奎文館を営む人物である。順則が加わる琉球の使節がやって来るこの時期にこれが板刻されるのは、偶然とは思われない。「琉球人」の漢詩集は多くが福建で板行されるが、それが日本で再版されるのは珍しい。[*5] 順則は、家熙と会見した際、「御自筆小武当山八景手巻一軸」を贈られていたが、「小武当山八景」は『雪堂燕遊草』にある八編の漢詩である。家熙はすでに、『雪堂燕遊草』を読んでいたのである。馬琴の『椿説弓張月《ちんせつゆみはりづき》』（一八〇七〜一八一一年）が、尚灝王《しょうこうおう》襲位の謝恩の江戸立（一八〇六年）に合わせて上梓されたのと同じく、『雪堂燕遊草』も順則が加わる江戸立に合わせて板刻されたと考えられる。『雪堂燕遊草』は、福建の琉球館から北京（燕京）までの往還を詠んだ漢詩集である。中国情報に強い関心を持っていた知識人たちに、注目されたと思われる。家熙が順則に会見をもとめてきた理由の一つは、勝れた漢詩人への興味もさることながら、中国を実際に見聞してきた「琉球人」から直接、中国の様子を聞きたかったのであろう。

家熙に「木仮山之記」を献じた蔡温の「勲庸」も、輝かしい。家熙から詩文の依頼がある年までの蔡温の「勲庸」を概略すると、「康熙三十九年」（一七〇〇）に「通事」に選ばれ、「康熙四十七年」（一七〇八）には「進貢在留官」となって渡閩し、二年滞在して「地理」（風水）を学ぶ。「康熙五十年」（一七一一）には「長史」となるが病いにより辞す。しかし、その年に世子（尚敬）の「師職兼務近習職」になる。翌年に国王が死去し、尚敬が国王になると蔡温は「国司職」になる。「康熙五十四年」（一七一五）には『要務彙編《ようむいへん》』をまとめて「聖覧」する。翌年には「進貢正義大夫」となり、次の年（一七一七）に渡唐し北京に赴いて尚敬の冊封を請う。しかし、まもなく「皇太后」がなくなり、冊封の願いが困難な状況のなかで、蔡温等の努力でようやくそれが受理されて、明くる年（一七一八）の八月九日に帰国し、「国師職」に戻る。「木仮山之記」作成の依頼はその年であった。蔡温が三十六歳の年である。蔡温がその任に選ばれたのは、国王尚敬の厚い信頼と蔡温の勝れた能力、そして程順則の推挙であったと思われる。[*6] 実は、その翌年（一七一九）には、蔡温等の努力の末に実現した冊封使節（正使海宝《かいほう》、副使徐葆光《じょほこう》）が来琉している。

3　もうひとりの会見者、玉城朝薫

家熙と会った「琉球人」は、程順則だけではなかった。順則の家譜には、その時の会見で家熙から「宮里玉城浜川」に「手跡之御用」があり、拝領物を賜ったことに対する中山王尚敬からの薩摩家老種子島弾正へ宛てた礼状が記されている。[*7]「宮里」は、当時宮里親雲上《ペーチン》と名乗っていた程順則のことであるが、「玉城」は「楽正」であった向受祐《しょうじゆゆう》（玉城親方朝薫、一六八四〜一七三四年。当時玉城親雲上を名乗る）である。「浜川」は、「楽童児」である「蔡延儀《さいえんぎ》」であると思われる。[*8]「蔡延儀」については詳しくは知れないが、朝薫は冊封使節を接待するための劇、組踊を創始した人物である。朝薫の家譜には草津に宿をとった際に、肝附主殿殿の宿に呼ばれて近衛家熙と中院《なかのいん》大納言道茂《みちしげ》に会っているとある。その際、「朝薫等」は扇子に「琉歌」を写して二人に献じている。朝薫の家譜には、この時の江戸立の任は「座楽主取兼任通事役」とある。[*9]家譜には、十二月二日に二人の正使に随って江戸城に登り、四日に江戸城で「楽」の演奏をしている。十二日には、「三郎継豊公及御母后」の前で「楽」を演奏し、十三日には「継豊公」（島津吉貴の長男）が「朝薫及楽童子八員」を「御部屋」に招いて「朝見」している。十四日には島津藩主「吉貴公」から「柳園筆絵一枚」を、十五日にも「楽童子八員及朝薫」に「菓子一器」を、十六日は「御膳」を賜っている。十七日には「継豊公」から直接に「黄応丸一包」を下賜され、十九日には「継豊公」から「島羽二重二疋」を賜ったとある。一連の記事は、江戸薩摩屋敷での「楽」の演奏等が連日のようにあったことをうかがわせる。江戸城での「楽」は唐楽であり、最後に琉楽（三線音楽）が演奏されるだけであるが、薩摩屋敷では「躍」もあり、唐躍や琉躍が演じられた。朝薫自身が「通事」として参加した「宝永七年（一七一〇）」の江戸立（徳川家宣《いえのぶ》将軍襲位を祝う慶賀使と尚益王《しょうえきおう》襲位を報ずる謝恩使）では、「琉球おどり　くりまへ　おどり」（現在の女踊「かしかけ」か）を踊っている。

家熙に会見するまでの朝薫のキャリアも、華々しい。朝薫は、十二歳の年の「康熙三十五年」（一六九六）に「御書院小赤頭」として出仕する。「同四十年」（一七〇一）に、「上意」により「文弥」と改名する。これは、文弥節の創始者といわれる岡本文弥にちなむといわれている。「同四十二年」（一七〇三）に、国王から「鼓」を下賜される。「鼓」

は謡いに使われる小鼓だろう。その年には美里王子朝禎に随って上覲し、吉貴に朝見する。翌々年（一七〇五）にも越来王子朝奇に随って上覲して、明くる正月に吉貴から「軒端梅之仕舞」（東北）を所望され上覧する。「康熙四十八年」（一七〇九）には、美里王子朝禎に随って「与力」として江戸立の任に就く。翌年鹿児島で美里王子とともに吉貴に朝見するが、吉貴の命により「通事」として「何方」においても「日本之言葉」を話すことを許される。「同五十一年（一七一二）」七月に、尚益王の死去を知らせに「飛脚使」として上覲する。その折（九月三日）、新国王即位による謝恩使の「楽主取」の任に就くこと、また与那城王子とともに「明年春」（一七一三年）に帰国するようにいわれる。これは、正月恒例になっている能の「賞観」をさせる目的であったと思われるが、あるいは前回のように吉貴から仕舞の所望があったのかもしれない。九月六日、与那城王子とともに鶴丸城に登城して「囃子狂言」を「賞観」し、二十五日には「御能」を「賞観」する。翌年（一七一三）正月二十七日には「磯御庭」（島津の別邸磯庭園）に招かれ、吉貴から「御膳」を賜り、三月五日に帰国する。家熙と会見することになる江戸立の命（「座楽主取兼任通事役」）は、その年の十一月に受けることになる。朝薫は、薩摩藩主吉貴に取り分け重用された人物であると思われる。[*10] 実は、吉貴の妹亀姫は家熙の子家久《いえひさ》に嫁いでおり、吉貴と家熙とは親戚関係になっている。家熙と順則等との会見に朝薫が加えられるのは、朝薫が通事の任に就いていただけではなく、吉貴の意向が働いていたか。朝薫は、家熙との会見があったその年（一七一五）に「先王尚貞王七年御回忌」の「躍奉行」になり、その三年後（一七一八）に蔡温等の尽力によって実現した冊封使節（正使海宝、副使徐葆光）を歓待する「躍奉行」を任ぜられて、組踊を創始することになる。

4　朝薫の組踊

朝薫は家熙との会見の三年後に、冊封使歓待の芸能、組踊を創始した。『球陽《きゆうよう》』（一七四五年）にある「尚敬王六年」（一七一八）の記事、「向受祐に命じ、始めて本国の故事を以て戯を作らしむ」[*11] はつとに有名であるが、「本国の故事」（琉球の故事）という歴史認識は、久米村士族が王府の編纂書にかかわる中で形成されたと考えられる。たとえば、朝薫が作ったといわれる組踊「護佐丸敵討《ごさまるてきうち》」（二童敵討）は、勝連《かつれん》城主「阿摩和利《あまわり》」と中城《なかぐすく》城主「護佐丸」をめぐる「故事」であるが、これは最初の正史向象賢《しょうじょうけん》（羽地朝秀《はねじちょうしゅう》）が編纂した『中山世鑑《ちゅうざんせいかん》』（一六五〇年）にはなく、蔡温の父、蔡鐸《さいたく》が編纂した蔡鐸本『中山世譜《せいふ》』（一七〇一年）から「逆臣阿摩和利」が叙述され、蔡鐸本を「改修」した蔡温本『中山世譜』（一七二五年）で、「忠臣護佐丸」の叙述が加えられて記事が拡大する。その資料になったのは、「逆臣阿摩和利」を討つにあたって功績があった夏居数（鬼大城）を元祖とする「夏氏家譜」であった。さらに「忠臣護佐丸」を始祖とする「毛氏家譜」を資料として記事を拡大したのが、第三の正史『球陽』の記事である。[*12] 琉球王府の正史の叙述には、十七世紀の後半から本格化した家譜編纂が影響している。琉球における家譜編纂を早くから手がけたのは、久米村士族であった。琉球王府の正史の編纂は、蔡鐸本『中山世譜』以降は久米村士族が担い、漢文による叙述に変化している。これは王府編纂の地誌である『琉球国由来記』（一七一三年、「旧規由来寄奉行　向維屏」）から『琉球国旧記』（一七三一年、鄭秉哲《ていへいてつ》編纂）に「改修」する編纂についても、同様である。地誌については、『古事集』（鎌倉芳太郎資料）があり、『古事集』は『琉球国由来記』を引き継ぎながら、風水等の新たな枠組みで琉球の地誌を叙述した『琉球国旧記』の構成の素案を作った書と考えられる。これも漢文で叙述されており、編者は不明だが久米村士族である可能性が高い。

朝薫が創始したといわれる「本国の故事」とは、そのような琉球王府の歴史意識の形成の中から取り出されたテーマである。勝連グスクの雄、阿摩和利が、中城グスクの雄、護佐丸を滅ぼし、首里グスクの王尚泰久《しょうたいきゅう》に迫ったという英雄の戦いを、王に弓を引く「逆臣」の物語に仕立て、その犠牲になった「忠臣」を間において展開させたのが、蔡鐸本『中山世譜』以降の正史叙述である。それをさらに、朝薫は「忠臣護佐丸」の遺児による敵討ちの劇に仕立て直したのである。注目されるのは、順則の家譜に「康熙四十九年（一七一〇）庚寅十一月朔日」に「預備冠船諸事考并御用意方」の命を受けるという記事があることである。これはその年に尚貞王が亡くなり、新たに尚益王が襲位して、尚益の冊封を受け入れる諸準備のための任に順則が就いた記事である。それで来琉したのが、朝薫が組踊を作って歓待した正使海宝、副使徐葆光の冊封使節である（実際は、尚益王は在位三年で亡くなり、次の尚敬が襲封する冊封になった）。順則が「預備冠船諸事考并御用意方」に就いて、具体的になにを行ったかは知れない。しかし、程順則が担ったのは冊封使節が琉球へ持ち込む持渡品を買い取るために値を付ける「評価《ハンガー》」の準備だけではなかったのではないか。それまでの年忌の「躍奉行」から冊封使節歓待の「躍奉行」が創設され、組踊が創始されたことを考えると、順則は冊封使節の新たな迎え方をさまざまに検討したのではないか。冊封使節を歓待する七宴（主に首里城で行われる）は、重要な式典である。その七宴の中で組踊が演じられる。七宴をどのように演出するかは、「預備冠船諸事考并御用意方」の検討事項の一つであってもおかしくはない。組踊はそれまでにあったと考えられる「長者の大主」という芸能とは、質を異にする芸能である。すなわち、組踊は中国皇帝の冊封の国として琉球に儒教が及び、独自な「故事」（歴史）があることを示す国劇を創始する要請を受けて作られた冊封使節接待の芸能なのである。

5　おわりに

一七一四年の江戸立の際に行われた近衛家熙と程順則・向受祐等の会見は、琉球が唐とヤマトとの往還の中で、琉球自身が自らの立ち位置を自覚し演ずる象徴的な出来事であったのではないか。その会見の琉球側の中心にいたのは、程順則である。順則の漢詩集『雪堂燕遊草』が、順則等が江戸立をするその年に京都で板行されるのは、江戸立の使節の中に順則が加わる情報を奎文館主人はあらかじめ知っていたからであろう。順則の家譜によれば、順則が家熙との会見を終えて帰国する際、鹿児島において島津吉貴に木村探元《きむらたんげん》の「画」に「讃」を書くように命じられて、順則だけ鹿児島に留められる。探元の「画」は、『雪堂燕遊草』による「雪堂燕遊図」である。[13] 順則は、前年に鹿児島で探元が画いた「中山花木図」に賛（五言律詩）を書いている。[14] また、順則は島津吉貴の側用人、相良玉山《さがらぎょくざん》の漢詩集『梅《ばい》花百詠《かひゃくえい》』を福州に持って行き、親友の王登瀛《おうとえい》に序文を書かせている。[15] それを『雪堂燕遊草』を板行した奎文館主人が、一七一五年に板行している。『雪堂燕遊草』『梅花百詠』の京都での板行は、吉貴と家熙がかかわっているに違いない。

順則が「孔林楷杯」を手に入れた渡唐では、「孔子本宅闕里廟」を訪れて前年（一七〇六年）に自身が書いた「琉球廟学紀略」を収めている。その「琉球廟学紀略」は、琉球への儒教流入の来歴をもっぱら唐との関係だけに絞った叙述にしている。[*16]「琉球廟学紀略」は、「孔子本宅闕里廟」に収めるために事前に準備したものであり、渡唐の辞令が下った当初からその訪問は計画されたと考えられる。北京に行く途中で「孔子本宅」に行くには、清の役人との調整が必要だったはずである。順則は、創建まもない琉球の孔子廟（一六七六年創建）と「孔子本宅闕里廟」をつなごうとしたのである。その時の渡唐では、福建滞在中に私財を投じて『六諭衍義』と『指南廣義』を板行する。後に『六諭衍義』は、島津藩主を通じて将軍吉宗に献じられ、荻生徂徠《おぎゅうそらい》の序文と訓点を施した『官刻六諭衍義《りくゆえんぎ》』（一七二一年）と、室鳩巣《むろきゅうそう》の和解《わげ》による『官刻六諭衍義大意』（一七二二年）が、刊行されることになる。『六諭衍義』の島津藩主や将軍吉宗《よしむね》への献呈の年次ははっきりしないというが、東恩納寛惇《ひがしおんなかんじゅん》は『雪堂燕遊草』とともに献上されたとしている。[*17]その当否は知れないが、順則が唐に渡って手に入れる情報と文物（福建で板行した書物も含め）は、冊封国として生きる「琉球」を作るために必要であり、それと同時に、ヤマトに対しては特権的な立ち位置にある「琉球」を示すものでもあった。順則は、それをよく心得ていたのである。『使琉球記』（一八〇二年）には、順則が北京へ行った折に天津《てんしん》で朱文《しゅぶん》公《こう》（朱熹《しゅき》）の墨蹟十四字を買いもとめて程氏の家宝にしていることを冊封使の李鼎元《りていげん》が知り、滞琉中に見物にいったことが記されている。[*18]順則が手に入れた貴重品は、「孔林楷杯」だけではなかった。渡唐した順則が、私財をなげうって「十七史」（一五九二巻）を購入し孔子廟に献じたり、精力的に漢詩文集やほかの資料を板行したりするのは、戦略的な意志が働いていたと考えられる。[*19]順則は、ヤマトに最も知られた「琉球人」であった。[*20]

しかし、順則等が家熙や新井白石《あらいはくせき》と会見した江戸立では、順則等が当惑した事件に遭遇する。琉球国が幕府に奉じた書翰が漢文体であったことが、問題にされたのである。問題にしたのは白石である。実は、順則や朝薫等は、少なくとも江戸で二度程白石と会見している。白石の『折《おり》たく柴《しば》の記《き》』下巻に「十一月（一七一四年）」には、「琉球の使来りて、御代をつがれし事をも賀し参らせ、其王の代をつぎし事をも謝し奉る、是よりさき琉球より奉れる書法は、我国にて往来する所の如くなりしを、其王尚益が代より漢語を用ひ、書函の式等も改れり」[*21]と記されて、尚益襲位の謝恩使（一七一〇年）が献じた書翰から和文体の書翰ではなくなり、漢文体になったと記している。白石はそこで使われる用語とともに漢文体への変化を問題にして、琉球に対して「我国にて往来する所の如く」するように指摘したのである。琉球の書翰が漢文体に変化した理由の一つは、前述した王府の正史、地誌が漢文体に変化したことと関連していると理解される。[*22]少なくとも、正徳の江戸立の書翰については順則が起草者の一人であったはずである。中国の冊封国として唐の文物が及んだ国を目指していた順則にとっては、白石の指摘にはとまどったに違いない。すなわち、ヤマトの側は外形的な体裁は「異国風」を認め容認しながら、ヤマトとの関係はあくまでも幕府の陪臣・臣下として位置づけているのである。[*23]

これを考えると、家熙や白石との会見に朝薫等が同席した意味がわかる。家熙や白石にはそれぞれに違いがあるにしろ、琉球を通した中国情報と「異国」としての琉球に大いなる興味があったとともに、ヤマトの文化が及んでいる琉球を確認したかったのである。ヤマトとの接触の際、しばしば為朝《ためとも》の琉球渡来が話題になり、「琉球人」の和歌が記されるのは、それを物語る。[*24]島津吉貴が朝薫を重用した理由の一つもそれであろう。

注

1　外間みどり他「〈調査報告〉公益財団法人陽明文庫琉球関係資料について」、『沖縄史料編集紀要』42、沖縄県教育庁文化財課史料編集班、二〇一九年。

2　那覇市企画部市史編集室「程氏家譜（六世　程泰祚）」、『那覇市史　資料篇　家譜資料二（下）』第一巻六、那覇市企画部市史編集室、一九八〇年。

3　なお、家熙の近くに仕えた山科道安の日記『槐記』にも、順則が献上した「楷杯」の記事が家熙の「御談話」として記されている（「享保九年甲辰正月四日」の記事）。

4　那覇市企画部市史編集室「蔡氏家譜抄録（十一世　蔡温）」、『那覇市史　資料篇　家譜資料二（上）』第一巻六、那覇市企画部市史編集室、一九八〇年。

5　後の事例だが、楊文鳳（嘉味田親雲上兆祥）の漢詩集『四知堂詩稿』（一八〇六年）は、薩摩の石塚崔高の校正により大阪で板行されている。『椿説弓張月』の「残篇」には、楊の漢詩が紹介されている。また、鄭元偉、魏学賢、尚元魯の漢詩集『東遊草』（一八四四年）は江戸で板行されている。

6　この後、蔡温は一七二八年に琉球の最要職である三司官に就く。また、同年には、「長子翼」が尚敬王の「長女思真鶴金按司」を「妻」としている。久米村出身者で三司官に就いたのは、鄭迵（謝名親方）以外に蔡温しかいない。

7　家熙（予楽院）は一流の書家であった（仲田幹一「予楽院を知るについて」『書学』12-10、一九六一年）。「琉球人」の書に明代の書風を期待したと思われる。

8　佐渡山安治・横山学共編「琉球使節使者名簿」、『江戸期琉球物資料集覧』本邦書籍、一九八一年。

9　那覇市企画部市史編集室「向姓家譜（辺土名家）」、『那覇市史　資料篇　家譜資料三』第一巻七、那覇市企画部市史編集室、一九八二年。

10　朝薫が吉貴に重用される背景には、鹿児島では藩主以下の諸侯が抱えている芸能者や京下りの芸能人に、謡曲や狂言、幸若舞等を盛んに演じさせていたことが考えられる（森末義彰「薩南の芸能」、『中世芸能史論考』東京堂、一九七一年）。

11　球陽研究会『球陽　読み下し編』角川書店、一九七四年。

12　島村幸一「琉球の「歴史」叙述」、『琉球文学の歴史叙述』勉誠出版、二〇一五年。

13　坂田長愛編『木村探元小伝』（公爵島津家臨時編輯所、一九二六年）。なお、探元は後に自画像を画き、「題辞」を冊封副使徐葆光に依頼している。

14　近藤壮「程順則着賛本「中山花木図」に関する一考察」、『沖縄文化研究』32、法政大学沖縄文化研究所、二〇〇六年。

15　池田温「『梅花百詠』をめぐる日・琉・清間の交流」、『東アジアの文化交流史』吉川弘文館、二〇〇二年。

16　グレゴリー・スミッツ『琉球王国の自画像』（ぺりかん社、二〇一一年）。なお、順則は建議して、一七一八年に久米村の孔子廟境内に教育機関、明倫堂を創建している。

17　東恩納寛惇「六諭衍義伝」、『東恩納寛惇全集』第八巻、第一書房、一九八〇年。

18　真栄平房昭「琉球使節の唐旅と文化交流」、『唐物と東アジア―舶載品をめぐる文化交流史』アジア遊学147、勉誠出版、二〇一一年。

19　順則は、『皇清詩選』（全三十巻、一七〇〇年代初頭）の編者の孫鋐に「琉球人」の漢詩が収録されるように働きかけたと推測される。『皇清詩選』は、清と冊封関係にある国々の漢詩人の詩を収録した漢詩集である。「琉球人」の漢詩は、二十五人七十編が収録されている（上里賢一編『校訂本　中山詩文集』九州大学出版会、一九九八年）。また、順則の「中山東苑八景」は、「琉球人」による初めての八景選定とその題詠で、瀟湘八景の琉球への定着を示す作品に位置付けられるという（高橋康夫『海の京都』京都大学学術出版会、二〇一五年）。これらも順則の戦略的な意志が働いている事例であろう。
20 『大島筆記』や『灯火墨談』（岩瀬文庫）、「薩遊紀行」（「〔史料紹介〕岸秋正文庫「薩遊紀行」」、『史料編集室紀要』31、沖縄県教育委員会、二〇〇六年）、伊地知貞馨『沖縄志』等には、琉球を代表する人物として程順則の名が出る。
21 今泉定介校訂『新井白石全集』第三巻、吉川半七、一九〇六年。
22 江戸立の「登城行列絵巻」を見ると、宝永・正徳の「登城行列絵巻」から使節の役職名が漢名化したり、旗の絵が「龍」と「虎」一対から一対の羽がある「虎」の絵になる変化があるという（横山学「琉球国使節登城行列絵巻を読む」、『描かれた行列―武士・異国・祭礼』東京大学出版、二〇一五年）。
23 宮崎道生『新井白石の洋学と海外知識』（吉川弘文館、一九七八年）の「第四章　琉球とその知識」。
24 島村幸一「琉球の詩歌（下）琉歌・和歌を中心に」、『現代短歌』4-4、現代短歌社、二〇一六年。

08 崔致遠と東アジア

『補安南録異図記』を中心に

金 英順

1 はじめに

崔致遠《さいちえん》（八五七～？年）は新羅《しらぎ》末期の八六八年に十二歳の若さで唐に渡って科挙に及第し、八七九年に淮南節《わいなんせつ》度使《どし》の高駢《こうべん》（八二一～八八七年）の幕下に入って多数の上奏文や檄文などを書いて文名を上げた著名な人物である。

八八五年に帰国した崔致遠は在唐時代に作成した詩文を撰集して編纂した『桂苑筆耕集《けいえんひっこうしゅう》』[*1]二十巻を新羅の憲康王《けんこうおう》に献上している。『桂苑筆耕集』は朝鮮半島最古の漢文学資料であるとともに、唐代の歴史を伝える重要な文献史料として東アジアの諸国において多角的な研究の蓄積がある。[*2]『桂苑筆耕集』には高駢の行跡に関する詩文が多く収録されているが、その中でも、巻十六『補安南録異図《ほあんなんろくいず》記《き》』（以下、『補安南録』と略称）には、高駢が統治した安南《あんなん》都護府《とごふ》（以下、安南と略称）の地理、風習、および安南経略の歴史などが叙述され、前近代の安南に関する貴重な史料として注目される。『補安南録』は題名から推察すると安南を描いた図を含む記録のように思われるが、現存本には図は収められていない。

『補安南録』をめぐる研究では、朝鮮半島の人によるベトナム関連の最初の記録という歴史的資料として高く評価される。[*3]しかし、一方では『補安南録』は、安南と称された地域に限定された記録ではなく、唐代の嶺南《れいなん》地域という広い範囲にわたって叙述されており、ベトナム人の祖に当たる越族に関する記述が見当たらないなどベトナムに関しては、まだ十分に限定的に把握されていないと指摘される。[*4]このように従来の研究では崔致遠の安南に対する知見の限界が提起されるに留まり、新羅人である崔致遠がなぜ安南とそこに住む諸種族に関心を寄せていたのかについては詳しく論じられることがなかった。そこで本コラムは、『補安南録』の叙述の動機と目的を探りながら崔致遠が安南の諸種族をどのように捉えていたかについて考察してみようと思う。

2　叙述の動機と目的

唐代において安南は、北は雲南《うんなん》の南盤《なんばん》江より南はベトナムの河静《ハティン》省までが領域とされ、治所は現在のハノイに置かれた。高駢が安南を統治したのは八六四年から八六八年までの四年間で、崔致遠は安南を訪れたことがなく、高駢の幕下で収集した情報と諸史書より得た知識で『補安南録』を記している。崔致遠は『補安南録』の冒頭に、「交趾《こうし》の四方の境界は『図経』に詳しくみえるが、管内には生獠《せいりょう》が多く、国境は諸蕃族に近い。そこで、凡《おお》そこの地域に伝わる話を集めて地誌を記す」と述べて『図経』を閲覧したことを明らかにしている。

また、『補安南録』の後半では、「柔遠軍《じゅうえんぐん》の従事官の呉降《ごこう》が諸蕃族を観察して記録した『録異』を閲覧したが、『録異』には最も特記すべき高駢の安南での輝かしい功績が欠けている」と指摘し、それを補って伝えるために叙述したという。ここで崔致遠が閲覧した呉降の『録異』とは、『安南録異図』のことを略した表記で、『太平御覧』巻八百六十一に交趾の人々の食習俗をめぐって『安南録異図』から引用した一文が伝えられている。しかし、『安南録異図』は現存しておらず、著者の呉降についても生没年など不詳だが、彼が従事官を勤めた柔遠軍は七九一年に安南に設置された軍鎮とされる。そして、柔遠軍の設置から七十三年後に高駢が安南を統治するようになり、崔致遠は高駢や幕下の軍官などから呉降の『安南録異図』を入手した可能性が高く、冒頭に記した『図経』というのも『安南録異図』のことを指していると思われる。

さらに、崔致遠は『補安南録』の叙述において、呉降の『安南録異図』だけではなく、諸史料を参照したと思われるが、その一つが『安南開海路図』という図である。この図は八六七年に高駢が安南で大規模の土木・掘削工事を行って広州《こうしゅう》までの運河を開通させて天威径と名付けた後、その功績を誇示するために天威径を中心に描いた安南の地図である。『桂苑筆耕集』巻十によると『安南開海路図』は、八八一年に崔致遠が高駢に代わって盧龍《ろりゅう》節度使の李可挙《りかきょ》（在位八七六～八八五年）に書簡とともに贈ったとされるが、その後の行方はわかっていない。崔致遠は『補安南録』に天威径は高駢が山神と水神の功力を得て開通させたと記し、安南での高駢の最も輝かしい偉業としていることから、天威径を描いた『安南開海路図』を李可挙に贈る際に閲覧した可能性は十分考えられる。このように崔致遠は『安南録異図』『安南開海路図』などを手がかりに安南の地理と諸種族について知り、高駢の安南での功を明らかにして、その徳を讃えて後世に残すために、呉降の記録とは異なる角度で『補安南録』を叙述して安南を再照明しようとしたのである。

3 安南の獠族と南詔

崔致遠が『安南録異図』『安南開海路図』などを見て最も注目したのは、『補安南録』冒頭に記したように管轄内の「生獠」と国境に隣接する「蛮蜑《ばんたん》之衆六種」と表した南詔《なんしょう》の存在である。生獠というのは王朝の城邑《じょうゆう》内に居住しない土着の獠族《りょうぞく》のことで、現在の中国南方の壮族の一つとされる。『補安南録』では、獠族は山奥の岩穴に居住し、二十一の集落をなしているが、特に安南の管轄内の獠族は「山蹄《さんてい》」と称されており、彼らは身体を髪の毛で被い、胸に穴を開け、歯を鑿《うが》つなど奇妙な姿をしていると伝える。また、衣服は木皮を叩いて綿のようにしたものを身体にまとい、竹で編んだ高床に暮らしながら夫婦が交替で育児をするが、子が成長すると父と主導権を争い、葬礼の時に喪服を着ることがないと記すなど安南の人々の習俗と風俗について獠族を中心に記述している。さらに、崔致遠は獠族の習俗の中で最も奇異なことは、寝ている間に頭を飛ばし、鼻で飲料を飲むことであったという。このような獠族について、『西陽雑俎《ゆうようざつそ》』巻四では、嶺南の洞窟に住む「飛頭獠子《ひとうりょうし》」と称され、『安南志略《あんなんしりゃく》』巻一にも安南の地に「飛頭鼻飲《ひとうびいん》」の獠子が多く住んでいたと伝えられる。

獠族は唐代には広西《こうせい》・雲南・広東《カントン》・貴州《きしゅう》などの中国南方とベトナムの中部・北部など中国南方の広い範囲に分布し、漢代から中国文明圏の一部となりながらたびたび反乱を起こして対抗した種族として知られる。[*5] そのために唐は獠族の反乱を武力で鎮圧しつつ、彼らを抱き込んで王朝に帰順させることを希求していたのである。

ところが、『資治通鑑《しじつがん》』巻二百五十によると南詔の安南侵攻によって、「遠近の獠族の皆が降伏した」とされることから唐は安南一帯の獠族を支配下に収めて北上する南詔の勢力に危機感を募らせていたと推測される。このような状況の中で高駢による八六四年の南詔征伐は唐にとって待ち望んだ吉報であったに違いない。『補安南録』

は高駢が安南を奪還して真っ先に行ったことが南詔に協力した獠族の酋豪《しゆうごう》らの誅伐であったと記し、南詔と獠族のつながりを断たせた高駢の功を讃えているのである。

南詔は中国西南の雲南地方に分布したチベット・ビルマ語族の六詔が建国した国で、八世紀初までは唐の影響下にあったが、七五〇年から吐蕃《とばん》に臣属し、吐蕃と連合して唐に対抗するようになり、八二九年には四川《しせん》を侵攻して成都の外城を占領するに至る。その後、衰退する吐蕃に代わって勢力を伸ばした南詔は八六〇年に安南を征服し、八六四年に高駢に撃退されるまで安南の諸種族を支配したのである。

崔致遠は唐に対抗した吐蕃と南詔との連係構図が南詔と獠族との間でも起こり得たと認識し、それを阻止した高駢の功績を知らしめるために獠族と南詔に焦点を合わせて『補安南録』を叙述したのではないだろうか。

4　高駢の安南統治

崔致遠は『補安南録』に中国による安南統治の歴史について、「馬援《ばえん》が立てた柱によって安南は中国領土の境界として定められ、史萬歳《しばんざい》が碑を倒して海辺を安定させた」と述べて漢代からの遠征を中心に記述している。後漢の馬援（前一四～四九年）の柱とは、四十二年に交趾の徴姉《ちよう》妹が起こした反乱を討伐して立てた銅柱のことで中国王朝が武力で示した権威の象徴である。また、隋の史萬歳（五四九～六〇〇年）が倒した碑とは、『北史《ほくし》』巻七十三・史萬歳列伝によると史萬歳が五九七年に南寧の爨翫《さんがん》による反乱鎮圧に向かう途中、諸葛亮《しよかつりよう》の碑に「萬歳の後に我に勝る者がこの地を通る」と書かれているのを見て碑を倒させたという逸話に基づく記述である。

しかし、高駢の遠征について崔致遠は、馬援や史萬歳の場合とは異なって南詔に攻略された安南を収復するための遠征であったと強調し、高駢が行った大規模の水路開拓の工事や人々の教化などを挙げて、安南人の難儀を救済したと讃えるのである。そして、高駢が唐に帰還する際には、洞窟の獠人や海辺の蛮人に至る安南人の皆が、高駢の恩功を感じて朝廷に奏上して祠の建立をもとめたという。当時、高駢を祭った祠が安南のどこに建てられたかについてはわかっていないが、『桂苑筆耕集』巻十七にみえる崔致遠の漢詩の「生祠《せいし》」の中にも、安南に高駢の祠が伝わると詠まれている。さらに、崔致遠は高駢の安南統治を「天のなすべきことを高駢が代わって成し遂げた」と述べて、その偉業を絶賛する記述で末尾を結んでいる。

5　おわりに

以上、『補安南録』に描かれている安南の諸種族と高駢の統治について考察してみた。崔致遠が獠族と南詔に焦点を当てて叙述したのは、高駢の南詔討伐によって、たびたび反乱を起こしていた獠族の南詔との連係が断たれ、安南に安定がもたらされたことを讃えるためであった。また、崔致遠は高駢を武力だけで安南を制圧した歴代の遠征軍とは違って、獠族を含む安南の諸種族を教化して唐に帰順させるなど経世済民を実現した人物として描いている。そして、このような高駢の安南統治を最も理想的な地方統治の事例として提示し、王権強化の政治理念を新羅に伝えるために崔致遠は、『桂苑筆耕集』の中に『補安南録』を収めて憲康王に献上したのである。

注

1　『桂苑筆耕集』の本文は、一八三四年刊本（『韓国文集叢刊』第一集所収の影印、韓国民族文化推進委員会、二〇〇五年）より引用した。

2　南東信「『桂苑筆耕集』の文化史的理解」（『震壇学報』112、二〇一一年）、党銀平「崔致遠『桂苑筆耕集』の文献的価値」（『新羅史学報』4、二〇〇五年）、濱田耕策「『崔致遠撰『桂苑筆耕集』に關する総合的研究』（九州大学育研究プログラム研究據点形成プロジェクト B-2（13042）研究成果報告書、二〇〇三年）。

3　片倉穰『朝鮮とベトナム日本とアジア―ひと・もの・情報の接触・交流と対外観』福村出版、二〇〇八年。

4　濱田耕策『古代東アジアの知識人崔致遠の人と作品』所収、九州大学出版会、二〇一三年。

5　川本芳昭「民族問題を中心としてみた北朝後期段階における四川地域の状況について」、『九州大学東洋史論集』27、一九九九年。

09 日朝文人の交流

《蒹葭雅集図》の例から

鄭 敬珍

1 はじめに

昨今の日韓関係を見渡すと、相互の文化を受け入れ享受しようとする民間レベルでの動きが定着したと思いきや、歴史への認識の隔《へだ》たりや政治的理由などにより、またいつの間にか関係悪化のニュースが出回るという負の連鎖が続いている。だが、このような状況が繰り返される今だからこそ、地理的接近性と長い歴史の土台の上に築かれた両国の交流のあり方に目を向ける必要があると思われる。とりわけ、近世日本と朝鮮の間で行われた十二回の朝鮮通信使の来日と交流の様相は、今後の日韓関係を模索するうえで大事なヒントを示してくれる可能性が高い。

2 《蒹葭雅集図》について

本コラムでは《蒹葭雅集図《けんかがしゅうず》》という絵図とその制作過程に注目したい。本雅集図は明和元年（一七六四）五月に朝鮮通信使行の書記として来日した・成大中《ソンデジュン》（一七三二〜一八〇九年）が臨済宗相国寺《しょうこくじ》派の僧・大典顕常《だいてんけんじょう》（一七一九〜一八〇一年）との筆談の中で制作を依頼したものである。朝鮮通信使行の歴史上、朝鮮側の者が日本人に絵巻制作を依頼した事例は他に例をみないことから、本雅集図の制作と贈答を取り巻く一連の出来事は朝鮮通信使の本来の役割を越えた「日朝文人の交流による」と位置付けることができる。もっとも、明和元年の朝鮮通信使は、十二回にわたる朝鮮通信使行の中で江戸入りを果たした最後の使行であり、両国の交流と日本の人々の対朝鮮観のあり方を探る一つの転換期となったとも評価されている。[*1] なぜなら、一年を越える日本滞在の期間中、五百人以上の日本人が随所で詩文唱和を求めて通信使の宿舎を訪れたからである。一方で、帰路の大坂では通信使の一員の崔天宗《チェチョンジョン》が対馬の訳官・鈴木伝蔵《すずきでんぞう》に殺害される惨事が起こるなど、苦難に満ちた使行でもあった。そのような

図1　《蒹葭雅集図》冒頭部分(韓国国立中央博物館蔵)

あわただしさや混乱、戸惑いといった危機的状況のなかにあっても朝鮮の製述官や書記と日本の文人たちが筆談や詩文を介して交遊し、雅集図を完成した事実は注目に値する。

3　別号図としての《蒹葭雅集図》

さて、《蒹葭雅集図》の全体をみると、まず「蒹葭雅集之図」という題字があって、そのあと絵がある**【図1】**。その後、七人の京坂文人が寄せた詩文が続いて、巻の末には大典による後序と跋《ばつ》が入っている。このような雅集図の構成は中国の文人画の一種である「別号《べつごう》図《ず》」(The biehao Painting)によくみられるもので、別号とは、庭など文人の空間につけた号のことをいう。絵の部分を手掛けたのは、十八世紀大坂の文人詩社・蒹葭堂会の盟主で北堀江で酒造業を営んだ木村蒹葭堂(一七三六〜一八〇二年)という町人だが、この絵は彼の別号・蒹葭堂での詩会の様子を描いたものと推定される。風雅な文人生活を描くパターンとして手掛けられたとされる別号図の描法の特徴は「第一、美しい庭園の中の草堂、第二、はるかな山並み、第三、開けた湖や川を望むもの」と分析される。[*2] このような描法は《蒹葭雅集図》にも忠実に守られているが、たとえば、中央に蒹葭堂を配置した画面構成により、鑑賞者は俯瞰《ふかん》的な視点から園林を眺めることができる。とりわけ、屋根しか見えない家々を配することで蒹葭堂を高台にあるように見せ、園林を強調している。その一方で、遠くに描かれた山並みは画面の右奥の方まで続いており、それと相まって水もどこまでも続いている。絵の中央に目を向けると、園林の真ん中にある庭では松や桃の木が蒹葭堂の周囲を囲んでいる。さらに、画面全体に別号・蒹葭堂を表すモチーフと言える葦《あし》が広がって、三棟の書斎のうち中央の書斎では、画題

「蒹葭雅集」にふさわしい文人の雅会が行われようとしている。別号図の様式を蒹葭堂自身が熟知していたのか否かは定かでないが、彼がそれ以前はもちろん、生涯、別号図の図様を描いた作品を残していないことも興味深い。

4 《蒹葭雅集図》に集った人々

絵のほかに、大典による後序や寄せられた詩文の内容も、雅集図の視覚的イメージを具体化しつつ、《蒹葭雅集図》制作の目的を明らかにしている。詩文を残した人物の面々をみると、後に混沌社の盟主となる儒者・片山北《ほっ》海《かい》をはじめ、儒者・那波魯堂《なばろどう》、儒者・細合斗南《ほそあいとなん》、医者で儒者・福原承明《しょうめい》、医者で漢詩人の葛子琴《かつしきん》、医師で儒者・岡魯庵《おかろあん》、黄檗《おうばく》宗の僧・聞中浄復《もんちゅうじょうふく》、そして、木村蒹葭堂がいる。そのうち、葛子琴と岡魯庵は雅集図の依頼者である成大中をはじめ、通信使の製述官や書記と実際に筆談を交わしていないが、大典や木村蒹葭堂と親交の深く蒹葭堂会の同人でもあった。とりわけ、筆談の記録をみると制作を依頼した成大中が絵と詩、跋を担当する人物を具体的に指定しているが、彼が日本側の人物の文才をよく知っていたことを裏付けるものと言えよう。そのような意味から、《蒹葭雅集図》は日朝双方の間で共作するように制作された可能性があると考えられる。

5 崔天宗殺害事件と《蒹葭雅集図》

一方で、通信使を襲った最大の危機は、将校役に当たる朝鮮の都訓導・崔天宗が対馬の訳官・鈴木伝蔵によって殺害された事件であった。通信使一行が朝鮮に向かうはずだった、四月七日の未明にこの事件は起こった。例をみない外交上最悪の事態発生をうけ、通信使一行は一か月ほど帰国を引き延ばし、事態収拾のため大坂に滞在することとなる。事件発生後の流れを概観すると、四月十四日になって鈴木伝蔵が犯人と特定され、十九日に犯行を自白する。やがて五月二日に鈴木は処刑され、四日後の六日に通信使一行は帰国のため大坂を去ることになる。朝鮮側の記録をみると、事件当時の状況が詳細に描写されているが「残酷、無惨、言葉もない」などと悲痛な心境も綴られている。

事件発生後、通信使と一般の人との詩文唱和はたちまち途絶え、使行録の内容も事態収拾の過程を記録するものへと一変した。興味深いのはこのような状況の中で、成大中らが大坂を去るまで蒹葭堂会の人々と筆談や書簡、贈物を交わしながら交遊を続け、《蒹葭雅集図》を完成するにいたったという点である。双方の交わりの記録は、大典の筆談集、『萍遇録《ひょうぐうろく》』から確認することができるが、一七六四年四月二十日、つまり、まだ事件の犯人が特定される前にはじめて雅集図制作に関する筆談記録がみられる。その中で、成大中は「朝鮮に帰った後もこの絵を見て蒹葭堂会の人々の顔を思い起こせるように」と雅集図制作の趣旨を示し、大典もそれに対して「我々も望んでいる通り」と答え、雅集図が双方の十分な理解の上制作されたことを示している。その後、《蒹葭雅集図》は一行が大坂を出発する前日の五月五日に完成し、大典から成大中に手渡される。

6 「文芸」を介した東アジア的交流

《蒹葭雅集図》は文才の長じた朝鮮の書記と日本人とのやりとりから「偶然」生まれたわけではない。なぜなら、最初に述べたように通信使の製述官や書記は滞在する先々で五百人を越える日本人と出会い、筆談を交わしたからである。とりわけ、大典や木村蒹葭堂と出会った大坂城においては、製述官・南玉《ナンオク》(一七二三〜一七七〇年)の『日観記』の記録によると、百三十七人が駆けつけたとされる。実際に通信使一行が大坂に逗留し、筆談や詩文唱和を行ったのは往路の三日間と、帰路の三日間の計六日に過ぎないことから、かなり多くの人が大坂を訪れていたことがわかる。宿舎での慌ただしさと帰国直前に発生した崔天宗殺害事件などを踏まえると、《蒹葭雅集図》の完成は「国を超えた双方への信頼」なしには、おそらく不可能だったのではないかと思われる。その一方で、事件の真相とその収拾過程を日本側の視点からまとめ記したのも大典であることは、その信頼が雅集図制作にとどまらなかったことを物語っている。

大典の『萍遇録』にその「書鈴木伝蔵事」の全文が収めらているが、文末に、

方伝蔵之獲也、余書此、以与秋月(南玉の号)、伝蔵既刑、秋月等求更録後事、故続成如右

(鈴木伝蔵が捕らえられてから、私はこれ[「書鈴木伝蔵事」]を書いて南玉に渡した。鈴木伝蔵が処刑された後、南玉などがその後のことについてさらに書いてくれるよう求めたため、その続きをこのように書いた)

とある。実際、記録をみると、処刑までの経緯がかなり詳しく記されている。このような記録のおかげで、おそらく一行が帰国した後もこの問題が外交問題として大きくならずに済んだのではないかと推察できる。逆に言えば、朝鮮の製述官や書記の大典に対する、あるいは、大典の成大中らに対する信頼なしには、ここまで短い期間で記録を完成することはなかったのかもしれない。

このような信頼を育んだものは何か。一言でいえば、「文学の力」と言えよう。通信使書記の一人・金仁謙《キムインギョム》も帰国途中、大典と木村蒹葭堂に送った手紙の中で、

異国同文之会、実浮世不易得之奇事

（国が違うといえども、このように同じ文をもって出会うのは、実に浮世「変わりやすい世の中」において簡単に得ることのできない珍しいことだ）

と交流の意義について語っている。彼らが交わしたのは決まりきった外交文書上の文言ではなかった。製述官や書記の役目は文をもって日本人と接することだったが、文という媒介を通して礼をもって接し、《蒹葭雅集図》制作や事件収拾の過程を経て相互の心が通じ合ったのである。交流の過程において互いに親しみを抱き、やがて自身の日本観や韓国観に変化がもたらされること、それこそが今の日韓という壁を破る手がかりになるのではないだろうか。その根底にあるのは、長い間享受されてきた東アジア文芸の普遍性にほかならない。

注

1　朴賛基『江戸時代の朝鮮通信使と日本文学』臨川書店、二〇〇六年。

2　宮崎法子『花鳥・山水画を読み解く――中国絵画の意味』角川書店、二〇〇三年。

［付記］本コラムは、鄭敬珍『交叉する文人世界――朝鮮通信使と蒹葭雅集図にみる東アジア近世』（法政大学出版局、二〇二〇年）のあとがきに掲載した内容をもとにしたものである。

第2部　海域と伝承

01

黒潮文化圏と新「海上の道」

柳田国男の想像力

角南聡一郎

1 はじめに

日本文学の前提としての「日本」とは日本人の存在があってのものである。そして日本人の成立、島国日本の日本人とは、まさに異文化交流によって誕生したといっても過言ではない。そうした日本人のルーツについて文学的な想像力をかきたてる説として、民俗学者・柳田国男による『海上の道』があげられる。本書はさらに戦後の日本民族起源論を論じる際に、取り上げられ続けている。柳田の「海上の道」説は、その多くが批判であり、学問として直接継承されている状況にはない。ただし無視されたり忘却されることはなく、常に意識され続けているというのが実状かもしれない。日本人の起源についての議論には、ナショナリズム、エスニシティ、人種などの多くの問題を含んでいる。ここでは、柳田の海上の道での発問と、その後の研究者による回答、そして本書から広がる想像力の問題について「海上の道」説の影響で現れた「黒潮文化圏」や「新「海上の道」」という語も含めつつ考えてみたい。

2 「海上の道」とは

柳田国男は最晩年の著作『海上の道』[*1]の中で、日本人は最初どの方面からどこへ来たか、次々にどの方面に移り拡がったかを中心問題とし、その誘因の一つに「宝貝《たからがい》の魅力」があると考えた。この魅力に導かれて縄文時代終末から弥生時代初め頃に、米（稲作文化）を持った南方の人々が琉球列島から黒潮を北上して本土に定住したと考えた。

柳田は明治三十年（一八九七）の夏、三河の伊良湖岬《いらごみさき》の突端に一月あまり滞在していた。その際に多くの寄物《よりもの》を観察している。砂浜に「椰子《やし》の実の流れ寄っていたのを、三度まで見たことがある。一度は割れて真っ白な果肉の露われているもの、ほかの二つは皮に包まれたもので、どのあたりの沖の小島から海に泛んだものかは今でもわからぬが、ともかくも遥かな波路を越えてまだ新しい姿でこんな浜辺まで、渡って来ていることが私には大きな驚きであった」[*2]。

この話を友人の島崎藤村にしたことから、「椰子の実」という歌が生まれたことはよく知られたエピソードである。そもそもこのエピソードは文学を志していた当時の柳田の想像力を刺激したことは間違いない。

『海上の道』の内容は次のようなものである。

・「まえがき」、「海上の道」（『心』5–10、一九五二年、二八～三四頁、5–11、一九五二年、三五～四〇頁、5–12、一九五二年、一九～二五頁）
・「海神宮考」（『民族学研究』15–2、一九五〇年、一七八～一九三頁）
・「みろくの船」（『心』4–6、一九五一年、四八～五四頁）
・「根の国の話」（『心』8–9、一九五五年、一四～四〇頁）
・「鼠の浄土」（『伝承文化』1、一九六〇年、一～二八頁）
・「宝貝のこと」（『文化沖縄』2–7（19号）、一九五〇年）
・「人とスズダマ」（『自然と文化』3、一九五二年、一～一九頁）
・「稲の産屋」（『新嘗《にいなめ》の研究』1、一九五三年、一一～六〇頁）
・「知りたいと思う事二三」（『民間伝承』15–11、一九五一年、四～六頁）

初出の情報からは本書に収められた論文が、一九五〇～一九六〇年にかけて執筆、刊行されたことがわかる。

海上の道と黒潮とは深い関係にあり、黒潮のルートが海上の道であるかのごとき印象を抱く人は多いだろう。「結局は私の言う海上の道、潮がどのように岐《わか》れ走り」（三九頁）と述べているように、海上の道とは潮流であり、その中でも柳田が重視したのは黒潮であったことは明白である。実際に柳田の『海上の道』に付された「日本近海の海流図」には、太く黒潮の流れが示されている。このことから、本書でも「黒潮」という語が随所に記されているだろうと考えがちだ。ところが、「黒潮」の文字が認められるのは二九頁の「たとえば支那南海を黒潮に乗ってという類の大胆な一説が」という箇所だけである。

これに類する語として柳田は、「八重の汐路《しおじ》」という言葉を用いている。「八重の汐路という言葉は、歌や物語にこそしばしば用いられるが、それがいかなる力をもつかを考えてみた人は、名もなき海上の猛者ばかりであった。大きな海流の常の方向だけは、文書の学問としてはやく我々も学ぶことを得たけれども、それが時あって著しく流路を変え、または屈折し分岐して到るところに影響する実状に至っては、今もまだ常識とはなっていない」（二九〜三〇頁）。別の箇所でも「八重の汐路の一筋であったことは」（三二頁）と記しているし、「八重の波路」（一五三頁）という表現も認められる。

このほかに潮の語は以下の箇所で用いられている。「潮の激しく、風の強い関門《かんもん》海峡を通らずに」（「まえがき」四頁）、「潮流と季節風」（三三頁）、「逆潮に妨げられて上陸はし得なかったが」（九〇頁）、「風潮の頃合いを待つといった」（一〇七頁）。

近世航海業者の指針書である『増補日本汐路之記』[*3]は、日本沿岸各地の航路を示したもので、航海業者はこれを参考とし、その針筋を定めた。つまり該書は船舶の航海碇泊に関する必要事項を、その各地方の情況に応じて記したもので、船頭の経験と見聞とを集めて記録したのである。柳田はこのような書物の存在を意識しながら、あえて「汐路」の語を用いていたのではなかろうか。

3 「海上の道」の今日的評価

沖縄出身で農業経済学が専門の来間泰男《くりまやすお》は、新旧の「海上の道」説を整理し検討をおこなっている。これが近年のものとしては最もコンパクトにまとめられているので、主に参照しておきたい。来間によれば、中国大陸の水田農耕が、朝鮮半島を経由して日本に伝来したという多数意見の一方で、南からの「海上の道」もあったのではないかという「海上の道」説と、それ自体はほぼ否定されるものの、北方系のイネ（温帯ジャポニカ）とは異なった南方系のイネ（熱帯ジャポニカないしはブル）については、沖縄を経由して伝播してきたのではないかという、佐々木高明らによる新「海上の道」説がある。しかしながら現在ではこれも否定されているという。[*4]

考古学者・高宮広士《ひろと》は、奄美・沖縄の先史時代遺跡から出土する植物遺体を分析し、農耕の開始は八～十世紀であり、考古学的データ同様に柳田説を否定するのであった。[*5] 台湾の考古学者・陳有貝《ちんゆうはい》は、沖縄と台湾の新石器時代遺物を比較検討し、両者の関係はほとんどないことを指摘した。[*6] このように近年、考古学から提示されるのは否定的なものばかりである。

ただし、これはあくまで稲作の伝播と日本人の起源をセットとして考えた場合のことである。だとすると稲作とは関係しない人の移動はどうだったのかを想定する上で、「海上の道」は不可欠の要素であるし、南方より人やモノがやってきてもまったくおかしくはない。柳田のいうさまざまな「海上の道」による日本への文化伝播という意味で、柳田の「海上の道」説を発展的に継承した考えは先のように新「海上の道」と呼ばれている。

「海上の道」説の影響下に誕生したと考えられるものに、黒潮文化圏、黒潮圏という語がある。黒潮文化圏という語の初出は、それほど古くない。醸造学者・加藤百一《ももかず》は、東洋における口がみ酒を検討した。この結果、東南アジア・南支《なんし》・北満《ほくまん》から沿海州におよぶ大陸方面、黒潮文化圏に属する台湾・八重山群島・琉球・トカラ列島・大隅半島、そして北にとんで北海道などの広い範囲に分布していること、なかでも台湾・琉球・トカラ列島とともに道北の紋別で は、二十世紀まで口がみ酒が伝承されていたことを確認した。紋別《もんべつ》アイヌの口がみ酒の製造方法などを広く東洋諸国のそれと比較したところ、「黒潮文化圏」といわれる台湾・琉球の口嚼酒と多くの類似点を持っていることが判明した。従って、アイヌの口がみ酒の起源の一つは、琉球・台湾、さらに南支、東西アジアにもとめることができるとした。*7

その前に黒潮圏という語が見られる。この語は戦後になってみられるようだ。管見によれば、地理学・小川武による一連の著作のタイトルが早いと考えられる。*8 その後は八丈島をフィールドとする考古学者により黒潮圏の語が多用されるようになる。*9 なぜ八丈島が始まりなのかといえば、八丈島は立地的に黒潮の流れの環境的文化的影響を受けていることに起因するからだろうか。

考古学者・小田静夫による黒潮圏と新「海上の道」の定義は以下のようなものである。*10 海は「文化のハイウェー」といわれるように、北上する黒潮の流れは海産生物や陸上植物を迅速に、また遠くに運搬し拡散させたばかりでなく、先史時代以来多くの南方的な要素を日本文化にもたらした。この黒潮海域を黒潮圏と呼び、黒潮圏における先史人の拡散、移動経路などを検討することは、つまり新「海上の道」とも呼べる日本人の原郷に関する「南方ルート」の復元を試みることになる。

文化圏とは一定地域に特徴的な文化複合をさし、これに物質文化、経済形態、社会、宗教、芸術など、文化すべての分野を包括する大きな文化複合であって、しかもそれは過去のある時期に成立し、それが現在まで継続しているという性格のものである。従って、文化圏は時間的にみれば文化層と言いなおすこともできる。文化圏説とは、この文化圏の概念を使用して文化史の再構成を行う学問的立場をさす。*11

文化圏の語は、一八九七年にL・フロベニウスによって用いられた。その後、W・シュミットが文化圏説の主導的立場につき、いわゆるヴィーン学派を率いて世界大的な人類初期文化史の再構成・体系化を進めたが、一九五〇年代にこの学派は衰退した。*12 この文化圏説は戦中戦後の考古学に多大なる影響を与えた。考古学者の間で、黒潮文化圏という語が好まれることは、ヴィーン学派からの影響と無関係には思われない。

そもそも柳田は自説が論破されることを予想していた。「今までの文化伝播論者の中には、大きな島の一端に届いた外来事物は、たちまちにして全土の隅々にも及ぶもののごとく、当然の連帯責任を押し付ける人が稀にあった。汽車や電信電話の行き渡った今日でも、そういう効果は簡単に期せられない。まして山には峠路、川には渡し場がまったくなかったような遠い昔に、そういう交通の期せられたはずがない。人としては、今はあまりにも海の路を無視し過ぎる。やや奇矯に失した私の民族起源論が、殆《ほとん》ど完膚なく撃破されるような日が来るならば、それこそは我々の学問の新しい展開である。むしろそういう日の一日も早く、到来せんことを私は待ち焦がれている」[*13]。自説をたたき台として学問が進展することを望んでいたかのような感さえある。

4 「海上の道」前史

柳田の「海上の道」説は何も突然に提示されたものではなく、これにかかわる前史が存在する。ここではそのいくつかを取り上げておこう。考古学者・鳥居龍蔵は、日本人の起源を追究する中で、縄文土器を使用するアイヌにかわって、朝鮮半島を経由して列島に到来した固有日本人が、インドシナ系の民族などとも混交しながら、日本人の祖先が形成されたとする学説を提唱した。ここで鳥居は日本人の先祖は六系統に分けられているとした。それは縄文文化を遺したアイヌ、朝鮮半島から入ってきた国津神《くにつかみ》系の「固有日本人」、南太平洋からのインドネシア系、江南《こうなん》地方などからの苗族《みやおぞく》、ツングース系の騎馬民族、朝鮮半島の植民地から応神・仁徳期に「帰化」した漢人である[*14]。日本人の起源の一つとして南太平洋を上げたのは鳥居がはじめてであった。

神話研究者・中田千畝《せんぽ》[*15]は『黒潮につながる日本と南洋』で、日本と南洋の神話の類似点を比較し、共通要素が多い事を指摘した。そして人類学や動物学、植物学の成果も援用しながら、このことを補強している[*16]。また以下のように、柳田の海上の道を彷彿とさせるような表現がなされている。

稲がもと、熱帯の産であることは、世界植物学の定説であるのである。この熱帯原産の稲が、我が国に伝播され、瑞穂垂穂、豊饒を見るに至つたといふ事実は、この方面に栄えたる、我々の遠き祖先たちの、遙に携行持参し来つたものであることは疑ひのないところである。日本と南洋及び東アジア、南方アジアの諸地方、諸民族との間には、稲、米、その他五穀をはじめ、数種の植物によつても、密接不可分のつながりが厳存してゐることがわかるのである（中田 1941:406）。

柳田は稲が南方のどこからもたらされたものかは明言していない。その理由として、中田の著作のように、国策であった南進論に学問が利用され振り回されることへの反省と警戒があったのではなかろうか。逆に具体的に名称をあげなかった結果として、読み手の想像力は育まれることとなった。

民族学者・岡正雄は、日本の固有文化の形成について民俗学＝民族学的方法に加え、考古学的成果を踏まえつつ、日本列島に存在したと考えられる種族文化を五つに分類し、その一つとして、「イロ」母系的・陸稲耕作民文化をあげ、この文化は東部インド・東南アジアからインドネシアにわたる広大な地域における古い文化層で、南部中国江南を経由して縄文時代末期に渡来したのだろうとし、また母系的秘密結社的・芋栽培―狩猟民文化はメラネシア、ニューギニアの母系的・タロ芋栽培民社会の秘密結社と類似し、縄文時代中期以降に東南アジア大陸のどこからか一つは南海に流入し、ほかの流れは中国南部を経て日本列島に流入したのではないかと考えた[*17]。本論文に付された地図にはこれら五つの種族文化の移動経路が示されているが、このほかにも「?」として台湾の南あたりから沖縄を経由して日本へと至る経路が示されている**【図1】**。このルートは本文中では言及されていないものの、柳田の「海上の道」説を意味するものと考えられる。

このように柳田以外にも日本人の起源の一つを、南方にもとめる学説は存在した。柳田の学説が否定されるにつれて、南方起源説すべてが否定されるかのような状況になっていったことは残念であった。

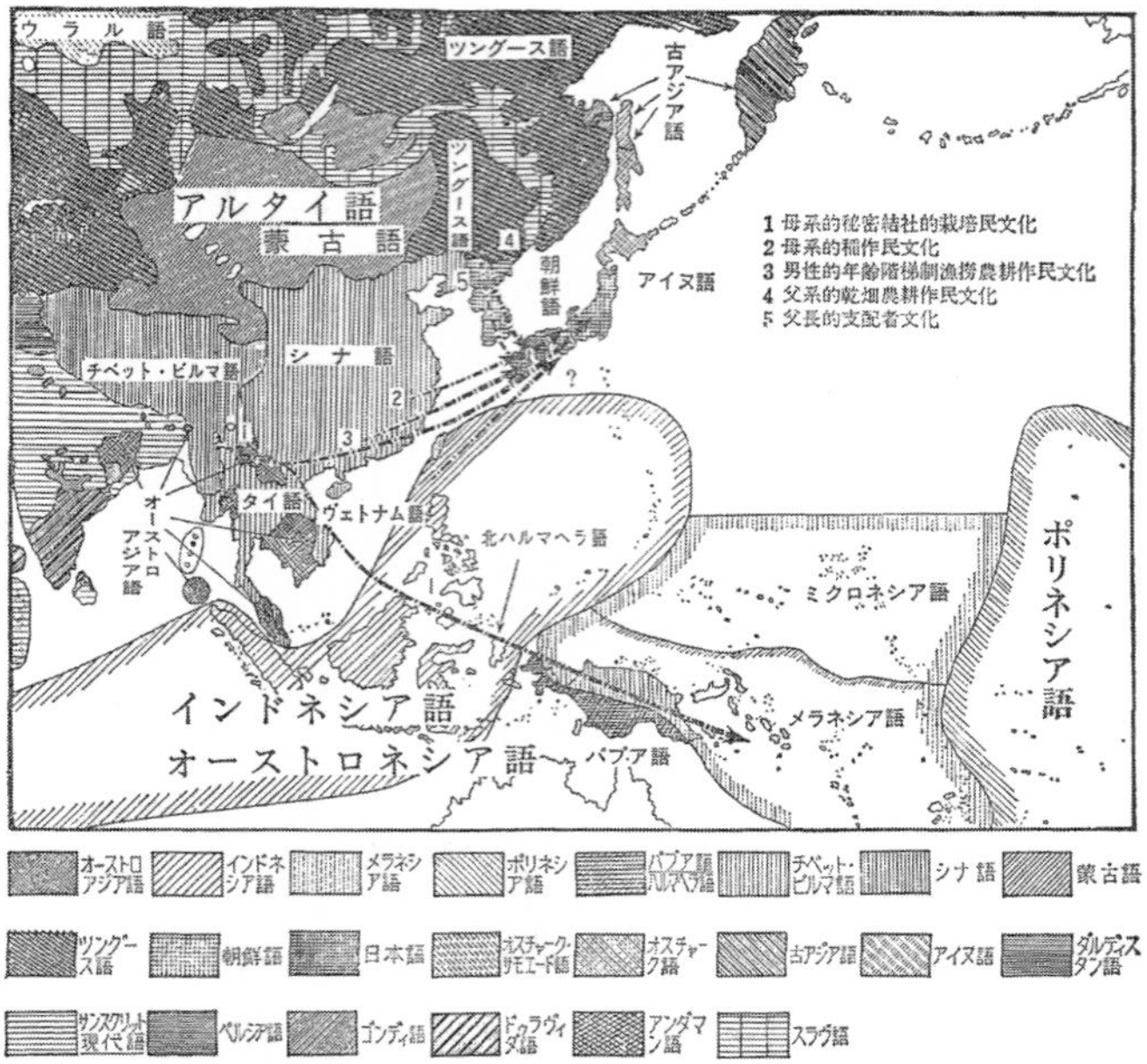

図１　岡正雄の想定した文化層と文化の移動（岡 1956）

5　寄物と想像力

先に見たように、「海上の道」をめぐっては考古学をはじめとして民俗学、民族学が深くかかわって論争をしてきた。これらの学問を結ぶものは民具（物質文化）である。[18]柳田が着目した寄物もいわば民具に含まれるものであった。これと関係して筆者はかつて、中国か台湾から流れ出した神像が石垣島に漂着したこと、朝鮮半島から流れ出たチャンスンが新潟にたどりつき、信仰の対象となったことなどを取り上げた。[19]与論島《よろんとう》では軽石のことを浪の花と称することが紹介されている。[20]軽石は縄文時代以降の遺蹟からも出土しており、浮子などの用途で広く用いられたことが知られている。[21]こうした軽石の多くは黒潮に乗って南からもたらされたものである。黒潮をめぐる漂着物について、ごく最近も以下のように話題となったものがある。二〇一八年、台湾東部・宜蘭《ぎらん》県蘇澳《そおう》の海岸を掃除していた小学生が、防水ケース入りのデジタルカメラを発見した。メモリーカードの内容から二年半前に約二四〇キロ離れた沖縄県・石垣島で大学生がなくしたものであることが判明し返却された。[22]これはまさに黒潮の反流に乗って、沖縄から台湾へとモノがもたらされた

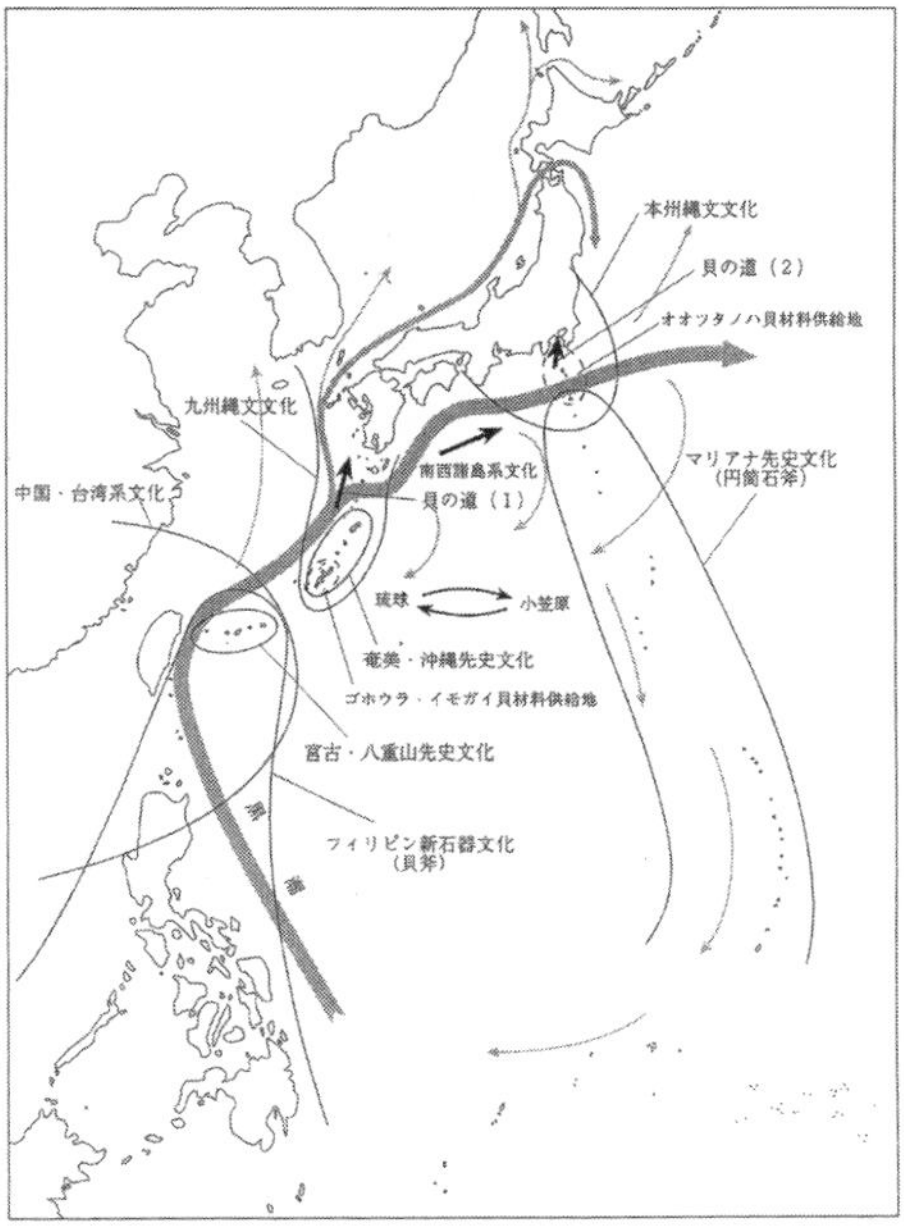

図2　黒潮圏と諸文化（小田 2017）

という実例である。黒潮圏でモノが移動するということは何も先史時代に限定されたことではなく、現在も脈々と続いているのである【図2】。

　こうした南からのモノの移動だけでなく、先史時代にヒトの移動があったことが石垣島の白保竿根《しらほさおね》田原洞穴《たばるどうけつ》遺《い》跡《せき》など、沖縄における多くの人骨の発見により明らかにされつつある【図3】。白保竿根田原洞穴遺跡出土人骨から採取したミトコンドリアDNAの分析によると、現在の東南アジアや中国南部とつながり、ここに到達したヒトが南方に起源をもつことが指摘されている[*23]【図4】。こうした発見によって、にわかに南方ルーツ説の周辺が騒がしくなってきた。このような発見は時期は異なるものの、柳田の『海上の道』を改めて想起させる。民俗学と文学の関係は深い。それは両学問が口頭伝承を対象とするからである。『遠野物語』は単に民俗学の専門書という枠を超えて、文学作品としての評価も高い。それは若き日の柳田が文学を志し、その著述は難解ではあるが読み手の想像力を刺激するものだからである。

　先に指摘したように、柳田は『海上の道』で黒潮という直接的な語をほとんど用いることなく、読者には黒潮の海流をイメージさせるというきわめて間接的、文学的方法を用いて一書を上梓したことがわかる。そうしたことからか、岩波文庫版および筑摩叢書版『海上の道』の解説は作家によって書かれている。

　大江健三郎は、岩波文庫版『海上の道』の解説で以下のように述べている。「『海上の道』に喚起される想像力の勢い、その指向性に立つ後進の研究者が、柳田が実際それを期待したように、かれの仮説を科学的にうちくずすとする。

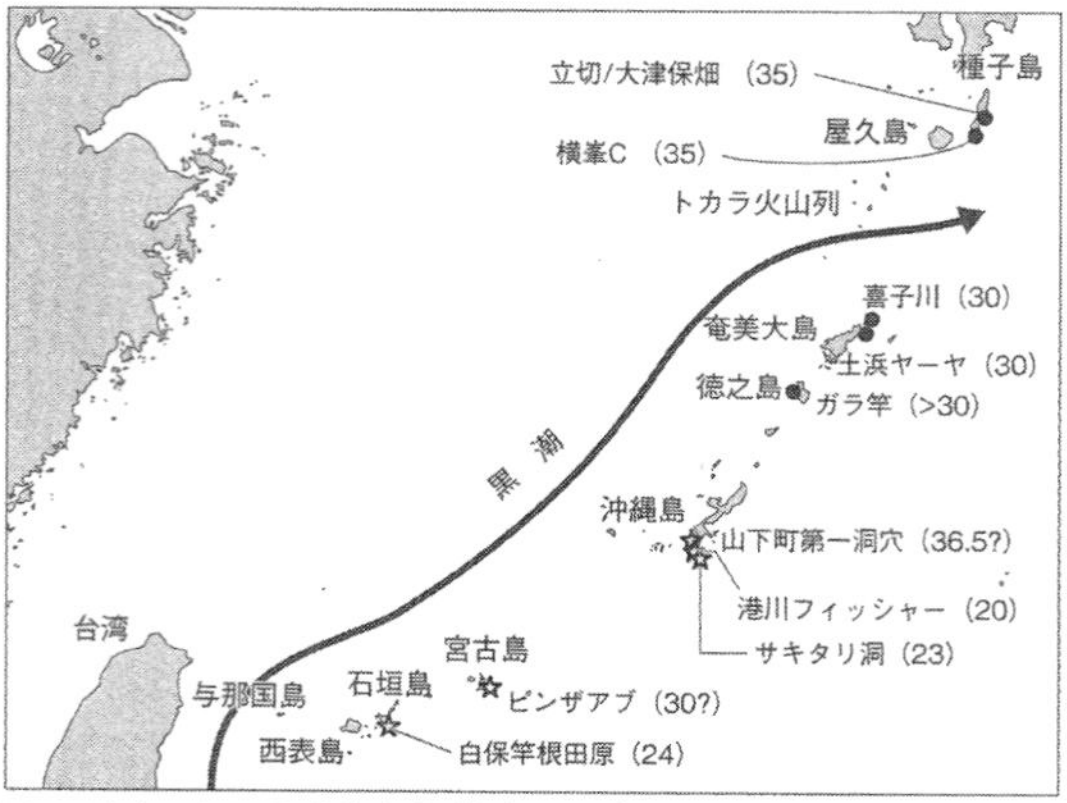

図3　南島の旧石器時代遺跡（海部 2016）

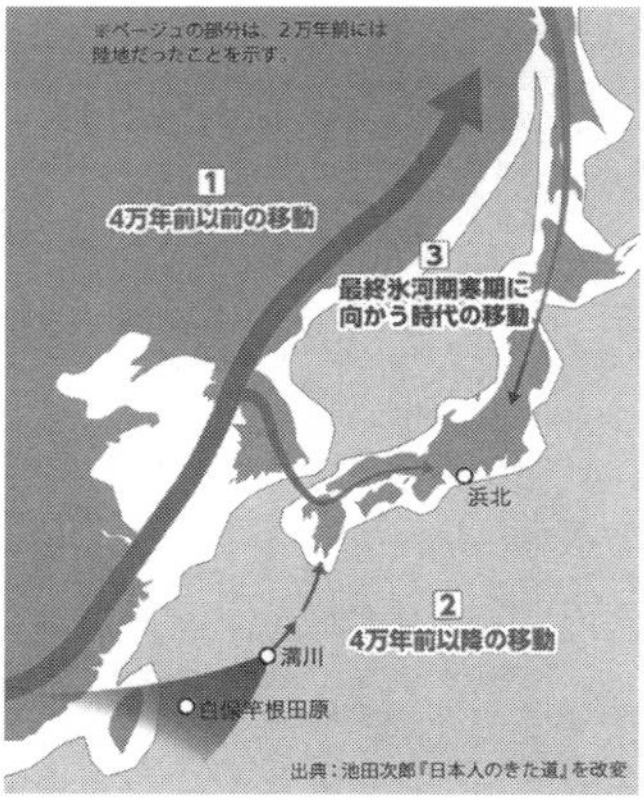

図4　ミトコンドリアDNA分析からみた人の移動（篠田 2018）

その時むしろさらにあきらかに、柳田がその詩的言語・文学表現の言葉で喚起した想像力の質が、科学的な作業仮説そのものであったと証明されよう」[*24]。

また、筑摩叢書版の解説で島尾敏男は、「彼がたとえば「海上の道」などでなしとげた南島研究は、本土の日本くささの中にかくれた日本の端緒或いはもとのすがたを（琉球）[*25]三十六島の中にさぐり、両者をつなぐ仕事なのだと言えないでしょうか」[*26]、と評している。二人の『海上の道』への評価は、いずれもイマジネーションを刺激することであったと言っても良かろう。『海上の道』が読まれ続けている理由は、見えない過去をイメージするための素材を提供してくれているからではなかろうか。そして事実はさておきこのような過去を想う楽しみこそ、学問への原動力となっているのではないか。

6　おわりに

柳田国男は一般的には、コトバの民俗学を志向した研究者として知られる。しかしながら、駆け出しの頃の柳田は考古学に関心を抱き、モノと向き合おうとした。その後、モノへの興味は失われたかのように語られるのではあるが、晩年の『海上の道』では寄物や宝貝といったモノについての詳細な観察や検討から、さまざまな想いを廻らせていったことがうかがえる。モノを単に無機質な物質と捉えるのではなく、そこに人間が感情移入や何らかのかかわりを持つことにより、人間の諸器官の延長上の存在として位置づけようとした痕跡が『海上の道』の随所に認められる。それは柳田が長い時間をかけて到達した民俗学の形を示したものである。だが、柳田のモノ論は民族学や考古学の即物的で経済的側面を重視するモノ論とは決定的に異なるものとなった。当初、考古学に対して新しい時代にも目を向けるよう苦言を呈したように、『海上の道』でのモノ論は、再度、考古学に対して寄物という新しいモノについても注意を喚起するように、というメッセージにも見える。民俗学と民族学、そして考古学が深くかかわれるのは、近現代のモノであること、宮本常一以前に柳田も十分に承知していたのではなかろうか。我々後学の者は、柳田の問いに対してより明確な回答をすべく研鑽することが、学問の進展にもなると信じる。

注

1 柳田国男『海上の道』筑摩書房、一九六一年。
2 以下の頁は、柳田国男『海上の道』(筑摩書房〔筑摩叢書〕、一九六七年)のもの。
3 高田政度編『増補日本汐路之記』一七九六年。
4 来間泰男『稲作の起源・伝来と〝海上の道〟(下)』日本経済評論社、二〇一〇年。
5 高宮広土「植物遺体からみた柳田国男『海上の道』説」、『民族学研究』63-3、一九九八年、二八三~三〇一頁。
6 陳有貝「琉球列島與台灣史前關係研究」、『國立台灣大學考古人類學刊』58、二〇〇二年、一~三五頁。
7 加藤百一「アイヌの酒(9)—その系譜と背景について—」、『日本醸造協會雑誌』64-12、一九六九年、一〇五六~一〇六〇頁。
8 小川武『黒潮圏の八丈島—趣味と観光—』(八丈町観光協会、一九五八年)、小川武『黒潮圏の八丈島—風俗と慣行—』(八丈島新聞社、一九六四年)。
9 橋口尚武『島の考古学—黒潮圏の伊豆諸島—』(東京大学出版会、一九八八年)、小田静夫「黒潮圏の先史文化」(『第四紀研究』31-5、一九九二年、四〇九~四二〇頁)。
10 小田静夫「黒潮圏の考古学」http://ac.jpn.org/kuroshio/about.htm(二〇一八年九月十日閲覧)
11 大林太良「ぶんかけん・ぶんかけんせつ　文化圏・文化圏説」、『文化人類学事典』弘文堂、一九八七年、六六八頁。
12 山田仁史「伝播主義」、『文化人類学事典』丸善、二〇〇九年、七三〇~七三三頁。
13 注2、四三頁。

14 鳥居龍藏『有史以前の日本』磯部甲陽堂、一九二五年。

15 中田千畝（なかたせんぽ）一八九五～一九四七、新聞記者、作家、口承文学研究家。本名豊。山梨県北巨摩郡江草村生まれ。新聞記者をしながら童話の創作と研究を行なった。大正末から『童話研究』に、昭和初めから『旅と伝説』に投稿。日中戦争が始まると、外務省情報部第1課に所属し、「少年倶楽部」や「少女倶楽部」に、偉人伝・時事解説・一口知識等を執筆。中田は、日中戦争を機に外務省情報部に転属すると、日本・南洋の文化的関連に就いて神話・伝説等の方面から意義づけようとした。その結果、大東亜共栄圏の思想的基盤づくりとして、民話を見ていたことになる（阿部敏夫「北海道民話の研究（その2）―中田千畝『アイヌ神話』の考察―」、『北星学園大学文学部北星論集』41、二〇〇四年、一二九～一三八頁）。

16 中田千畝『黒潮につながる日本と南洋』郁文社、一九四一年。

17 岡正雄「日本民族文化の形成」、『図説日本文化史大系』1、小学館、一九五六年、一一〇～一二〇頁。

18 宮本常一『民具学の提唱』未来社、一九七九年。

19 角南聡一郎「漂着する神仏のモノがたり」、『石造物の研究』高志書院、二〇一一年、二四九～二五八頁。

20 注2、一一頁。

21 角南聡一郎「中・四国地方出土の軽石」、『旧練兵場遺跡』善通寺市・財団法人元興寺文化財研究所、二〇〇二年、六〇～六四頁。

22 福岡静哉「奇跡のカメラ持ち主に　石垣島から240キロ漂着」、『毎日新聞』二〇一八年四月二十八日付。

23 篠田謙一「DNAが解き明かす人類による日本列島への旅」、『日本人の起源』洋泉社、二〇一八年、一四～四三頁。

24 大江健三郎「解説」、『海上の道』岩波書店、一九七八年、三一七～三二八頁。

25 筆者補記。

26 島尾敏雄「「海上の道」解説」、『海上の道』筑摩書房、一九六七年、二七一～二七七頁。

引用・参考文献

・大林太良「日本民族起源論と岡正雄学説」、『異人その他』言叢社、一九七九年、四一五～四三一頁。
・小田静夫「考古学からみた新・海上の道」、『南島考古』36、二〇一七年、二一～三四頁。
・海部陽介『日本人はどこから来たのか？』文藝春秋、二〇一六年。
・松本武彦「中田千畝のアジア観―『黒潮につながる日本と南洋』をめぐって―」、『山梨学院大学一般教育部論集』20、一九九八年、三九～六六頁。
・柳田国男『海上の道』岩波書店（岩波文庫）、一九七八年。

02 農業国家アンコールの「航海神」観音

宮崎晶子

1 はじめに

日本では仏教伝播のルートを「北伝」、「南伝」と呼び分け、インドから中国に渡った「北伝」ルートによって大乗仏教が伝播し、インドからスリランカを通り東南アジアに渡った「南伝」ルートによって上座部《じょうざぶ》仏教が伝播したと語られる。このような呼び分けが一般化したことで、あたかも東南アジアには大乗仏教が伝播しなかったかのような受けとめられ方をしている。

東南アジア大陸部で栄えたアンコール王朝（九世紀から十五世紀、主に現在のカンボジア）では、ヒンドゥー教や仏教が信仰され、世界遺産アンコール・ワットのような巨大なヒンドゥー教寺院や、バイヨンのような大乗仏教寺院が建立された。最も広い領域において影響を与えたジャヤヴァルマン七世（在位一一八一～一二一八年）は、領域内に幹線道路（王道）を整備し、中央（王都シアムリアプ）と地方を結び、大乗仏教の代表的な尊格である観音の彫像を各地に奉納した【図1】。本像はその特徴的な図像から『カーランダ・ヴューハ（Kāraṇḍavyūha）』[*1]（以下、KV）という経典の第二部第二章「毛孔に天人をあまた宿す」観音を表現したものと解釈されている。ジャヤヴァルマン七世時代のバイヨン様式においてのみ作られた珍しい図像を持つ観音像である。遠方の巨大寺院などに奉納され、王都シアムリアプと領域の

図１「毛孔に天人をあまた宿す」観音像（Jessup 1997: 315）

周縁部を結ぶ紐帯としての役割を担っていたと考えられる。[*2] 東南アジアで最も観音信仰が栄えた時代である。

この時代、東アジアからの直接的な影響をアンコールの宗教に見つけることは難しい。唯一の現地史料であるクメール碑文は、サンスクリット語や古クメール語で書かれ、中国に関する言及は少ない。また寺院や彫像などの造形をみても東アジアの影響は多くはない。南アジアと同じように観音像は男性として造像され、前述したＫＶを出典とする観音像の図像は、サンスクリット語写本やチベット語訳の写本と比較しても内容に大きな違いはない。一方、漢訳経典と比較すると部分的に一致しないところがあり、アンコールの図像との親和性は低い。[*3] アンコールのみならず、東南アジアの各地域が東アジアの影響を強く受け始めるのは、いわゆる「華人の世紀」[*4]を待たねばならず、[*5] その時代にはアンコールはすでにタイのアユタヤに飲み込まれ、東南アジア大陸部は上座部仏教に移行しているため、観音について論じることはできない。

とはいえ、アンコールで観音信仰が栄えたジャヤヴァルマン七世時代はアジア全体が交易を中心に「航海」で強く結ばれた中世にあたる。[*6] 航海技術が進歩し、物質文化が多様化する中で、中国からアンコールにもたらされる奢侈品は増加する。ヨーロッパの足跡が聞こえ始める「大航海時代」前夜であるこの時代、異文化と活発に交流するアンコールにおいて、観音は「航海」を見守る尊格として王都に具現化される。[*7]

その観音は、雲馬となり、難破した商人たちに襲い掛かる羅刹女《らせつにょ》たちから彼らを守る。前述したＫＶの第二部第一章に収録された「シンハラ冒険譚」という説話である。本説話はＫＶに収録される以前、『本生譚《ほんじょうたん》』[*8]や『法華経《ほけきょう》』「普《ふ》門品《もんぼん》」[*9]にすでに類似した説話が認められる。ネパールでは、韻律のＫＶが成立した十七世紀以後「シンハラサールタバーフ・アヴァダーナ」[*10]として独立して語られ、[*11] 日本では十二世紀の『今昔物語集』[*12]に似たような説話が採用されている。

同時代に東アジアで広がりを見せ始めた「航海神」媽祖《まそ》と「シンハラ冒険譚」の観音との直接的な関係は本章では検討できないが、アジアの交易にかかわる多くの商人たちが「航海」の無事を神々に祈った。観音も媽祖も、王朝によってその信仰は保護され、[*13] 交易により王朝は繁栄した。航海技術が進歩し異文化との接触が頻繁になった時代、人々はどのような祈りとともに海へと漕ぎ出していったのだろうか。

本来、アンコールが有する広大な平野は米を大量に産出するため、中継交易で富を得る必要はそれほどなく、後述するイスラム側史料によればアンコールはイスラム系商人の主な寄港地になっていない。東南アジアの代表的な寄港地といえばチャンパー（南ベトナム）やシュリーヴィジャヤ（マレー半島やインドネシア）などである。実際、ジャヤヴァルマン七世の治世になるまでアンコールによる中国への朝貢は長い間中断している。桃木によれば、真臘《しんろう》（アンコール）からベトナム・大越への朝貢回数は十九回であるのに対し、中国宋朝への朝貢回数は五回と対大越が圧倒的に多い。[*14] アンコールの交易の中心はあくまでも東南アジア域内だったといえる。

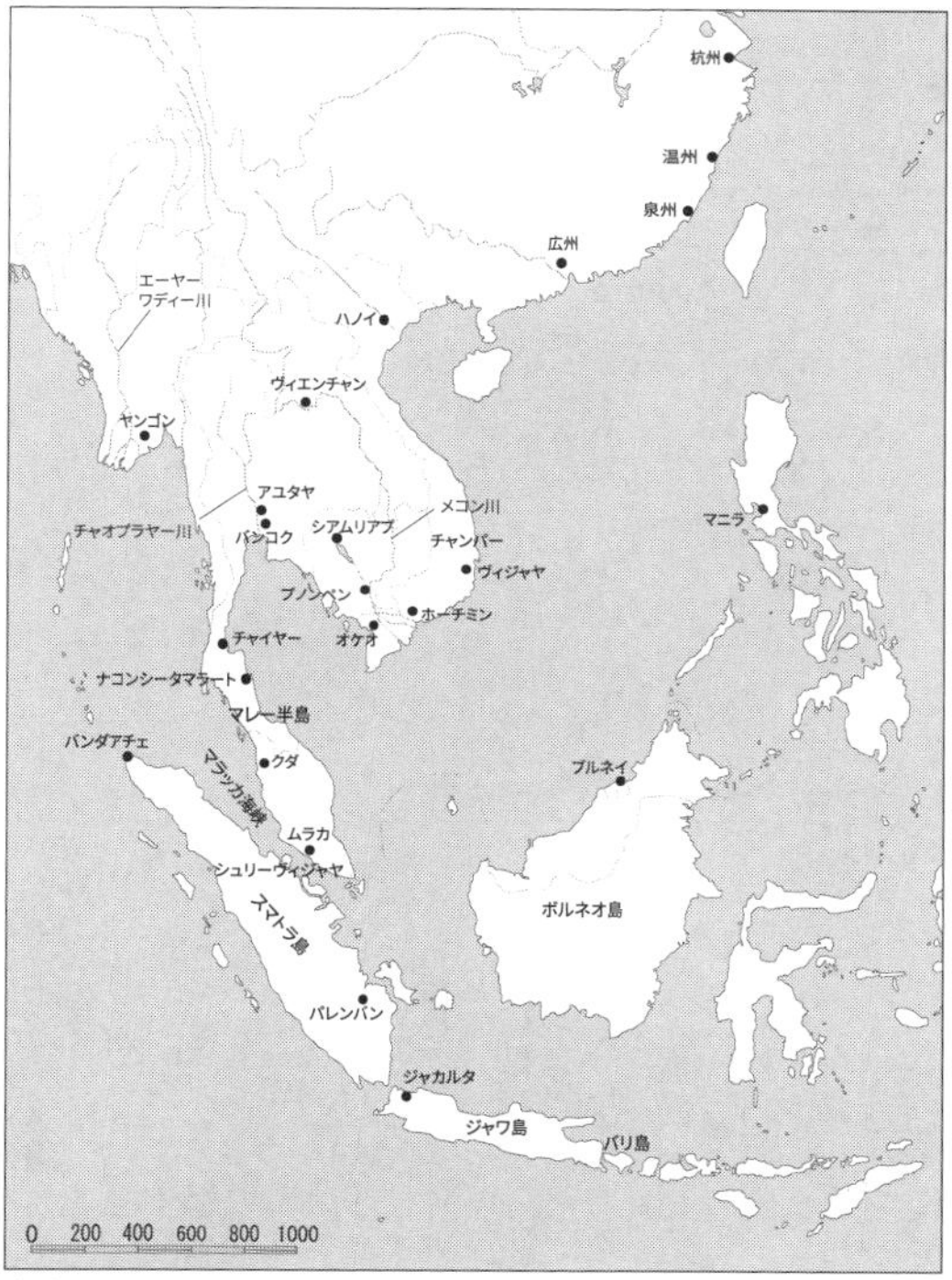

東南アジア地図

本章では、アジアの諸地域が海を通じ活発に交流したこの時代を中心に、ジャヤヴァルマン七世時代にのみ王権により支えられ広く信仰された、農業国家アンコールの「航海神」観音に焦点をあて、交易に関する史資料から当時の社会を読み解いていく。

2 ジャヤヴァルマン七世時代の「航海神」観音

ジャヤヴァルマン七世時代には観音の代表的な経典である『法華経』「普門品」やKVをもとにしてさまざまな観音像が制作された。本節では、アンコールのすべての観音像に言及することはできないため、交易に関係する説話「シンハラ冒険譚」について述べる。

ある日、商人シンハラは五百人の仲間を引き連れ船出する。途中、嵐にあい難破するが、とある島に漂着し、五百人の美女たちが助けてくれる。ある夜ランプの炎が、美女の正体は羅刹女である、とシンハラに教える。シンハラがランプの炎に言われた通り島の南に行くと、鉄でできた高い塀があった。中では羅刹女たちが商人たちを食い散らかし、あたりは骨の残骸だらけであった。急ぎ戻ったシンハラは、ランプの炎に島を脱出する手段を聞く。ランプの炎は、観音の化身である雲馬（バーラーハ）が助けに来てくれる、と告げる。……やがて雲馬が現れ、シンハラと商人たちを乗せて空へと駆け上がった。ただ、追いかけてくる羅刹女たちを振り返った者は海に真っ逆さまに落ち、羅刹女たちにむしゃぶりつかれるのであった。[*15]

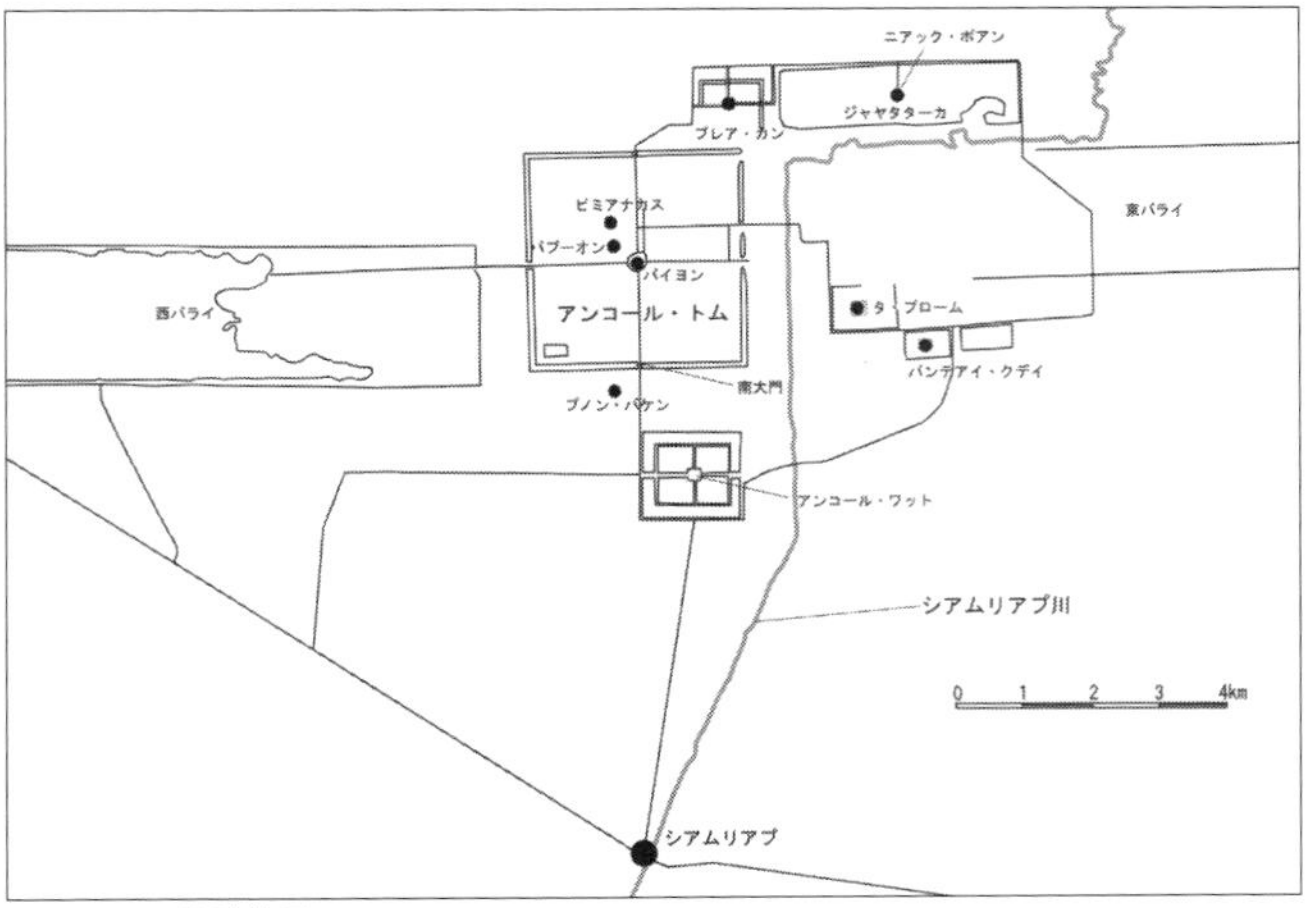

アンコール遺跡地図

アンコールにおいて「シンハラ冒険譚」はジャヤヴァルマン七世時代の作例として、ニアック・ポアンという遺跡に表現されている[*16]【図2】。同遺跡は、シアムリアプのアンコール遺跡公園内に建設された都城アンコール・トム（ジャヤヴァルマン七世時代造営）の北に位置し、貯水池・ジャヤタターカの中央に位置する島に建てられている。方形の池

図2　ニアック・ポアン（筆者撮影）

図3　バーラーハ彫像（筆者撮影）

の中央に観音を祀った祠堂があり、その池の四方に小型の池を配する。「ニアック・ポアン」とはカンボジア語で絡み合う蛇を意味し、祠堂の基壇は水の神様である二匹の大蛇によって取り巻かれている。観音信仰と水信仰が融合した遺跡といえる。「バーラーハ」と考えられる像が付近から発見されており、彫像には人々が馬にしがみつく様子が確認できることから【図3】、羅刹女の島から商人シンハラたちを脱出させるために観音が化身したものだと考えられる。

アンコール地域に残されたピミアナカス碑文（K. 485, 十二世紀）には、ニアック・ポアンに関係すると思われる記述があり“vālāhaka”[*17]という馬が商人たちを海から連れ戻す様子が記されている。[*18]

3　アンコールの交易

では、前述したような商人を救う観音の説話はどのような時代背景のもと、人々に受容され、アンコールの地に具現化されたのだろうか。本節では航海信仰に影響を及ぼしたであろうジャヤヴァルマン七世時代の交易について論じる。

アンコールの交易を物語る史資料として、現地の文字史料である①クメール碑文、中国人が書いた②漢籍、イスラム系商人や旅行家などが書いた③イスラム側史料、最後に実際にアンコールで発掘された④考古資料（中国陶磁器等）などが挙げられる。

交易の歴史を紐解くには文字史料の存在が不可欠であるが、同地は熱帯性の気候であるため植物性や動物性のものに記された史料は残りにくい。他地域同様、アンコールでも多くの史料が作成されたと考えられ、後述する『真臘風土記《ふどき》』には「となえるところの経典は甚だ多い。みな貝葉（貝多羅の葉）を用い……」[19]や「通常の文字および役所の文書は、みな麑鹿《おおなれしか》の皮などのものを黒く染め……」[20]などの記録があるが、残念ながら温暖な気候と豊かな植生が歴史研究を難しいものにしている。

唯一の現地史料として、石や金、ブロンズなどに刻まれたクメール碑文がある。寺院の入り口（開口部）などにサンスクリット語や古クメール語で記され、王の系譜や業績、神々の奉納や供物に関する記録が残る。ただ、交易などの商業活動については碑文に直接の言及はなく、クメール碑文だけでアンコールの交易を語ることは難しい。

東南アジア史研究ではこのような同時代現地史料の不足を補うため、漢籍やイスラム側史料を活用してきた。しかし、アンコールの外部から来た人々による風聞の叙述は、時として認識上の違いが見受けられる。一方、クメール碑文も特定の内容しか記していないためそれだけで交易を語るには偏向性が高い。これらの文字史料の裏付けとして、現地で発掘された物的資料である考古資料が援用される。

以下、①クメール碑文、②漢籍史料、③イスラム側史料、④考古資料からジャヤヴァルマン七世時代を中心に交易を読んでいく。

①クメール碑文

クメール碑文は、現在までに千三百点ほど見つかっている。[21]碑文には、神々に奉納された中国産品などが記されている。中国は“cīna（cina、cīn とも）”という言葉で語られ、中国に対するアンコール側の認識が見て取れる。

中国に関する記述は、一点だけではあるが、アンコール期以前のプレ・アンコール期（六〜八世紀）の碑文ににすでに発見されている。“ku cina（中国人の女性）”（K. 877: 日付なし）と記され、さまざまな宝物や土地とともに寄進されている。

アンコール期に入ると、前半期にあたる九世紀から十一世紀初頭までの碑文四点（K.809:878-887年、K. 323:889年、K.

286:947年、K.989:1008年）に登場し、王が自らの版図を示す記述の中で、"cīna"は境域外の地として記されている。[*22]そのほか、中国産品の記述としては、（K. 262:968年）のものが初出であり、ほか二点（K.669:972年、K. 263:984年）にもみられるが、アンコール期前半においては神々への貴重な寄進材として稀に登場する存在だった。

アンコール後期のジャヤヴァルマン七世時代になると、中国産品に関する記述の頻度は高まる。王妃は夫（ジャヤヴァルマン七世）がヴィジャヤ（チャンパーの新都）攻略に出発する際、「中国の布を用いた百の錘（天蓋のようなもの）を神々に与えた」（ピミアナカス碑文、K.485、第81偈、十二～十三世紀）としている。そのほか、プレア・カン碑文（K.908、1181年）には、観音（ローケーシュヴァラ）などの神々のために一日一日の供物として「中国の織物56」（第51偈）とあり、毎年「中国絹で作った蚊帳323」（第84偈）、「中国の臥床23」（第85偈）、「中国の小箱520」（第93偈）を捧げた、とある。正確な数を記しているかは定かではないが、いずれも前代までに記された中国産品の数を大きく上回る。

②漢籍史料

古くは『南海帰寄内法伝《なんかいききないほうでん》』や『大唐西域記《だいとうさいいきき》』などがあるが、東南アジア世界に直接かかわるものとして『嶺外代答《れいがいだいとう》』（一一七八年）、『諸蕃志《しょばんし》』（一二二五年）、『島夷雑誌』（一二七〇年）、『真臘風土記』（一二九六年）、『大徳南海志』（一三〇四年）、『島夷誌略《とういしりゃく》』（一三五一年）などがあげられる。[*23]漢籍史料のなかでアンコールは「真臘」と呼ばれ、実際に当地を訪れた周達観という中国人によって『真臘風土記』という旅行記が書かれている。著者は元朝の使節に随行した民間人と考えられる。アンコールには、一二九六年七月から翌年六月まで滞在し、本章で焦点をあてるジャヤヴァルマン七世時代より少し下るが、カンボジアの風俗に関して四十一項にわたって記している。以下、アンコールに関する風聞や産品、輸入品および輸出品など東アジアと関係するものを中心に見ていく。

城郭（2）：舶商（海上貿易商人）がやってきて、［彼らの間に］「富貴な真臘」という褒［め言葉］があるわけは、想うにこのため（金塔の類が立ち並ぶため）である。

出産（産物）（20）：細色（上質の商品）に翠毛（かわせみの羽）・象牙・犀角・黄蝋（蜜蝋）があり……。

貿易（21）：小さい売買の場合は米穀及び中国の品物を用い……大きい売買ならばすなわち金銀を用いる。

欲得唐貨（23）：その地は、考えてみるに金銀を産出しない。唐人の金銀をもって第一（の輸入品）とし、……泉〔州〕・処〔州路〕（現浙江省麗水県）の青甆器、……。[24]

「城郭」はアンコール・トムと考えられ、現在寺院の塔に金箔は残っていないが金塔はバイヨン寺院とされている。「出産」はいずれもアンコールで産出された天然資源であり、残念ながら現在ではほとんど残らない。「貿易」に記された金銀がどのような形態をとっていたかはわからないが、金で作られた多くの宝飾品が発見されている。[25]「欲得唐貨」に関しては、④考古資料の項で言及する。

そのほか、ジャヤヴァルマン七世時代の同時代史料として、『諸蕃志』（一二二五年）が挙げられる。「翠毛は真臘が最も多い」[26]、「沈香は真臘国のものが最上」[27]などの記述がみられる。

③イスラム側史料

交易に関して、イスラム系商人の活動を無視することはできない。法隆寺に伝来した三点の香木（沈香一点、白檀《びゃくだん》二点）を見てもわかる通り、パフラヴィー文字の刻銘やソグド文字の焼き印があり、香木がペルシア系商人を介して日本に伝来したことは明らかである。[28]沈香や白檀は南アジアや東南アジアで産出されるものであり、生産地に近い積出港から中国に運ばれる過程で銘文が打たれたと考えられる。[29]文字の年代から七・八世紀のものであるとされ、すでにその時代にはインド—中国の交易においてペルシア系商人が重要な役割を果たしていた。[30]

『中国とインドの諸情報』（九世紀半ばから十世紀初め）には、当時の活発な交易の様子が記されている。アンコールはインド洋ルートの主な寄港地ではないため部分的な記述にとどまるが、「クマール」という名で登場する。「あの［有名な］クマール産沈香が輸出される土地」、「クマールの人たちほど人口数の多いものは他にない」など記されている。[31]

またジャヤヴァルマン七世時代より下るが、イブン・バットゥータが記した『大旅行記』（十四世紀ごろ）にも、アンコールは「カマーラ（カマーリー、カマールなど）」という名で登場する。アンコールに立ち寄ることはなかったが、スマトラやベトナムに寄港している。沈香に関する記述の中でカマーラに言及し、沈香木に所有権があることや最良品質であること[*32]、またインドを訪問した際に、スルタンの宮殿でカマール産沈香がたかれていたことなどが記されている。[*33]

④考古資料

クメール碑文や漢籍史料に記されている天然資源や布製品などは現在では確認できない。しかし『真臘風土記』の「欲得唐貨」に記されている陶磁器は、土中にあり幾世紀もの歳月が流れたとしても遺物として残る。アンコールで発見された中国陶磁器が当時の社会の豊かさを教えてくれる。

アンコール・トムの王宮跡では、北宋から明にかけての中国陶磁器が発見され、時代を追うにつれその量は増加し、クメール施釉《せゆう》陶器に対する中国施釉陶磁器の割合は、元と明では八〇パーセントに達する。[*34] 加えて、アンコール・トム内王宮前広場にある遺跡からも中国陶磁器が多数発見されている。十三世紀前半～十三世紀後半と考えられる層位（ジャヤヴァルマン七世の治世は一一八一～一二一八年）からは、龍泉窯系青磁、広東《かんとん》および福建窯系白磁などが出土し、『真臘風土記』の「欲得唐貨」に記された陶磁器の産地と重なる。出土した中国陶磁器の年代は、大宰府における編年を参考に十一世紀から十三世紀後半のものとされている。[*35]

天然資源が豊富にあるカンボジアでは、食器類には南アジアと同様、バナナの葉など植物性のものを活用することが多い。よって陶磁器を主に食器として使用していたとは考えにくく、クメール陶器や中国陶磁器は王宮や宗教儀式などで使用された奢侈品と考えられる。

これらの史資料から、アンコールは沈香をはじめ豊富な天然資源をもとに金銀や陶磁器などを中国とやり取りし、その交易には中国商人のみならず、一部イスラム商人が介在していたことが考えられる。クメール碑文によれば、アンコール前期においては境域外の地として中国を認識し、中国産品もごくわずかであったが、アンコール後期・ジャヤヴァルマン七世期を境に中国産品の頻度は増し、考古発掘においても中国陶磁器が占める割合は増加する。

同時代の中国側の状況を考慮すれば、宋代においては奢侈《しゃし》的消費が増大したことはすでに明らかにされており、[*36] 社会と消費形態の変化、仏教儀式の発展とともにアンコールで産する香木の需要も中国において増加したと考えられる。このようなアジア諸地域での消費形態の変化により、本来、東南アジア域内で活動し農作物を中心に発展した「陸の王国」アンコールが、ジャヤヴァルマン七世時代を境に良質の沈香を産し、交易で栄えるチャンパーの都ヴィジャヤを手中に収め、「海の王国」へと変貌しようとしたといえるだろう。

4 おわりに

以上、ジャヤヴァルマン七世時代の交易と農業国家アンコールの「航海神」観音について述べてきた。アンコールに代表されるような中世の東南アジアは、現在知られている上座部仏教社会としての東南アジアとは異なる様相を帯びていた。

文字史料や考古資料を見る限り、ジャヤヴァルマン七世時代以前には東アジアとのコンタクトは決して盛んではなかった。しかし同王の治世以降、奢侈的消費の増大から中国との交易が盛んになった。広大な領域を誇る時代に「あまね（普）く顔（門）をむけるほとけ」（普門品）である観音が人々を見守り、商人たちは観音に祈念すれば、たとえ難破し羅刹女のような人々に遭遇したとしても必ずや故郷に戻ってこられると信じ、広い海へ漕ぎ出していっただろう。

ヴィジャヤを攻略し最大版図の限界に達したアンコールは、やがてアユタヤに飲み込まれ、東南アジア大陸部は上座部仏教社会へ、そしてアジアの「航海神」は媽祖へと移り変わっていく。

注

1　本経典は七世紀に西北インドで成立（Mette 1997）。観音（Avalokiteśvara）の功徳により人々が救済されるという内容の経典である。天息災により九八二〜一〇一一年に漢訳（『仏説大乗荘厳宝王経』）されている。

2　宮崎晶子「アンコール期の地方遺跡における観世音菩薩像の役割—『カーランダヴューハ・スートラ』を出典とする彫像を中心に」（『東南アジア考古学』28、二〇〇八年、七五〜八五頁）。

3　宮崎晶子「アンコールの観音像にみる経典と図像の関係性—『カーランダ・ヴューハ』写本との比較から」（『仏教美術論集』中央公論美術出版、二〇一九年、三五三〜三七四頁）。

4　十八世紀ごろ、東南アジアに大量の華人が流入・定住し始め、諸都市に華人社会を形成していった（桜井 2006:227-232）。

5　池端雪浦ほか編『岩波講座　東南アジア史』第四巻、岩波書店、二〇〇一年、一四〜二一頁。

6　桃木至朗編『海域アジア史研究入門』岩波書店、二〇〇八年。

7　「航海神」としての観音信仰は古くからインドにおいて認められ、すでに『法華経』「普門品」の中で海難救済が語られる。このことから三世紀ごろにはこのような信仰が起こり、背景にはインド人の南海交易が深く関係していたとされている（松本 1982:8-9）。また、東南アジア経由で海路帰国した法顕は、暴風雨に見舞われた際、一心に観音に祈りを捧げている（長澤 1996:180）。

8　『本生譚』（紀元前二〜三世紀）：「雲馬前世物語（196）」として収録される。商人五百人が難破し、美女だけが住む島に漂着する。彼女たちが人間の肉を食べて帰ってくると体が冷たく、商人は美女を抱きしめながら夜叉だと気づく。一心に祈ると雲馬王が現れ、逃亡を望んだ二百五十人の男たちを救う（中村監修 1982）。

9　注7参照。

10　「シンハラサールタバーフ・アヴァダーナ」：シンハラが率いる五百人の商人がチベットに向かうなか、難破（同地は海に接しないためツォンポ河を海に見立てている）し、美女だけが住む島に漂着する。ランプから出現した観音により美女たちが羅刹女であると知らされる。"valahaka" という雲馬に助けられ、対岸へ逃げかえるが、後ろを振り向いた者は羅刹女に食べられる（Lewis1993）。後日談があり、その点はＫＶとは異なる。

11　Lewis, Todd T. "Newar-Tibetan trade and the Domestication of Siṃhalasārthabāhu Avadāna" *Historyof religions*. Vol.33-2, 1993: 137.

12　『今昔物語集』（十二世紀前半）：巻第五「僧迦羅五百の商人、共に羅刹国に至れる語　第一」として収録される。僧迦羅率いる五百人の商人が難破し、美女だけが住む島に漂着する。美女たちの昼寝は長く、怪しく思った商人は彼女が寝ている間に島を歩き回る。ある塀で閉ざされた場所を見つけ、中をのぞくと骨や死体だらけであった。美女たちは羅刹女で夜中になると人間を食べていたことがわかり、補陀落世界に向かって観音に祈念すると白馬が現れ、商人たちを救う。後日、男たちのもとに羅刹女がやってきて商人たちに復縁を迫るがかなわない。国王が美女のとりこになり、後宮に引き入れたため羅刹女たちに食べられてしまう。島に帰った羅刹女を追いかけ、僧迦羅たちは島を制圧、女たちを惨殺する（今野 1999:388-394）。『本生譚』由来であることが指摘されているが、後日談がある点は異なる。『宇津保物語』（十世紀後半）の俊蔭の巻に描かれている異国漂流譚と酷似する（笹渕 2000）。

13 元・明では王朝の意向が大きく反映され、媽祖は全国的な航海神となった（藤田 2008:211-212）。

14 桃木至朗『中世大越国家の成立と変容』大阪大学出版会、二〇一一年、一三六頁。

15 Studholme, Alexander. *The origins of oṃ maṇipadme hūṃ : a study of the Kāraṇḍavyūha Sutra*. New York: State University of New York, 2002. をもとに筆者による抄訳。

16 Finot, Louis. et Victor Goloubew. "Le symbolisme de Nãk Pãn" *Bulletin de l'École française d'Extrême-Orient* No.23, 1923: 401-405.

17 vālāha は、valāha、vālāhaka、balāha、bālāha、bālāhaka とも表記される。

18 Cœdès, George. *Inscriptions du Cambodge vol. I-VIII*. Paris : Ecole Française d'Extrême-Orient, 1937-1966: vol.2: 161-181.

19 周達観・和田久徳訳注『真臘風土記』（東洋文庫五〇七）平凡社、一九八九年、二六頁。

20 前掲書、四一頁。

21 クメール碑文に関してはセデス（Cœdès 1937-1966）を参照。碑文はすべて〝K〟で始まる目録番号が付けられている。

22 松浦史明「真臘とアンコールのあいだ―古代カンボジアと中国の相互認識に関する一考察」上智アジア学、二〇一〇年、一二五頁。

23 深見純生「宋元代の海域東南アジア」、桃木至朗編『海域アジア史研究入門』岩波書店、二〇〇八年、三六頁。

24 注19参照。

25 Bunker, C. Emma and Douglas Latchford. *Adoration and Glory: thegolden age of Khmer art*, Chicago: Art Media Resources, 2004.

26 趙汝适・藤善真澄訳注『諸蕃志』関西大学出版部、一九九一年、三〇頁。

27 前掲書、二七一頁。

28 東野治之「法隆寺献納宝物香木の銘文と古代の香料貿易―とくにパフラヴィー文字の刻銘とソグド文字の焼印をめぐって」『Museum』433、一九八七年、四〜一五頁。

29 家島彦一「法隆寺伝来の刻銘入り香木をめぐる問題：沈香・白檀の産地と7・8世紀のインド洋貿易」、『アジア・アフリカ言語文化研究』37、一九八九年、一二三〜一四一頁。

30 東野前掲書。

31 家島彦一訳注『中国とインドの諸情報』第二巻（東洋文庫七六九）平凡社、二〇〇七年、四七～五四頁。

32 イブン バットゥータ著・イブン ジュザイイ編・家島彦一訳『大旅行記』第六巻、東洋文庫、二〇〇一年、四〇三～四〇六頁。

33 前掲書、第五巻、二〇〇〇年、六五頁。

34 田畑幸嗣『クメール陶器の研究』雄山閣、二〇〇八年、一四頁。

35 ベット コウ・中川武「アンコール・トムにおけるプラサート・スープラテラスの構築年代の編年と変遷過程に関する考察：クメール建築におけるテラスに関する研究　その1」、『日本建築学会計画系論文集』608、二〇〇六年、一五七～一六四頁。

36 斯波義信『宋代商業史研究』風間書房、一九六八年、四六七～四八二頁。

参考文献

・今野達校注『今昔物語集一』新日本古典文学大系33、岩波書店、一九九九年。
・坂本幸男・岩本裕訳注『法華経』下、岩波文庫、二〇一四（一九六七）年。
・桜井由躬雄『前近代の東南アジア』放送大学教育振興会、二〇〇六年。
・笹渕友一『宇津保物語　様式と方法』風間書房、二〇〇〇年。
・田島隆純・坪井徳光・阿部宥精訳『国訳一切経』密教部5、大東出版社、一九八五年。
・長澤和俊『法顕伝訳注・解説―北宋本・南宋本・高麗大蔵経本・石山寺本四種影印とその比較研究』雄山閣、一九九六年。
・中村元監修『ジャータカ全集』三、春秋社、一九八二年。
・藤田明良「航海神―媽祖を中心とする東アジアの神々」、桃木至朗編『海域アジア史研究入門』岩波書店、二〇〇八年、二〇七～二一一頁。
・松本文三郎「観音の語義と古代インド、支那におけるその信仰について」速水侑編『民衆宗教史叢書7　観音信仰』雄山閣、一九八二年、三～一六頁。
・和田久徳「東南アジアの社会と国家の変貌」、『岩波講座　世界歴史13　内陸アジア世界の展開Ⅱ　南アジア世界の展開』岩波書店、一九七一年、四三七～四九七頁。
・Jessup, Helen Ibbitson and Thierry Zéphir, eds. *Sculpture of Angkor and Ancient Cambodia. Millennium of Glory National Gallery of Art*, Washington: National Gallery of Art, 1997.
・Mette, Adelheid. *Die Gilgitfragmente des Kāraṇḍavyūha*, Swisttal-Odendorf : Indica et Tibetica Verlag, 1997.

03

媽祖と海域の文化

菊地章太

1 われらが御母

西川満《にしかわみつる》の「媽祖祭《まそまつり》」という詩がある。戦前に日本の占領下にあった台湾で暮らした人である。昭和十年（一九三五）の詩集『媽祖祭』に収められている。

ありがたや、春《はる》、われらが御母《おんはは》、天上聖母《テンシヨンシエンビヨウ》。
媽祖《マソ》さまの祭典《ツエテン》。神神の卜卦《ポツコア》。天地ここに霊を醸《かも》して、夕《ゆふべ》、金亭に投げる大才子。花月《はなづき》の、
空飛ぶ鳩か、わがこころ。

媽祖の廟にもうでた人は、金箔を貼った大才子《だいさいし》という紙銭《しせん》を焼いて願いごとをする。金亭《きんてい》と呼ばれる炉が境内にあり、紙銭をくべると煙は天にのぼって神々のもとに届くという。ゆるやかに暮れていく春の日が目の前にひろがるようだ。

媽祖は十世紀の宋代の人とされ、その短い生涯は伝説にいろどられている。中国南部福建《ふつけん》の沿岸の島で生まれた。おさないころから才知にあふれ、父親の海難を予言して巫女として知られるようになる。年ごろになって結婚をすすめられても断り、若くして亡くなった。昇天したのち海岸で灯火をかかげて遭難した人を助けたという。やがて海に生

きる人々の守り神として崇拝を集めるようになる。

宋代には海の守護神が地方ごとにあがめられていたが、元代になるとそれらを圧倒して媽祖が中国全土の神格となった。そうした変化の一つの契機として、そのころすでに東アジアで普及していた観音信仰と結びついたことがあげられる。媽祖は観音の化身とされ、ここで民間の信仰が仏教と融合するにいたった。明代になると媽祖が道教の神々の系列に加えられる。媽祖崇拝の拡大はこうした諸宗教との融合が大きな要因となった。雑種の信仰だからこそ異文化世界でも抵抗なく受け入れられていくのであろう。

媽という言葉は福建では親しみをこめて「おかあさん」を呼ぶときに使う。若い娘を母呼ばわりは妙だが、中国では年齢よりずっと上に見るのが礼儀である。媽祖婆という呼び名さえある。歴代王朝からたびたび封号をたまわった。明朝は天妃《てんぴ》、清朝は天后《てんこう》の名をさずけた。だが助けを求めるときにこの名を呼ぶと、后《きさき》にふさわしい装いで登場するため時間がかかる。媽祖《おかあさん》と呼べば髪も結わずに駆けつけてくれる。これは清の趙翼《ちょうよく》が『陔余叢考《がいよそうこう》』に記している。

2　異郷で暮らす人々の神

媽祖の崇拝は海沿いの土地にあるさまざまな女神の信仰を吸収してその範囲を拡大させていった。沿岸部では家族をささえるため多くの人が海運をなりわいとした。生まれた土地を離れ、海外に移住する人も数知れずいる。大海原をわたるときは故郷であがめる女神をたのみにした。分香《ぶんこう》という儀式をおこなって媽祖像の分身をゆずり受ける。分霊ともいう。故郷の魂のこもった女神像を船に安置して旅路をともにする。行きついた土地で船を停泊させて陸にあがるとき、像も一緒に陸にあげた。地上の廟に安置して、陸での生活を送るためである。出航するときふたたび廟から出してもらい、船に載せて海に出る。あるいはここで分香して新しい像を仕立てることもあった。

異国で暮らすうえで同郷の者同士が互助組織をつくった。彼らが集まるところに故郷の神をまつる廟をきずいた。そこを中心として町が形成されていく。福建人にとってそれは媽祖廟である。天后宮とも呼ばれた。海外に媽祖をまつるところが多いのは、それだけ福建人がさかんに活動しているからである。故郷で生きていくことがどれほど大変だったかを物語っていよう。

福建から南にくだってマカオにいたれば、そこには名高い媽祖廟がある。創建は明の弘治元年（一四八八）とされる。マカオは珠江《チューチャン》の河口の島で、十六世紀のはじめにポルトガル人が来航した。明国を助けて倭寇を討伐し、その見返りに居住権を得ている。それ以来マカオは東洋貿易の基地となり、さらにキリスト教布教の出発点となった。

ポルトガルの船乗りが上陸したときのことだった。媽祖をまつる媽閣廟《マコウミョウ》にいた人に、ここはどこかとたずねた。地名をたずねたつもりが、聞かれた方はここは媽閣《マコウ》だと答えた。これがマカオの名のおこりになったといわれる。この逸話はマカオについて語るときいつも引きあいに出されるが出典は何だろう。

地名の起源についてはフランスの東洋学者ポール・ペリオが綿密な考証を試みている。ポルトガルの船員メンデス・ピントが一五五五年にイエズス会士に送った書簡にアマカオの名で出るのが最初だという。[*1] これは阿媽澳の音写とされる。澳は入り江を意味する。やはり媽祖とのつながりはあるようだが、媽閣の話はここには出てこない。マカオがポルトガル人の居住地となったのはその翌々年である。

東アジアから東南アジアにかけて、海の仕事にゆかりのある土地で媽祖がまつられている。台湾には明の万暦年間（一五七三〜一六二〇年）の創建とされる廟がある。鹿港《ルーガン》の天后宮や北港《ベイガン》の朝天宮など大規模なものが多い。大陸沿岸からの移住者の多い土地だけに信仰もさかんである。ずっと南へくだって、ベトナム、マレーシア、シンガポールにも媽祖の廟が建てられた。やがてインドネシアのジャカルタにまでその信仰が広まる。

3　日本列島への伝播

鹿児島県の薩摩半島の西の端には野間岳《のまだけ》が海に突き出すようにそびえている。かつて山頂には媽祖の像が置かれていた。長崎へ向かう中国船がはじめて目にする九州の山である。船上で紙銭を焼いて媽祖に祈ったという。西川如見《にしかわじょけん》の『長崎夜話草《やわそう》』に記事がある。同じ如見の『華夷通商考《かいつうしょうこう》』は天妃を観音菩薩の化身とし、さらに「野間は則《すなは》ち姥媽《のふま》の和音」と解した。

媽祖と観音はここではすでに同体である。仏寺では媽祖が菩薩とあがめられ、道観では観音が娘々《ニャンニャン》としたわれる。道観は道教の寺。そこにまつられる女神を親しみをこめて娘々と呼ぶ。異なる宗教が境目なく共存している。東アジアではこれが宗教の常態ではないか。いささかのわだかまりも隔てもない。御利益があればよい。こうしたところに庶民の信心のしたたかさと、そしてふところの深さがうかがえるだろう。

長崎市内の鍛冶屋町《かじやまち》に崇福寺《そうふくじ》という唐寺がある。唐寺とは中国寺院の呼び名である。寛永六年（一六二九）に福建人が創建したと寺伝にいう。本堂の脇に媽祖堂があり、堂内の左右に棚がある。媽祖棚と書いて「ぼさだな」と読む。中国の船から降ろした媽祖像をここに置いた。その儀式を媽祖揚《ぼさあげ》と呼んだ。これは江戸時代を通じておこなわれた。弘化四年（一八四七）の『長崎土産』に図があり、その次第が記してある【図1】。

図1　磯野晴信画「媽祖揚」『長崎土産』弘化四年刊本（早稲田大学図書館蔵）

市内寺町の興福寺にも媽祖堂があり、「天后聖母船神」の額をかかげている。ここは元和六年（一六二〇）に南京出身の船主らが寄進した。南京寺と通称される。崇福寺も興福寺もともに堂の中央に媽祖像、向かって左に千里眼《せんりがん》の像、右に順風耳《じゅんぷうじ》の像を置く。千里眼はその名のとおり遠くを見る力をもち、順風耳は遠くの音を聴く力をもつ。航海の神ならではの従者たちである。

近年、長崎で江戸時代にくりかえされてきた媽祖の祭が復活した。孔子廟から福建会館をへて興福寺まで行列する。千里眼と順風耳をしたがえ、銅鑼《どら》や太鼓を鳴らしながら進む。媽祖の生誕の日は旧暦の三月二十三日とされ、今は二月の初旬に祭がおこなわれる。中国から来た船が港に入り、また中国へと帰っていく。そのときの媽祖像のあげおろしが再現されるのである。

幕末の安政六年（一八五九）に横浜が開港した。その三年後の文久二年（一八六二）に関帝《かんてい》をまつる祠がもうけられた。これが横浜関帝廟のはじまりである。明治四年（一八七一年）に華僑の募金によって本格的な関帝廟が建立された。かつて廟内には媽祖の像が置かれていた。[*2] 中国国外の移民居留地では媽祖廟についで多いのが関帝廟だという。『三国志』の英雄関羽が商人の守護神としてあがめられている。平成十八年（二〇〇六）に横浜で堂々たる媽祖廟が開廟し、今や中華街の新名所になった。

4 東国から北限の地へ

さかのぼって中国では崇禎十七年（一六四四）に明朝が滅んで清朝の支配がはじまる。清は満洲族が開いた王朝である。漢民族の明の遺民のなかに日本へ亡命する人々がいた。徳川光圀《とくがわみつくに》に重用された朱舜水《しゅしゅんすい》はその一人で、これに遅れて水戸に来たのが東皐心越《とうこうしんえつ》である。この人が東国に媽祖信仰をもたらした。

元禄三年（一六九〇）に水戸藩の外港である那珂湊《なかみなと》の対岸の磯浜（現大洗町）に天妃の祠が設けられた。心越は明朝を奉じた人だから、清朝が康熙二十年（一六八一）に媽祖にさずけた天后の封号は用いない。磯浜の祠には心越が伝えた天妃像が置かれた。同じ年に磯原（現北茨城市）の海岸の小山が天妃山と命名されて天妃社が創設された。

磯原天妃社は社殿を残しており、天明九年（一七八九）の銘を持つ石造の「天妃山碑」を伝える。そこには心越請来の天妃像が置かれたことが記され、以来「海運にたずさわる者がその霊験をこうむることは数かぎりない」とある。天妃山から眼下に太平洋の荒波が望まれる。海上安全を祈願してここに天妃がまつられた。

江戸時代のはじめに東国以北の海運において水戸藩がはたした役割ははなはだ大きかった。日本海を航行する西廻海運は古くから発達したが、太平洋を航行する東廻海運は開拓が遅れた。それは江戸開府以後のことであり、当初は陸奥から沿岸伝いに南下して那珂湊に入港した。当時の航海技術では鹿島灘の航行は困難だったため、水戸藩の領内を通過する内陸の廻漕路がとられた。それでも水戸の外海は「いなさ」と呼ばれる強風が吹き荒れ、難破の危険は避けられない。磯原と那珂湊には灯明台が据えられ、両所に天妃の祠が建てられたのである。

本州最北の青森県大間町《おおままち》にもかつて天妃の祠があった。寛政五年（一七九三）に菅江真澄《すがえますみ》がここを訪れている。紀行文「まきのあさつゆ」に記事があり、挿絵の詞書に「大間の浦、いなりの森、天妃のほこら」とある。祠は明治時代に村社の稲荷神社に合祀された。そのおりにまとめられた神社記録のなかに、真澄が乞われて撰述した「天妃縁起」が収録されている。そこに次のような話がある。

いつのことか越前の船と陸奥大間の船、またいずこかの船が時化《しけ》にあった。風雨は激しく命もおぼつかないなかで越前の舵取りが天妃に助けをもとめた。陸奥の船主もこれに和して無事を祈ると、夢うつつのうちに雲間から光かがやく女神が現れた。両の手に二艘の艫綱《ともづな》をつかみ、もう一艘の綱を口にくわえて曳こうとする。そのとき天にいます天妃の母が呼びかけた。それに答えた刹那、口にくわえた綱を放してしまった。一艘はたちまち海のもくずと消えていく。越前と陸奥の船は無事に救出され、このことがあってから船主は天妃をたてまつってきたという。

以上の伝承を記したのち、真澄は天妃神社にまつられた女神像を拝した。彩色あざやかな七、八寸ばかりの像で、左右から童女が翳《かざし》をかざしている。そこには絵像もあり、漢文の偈《げ》と「東皐心越敬白」の文字がある。また「いつれならん天徳寺の僧呉雲」の詩句もあるという。心越が示寂したのが水戸の天徳寺で、呉雲はその法嗣《ほうし》である。のちに祇園寺《ぎおんじ》に改名された。そこにも心越請来とされる天妃像が秘蔵されている。真澄が「いつれならん」と記した寺である。ここから大間と水戸のつながりが予想されよう。

縁起はつづけていわく、長崎に来航する中国船は天妃をたてまつり、それにあやかって国内の浦々でも尊ばれている。風波にあおられ闇夜に航路を失いかけたとき、天妃に祈れば、「たかき磯山のうへに、ふと神火をてらして、そことかたをみちしるへ給ふ」という。下北半島の突端の大間崎から北海道汐首岬《しおくびみさき》までは一八キロメートルを隔てるのみで、津軽海峡が最も狭くなる。潮の流れはすこぶる速く、海難事故の多発するところとして知られた。

5　海域世界における伝承

真澄の「天妃縁起」の難船救助の話は明代の末に成立した『天妃娘媽伝』に由来する。媽祖説話が徐々に増大していく過程で生まれた長編の物語である。天妃が自宅で機を織っていると、鱷《わにざめ》のあやかしが東海で暴れまわっているのを幻視した。観音菩薩から船の救助を命じられ神霊となって海上に向かい、両手両足で四艘をささえ、一艘を口にくわえて岸まで運ぼうとしたが、機の上で臥している娘の様子を案じた母の呼び声で、口にくわえた一艘を放してしまったという。

この話はほどなく沖縄に伝わった。万暦三十三年（一六〇五）に撰述された『琉球神道記《りゅうきゅうしんとうき》』にそのあらましが出ている。これはさらに北上して日本列島にも伝わった。途中経過をたどることのできる文献が残っておらず確かなことは言えないが、あるいは口承によったのかもしれない。いずれにせよこの物語は本州の北の海辺にまで到達した。媽祖をまつる聖域として中国でもっとも北にあるのは遼寧《りょうねい》省錦州《きんしゅう》市の天后宮とされる。[*3] 北緯四一度〇五分に位置する。大間稲荷神社は四一度三一分だからわずかな差だが、広大な媽祖信仰圏のうちここが北限である。

船乗りの守り神をあがめる習俗は海に面したところであればそこかしこにあったろう。そうした崇拝を媽祖の伝承が徐々にとりこみ、仏教や道教とも融合しつつ物語をふくらませていった。中国では国家祭祀に組みこまれたが、それでも民間の崇拝が衰えることはなかった。やがて海をこえて周辺の国々に伝わり、伝わった先々で在地の習俗に溶けこんだ。民間で芽生えた媽祖の信仰は、東アジアの最北の地でふたたび民俗世界のなかに根づいたのである。

注

1　"Copia de hũa carta do Irmão Fernão Mendes que escreveo Malaqua ao Reitor do Collegio de Guao de 1555 annos. 20 nouembro" ここには「(ランパカオから) 六レグアの距離にあるここアマカオ」"este amaquao que he outras seis leguoas (de lampacau)" と記してある。一六一四年に刊行されたメンデス・ピントの『遍歴記』には「マカオの港」"porto de Macao" とある（*Peregrinação*, ed. 1983, p.698 以下の邦訳がある。岡村多希子訳『東洋遍歴記3』平凡社、一九八〇年）。

2　横濱媽祖廟事務局「横濱媽祖廟のあゆみ」、http://www.yokohama-masobyo.jp/jp/tracks.html（二〇二〇年三月三日閲覧）。

3　大逵之寧「中国最北方的媽祖廟」、https://read01.com/JNG665.html（二〇二〇年三月三日閲覧）。

参考文献

・石川清秋編『水戸紀年』、『茨城県史料』近世政治編Ⅰ、茨城県、一九七〇年。
・磯野晴信撰『長崎土産』、『海表叢書南蛮紅毛史料』第二輯、更生閣、一九三〇年。
・菊地章太『儒教・仏教・道教—東アジアの思想空間』講談社選書メチエ、二〇〇八年。
・菊地章太『東アジアの信仰と造像—媽祖崇拝の比較宗教史的考察』第一書房、二〇二〇年
・呉還初編『天妃娘媽伝』、『古本小説集成』上海古籍出版社、一九九〇年。
・白井永二『菅江真澄の新研究』おうふう、二〇〇六年。
・菅江真澄撰「まきのあさつゆ」、『菅江真澄全集』第二巻、未来社、一九七一年。
・菅江真澄撰「天妃縁起」、『南部叢書』第九冊、南部叢書刊行会、一九二七年。
・袋中良定撰『琉球神道記』、明世堂書店、一九四三年。
・趙翼撰『陔余叢考』、『趙翼全集』第三冊、鳳凰出版社、二〇〇九年。
・二階堂善弘『東南アジアの華人廟と文化交渉』関西大学出版部、二〇二〇年。
・西川如見撰『長崎夜話草』、『南蛮紀文選』洛東書院、一九二五年。
・西川如見撰『華夷通商考』、『日本水土考・水土解弁・増補華夷通商考』岩波書店、一九四四年。
・西川満『媽祖祭』媽祖書房、一九三五年。
・李献璋『媽祖信仰の研究』泰山文物社、一九七九年。
・渡辺信夫『日本海運史の研究』渡辺信夫歴史論集2、清文堂、二〇〇二年。
・Paul Pelliot, "Un ouvrage sur les premiers temps de Macao" , *T'oung pao*, XXXI, Leiden, 1934
・*Fernão Mendes Pinto, Peregrinação*, transcrição de Adolfo Casais Monteiro, Biblioteca de autores portugueses, Imprensa Nacional, Casa da Moeda, Lisboa, 1983

04

日本海海域の文芸

幸若舞曲『笈捜』小考

宮腰直人

1　はじめに

能や説経、幸若舞曲といった語りに特色をもつ文芸が、主人公の人身売買を起点にして、その流転を叙述することはよく知られている。能〈婆相天《ばそうてん》〉や〈身売〉、説経『さんせう太夫』『小栗判官《おぐりはんがん》』、幸若舞曲『信田《しだ》』などが直江津《なおえつ》を代表とする日本海沿岸の湊と海域、宿を物語の舞台とするのは、当該地域の歴史的な状況と照応しているとみてよいだろう。[*1]

村井章介は、市川高男の中世日本の海道の諸相に関する成果[*2]をふまえ、右の諸文芸の検討から中世日本の日本海海域の交通の一端を明らかにした。[*3]『信田』では、若狭の小浜《おばま》・越前の敦賀《つるが》・三国《みくに》の湊等を経て、陸奥国の外の浜へ、西から東への海道にそって叙述がなされる。それに対して『小栗判官』では、富山湾岸の岩瀬・水橋から加賀の宮の腰・越前の三国湊へ、さらに内陸部へという東から西への海路が叙述される。加賀や越前が日本海の東西の海道を結ぶ拠点になっていることがわかる。岩崎武夫や村井が指摘するように、[*4]『さんせう太夫』において、母と乳母、厨子王《ずしおう》と姉が、直江津で人買いの手によって東西に離別する場面は、まさに日本海の海道のありかたを端的にあらわしているのである。村井はさらに日本海海道の理解を東アジア文化圏に拓くことを提唱する。

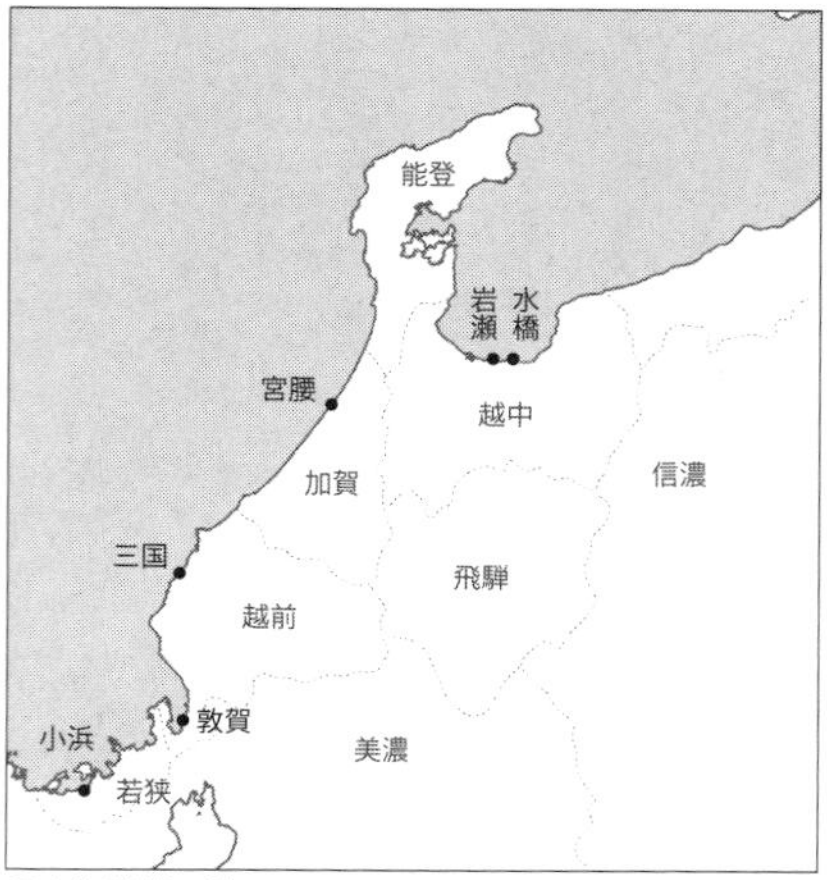

日本海沿岸の湊

こうした日本海海域の歴史的状況をふまえ、さらに東アジア文化圏を展望する視座は、文学研究においても共有されている。小峯和明は、幸若舞曲『百合若大臣《ゆりわかだいじん》』などに言及し、海洋文芸論の可能性を提起する。[*5] また、鈴木彰は、海洋文芸としての幸若舞曲の意義を論じつつ、薩摩という地域社会における文芸享受の解明から、海洋文芸の様相を明らかにした。[*6] 両論ともに幸若舞曲を論じており、舞曲が海洋文芸としての側面をもつことが改めて浮き彫りになる。とくに鈴木論は、薩摩を起点に、地域社会から東アジア文化圏を見渡す視座、すなわち、「外向きの地域研究」を構想することによって、「日本」と「中国」等といった対比的な枠組みを越えた、まさに海洋文化の動態の把握につとめており、示唆に富む。

本論に入る前に、簡略ながら日本海海域と東アジア文化圏の関係を素描しておく。日本海海域を起点にした日本と東アジアの文化圏の直接的な交流としては渤海《ぼっかい》国とのかかわりが知られている。[*7] 十世紀に渤海国が滅亡して以降、顕著な交流は絶えたとおぼしい。だが、『今昔物語集』巻二十六・九や同十二話には、能登や佐渡などの日本海海域を物語の舞台に、漂着物や異国との接触を思わせる説話の言説が散見する。[*8] また、前掲村井論文が言及した十四世紀初頭に元に渡った禅僧・大智《だいち》が帰国の途で漂流し、高麗を経て宮腰津に到着するといった事例[*9]等からは、東アジア諸国と日本海沿岸地域の文化交流が伏流としてなお継続していたことが察せられる。

中世後期に目を転じると、たとえば十六世紀の越前を統治していた朝倉義景《あさくらよしかげ》が、薩摩の島津義久《しまづよしひさ》の手を借りて、明や高麗ではなく、琉球国との交易への意欲をもっていたことがわかる。[*10] 東アジア諸国との交流の蓄積をもつ大内氏や九州の大友氏、相良《さがら》氏、松浦氏はそれぞれに対外交易を模索しており、朝倉義景の場合もまた例外ではなかったのである。

対外交易の潮流が生まれた十六世紀の状況において、日本海海域を含めた日本全土と東アジア文化圏が深くかかわる出来事が起こる。それは豊臣秀吉による朝鮮侵略、いわゆる文禄・慶長の役（壬辰倭乱《じんしんわらん》）である。秀吉による朝鮮出兵は、西国大名を中心に実施され、諸国にさまざまな影響を与える。日本海海域諸国の事例では、越後・上杉景勝《うえすぎかげかつ》の参加と出兵が知られる。*11 また、出兵だけではなく、兵糧の供給に日本海海域を行き交う、廻船商人たちも関与していた。*12 ここにきて、日本海海域と東アジア文化圏のかかわりは、地域の次元から、秀吉の政策のもと、諸国諸大名家の思惑をはじめとする全土の動向とかかわる多極的な側面を有するに至る。

本章では、右の問題把握に基づき、幸若舞曲『笈捜《おいさがし》』の読解を手がかりにして、日本海の文芸から東アジア文化圏への展望を試みることを目的とする。

『笈捜』には、弁慶らが日本海海域に船で漕ぎ出す海洋文芸の側面に加えて、中近世日本海海道において重要な役割を担った湊の一つ、「宮の腰」への言及が認められる。宮の腰は、隣接する大野湊とともに、大野庄湊*13を形成しており、中近世金沢の要港であった。本章では地域を見すえることによって、日本海海域と東アジア文化圏のかかわりをより具体的に検討したい。

2　海洋文芸としての幸若舞曲

舞曲『笈捜』の後半は、直江津の浦人たちに素性を疑われた義経ら一行が、外題でも掲げられる「笈捜」の追及を弁慶の弁舌で無事に逃れ、直江の太郎なる浦人の一人から速船・小鷹を入手する場面から始まる。弁慶が直江の太郎なる廻船商人に船について問い合わせをする。

ここに立たる太夫殿、見知らぬ顔には居たれ共、六挺船の船頭、七月の初、秋田、酒田漕ぎ出し、八月の初め、越前の国とかや、敦賀の津に聞えたるせいしが本を宿として、七里半、愛発の中山の、海津の浦より船をたてて、大津の上り大路の藤太が本を宿として、一年に一度ずつ下り上りし給ふ、六挺船の船頭と見なした事は空事か。

(新日本古典文学大系『舞の本』)

秋田、酒田から越前の敦賀へ、さらに内陸部の海津の浦、大津へ、いわゆる西近江路のルートの定期的運航が叙述され[*14]、ここではそれが直江の太郎の活動圏として示される。

日本海沿岸と畿内を結ぶ結節点として重要なのが、琵琶湖北部の「海津の浦」であろう。『をぐり』では、商人にその身を売られた照天《てるて》の姫が宮の腰、三国湊、敦賀を経て、海津の浦に入り、大津から美濃の国の青墓《あおはか》の宿にたどり着く。『義経記』巻七「愛発山の事」でも、義経らの逃避行のなかで、「海津の浦」への言及が確認でき、『笈捜』の言説との照応が認められる。これらの叙述からは日本海沿岸と琵琶湖の間を往還するルートの重要性がうかがわれる。[*15]義経はこの地域を拠点とする商人に船を所望するのである。

この辺に、売り船や候。御秘計あれ。直江、承り、よそを秘計申迄も候はず。小鷹、隼、波くぐり、石割太郎、呼子鳥と申て、速船を七艘持て候。御用に任せて召さるべしと申。義経、聞召れて、あらおびただしと持たせ給ひたる船共や候。**その中にとつても、小鷹といへる船はいか程もせよかしとて**、義経の秘蔵に思し召す白鞘巻の御腰の物を取り出させ給ひて、直江の太郎にたぶ。直江、御腰の物を給はり、船具足、ひし〳〵としつくろひ、船を押し浮かべ、はや、召されよと申。

義経が船を所望するという叙述は『御曹子島渡り《おんぞうししまわたり》』[*16]にも見え、その共通性が注目される。『笈捜』諸本では、義経は「小鷹」という船を選び、『御曹子島渡り』諸本では、基本的に義経が選ぶ船を「早風」とする。ただし、両者の関係が遠くないことは、次の秋田県立図書館本『御曹子島渡り』の叙述から察せられる。

秀衡、うけたまはり、ここに鵯、雀、波くぐり、小鷹丸と申て、いづれもめいようの、船なるが中にとりても、小鷹丸と申は、まづ舳には毘沙門の御たちある、なかには春日大明神、艫には源氏の御氏神、正八幡のたたせ給ひける船なれば、

(室町時代物語集)

天正年間の識語をもつ明応寺本以来『笈捜』では、「小鷹」を船名としており、秋田県立図書館本は、『笈捜』の言説をふまえている可能性がある。秋田県立図書館本は、『御曹司島渡り』諸本のなかでも、ほかの伝本と距離がある特徴的な本文をもつことを想起すれば、*17 舞曲との接点はその性格を明らかにする手がかりの一つになるとも考えられる。ここでは、『笈捜』と『御曹司島渡り』の海洋文芸とが側面を有するという共通基盤を確認しておこう。

義経の秘蔵の刀剣と引き換えに手に入れた「小鷹」で一行は直江の津を出発する。順調に出航したものの、一行は海上で不安な天候を迎える。

かかりけるところに、佐渡の国の北山の岳よりも、黒雲一村立おほふ。雨か風か、あやしやと、仰せられけるところに、又、越後国蔵王堂の上よりも、雷電、雲を響かす。あは、気色の変るは、山陰、風の隠れ島、いづくにかある。船寄せて、この難を逃るべしと言ふ。いかにもして、此船を磯へ寄すべからず、荒磯に船を寄せ、船を損じては叶ふまじ。

急な天候不順によって船は激しく揺れ、船中の人々は船酔いに苦しむ。船上から山並を見渡し、天候をうかがい、航路を判断しようとするのは、沿岸の航海術として知られる「山アテ」*18 を連想させる。この危機的状況で伊勢三郎義盛《いせさぶろうよしもり》と弁慶は船首と船尾に立ち、指示をだす。

風に任せて舵を取れ。帆菰が風に揉まれば、帆はたを切て、風を通せ。なをしも風が激しくは、大綱、小綱を切り落し、艫綱に結ひ付け、引かすべし。取舵より水入らば、面舵へ乗り直せ。

亀井、片岡は、戦場ばかりの嗜みにて、かかる時には前後を不覚に見え給ふものかな。船底へ下り立て、淦湯をなりとかへ給へ。たとへ、この船が、鬼界、高麗、契丹国へ落とさるると申共、我々二人あらん程は、何の子細の候べき、我君と申。

天候の急変に見事に対応する弁慶と義盛の様子が活写される。亀井と片岡という同じく義経の忠臣との対比によって、荒波に対処することができる両者の経験が際立つ。先引した鈴木論では、舞曲『笈捜』の表現に関して、『義経記』の例も交えて、その生き生きとした海洋文芸の表現の性格を指摘する。[19] この場面もそうした海洋の経験をふまえた叙述として注目に値する。こうした二人の行動を義経は賞賛する。ここでは、義盛に関する発言を引いておく。

あの義盛と申は、伊勢の国の者にて、渡りの船に乗り習つて、船路の事をば心得べきが、

義盛が義経の援助者としての性格をもつことは、たとえば『義経記』の叙述からも論じられ、[20] 舞曲での活躍ぶりと軌を一にするとみてよいだろう。ここで注意されるのは、「伊勢の国の者」と続く「渡りの船に乗り習つて」の一節である。『義経記』巻二「伊勢三郎義経の臣下にはじめて成る事」では、伊勢三郎の出自を語る叙述で、父親「伊勢のかんひら義連」が「伊勢国二見の浦の者」であったとする。浦人の系譜をひく、義盛が航海術を修得していても何ら不思議はない。[21]

そもそも『笈捜』や『信田』、説経『小栗判官』には、浦人がしばしば登場し、物語の展開に関与する場面が多い。先述のごとく諸文芸における人身売買の叙述はこれまでもたびたび論じられてきたが、そこにかかわる浦人の役割や存在感はさほど注目されずにきたように思われる。『笈捜』の伊勢三郎義盛に関する叙述は、細部であるがゆえにかえってその能力を示す重要な叙述になり得ている。詳細は後述するが、海洋文芸としての語り物の理解を深める上で「浦人」の叙述が貴重な視座になりうることをまず指摘しておきたい。なお、こうした舞曲の海洋表現や叙述を、日本海海域と照らして考える上で興味深い言説が『醒睡笑《せいすいしょう》』(元和九年［一六二三］成立)巻七・舞に確認できる。

越中には舞々に、瀾座・漣座とて二方あり。さる人、大船を作りたる祝儀とて数多あつまり、酒宴なかば、舞々の出たりし。上座より、その方は何がかりぞと問ふに、大なみ座とこたふ。舟のいはひに大なみの、といふ。いや、瀾座・漣座とてもとは一つにて候ひしが、この頃二つにわれてとぞ。　(岩波文庫)

越中で大船が完成した祝儀の場に舞々が招来されたという、この笑話をそのまま『笈捜』の叙述の理解と即応させることはできないにせよ、船の完成を祝して舞々が呼ばれる状況は、『笈捜』の臨場感ある表現との関係を検討する糸口にはなるように思われる。『醒睡笑』巻七には、ほかにも能登の舞々にも言及があり、日本海海域における舞曲の享受

の一端をうかがわせる。

当該地域の舞曲享受には、加賀・前田家の幸若舞曲享受の様相[*22]との関連も想定されるし、幸若流の発祥の地が越前であることも改めて想起される。[*23]『笈捜』で、船に不慣れな亀井と片岡が「たとへ、この船が鬼界、高麗、契丹国へ落とさるると申共」と語る一節が境界認識[*24]の一端をあらわすことは確かであろう。荒れる海を前に、慌てふためく一同を制して、船の扱いに長けた伊勢三郎義盛が登場する。日本海海域に馴染みがある芸能者と聴衆によって育まれた地理的感覚や価値観に一歩踏み込んでみると、こうした海洋の難事を克服するところに物語の興趣の一つがあったと察せられる。幸若舞曲を海洋文芸として捉え、その視座から読解を試みるべき言葉や叙述は数多く残されている。

3 地域の幸若舞曲享受——浦人たちの物語

舞曲『笈捜』には、地域での享受の一端を伝える資料が伝存する。「宮の腰」の人々の信仰を集める大野湊神社には、宮司・河崎秀憲によって『笈捜』の屏風とそれに関する文書が仕立てられた。残念ながら屏風は伝存しないが、『笈捜追加之記』によって、大野湊神社の由緒を語る一環として『信田』と『笈捜』が大野庄湊の地で享受され、新たな言説の起点となっていたことがわかる。『笈捜』の前半部分には、次の叙述がある。

其夜は宮の腰、佐良岳の明神に一夜のつやを申。夜を籠めて出給ふ。里人申けるやうは、越中への御下向は、思ひも寄らぬ事にて候。それをいかにと申に、倶利伽羅が峠には、砺波の七郎が、七百余騎にてささへ、山伏を通し申さず、下道の間をば、加賀と能登の境を志保の小太郎が塞ぎ、さら〳〵山伏を通し申さず。

（新日本古典文学大系）

弁慶の弁舌で富樫の館での危機を乗り切った一行が北陸道に歩みを進めるという場面で、「宮の腰」と「さらたけの大明神」に言及される。先述の舞曲『信田』や説経『小栗判官』に加えて、一行が逃避行をするに際して義経と弁慶が選んだのが「宮の腰」だったのである。「さらたけの大明神」とは、大野湊神社のこと。宮の腰周辺の氏神として長い歴史を有する、享保十四年（一七二九）『大野湊神社縁起』によれば、神亀四年（七二七）、陸奥国の住人佐那という者が航海中、丹後三崎浦において示現した佐那武大宮大明神を大野海岸の真砂山の神明社に合祀したのが始まりといい、前田利家《まえだとしいえ》によって天正十四年（一五八六）再興されるなど、代々前田家とのかかわりをもってきた。『笈捜』では、この地で一夜を過ごし、「里人」の助言によってその後の経路となる北陸道を決めたのである。ここでは河崎の手になる『信田屏風記』の一節をひいておこう。[*25]

五十余の春秋は、御手洗川の流と倶にはやく、涼しげにしげれる梢も、終には霜の朽葉と成て、瀬織津比咩の神わざに至る、啻とこしなへに栄久しき御事は、此浦安の神垣にこそ、されば天暦、文治のころかとよ、佐那武大宮の広前に源義経一夜の通夜を申、また信田小太郎あけくれやすらひなどせし、といふなる事は古老の常談、又は彼物語草紙にも見え侍は、あわれ絵馬撞立やうの物にも写とどめて、猶この宮に残さまほしくおもひ侍と、

河崎の屏風作成は、『笈捜』と『信田』を「古老の常談」を照らして、地域の歴史へと解釈し、定位させる試みにほかならない。「絵馬撞立やうの物」こそが屏風であろう。こうした河崎の試みを考える上で興味深い記述が、大頭左兵衛本『笈捜』に確認できる。

其夜は宮の腰、さらたけの大明神に一夜のつやを申。夜を籠て出給ふ。みや人申けるやうは、越中へのお下向は、おもひもよらぬ事にて候。それをいかにと申に、くりからがたうげには、となみの七郎が、七百余騎にてささへ、山伏を通し申さず。（笹野堅編『幸若舞曲集』）

物語の叙述の上では、さほど重要ではないかもしれないが、舞曲の世界に自らの場所を見いだした河崎ら地域の人々にとっては見逃し得ない相違であろう。大野湊神社が代々前田家と親交を持ってきたことと、先に指摘した語り物文芸を好んだ前田家の文化環境を勘案すると、この言説がもつ意味は決して小さくない。ここでは、ささやかな事例ながら、語り物文芸の本文の流動性が、地域での享受との接点から問題になることを指摘しておきたい。[*26]

ところで、前田家と大野湊神社との結びつきから、さらに日本海海域と東アジア文化圏へのかかわりを照射する話

題がある。文禄・慶長の役によって朝鮮の人々が日本に連行され、その後多くの影響を与えた。渤海国滅亡後、異国との直接的な交流が顕在化しなかった加賀国でも、文禄・慶長の役以降、朝鮮の人々を数多くむかえている。[*27] 前田利長は秀吉の朝鮮出兵に参加した武将として知られる。利長の周囲には、文禄の役の時に孤児になり、加賀藩士として養育された脇田直賢《わきたなおかた》（金如鉄《きむよちょる》）がいる。[*28] 藩主の側近として、脇田は金沢町奉行をつとめ、大野湊神社にも関与していた。笠井純一の調査によって、慶安二年（一六四九）、同四年、承応元年（一六五二）、同二年、明暦元年（一六五五）と恒例の神事能の開催にも関与していたことがわかる。[*29]『源氏物語』や『古今和歌集』といった古典や連歌にも通じていた脇田が神事能に接する過程、あるいは前田家の幸若舞曲愛好の気質からみて、『笈捜』や『信田』を知っていたことは十分に考えられる。『笈捜』や『信田』は、地域ゆかりの舞曲として演じられたことは想像に難くない。人身売買を悲哀の調子で語る語り物を、脇田をはじめ、彼を迎え入れた加賀国の人々はどのように受けとめたのだろうか。ここに幸若舞曲、ひいては語り物の芸能としての特質の追究という課題が見定められてくる。語り物で頻出する哀話を定型表現やお決まりの場面として「処理」するのではなく、なぜそれが繰り返し叙述されるのかを、享受の時空から問い直すことがもとめられているように思われる。朝鮮に出自をもち、日本の各地域に定住した人々は脇田だけにとどまらず、さらに追究する余地をもつ。[*30] 日本海海域と東アジア文化圏のかかわりは、外交貿易の交流を背景にするが、地域社会の文化形成とも不可分な課題でもあることを『笈捜』享受の一齣は如実に示している。

4　おわりに

以上、幸若舞曲『笈捜』を中心に、日本海海域の文芸を東アジア文化圏とのかかわりを論じてきた。従来、舞曲や説経における人買商人は日本海海域の交通と流通を象徴的に示す事例として、たびたび言及されてきた。本章ではそれらの成果をふまえ、さらに地域の文化の形成に着目することによって、新たな課題を発掘しようと試みた。東アジア文化圏のなかで日本の語り物文芸を定位することは決して容易ではない。だが、中近世の地域社会の動態に目配りをすることで、これまでの紋切り型の理解を越えた多様な解釈が可能になってくる。さらに地域を拠点にした視座から、文芸の表現や享受を手がかりにして外交史や異文化交流史の枠組みを見つめるならば、新たな理解の糸口も見えてくるに違いない。本章では日本海海域の北部の様相には及ばず、さらに東アジア文化圏との検討課題を残す。日本海海域を視野におさめ、海洋文芸としての語り物の検討からいずれまた論じる機会を持ちたい。

注

1 牧英正『日本法史における人身売買の研究』（有斐閣、一九六一年）が早く法制史の立場から語り物や謡曲の人身売買を取り上げており、今なお参照すべき成果である。日本海海域の問題については、若林喜三郎「寛永期奥能登農村における貰い子関係の史料について」（『加賀藩社会経済史の研究』名著出版、一九八〇年）等を参照。文学研究からは、岩崎武夫「直江津—境界としての世界」（『続さんせう太夫考』平凡社選書、一九七八年）、中村格「中世における海運の発達と能—北陸の港湾を舞台とする作品について」（『室町能楽論考』わんや書店、一九九四年）、田口和夫「作品研究〈自然居士〉」（『能・狂言研究』三弥井書店、一九九七年）等を参照。

2 村井章介「中世の北海道—宮腰津・放生津・直江津」（日本海学の新世紀二『還流する文化と美』角川書店、二〇〇二年）、同「列島内外の交流史」（いくつもの日本Ⅲ『人とモノと道と』岩波書店、二〇〇三年）。

3 市村高男「十二の海道—日本中世の水運と津・湊・泊」（『大航海』14、一九九七年）。市村氏の日本の海道に関する論考は、文芸の享受環境を考える上でもさまざまなヒントがある。

4 注1岩崎前掲論文参照。

5 小峯和明「古典文学に見る日本海」、『国文学解釈と鑑賞』69-11、二〇〇四年十一月。

6 鈴木彰「薩摩海域の龍宮伝承—中近世移行期における薩摩の文化環境」（『立教大学日本学研究所年報』12、二〇一四年七月）、同「大物浦で義経を阻む風—風と平家の怨霊と」（『天空の文学史』三弥井書店、二〇一五年）。

7 石井正敏『日本渤海関係史の研究』（吉川弘文館、二〇〇一年）、小嶋芳孝「環日本海交流史の様相」（『北東アジア交流史研究—古代と中世』塙書房、二〇〇七年）、古畑徹「環日本海世界のなかの渤海国」（『渤海国とは何か』吉川弘文館、二〇一八年）等参照。

8 保立道久「虎・鬼ヶ島と日本海海域史」、『物語の中世』東京大学出版会、一九九八年。

9 注2村井前掲論文（二〇〇三）参照。

10　鹿毛敏夫『アジアのなかの戦国大名』吉川弘文館、二〇一五年。
11　井原今朝男「上杉景勝の朝鮮出兵と熊川倭城」、『中世のいくさ・祭り・外国との交わり』校倉書房、一九九九年。
12　新城常三「朝鮮役に於ける水運の諸問題」（『戦国時代の交通』畝傍書房、一九四三年）、井原今朝男「戦国・織豊期の乙名衆と海運・鉱山・地方経営―葛山衆立屋喜兵衛一代記」（『中世のいくさ・祭り・外国との交わり』校倉書房、一九九九年）。
13　浅香年木「加賀国大野庄の領有関係」、同「大野庄湊とその後背流通路」（『中世北陸の社会と信仰』法政大学出版局、一九八八年）。港としての宮の腰については、水上一久「藩政初期における加賀宮腰港について」（『日本海海運史の研究』福井県郷土誌懇談会、一九六七年）参照。
14　豊田武「「中世の水運」増補」、豊田武著作集『中世の商人と交通』吉川弘文館、一九八二年。
15　桜井英治「琵琶湖の交通」、『中世の風景を読む』五巻、新人物往来社、一九九五年。
16　『御曹子島渡り』もまた、日本海海域の文芸であり、とくに蝦夷とのかかわりから注目されている。佐藤晃「蝦夷幻想―義経渡海伝承の変容から」（『国文学　解釈と教材の研究』46-10、二〇〇一年八月）、菊池勇夫「義経蝦夷渡り（北行）伝説の生成をめぐって」（『義経伝説の近世的展開―その批判的検討』サッポロ堂書店、二〇一六年）ほか参照。『御曹子島渡り』の展開については別稿を期したい。
17　金沢英之『義経の冒険　英雄と異界をめぐる物語の文化史』（講談社メチエ、二〇一二年）は、秋田県立図書館本の特色に注目する。
18　北見俊男「海上の信仰―北前船航路上での信仰とその周辺」（『日本海上交通史の研究』鳴鳳社、一九七三年）。「山アテ（山バカリ）」については、桜田勝徳「漁撈伝統の世界」（『漁撈の伝統』岩崎美術社、一九六八年）、川島秀一「山オコゼ」（『漁撈伝承』法政大学出版会、二〇〇三年）を参照。
19　注6前掲鈴木論文（二〇一五）参照。
20　梶原正昭「伊勢三郎譚の展開」（『成蹊国文』13、一九七九年十二月）、藪本勝治「伊勢三郎の助力と伝承の文脈」（『義経記権威と逸脱の力学』和泉書院、二〇一五年）。
21　伊勢三郎の活躍を理解する上で、十六世紀日本海域の廻船の船頭たちが状況に応じた商いをしていたとする、永原慶二（「戦国織豊期日本海海運の構造」、『戦国期の政治経済構造　戦国大名と都市』吉川弘文館、二〇〇七年）の指摘は示唆的であろう。永原は、あわせて「上杉領国経済と蔵田五郎左衛門」（同書所収）で商人が伊勢御師としての側面をもち、日本海海域の経済の一端を担っていたと指摘する。直接的な反映はともかく語り物やお伽草子で叙述される商人像の理解にとって興味深い。
22　室木弥太郎「舞と幸若」（『増訂　語り物（舞・説経・古浄瑠璃）の研究』風間書房、一九八一年）、同「笠屋舞」「舞々三郎太夫」

（『中世近世日本芸能史の研究』風間書房、一九九二年）、藤井奈都子「加賀藩における舞々をめぐって―『豊嶋安右衛門言上書』を中心に」（『芸能史研究』111、一九九〇年十月）、同「伊藤宗入校訂本写舞の本廿一番について」（『幸若舞曲研究』九巻、三弥井書店、一九九六年）。

23　山本吉左右「近世の越前幸若家」、『くつわの音がざざめいて』平凡社選書、一九八八年。

24　村井章介「外浜と鬼界島―中世国家の境界」、『日本中世境界史論』岩波書店、二〇一三年。

25　金沢市立図書館編『大野湊神社文書目録』（金沢市立図書館、一九八五年）の翻刻による。なお、屏風については、石川県立歴史博物館編『源平合戦と北陸　義経伝説を育んだふるさと』（同館、二〇〇五年）参照。また、河崎秀憲らの動向については、竹内央「大野湊神社縁起の誕生」（『草の根歴史学の未来をどう作るか』文学通信、二〇二〇年）に詳しい。幸若舞曲の絵画化の事例としても注目される。

26　宮腰直人「南奥羽地域における古浄瑠璃享受」（日本文学の展望を拓く4巻『文学史の時空』笠間書院、二〇一七年）でも、こうした事例を取り上げた。

27　片倉穣・笠井純一「加賀藩における来朝鮮人」（鶴園裕ほか編著『日本近世初期における渡来朝鮮人の研究　加賀藩を中心に』、科学研究費補助金研究成果報告書、一九九一年）では、十九名の朝鮮人およびその子孫が報告されている。医者、細工師、謡曲師など多岐にわたるが文化の一端を担ったことは明白であろう。

28　脇田直賢については、中野節子「加賀藩家臣団編成と脇田直賢（如鉄）」、笠井純一「家伝―金（脇田）如鉄伝自伝」、同「脇田如鉄関係史料集」（注27前掲報告書所収）があり、参考になる。本章で言及した脇田の文芸享受については笠井らの報告に基づく。

29　笠井純一「脇田如鉄関係史料集」（注23前掲報告書所収）による。

30　内藤雋輔『文禄・慶長役における被擄人の研究』（東京大学出版会、一九六七年）、北島万次「倭乱の爪痕」（『豊臣秀吉の朝鮮侵略』吉川弘文館、一九九五年）、渡邊大門「文禄・慶長の役と拉致」（『人身売買・奴隷・拉致の日本史』柏書房、二〇一四年）。

［付記］本章は、ＪＳＰＳ科学研究費基盤研究Ｃ課題番号17K02406の成果の一部である。

05 海域生物をめぐる言説

シャチ・クジラを事例として

杉山和也

1 はじめに

十六世紀。大航海時代の最中にあって数多くの人々が海に繰り出すようになっていた。これに伴い、西欧ではそれまであくまでも恐怖すべき長大な怪物としてばかり捉えられてきたクジラが、徐々に実態に即して捉えられるようになってきた。そしてまた、これらを捕らえて資源として利用することが考えられ、それが実行されるようになってきた。こうしたクジラの〈発見〉をめぐる現象は、西欧に限らず世界のほかの地域でも同様に起きていった。

日本では十五世紀に入ると、鯨肉に関する記事が貴族の日記などに散見されるようになる。[*1] その早い例としては『看《かん》聞《もん》日《にっ》記《き》』永享八年（一四三六）三月二日条の「鯨荒巻」（続群書類従）などが挙げられ、長享三年（一四八九）頃に成立の『四條流庖丁書《しじょうりゅうほうちょうしょ》』には格の高い食品として「鯨」が取り上げられている。[*2] 近世に入って捕鯨が盛んに行なわれるようになると、[*3] クジラについて観察から導き出された知識が増幅し、かなり実態に即した形で把握されるようになって行く。そして、それまで漢籍や仏典の影響を受けつつ育まれてきた「空想上の大魚」としての認識は、もはやクジラのものとしては捉えられなくなって行く。同様の現象は朝鮮半島やベトナムなどでも時期に小異こそあれ起きていた。[*4] そしてこれらは先述の西欧におけるクジラの〈発見〉をめぐる動向と相似の現象であると言える。こうした〈発見〉以前に、このような空想的な把握が許容されたのは、クジラあるいは海中について、不可視で未知な側面が大きく存在していたことに要因があるのだろう。

さて、このようなクジラの〈発見〉をめぐる動向や、その認識の変遷の在り方を念頭に、本章ではシャチ（*Orcinus orca*）を取り上げる。シャチもまたクジラが〈発見〉されるのと併行して〈発見〉されていった存在である。次の資料にはシャチと関係の深いシャチホコという語が見える。

①『諏訪《すわ》の本地《ほんじ》』（吉田幸一氏蔵江戸初期写本）*5

二郎どの、うちあんじて、うみにこそ、わに、ふか、くじら、しやちほことて、をそろしき、大きなる物候へと、おぼえて候へ。

中世日本においてシャチホコは、ワニ、フカ、クジラとともに海の「をそろしき、大きなる物」として近しい認識で捉えられていたわけである。ところが近世以降、クジラに対する認識の変容が起こったのを主な端緒として、その相関関係に変化が生じる。本章では以下、日本におけるシャチの認識の変遷をたどる。その上で朝鮮半島やベトナム、蝦《え》夷《ぞ》地《ち》におけるシャチ〈発見〉をめぐる言説のいくつかを瞥見し、それぞれの位置を検討してみたい。

2　東アジアの臨海諸地域におけるクジラの認識

シャチの問題を検討する前に、東アジアにおけるクジラの認識の諸相を概観しておきたい。まず中国古典世界でのクジラについて簡単に確認する。次の資料では鯨鯢が船を呑み込んでしまうほど長大な存在として捉えられている。

②『文選《もんぜん》』五、佐太沖「呉都賦」（上海古籍出版社）

於是乎長鯨呑レ航、修鯢吐レ浪。躍龍騰蛇、鮫鯔琵琶。

また次の資料では鯨鯢は悪しき存在、「不義」な存在として捉えられている。

③『春秋経伝集解《しゆんじゆうけいでんしつかい》』（晋・杜預《とよ》注）宣公下（上海古籍出版社）

古者明王伐㆓不敬㆒、取㆓其鯨鯢㆒而封㆑之、以為㆓大戮㆒。〈鯨鯢大魚、以喩㆓不義之人㆒、呑食小国〉

こうした鯨鯢の認識は日本でも受容が確認できる。たとえば古辞書である『下学集《かがくしゅう》』諸本や文明本『節用集《せつようしゅう》』には次のような記述が見受けられる。

④文明本『節用集』「鯨鯢」条

鯨《クジラ》《ゲイ》雄　鯢《同》《ケイ》雌　此二字義同。魚之至テ大ナル者也。鼓《ク》シテ㆑浪《ナミ》ヲ成《ナ》シ㆑雷ヲ噴《ハ》イテ㆑沫《アワ》ヲ成《ナ》ス㆓雨霧《アメキリ》ヲ㆒。其長数千里。或開㆑口呑《ノ》ム㆑舟《フネ》ヲ。四足之魚也。

②の認識は日本でも広く受容されていたことが確認される。また、③の認識についても『将門記《しょうもんき》』の「昔聞、斬㆓霊虵㆒而鎮㆓九野㆒、剪㆓長鯢㆒而清㆓四海㆒」（昔の話として、霊虵《れいち》を斬って天下を平定し、長大な鯢を剪《き》って世の中を鎮めたという故事がある。）（新編全集）をはじめ広い受容が認められる。

ところが近世以降、捕鯨が盛んに行なわれるようになると、観察から導き出された知識が増幅し実態に即した形で把握されるようになって行く。たとえば慶長十九年（一六一四）成立の次の資料は当時のそうした状況をよく反映している。

⑤三浦浄心《みうらじょうしん》『慶長見聞集《けいちょうけんもんしゅう》』巻八「関東海にて鯨つく事」（改訂史籍集覧）

聞しハⓐ今唐国に鯨鯢と云魚ハ長さ数千里あり。波をたゝひて雷をなし、沫をはきて雨霧をなす、舟をものむと也。四足の魚と古記に見えたり。扨又ⓑ日本に鯨と云魚有。けい〳〵のたぐひと知られたり。ⓒ長さ三十ひろ五十ひろ有。日本に是に過たる生類なし。愚老若き比、関東海にて鯨取事なし。（中略）ⓓ是ハ息をする魚にて海底に計りハ居られぬと知られたり。（中略）鯨ハ子を深く思ふ魚也。（中略）ⓔ親子共に殺さるゝ哀なりける事共也。心有人ハ二目共見ず。

傍線部ⓐでは「唐国」において言うところの「鯨鯢」の性質を紹介した上で、「日本」において言うところの「鯨」も「けい〳〵のたぐひ（鯨鯢の類）」（傍線部ⓑ）としている。さらに傍線部ⓒでは、日本の近海におけるクジラの大きさの限界が実態に即した形で示されているのである。加えて傍線部ⓓでは、クジラについて「息をする魚」としており、クジラの観察から導き出された知識の増幅が看取される。また、捕鯨技術が改良されたために大量のクジラを殺すに至ったことによってか、傍線部ⓓからは殺されゆく親子のクジラへの同情のまなざしや罪悪感も読み取ることができる。[*6]

ところで、宮城県唐桑町《からくわちょう》にはクジラを神の使いとする御崎神社がある。この神社にまつわる話が『御崎明神冥助の記』（寛政十二年［一八〇〇］五月奥書）に載っている。[*7] 寛政十二年（一八〇〇）四月五日に大須賀屋安四郎という人物が仙台侯の米を江戸に運ぶため石巻《いしのまき》港を出帆するも暴風雨に遭い漂流する。ところが、「唐桑御崎明神」の使いである「白鯨」を筆頭にクジラの群れが小船を運んで現れて、乗員はそれに乗り移り、クジラがそれを守ったことにより助かったのだという。実はこうした話は朝鮮半島にも見受けられる。[*8] 韓国西海岸地域の伝承では「大時化《しけ》で遭難した漁師の舟を鯨が押して救出してくれたため、その子孫たちは代々鯨を食べない」という。またさらに、こうした話はベトナムにも見える。大西和彦によれば、南部ベトナムの地誌『嘉定通志』（明命元年［一八二〇］成立）に所見の鯨鯢について、「海で船が嵐により沈没に瀕するとき、船を挟んで支え、船人を落ち着かせる」、「もし船が沈没したら人を救助して陸に上がらせる」といった性質が記されるという。[*9]

つまり、これら漢字漢文文化圏の臨海の諸地域に見られるクジラの助命譚は、いずれも酷似した内容となっているのである。日本とベトナムの例については、この話が登場する時期も重なっている。[*10] また、注意したいのはクジラの助命譚から看取されるクジラの性質が、漢籍における悪しき存在としての鯨鯢の認識とは対極的な点である。すなわち、これら東アジア諸地域において、はじめに述べたようなクジラの〈発見〉や、捕鯨を通してクジラとヒトとの新たな関係性を育んで行くにつれて、漢籍の鯨鯢に対する知識とは異なった認識や知の集積を展開させていったものと推察されるわけである。

3　日本におけるシャチホコの認識

（1）中世におけるシャチホコ

ここで日本のシャチの問題に入ろう。前近代においてシャチとかかわりのある語としては「シャチホコ」が挙げられる。[*11]「シャチホコ」は「サチホコ」とも言い、「鯱」と漢字表記される。[*12]『日葡辞書《にっぽじしょ》』の Xachifoco の条をめぐって、岩波書店版『邦訳日葡辞書』[*13]の訳者注には「原文は *Peixe espada, ou espadarte*。peixe espada は刀身形をした魚の俗称、espadarte は海豚の一種をさし、また旗魚等もさす。ここはともに、しゃちほこ、にあてたもの。羅葡日の Orca と Xiphia の条に、Espadarte peixe, Peixe espada の例があるが、いずれにも、シャチホコ、という日本語対訳をあてている」と見える。すなわち、これによるとシャチホコという語は、何らかの実在の生物と結びつけて捉えられていたらしい。そしてそれは刀剣形を呈した水棲生物であったらしく、現代の我々が言うところのシャチや旗魚《かじき》などに相当する生物を指していたと考えられる。このことは『精進魚類物語』に「さちほこの帯刀先生」というキャラクターが登場していることともかかわることであろう。[*14]

さて、ここで棟飾《むねかざ》りの「シャチホコ」に関して確認しておきたい。[*15]棟飾りのシャチホコは、中国宋代の「鴟吻《しふん》」と呼ばれる装飾が日本に伝えられたものと見られる。遺例上早い時期のものとしては織田信長が天正四年（一五七六）に建設を命じた安土城三の丸跡から出土したものが挙げられる。『男衾三郎物語《おぶすまさぶろう》』や『不動利益縁起《ふどうりやくえんぎ》』などの絵巻物には棟飾りとしてのシャチホコ様の姿が描かれているため、こうした棟飾りの成立はもう少し早い時期から認められるものと推察されるが、これらが「シャチホコ」という呼称をもって呼ばれていたかどうかについては対応する詞書がないので不明である。しかし、『日本国語大辞典』第二版によれば、棟飾りとしての用例の早いものに『信長公記《しんちょうこうき》』巻九「御縁輪のはた板にはしゃちほこ・ひれうをかゝせられ[*16]」があることから、室町期にはこの用法があったと考えられる。棟飾りのシャチホコの形象は『日葡辞書』に見たような刀剣形の魚類とは随分異なり、現実の水棲生物に対応するものは認めがたい。かなり空想的なものであると言える。すなわち、シャチホコという語は、経緯は不明ながら中世の段階において、シャチや旗魚などの現実にいる刀剣形の水棲生物を指した一方で、棟飾りに見るような空想上の怪魚をも指したということが言える。そして、両認識の相関関係については、中世の段階では資料が限られるために不明とせざるを得ない。

（2）近世におけるシャチホコ

元禄十年（一六九七）刊の『本朝食鑑《ほんちょうしょくかがみ》』には次のような記述が見える。⑥人見《ひとみ》必大《ひつだい》『本朝食鑑』巻之九、鱗部之三、「鯨」条[*17]

ⓐ一種有二鱅斬者一。鱅者小魚、不レ過二丈許一。嘴如レ鉾頭、頭以下略類レ鰆而大。ⓑ其肉麁脂多、漁人不レ得レ鯨則采レ鱅熬レ膏。世称鱅頭面如レ龍、余似二鯉之肥一ⓒ以レ銅鋳レ形置二城楼頭摶風之上一両端相対。是未レ知二何故一。然同名異物乎。鱅魚数十、相聚銜二鯨之頬腮一、其声聞二于外一、ⓓ久而鯨因レ迫、開レ口則小鱅入レ口、噛二断鯨之舌根一、而群鱅争二引鯨舌一、喰尽而去、鯨竟窮死、此謂二鱅斬一。

まず、傍線部ⓐではシャチホコがクジラの一種として捉えられている。そして、クジラとしては小さいと捉えられている。「不レ過二丈許一。嘴如レ鉾頭、頭以下略類レ鰆而大」（一丈ほどに過ぎない大きさである。嘴《くちばし》は鉾先《ほこさき》のようであり、頭から下の部分は、ほぼ鰆《さわら》に類していて大きい）という記述はシャチの形態に必ずしも対応していない。むしろ、旗魚などの姿に近いと捉えることができよう。しかしながら注目したいのは、傍線部ⓓにシャチホコがクジラの口の中に入り込み、その舌を噛み切って殺すという記述がある点である。シャチは実際にクジラを捕食すること、そしてクジラの舌を好んで食べることが知られる。従って、この記述にはシャチの性質を実態に近い形で捉えた認識が反映されていると考えられる。なお、傍線部ⓒには棟飾りの怪魚としてのシャチホコが説明されているが、傍線部ⓐⓓに記されるようなシャチホコとは「同名異物乎」との見解が示されている。すなわち近世以降、技術の向上もあって、より活発に行なわれるようになった捕鯨活動に伴い、こうした水棲生物が観察される頻度が増えたためか、シャチホコが徐々に実態に近い形で捉えられて行った背景がうかがわれる。そして、これを棟飾りに見るような空想上の怪魚と、別のものとして把握する志向がこの資料からは認められる。

続いて、正徳二年（一七一二）成立の『和漢三才図会《わかんさんさいずえ》』には次のように見える。

⑦寺島良安《てらじまりょうあん》『和漢三才図会』巻第四十九「魚虎《しゃちほこ》」条*18

ⓐ本綱魚虎、生二南海中一其頭如レ虎、背皮如レ猬有レ刺着レ人如二蛇咬一、亦有二変為レ虎者一。又云大如レ斗、身有レ刺如レ猬、能化為二豪豬一、此亦魚虎也。

△案、ⓑ西南海有レ之其大者六七尺、形略如二老鰤一、而肥有二刺鬐一、其刺利如レ釼、其鱗長而腹下有レ翅、身赤黒色、離レ水則黄黒白斑、有レ歯食二諸魚一。世相伝曰、鯨食二鰯及小魚一、不レ食二大魚一、有二約束一故魚虎毎在二鯨口傍一守レ之、ⓒ若食二大魚一則乍入レ口噛二断鯨之舌根一鯨至レ斃。故鯨畏レ之。諸魚皆然矣。惟鱣鱘能制二魚虎一而已、如入レ網則忽噛破出去、故漁者取レ之者稀焉。（中略）ⓓ城楼屋棟瓦作二置龍頭魚身之形一謂二之魚虎一〈未レ知二其拠一〉蓋置二嗤吻於殿脊一以辟二火災一者有二所以一〈嗤吻詳二于龍下一〉。

傍線部ⓐに見るように、ここでは「本綱」即ち『本草綱目《ほんぞうこうもく》』を引いて、同書に見える「魚虎」という怪獣と、シャチホコとが同一物として理解されている。他方で、傍線部ⓑではシャチなどの現実の水棲生物というよりは、むしろ棟飾りに見る空想上の怪魚としてのシャチホコに近しい、刺《とげ》や翅《はね》を備えた姿で捉えられている。また傍線部ⓓでは、⑥に見た「同名異物乎」というような疑問を差し挟むこともなく、棟飾りとしてのシャチホコの説明が行なわれてもいる。しかしながら、傍線部ⓒには、民間の口承として⑥と同様にシャチホコがクジラの口を襲い、死に至らしめるという話を載せているため、現実のシャチの行動様式に対する認識もここには反映されているのである。つまり、「生態観察に由来した情報」、「棟飾りの怪魚としての認識」、「漢籍由来の魚虎に関する知識」、これらをシャチホコという呼称のもとに一つの存在として整合性を付けようとする傾向が読み取れ、結果的に『本朝食鑑』の記述よりも、空想的な色合いの濃い形でシャチホコが理解されている。そして、こうした傾向は『大和本草』や、さらに時代の下る『和訓栞』などのシャチホコの記事にも認められるのである。

加えて、天保二年（一八三一）刊の『魚鑑《うおかがみ》』の記事を確認しておきたい。

⑧武井周作《たけいしゅうさく》『魚鑑』巻之下[*19]

しやちほこ　又さかまたともいふ。ⓐ鯨同名あり。鯨図をみるに、ごとう鯨の状に似て、大サ四尋許、味下品、油十五樽を得べし。又同醜を食ふといふ。ⓑ又北海にかみきりとて、海豚に似て、背にするどき、鬐ありて、よく鯨を死すといふ。この類なるべし。又海獣にさかまた、ありといふ。これは獣鑑にいふべし。ⓒこゝにいふものは、又別種にして、海族中の猛悍なるものなり。よく浪を起し、雨を呼び、好で鯨魚を食ふ。其状小なれども、鯨これに値ふとき、辟易し、逃竄んとすれども、その追勢、電光の雲を過るよりも疾し。終には腹を穿たれ、これが餌とはなるといふ。所謂鯨にしやちほことは、これをいふなり。呑舟の名を蒙る大魚すら、如此なれば、漁人の網や銛に、死ぬべきものに非ず。偶自死もの漂ひ来ることあり。或はこれを鯱といひ、又噛吻、鴟尾ともいふ。火災をよけるゆへ、和漢とも、宮殿城楼に、設く。

傍線部ⓒはシャチによるクジラの補食に関する情報を反映した記述と考えられるが、あくまでも棟飾りの怪魚の姿で捉えられており、「よく浪を起し、雨を呼び」といった表現は、怪魚としての空想的な要素がより色濃くなっていることが確認できる。そして、それは現実のシャチの実態に即していると考えられる鯨類としてのシャチホコ（傍線部ⓐ）とは別種と捉えられている。また他方で傍線部ⓑでは「かみきり」という北海でクジラを死に至らしめる生物に関する情報が紹介されている。自然界でクジラを襲撃し得る存在は基本的にシャチであるということからすると、これもまたシャチに由来した情報であると考えられる。つまり、現実のシャチに由来した諸種の認識が錯綜している状況が見て取れるわけだが、これは観察に基づいた確かな知見が着実に蓄積されていった同時期のクジラの認識の在り方とは対照的であると言わざるを得ない。これにはシャチが⑥に「其肉麁脂多、漁人不レ得レ鯨則采レ鱐熬レ膏」（その肉は麁《あら》くて脂が多いので、漁人は鯨が捕れないとき、鯱《しゃちほこ》を取って膏を熬《い》る）と言い、味が「下品」（⑧）であったことから、クジラほど積極的には捕獲されず流通量も少なく、それゆえに多くの人の目に触れる機会が少なかったことが要因となっていたのではないかと稿者は考える。生態観察に由来した情報が必ずしも十分に蓄積して行かなかったために未知の部分を依然として残し、このためにクジラの場合とは違って古来よりの空想的な把握を退けることが叶わなかったのだろう。つまり、「生態観察に由来した情報」、「棟飾りの怪魚としての認識」、「漢籍由来の魚虎に関する知識」の三者について、「同名異物」と断じて後二者を退けるという方向ではなく、むしろ整合性をもとめて行く方向で考証が為されていったわけである。そして、その三者の軋轢がシャチホコ認識を諸種生じさせることとなり、それらが錯綜することとなったと考えることができるのではないだろうか。

4　東アジアの臨海諸地域におけるシャチに関する記述と、その認識

以上の日本におけるシャチの認識の様相を踏まえつつ以下、東アジア諸地域におけるシャチに関する記述を参照しておきたい。朝鮮半島の文献としては十九世紀前半の実学者、李圭景《イギュギョン》の『五州衍文長箋散稿《オジュヨンムンチャンジョンサンゴ》』の記事を取り上げてみたい。同書ではクジラについて「以レ此見レ之、中原人記事一何浮誇也。此不レ知三鯨之為二何許物一而言也。日本人善捕レ鯨。故其所レ記者甚該備。洵レ為可レ徴者也。」（これらから考えると、中国の人が記す事はひとえに何か浮わついておおげさなところがある。これは鯨が何ほどの物かを知らないで言っているからである。日本人は善く鯨を捕るので、その記すところははなはだ真実味をかねそなえており、採用すべきものである。）として、中国古典の記述に不信感を表明する。そして、捕鯨をよく行なう日本の情報を信頼できるものとして位置づけ、文献のみならず沿岸の人々からの聞き取りも紹介しつつ検討を行なっている。次に挙げるのは、『和漢三才図会』巻第四十九「魚虎《しゃちほこ》」条（⑦）の記事を紹介した上で李圭景が示した見解である。

⑨李圭景『五州衍文長箋散稿』巻二十二、「鯨鰐弁証説*20」

按東北海中有レ魚。俗名長酥被。長僅寸余蔽レ海而游、ⓐ遇二鯨鯢一四面囲繞穿レ肉而食鯨乃死。魚虎之外是亦殺レ鯨之魚。李生源玉言、嘗寓二関東通川郡一、海族中長藪被者状似二可支一而黒色、幾百数蔽レ海成レ群而游、ⓑ見二鯨鯢一則四面囲繞歯レ之。鯨必死則資食之云。則与三魚名二長酥被一、亦不レ全矣。*21

傍線部ⓐは「長酥被《チャンスピ》」、傍線部ⓑは「長藪被《チャンスピ》」に関する記述であり、それぞれ小さい魚類ながら、海で群れをなして泳ぎ、鯨を取り囲んで食らい、死に至らしめる存在であるとしている。李圭景は両者を別の存在と把握し、またそれは「魚虎《しやちほこ》」とも異なる存在であると捉えている。自然界においてクジラを狩るのは人間以外ではシャチが唯一であることから三者ともシャチ由来の知見と考えられる。これらが別のものとして処理された一因は、藤田明良*22も指摘するように、「長酥被」（傍線部ⓐ）が「長僅寸余」というような極端に小さな存在として捉えられていることが指摘できよう。他方の傍線部ⓑの「可支《カジェ》」はニホンアシカを指す韓国東海岸の固有語で「長藪被」はこれに似るとされている。つまり、誤った情報が含まれていたために別物と見なされたわけである。形態に関する情報を除けば、「長酥被」（傍線部ⓐ）も「長藪被」（傍線部ⓑ）も、シャチの記述としてそう矛盾はないだろう。

次に挙げたのは十九世紀末頃に成立したと見られるベトナムの説話や詩文など雑多な内容を含んだ漢文資料『野史補遺』に所載の記事である。

⑩『野史補遺』子知魚乎*23

可二異者一、鯨如大、而有二一等小魚能害一レ之。這魚雖レ小、而口如二長鋸一、当三合為二一団一、赴二入鯨身一、麗二其皮一、吮二其血一。鯨痛甚、開レ口、則小魚又透三入喉管一、削二食其舌一。以鯨之力、能衝レ波噴レ浪、横レ江泛レ海、而更受レ制二於群魚一、力有レ所レ屈、勢有レ所レ窮、理固然也。曾謂小不二可二以レ敵大一、弱不レ可二以レ敵彊一哉。

当該記事ではクジラに関する知見が示されており、「凡魚皆有鱗、而鯨独無、魚血皆冷、而熱血独鯨（中略）尾上有レ乳、能飼レ子。観二此者一似二畜類一、非二魚類一也」（魚というものは総じて皆、鱗があるものだが、鯨だけにはこれがない。魚は皆、血が冷たいものだが、鯨だけは血が熱い。［中略］尾の上に乳があって、子を養うことができる。これを踏まえると、鯨は畜類に似ていて、魚類ではないのだ。）などとして中国古典以来のクジラ観に囚われることなく、実態に即した形でクジラ類を把握している。⑩の記述もまたそのような態度でシャチを捉えたものであろう。『本朝食鑑』⑥や『和漢三才図会』⑦のシャチホコがクジラを襲撃する描写と驚くほど酷似しているが、こうした日本の情報に基づいて記されたわけではないだろう。生態に関して観察に基づいた情報を援用して為された言説であると考えられる。

続いて最後に蝦夷地におけるシャチの記述を確認しておきたい。[*24] 次に挙げるのは、松前藩主松前矩広《まつまえのりひろ》が幕府の照会に対して応じた蝦夷地の地理風俗に関する報告である。

⑪『正徳五年松前志摩守差出候書付』[*25]

一　蝦夷人鯨取候儀、皆寄鯨にて御座候。カミと申候魚イルカに似申候て、尾ひれ長き魚にて御座候。尤大小御座候。此魚に切られ候鯨、蝦夷地へ流寄申候。

シャチは負傷したり死んだりして海辺へ漂着したクジラ、すなわち「寄り鯨」をもたらしてくれる存在ということもあり、アイヌの人々はシャチを「カムイフンベ（神の鯨）」ないし「レブンカムイ（沖の神）」と呼び、海の「カムイ（神）」として信仰していた。また、アイヌの神謡や昔話にはシャチを主人公としたものも多く見受けられる。この資料に見える「カミ」という呼称は、シャチに対するこうした把握を反映したものであろう。いずれにせよ、蝦夷の人々のシャチ観は、前節までに見たシサム（和人）のシャチ観とは位相の異なるものであり、「棟飾りの怪魚としての認識」にも「漢籍由来の魚虎に関する知識」にも影響されていなかったと考えられる。『魚鑑』⑧傍線部ⓑが北海の「かみきり」を「鯱」（傍線部ⓒ）と同一視していないのも、このことに起因しているといえよう。そして、菊地勇夫は津軽の例として次の資料を挙げる。[*26]

⑫『弘前《ひろさき》藩庁日記・国日記』天和三年（一六八三）閏五月十日条

三馬屋江鯨寄候由申来候、右之鯨神きりニ而少々よハリ申候か。

「かみきり」という呼称は松前地域に限ったことではなかったわけである。従って、菊地勇夫も指摘するように、蝦夷人のシャチ観もまた北奥で共有されていた可能性がある。

5 おわりに

クジラもシャチも中国古典世界の知識が網羅し切れていない存在であった。東アジアの臨海諸地域では近世以降、積極的な捕鯨を行うようになるにつれ、それぞれにクジラやシャチを〈発見〉し、実態に即した情報を蓄積していった。そして、それを元に従来の中国古典世界の知識と批判的に対峙し、またそれを相対的に捉えるようにもなっていった。日本では近世以降、捕鯨技術の向上を背景として、クジラの生態に関する情報が圧倒的な増幅を見せるようになる。このためにそれまで通用していた漢籍や仏典由来の「空想上の大魚」としての認識が相対化され、そして退けられていった。他方のシャチは、経緯は不明ながら中世以来、シャチホコと呼ばれる棟飾りの空想上の怪魚と深くかかわって捉えられていた。また、シャチは味が「下品」⑧であったことから、クジラほど積極的には捕獲されず流通量も少なく、それゆえに人目に触れる機会が少なかったことが想定される。このために日本では「シャチの生態に関する情報」、「シャチホコと呼ばれる棟飾りの空想上の怪魚としての認識」、「漢籍由来の魚虎に関する知識」の三者について、後二者を退けることなく、むしろ同一物として整合性をもとめて行く方向で考証が為されていった。前近代日本のシャチ観の特徴はこのように空想的な把握が色濃く残っていった点にある。

ところで、シャチの〈発見〉をめぐって注目されるのは、シャチが群れでクジラを狩るという生態が東アジアの臨海諸地域の各所で〈発見〉されていった点である。自然界においてシャチは人間以外で唯一、クジラを狩る存在である。ところが、各所での認識や伝達された情報に異同があったことにより、クジラを狩る水棲生物に関する目撃情報が錯綜し、多様に展開していたことが確認できる。たとえば『魚鑑』⑧では蝦夷地からの情報と見られる「かみきり」について、クジラを殺す棟飾り様の姿の「鯱」とは同一視し得てはいなかった。また、十九世紀前半の朝鮮半島では、日本のクジラ類に関する知識が、漢籍由来の知識よりも信頼が置かれるという事例が認められた。李圭景の

『五州衍文長箋散稿』⑨は「魚虎《しやちほこ》」についても、日本の『和漢三才図会』の記述を信頼しつつ紹介した上で、朝鮮半島においてもクジラを殺す存在として「長酥被」「長藪被」という二種の情報を紹介している。同書が三者を同一視できなかったのには、前述の日本の「魚虎《しやちほこ》」の空想性と、「長酥被」の情報に誤りが含まれていたことに要因がもとめられる。他方で十九世紀末頃成立と見られるベトナムの漢文資料『野史補遺』に記されたシャチのクジラ捕獲場面の描写は、『本朝食鑑』に所見のそれと驚くほど酷似していた。シャチは実際にクジラを捕食するという事実や、その動作の観察、そしてクジラの舌を好んで食べるという事実から、結果的にシャチという同じ現実世界の対象物〈モノ〉について非常に似通った言説が異なる地域において生成されたということは、説話の発生の在り方という観点からも注目されるべきものであろう。

シャチの〈発見〉をめぐる言説については、繰り返し述べてきたようにクジラを襲うという生態が自然界では基本的にシャチに限られるということから、人間たちがこの事象をどのように捉えて言説を生じさせ、伝承し、それを知識として整理していったかという経緯をたどりやすい。人類がそれまでの古典知、ならびに自然観察に基づく新知見とどのように対峙し、その上でそれを表現し、また思考してきたかという問題を地球的《グローバル》な観点のもとに追究するには格好のものであると言えるだろうし、自然科学の領域との学際的研究が可能な話題でもあろう。西欧を初めとする世界の他所でのシャチの〈発見〉をめぐる言説との対照と検討については稿者の今後の課題としたい。

注

1 室町期の鯨肉の利用状況に関しては、髙正晴子「中世から近世にかけての鯨料理」(『食』59、健康食品株式会社、一九九六年)、髙正晴子「料理書に見る行事と鯨料理」(『日本家政学会誌』48-5、一九九七年五月)、江後迪子『信長のおもてなし　中世食べもの百科』(吉川弘文館、二〇〇七年)に詳しい。また、捕鯨文化に関する主な先行研究としては服部徹編『日本捕鯨彙考』(大日本水産会、一八八八年)、福本和夫『日本捕鯨史話』(法政大学出版局、一九六〇年)、熊野太地浦捕鯨史編纂委員会編『熊野太地浦捕鯨史』(平凡社、一九六九年)、那須敬二『捕鯨盛衰記』(光琳、一九九〇年)、森田勝昭『鯨と捕鯨の文化史』(名古屋大学出版会、一九九四年）、中園成生・安永浩編『鯨取り絵物語』（弦書房、二〇〇九年）など。杉山和也「（正／続）日本に於ける鯨鯢の認識」（『青山語文』44・45、二〇一三年三月・二〇一四年三月）もあわせて参照されたい。

2　髙正晴子97（注1参照）は当時の捕鯨が突取り法であったことから捕獲数が少なく珍しい食材であったとする。森田勝昭（注1参照）は、十五世紀から十六世紀にかけての捕鯨のあり方が「鯨種は特定できないが、伊勢などには、おそらく宮中へ献上する鯨を捕獲する専門集団が成立していた可能性も考えられる。しかし、捕鯨はまだ多くの人にとっては珍しい漁業であり、書物や日記類に書き留める価値を持っている対象でもあったのである」（一三五頁）とする。

3　十六世紀末から十七世紀初め頃になると「捕鯨が突取り法」の捕鯨技術が熊野、土左、北九州、長州、尾張、三浦、丹後などに伝播。専門的捕鯨集団も組織されるようになってくる。十七世紀後半には「網取り式捕鯨」が開発され、捕鯨技術の大きな改良が起こった（森田勝昭［注1参照］一四一頁）。

4　朝鮮半島について、文献的には十五世紀頃からイルカ漁や捕鯨に関する記録が断片的ながら認められる（朴九秉『韓半島沿海捕鯨史』民族文化、一九九五年）。ベトナムの捕鯨については、大西和彦「阮朝期ベトナムの鯨神信仰とその背景」（『立教大学日本学研究所年報』7、二〇〇八年八月）によれば、現在は行なわれていないという。ただし、後述する『野史補遺』「子知魚乎」⑩には、捕鯨法に関する具体的な記述が認められることから、十九世紀には行なわれたことがあったか。いずれにせよ、十九世紀初期からクジラに関する関心は高まる。

5　本文は横山重・松本隆信編『室町時代物語大成』第八（角川書店、一九八〇年）による。なお以下、引用資料に各々番号を付した。なお、本章では引用に当たり句読点を補い、漢字は現在通行のものに改めた。

6　捕獲される母子のクジラに対する同情は『本朝食鑑』『西海鯨鯢記』『鯨史稿』『勇魚取絵詞』などにも認められる。

7　唐桑町史編纂委員会・編『唐桑町史』（一九六八年、三四八～三五〇頁）に所見。

8　李善愛「地域文化の生成過程―鯨とのかかわりをとおして―（1）」、『宮崎公立大学人文学部紀要』14-1、二〇〇七年三月。

9　大西和彦（注4参照）。

10　大西和彦（注4参照）によれば、ベトナムにおける鯨神信仰は阮朝期（一八〇二～一九四五）に突然、発展したという。日本でクジラとかかわりの深いエビス神との類似性も認められる。

11　『日本国語大辞典』第二版の「しゃち」条には「さかまた。くじらとおし。しゃちきり。しゃちくじら。しゃちほこ。学名はOrcinus orca」とあり、異名として「しゃちほこ」を挙げる。また、同書「さちほこ」条によれば「さちほこ」は「しゃちほこ」に同じ。早い時期の用例としては延慶本『平家物語』第二中の「鼻ハ象、額ト腹トハ龍、頸ハ師子、背ハサチホコ、皮ハ豹、尾ハ牛、足ハ猫ニテ有ケルトカヤ。今代マデモ獏ト申テ、絵ニカキテ人ノ守リニスルハ、即此獣ナリ。」が挙げられる。『延慶

本平家物語全注釈』第二中（巻四）（汲古書院、二〇〇九年）参照。

12 近世以降は「魚虎」、「鯱」などの表記が認められるようになるが、中世以前の古辞書において「シャチホコ」「サチホコ」の訓が宛てられた漢字は管見では「鱐」のみ。「鱐」は『大漢和辞典』『漢語大詞典』いずれも「干し魚」という説明が載る。また、『集韻』を引いて「鮀母」という意味が載る。夢梅本『倭玉篇』、観智院本『類聚名義抄』、世尊寺本『字鏡』、天正十八年本『節用集』は「鱐」条に「鮐母也」という記述が見られる。「鮀」が「鮐」に変わった経緯は未詳。

13 土井忠生・森田武・長南実編訳『邦訳 日葡辞書』岩波書店、一九八〇年。

14 高橋忠彦・高橋久子・古辞書研究会編『御伽草子 精進魚類物語 研究・索引篇』（汲古書院、二〇〇四年）参照。

15 近藤豊『古建築の細部意匠』（大河出版、一九七二年）、吉永邦治『東洋の造形―シルクロードから日本まで』（理工学社、一九九三年）、大脇潔『鴟尾（日本の美術・三九二）』（至文堂、一九九九年一月）などを参照。

16 本文は奥野高廣・岩沢愿彦校注『信長公記』（角川文庫、一九八四年）による。

17 本文は国立国会図書館所蔵本（請求記号：140-162）による。

18 本文は早稲田大学図書館所蔵本（請求記号：文庫 31 E0860）による。

19 本文は国立国会図書館所蔵本（請求記号：特 1-2480）による。

20 本文は藤田明良「19世紀前半の朝鮮実学者李圭景の「鯨鰐辨證説」について」（立教大学日本学研究所編『立教大学日本学研究所年報』6、二〇〇七年四月）による。

21 「全」は「仝」の誤りか。

22 藤田明良（注19参照）。

23 本文は陳慶浩・孫遜編『域外漢文小説大系・越南漢文小説集成』第十四冊（上海古籍出版社、二〇一〇年）による。

24 菊地勇夫「石焼鯨について―アイヌの鯨利用と交易」（『東北学』7、二〇〇二年十月）に詳しい。⑩も同論。

25 高倉新一郎・編『犀川会資料：北海道史資料集』北海道出版企画センター、一九八二年。

26 引用は菊地勇夫（注23参照）による。なお同論は横川良助『内史略』に所見の元禄四年五月、盛岡藩田名部通岩屋村の浜に「たかうじ」あるいは「神魚」とも呼ぶ魚が死んで寄りついたという例も挙げ、これもシャチであるという見解を示している。

06 朝鮮の海域伝承

玉英、東アジアを放浪する

朴 知恵

1 はじめに

『崔陟伝《チェチョクジョン》』は、戦乱による家族の離散と邂逅を描いた朝鮮の漢文小説である。跋文には、趙緯韓《ジョウィハン》（一五六七～一六四九年）が南原《ナムオン》で隠遁していた頃（一六二一年）、崔陟《チェチョク》から依頼されて書いたと記す。物語は崔陟と玉英《オギョン》の出会いから結婚までを描いた伝奇小説の型式と、慶長の役で離散した家族が明や日本・安南《あんなん》を放流し帰国するまでの旅程を描いた捕虜小説の型式とで二分できる。本コラムでは、後半の捕虜小説に当たる部分を中心に主人公崔陟の妻玉英が放浪した地名について考えてみたい。後半部において旅路を中心に物語を進める中では地名が重要な役割を果たしている。玉英がまわった地として明、安南、日本の地名が登場するが、日本の地名だけ著しく難読な表記となっている。その点についてそれぞれの地名を追いながら考えてみたい。

2 『崔陟伝』のあらすじ

まず、『崔陟伝』のあらすじを玉英の旅程を中心に見ていく【図1】。一五九七年、慶長の役が起きると、崔陟一家は智異山《チリサン》に逃げ隠れた。玉英は貞節を守るために男装して潜んでいたが、崔陟が食料をもとめて下山した際に倭兵の捕虜となり、狼姑射《ランコヤ》の頓于《トンウ》という人に預けられて、商船に乗ることになる。一方、崔陟も友人である宋《そう》佑《ゆう》と共に明の商船に乗って、安南を往来していた。崔陟が乗った明船が安南の港に停泊した際、日本船も十余艘停泊していた。一六〇〇年四月二日の夜更け頃、日本船の中からとても悲しい念仏の声が聞えた。これを聞いた崔陟は笛を取り出して、界面調《かいめんちょう》の一曲を吹き、胸中の哀怨の気持ちを託した。すると、日本船から聞こえた念仏の声はぴたりと止み、まもなく朝鮮語で七言絶句を詠んだ。これがかつて崔陟と玉英が交わした漢詩であったことから翌日二人は劇的な再会を果たすことになる。そして二人は杭州《こうしゅう》に新居を構え、次男夢仙《モンソン》が生まれる。夢仙は成長して、父が朝鮮に出兵してから行方不明になった紅桃《ホンド》と結婚する。一六一八年、後金が遼陽《りょうよう》を侵略すると、崔陟は書記として参戦し、後金の捕虜となったが、そこで朝鮮から出兵していた長男・夢釈《モンソク》と再会することになり、一緒に脱出して南原に帰った。一方、玉英は明軍が負けたと聞き、崔陟が生きていれば朝鮮に戻ったと考え、船に乗って帰国することを計画する。息子夫妻に明・朝鮮・日本の服装を用意させ、言語を覚えさせ、一六二〇年二月一日に出航した。その海路には明の警備船や倭船と遭遇するなど困難がつきまとい、最終的には海賊に船を奪われてしまうが、朝鮮の統制使の貿販船に助けられ、故郷南原のすぐ南の順天《スンチョン》の港にようやくたどり着くことができ、無事家族は再会を果たしたのである。玉英は女性の身でありながら操船ができ、三ヶ国語に堪能な人物として描かれており、このような玉英の能力によって家族が再会できたといっても過言ではない。

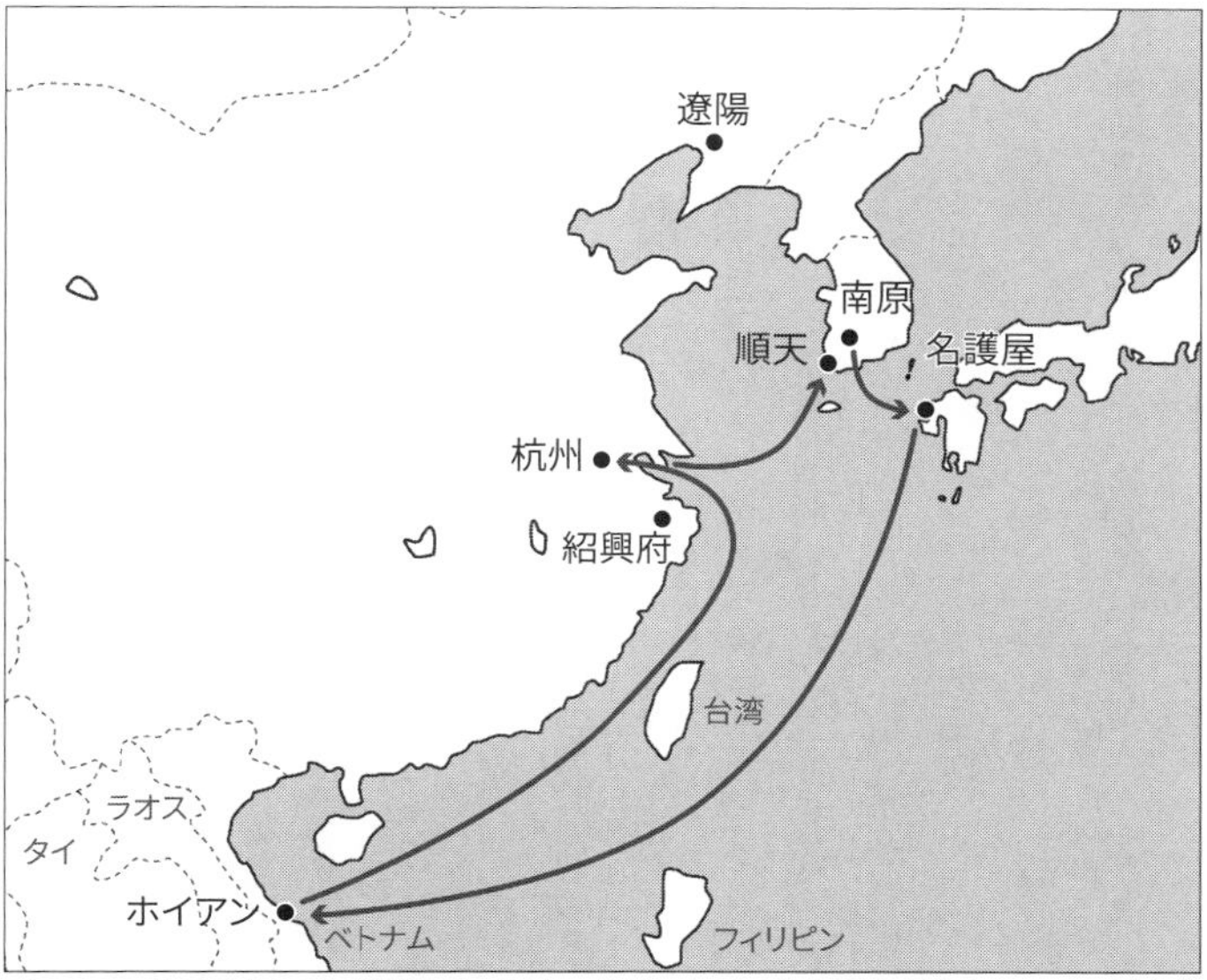

図１　この地図は朴知恵「『崔陟伝』紹介―韓国における先行研究を踏まえて―」（『古代学研究紀要』26、2018年６月）に収録された地図を基にしている。なお、矢印は玉英の旅程である。

3　作品に登場する地名について

さて、その地名を詳しくみていく。再会を果たした崔陟と玉英が定住した杭州は、すでに十世紀末に貿易港としても栄え、宋時代には首都として文化・経済の中心地であり、外国人居住者も多かったようである。崔陟たちが商売をしていたこともあって杭州は適地であった。また、杭州は朝鮮への帰港にもちょうど良い位置であった。玉英が、帰港を拒否する夢仙に対して「ここから朝鮮まで水路でわずか二、三千里くらいである。天地の助けがあり、さらに順風ならば十日に満たないうちに彼岸に至るだろう」と述べ、夢仙を納得させたほどである。崔陟と玉英夫婦は杭州では友人である宋佑の家に身を寄せるが、この宋佑の家は湧金門《ゆうきんもん》の内にあった。崔溥《チェブ》の『漂海録』（一四八八年）には、「城西湧金門の外西湖岸」とあり、湧金門は杭州の城西門にあたり、湧金門の外には景勝地として有名な西湖《さいこ》があったことがわかる。湧金門は『崔陟伝』における海外の地名のなかで最も具体的であるが、これは光海君《クァンヘグン》二年（一六一〇）八月に趙緯韓が謝恩使《しゃおんし》書状官として半年ほど明に渡った経験が反映したものであろう。

崔陟と玉英が再会した安南について、『崔陟伝』の記述は「港口」に留まっており、具体的な地名は記さない。ただ、十六世紀末から十七世紀初にかけて日本の朱印船が寄港地としていたホイアンの可能性が高いと指摘されている。この地には日本人町・中国人町・オランダ商館などが存在しており、「異国御朱印帳」や「異国渡海御朱印帳」などで記録が確認できる一六〇四年から、鎖国政策が実行された一六三五年まで、日本の朱印船が三百六十～三百七十艘ほど渡航していたとされる。玉英と同様、朱印船に乗ってから朝鮮に生還した人物の記録がある。『趙完壁伝』に伝えられる趙完壁《ジョワンビョク》という晋州《ジンジュ》の人物である。彼は慶長の役で捕虜となり、漢字が読めたので日本の商船に乗ってベトナムなどの東アジアを見聞したことが記されている。趙完壁はベトナムで朝鮮の学者李睟光《イスクァン》（一五六三～一六二八年）の漢詩が流行していたこともあり、酒宴などに呼ばれ特別待遇をうける。十年に渡る海外の生活を経て朝鮮に帰国することができ、友人に話したベトナムでの経験談が李睟光本人に伝わり、伝記型式でまとまったのであった。『趙完壁伝』は当時とても衝撃的だったらしく、李睟光以外にも二人によって創作されている。趙緯韓が『趙完壁伝』を読んでいたかは定かではないが、朝鮮の知識層の中では有名な話であったので耳にしていた可能性はある。『趙完壁伝』でも安南については、「日本を去ること海路三万七千里。薩摩州由《よ》り洋《うみ》を開き、中朝の漳州広東《しょうしゅうかんとん》等の界《さかい》を歴《す》ぎ、安南の興《ふん》元《ぐえん》県に抵《いた》る」と、安南の位置に関する記述はあるものの、港口に関する記述はなく、ここからは十七世紀の朝鮮知識人にとって安南が未知の世界であったことがうかがえる。

次は物語のなかで頓于の出身地とされる「狼姑射」についてみていく。「狼姑射」は日本語読みを朝鮮の漢字音で表記したものである。韓国学界では長崎説・愛知の名古屋説・佐賀の名護屋説があり、頓于が乗った船が小西《こにし》行長《ゆきなが》のものであることを根拠とする名古屋説と頓于が海外貿易をしていたことを根拠とする長崎説が中心になっている。さて、「狼姑射」の読みから考えてみたい。まず、「狼」を使う日本の地名は「狼姑射」以外に、『朝鮮王朝実録』宣祖二十八年（一五九五）七月十四日条に「伏して聞けらく狼古也の島外、又《ま》た一岐《いき》等の島有り、舟航《しゆうこう》通ふべく」という「狼古也」の表記が確認できる。「狼古也」は朝鮮音で「ランコヤ」あるいは「ナンコヤ」と読んだと考えられるが、そばにあったとされる壱岐島《いきのしま》から船で通える場所であり、かつ「ランコヤ」や「ナンコヤ」に近い発音の地名であることを勘案すると、「名護屋」が想定できる。また、朝鮮の文献において日本を「狼」と表す例が散見される。張維《ジャンユ》（一五八八〜一六三八年）の『谿谷《ケコク》集《ジプ》』咨文《しぶん》・登州《とうしゆう》軍門移咨には、「本国南は倭に隣し北は虜《えびす》に接す。蛇豕豺狼《だしさいろう》、禍心測《かしんはか》りがたし」とあり、朝鮮の隣国を「蛇豕豺狼」といった動物にたとえている。また、崔岦《チェリプ》（一五三九〜一六一二年）の『簡易集《カンイジプ》』乱後録《らんごろく》・依韻和葉游府勧励歌には、「豈《あ》に天兵平壌《ピョンヤン》を克することを見ずや、星象《せいしよう》夜動して弧狼《ゆみ》を射とめ」と、平壌を侵略していた倭軍を「狼」と表記する。この「狼」は「天狼星」を指しており、『楚辞《そじ》』九歌《きゆうか》・東君《とうくん》に「長矢《ちようし》を挙げ天狼を射とめ」と見える通り、侵略を司る存在として用いられる。つまり、「狼」によって侵略者としての日本が表されているのである。次の「姑射」は『荘子《そうじ》』逍遙遊《しようようゆう》第一の「藐姑射の山に神人有りて居る」が典拠とされ、「藐姑射山（韓国音：マクコヤサン）」の読みに従い、「コヤ」とよめる。上記の名護屋の表記「狼古也」と違って「姑射」という熟語を用いたことはその秘められた意味を確かめる必要があろう。「姑射」は神が住む所や神そのものを指している。朝鮮において日本を神国とみる認識は、時代は下るが李徳懋《リトクム》（一七四一〜一七九三年）の『蜻蛉国志《チョンリョンクッジ》』神仏に日本が神国と自称するという記述が見られるものの、文禄慶長の役を時代背景とする『崔陟伝』が「姑射」を神国の意として用いたとは考え難い。ここで注目したいのは『荘子』逍遙遊第一の「堯《ぎょう》天下の民を治め、海内の政《まつりごと》を平《たいら》かにす。往きて四子を藐姑射の山に見んとし、汾水《ふんすい》の陽に、窅然《ようぜん》として其《そ》の天下を喪《うしな》へり」という一節である。世を治めた堯が藐姑射の仙人を訪問しようとするが、途中で自分のやっていることが小さくみえ、がっかりして天下のことを忘れてしまったという故事である。国内を治め外国に目を向けたことから、「姑射」を用いたと読みたいところだが、作者である趙緯韓がどのような意図をもって「姑射」を用いたかは彼の文集や『崔陟伝』の本文からは確かめられないのが現状である。以上を踏まえると、「狼姑射」は「ナコヤ」と読み、朝鮮を侵略した日本を表した場所であることがうかがえる。

4　人名について

また、地名ではないが、日本人名も付け加えて考察したい。「頓于」が玉英に名付けた「沙于《サウ》」の名は日本人名としては馴染みがなく、その由来などはまったくもって不明である。ただ、『朝鮮王朝実録』において日本人名を記録する際には日本語のまま表記する例と日本語読みを朝鮮語で表記する例があった。「頓于」や「沙于」の用例は見受けられないが、「頓」と「沙」が並列された形で、対馬《つしま》の使い「頓沙文《トンサムン》」や壱岐島出身の倭寇「頓沙也《トンサイ》文《ムン》」という名が確認できる。これはおそらく「土左衛門《どざえもん》」を当てたものであると考えられるが、趙緯韓は対馬周辺の人名としての「頓」や「沙」を認識しており、この馴染みのない名前を用いたと考えられる。これらを勘案すれば、「狼姑射」は侵略の地「ナコヤ」であり、対馬周辺出身の名前にみえる「頓于」の出身地であったことから「名護屋」の可能性が高い。『崔陟伝』をよむと、慶長の役から二十年あまりしか経っていないのにもかかわらず、日本を批判する描写は見受けられない。しかし、「狼姑射」には侵略者としての日本像が秘められているのであった。

参考文献

・日向一雅編『韓国漢文愛情伝奇小説』白帝社、二〇二〇年。

第3部　島嶼の文化

01

港市と島嶼の文学

北九州海辺の伝承世界から

菊地仁

1　はじめに

古代より、東アジアと日本との地政学的接点として重要な位置を占めていた北九州は、同時に大宰府で象徴される文学営為と関わるところでもあった。『万葉集』からうかがわれる大伴旅人《おおとものたびと》・山上憶良《やまのうえのおくら》などによる筑紫歌壇や、『浜松中納言物語』『松浦宮《まつらのみや》物語』といった物語文学、さらには蒙古襲来に対する『八幡愚童訓《はちまんぐどうきん》』の歴史叙述や、大江匡房《おおえのまさふさ》による広義の外交活動などもそれに含めることができようか。ここでは対象をゆるやかに、かつて日本外交の一大拠点だった北九州の海洋をめぐる伝承世界へと拡大し、その一郭を瞥見してみたい。

2　マツラサヨヒメと入水譚

筑紫歌壇（あるいは筑紫文学圏）とのかかわりで、まず古代の朝鮮半島情勢から派生してきたマツラサヨヒメ（松浦佐用姫）の伝説を取りあげたい。

マツラサヨヒメに関する伝説としては、宣化《せんか》天皇の時代、朝鮮半島へ派遣された大伴狭手彦《さでひこ》の船に別れを惜しみ山から領巾《ひれ》を振った、というものが有名である。『肥前国風土記《ふどき》』松浦郡「褶振峯《ひれふりのみね》」の記事や、『万葉集』五の「松浦河」関係歌によっても知られる。ただし、女性の名前を、前者は「弟日姫子《おとひめこ》」、後者は「松浦佐用嬪面《まつらさよひめ》（麻通良佐用比米などとも）」と書くので、史実から伝説への形成過程については議論がある。[*1]

ここで、『肥前国風土記』が記す今一つのマツラサヨヒメ伝説である「鏡渡」由来譚の方にも言及したい。すなわち、「緒」が切れたため、「狭手彦」からマツラサヨヒメに贈られた「鏡」が川底に沈んだとする伝説である。これが『和《わ》歌童蒙抄《かどうもうしょう》』三や『袖中抄《しゅうちゅうしょう》』八などの歌学書になると、『肥前国風土記』からの引用と称しながら、女性が「鏡」を抱いて「鏡のわたり」で身投げする入水譚へと変容してゆく。[*2]これは、『和歌童蒙抄』『袖中抄』が、さらに続けて逸文「筑前国風土記」を引用する事実とも照応しよう。朝鮮半島にむかう狭手彦の船が航海不能に陥り、「妾」の「字《あざな》那古若（字那古君）」を「こも（菰）のうへ（上）」に載せて「海神」の人身御供にした、いわゆる「うちあげ濱」伝説である。

ただし、後者の地名由来がやや舌足らずの説明であるためか、「鏡のわたり」「うちあげ濱」両伝説が入水譚として干渉しあっているようにも見える。もっとも『肥前国風土記』の「鏡渡」伝説でも、三輪山《みわやま》神話型の異類譚へと展開しており、結局「弟日姫子」は水死するのだから、歌学書類における女性たちの類型的な最期は、むしろ全国に点在する広義のマツラサヨヒメ伝説と関連を考えるべきかもしれない。[*3]

3 「させまろ伝説」への分岐

大伴狭手彦は前述したように実在の人物で、「褶振峯」は現在の佐賀県唐津市にある鏡山、また「鏡渡（鏡のわたり）」も同じく松浦川河口の周辺に比定される。ただし、両地名の由来譚は、上代から中世へと不断の説話的な変貌を遂げていた。「筑前国風土記」の書名も「肥前」の方が自然だが、単なる誤記だけとは言えないかもしれない。なぜなら、『和歌童蒙抄』『袖中抄』の「うちあげ濱」伝説には似て非なるヴァージョンが存在するからだ。

「うちあげ濱」伝説は「こも（菰）のうへ（上）」とあり、記紀で有名なオトタチバナヒメの入水譚を意識させるが、それは次の『浜松中納言物語』一も同然である。

させまろといひける者、うなはしといひける人を率て渡りけるに、海の中の竜王のめでて、船をとどめるにわびて、海の中に畳を敷きて置きてけるのち、女は通ふ例なし。

同種の説話は『とりかへばや物語』一も載せるが、ここ『浜松中納言物語』も「畳を敷きて」とやはりオトタチバナヒメ譚を想起させる。この「させまろ伝説」の「うなはし」という名前も、『袋草紙《ふくろぞうし》』上の「大伴宿祢佐手丸《おおとものすくねさでまろ》の妻字奈刀自」を参考に「字」「宇」の混用と理解すれば、逸文「筑前国風土記」にきわめて似てくる。*4

ちなみに、『浜松中納言物語』『とりかへばや物語』『袋草紙』いずれも遣唐使のこととしていて、前述のとおり朝鮮半島に行く大伴狭手彦とは微妙に異なる。もっとも、『浜松中納言物語』のような「ものめでする竜」の説話は遣唐船と無縁ではない。*5しかし、『浜松中納言物語』一や『とりかへばや物語』一には「十二年」ごとの派遣を示す記事も見られるので、ここの「させまろ」は渤海国《ぼっかいこく》との外交も念頭に置いた人物設定であろう。あくまで来朝で、しかも必ずしも遵守されなかったが、太政官符で渤海使は十二年に一度と決められていた（『類聚三代格』十八）。

4　北九州の沈鐘伝説

このように、『和歌童蒙抄』『袖中抄』において「鏡のわたり」「うちあげ濱」両伝説は、相互の交渉もあってか、ともに入水譚として整序された。このうち、「鏡渡（鏡のわたり）」由来は『肥前国風土記』を誤読しただけかもしれないが、結果として「変形沈鐘《ちんしょう》伝説」*6化した事実に留意したい。特に、「海の中の竜王」（『浜松中納言物語』）が登場する「変形沈鐘伝説」は、北九州海辺の伝承圏に新たな想像力を提供してくる。

宗像一族の争乱を描いた『宗像軍記《むなかたぐんき》』は、近世の成立かもしれぬが、その中巻に「宗像大宮司興氏《むなかただいぐうじおきうじ》ノ事付リ鐘ノ御《み》崎《さき》ノ鐘ノ事并《ならび》ニ小弐次郎政資《しょうにじろうまさすけ》亦蜂起ノ事」と称する章段がある。この章段は、宗像大宮司第七十一代の興氏が、「鐘ノ御崎」で海中に沈む鐘を見つけ引きあげようとするも、「龍神」の怒りで大暴風雨となり断念、代わりに「老翁ノ仮面」を得て「神宝」とした、という内容がその前半である。まぎれもなく、沈鐘伝説の一類にほかならない。「蜑人《あまびと》」を巻きこんだ「龍神」との対決は、この『宗像軍記』の沈鐘伝説が、ほかならぬ「玉取り姫」型の説話から影響されていることを暗示する。[*7] その『宗像軍記』「鐘ノ御崎ノ鐘ノ事」の末尾は、

抑《そもそも》此鐘ト申ハ、イヅレノ代ニカ有ケン、唐土ヨリ渡セシ時、此浦ニテ唐船クツガエリテ、此鐘、海底ニシヅミケル故《ゆえ》ニ、此所ヲ鐘ノ御崎ト名付ケリ。

という地名由来になっている。

ちなみに、江戸時代後期の旅行記である橘南谿《たちばななんけい》の『西遊記《せいゆうき》』七は、「竜、鐘を愛す」という題で「筑前」の「鐘の岬」由来を「むかし三韓より撞鐘《つきがね》を船に積て、渡せしに、竜神其鐘を望み、此海に至りて浪風俄に起り、船くつがへりて、鐘はつゐに海底に沈みぬ」と記し、「竜神」の関与で、「玉取り姫」説話により近い。『西遊記』では、「越前国」の「鐘が崎」にも言及して、「鐘は竜神の愛するものなれば、鐘を積る船は必くつがへるといひ伝へて恐れあへり」とまで述べている。

5　カネノミサキと玉取り姫

そもそも、カネノミサキ（鐘の御崎・鐘岬）は志賀海神社を詠んだ『万葉集』七の歌、

千磐破金之三崎乎過鞆吾者不忘壮鹿之須売神
（ちはやぶるかねのみさきをすぎぬともわれはわすれじしかのすめかみ）

で知られ、平安時代以降それが筑前国の歌枕として有名になった（『五代集歌枕』下、『歌枕名寄《なよせ》』三十五など）。

カネノミサキは現在の福岡県宗像市鐘崎と言われ、古来海上交通の難所としても知られていたので（『歌ことば歌枕大辞典』『和歌の歌枕・地名大辞典』など）、沈鐘伝説の前提として「（撞）鐘」が運搬途中で海難に遭遇したとの付会伝説の誕生は、ある意味で必然的でもあった。特に、ここでは「唐土」（『宗像軍記』）や「三韓」（『西遊記』）など一種の「他

界から来た鐘[*8]」である点に着目しなければならない。

貝原益軒《かいばらえきけん》の『筑前国続風土記』十七「鐘御崎」でも、「昔三韓より大成つき鐘を渡せしに、此海にしづめり。故に鐘の御崎と云」と龍神にふれないが、「越前国敦賀《つるが》郡金ヶ崎の海に、昔朝鮮より鐘を渡せしが沈て爰《ここ》に在《あり》」と指摘し、『西遊記』に類似する。これら「玉取り姫」説話の設定が、「海女の玉取り及び入鹿《いるか》退治という二つのプロットを主要な構成要素」とする「大職冠《たいしよかん》の世界」に関わるだけでなく、江戸時代の「朝鮮使節の来日」という史実にも根拠を持つ点を見逃してはなるまい[*9]。「玉取り姫」説話が女性の犠牲という点で、マツラサヨヒメの入水譚とも無縁ならぬことは言うまでもない。

ところで、歌枕カネノミサキをめぐる沈鐘伝説に関しては、今少し異なる方向への展開が見えてくる。前述の逸文「筑前国風土記」に見えた「うちあげ濱」由来譚は、当該比定地が不明なせいもあってか、肥前から筑前へと伝承圏の拡大や変容がうかがわれたが、似たような現象がこのカネノミサキをめぐっても起こったらしい。そのことは、江戸時代後期成立の百井塘雨《ももいとうう》の『笈埃随筆《きゆうあいずいひつ》』十二「鐘岬」で「古来より海底に鐘あり。此故に其辺を響の洋といふなり」とされていることから知られる。

6　ヒビキノナダに沈む船

『笈埃随筆』の「響の洋」は、ヒビキノナダであろう。通常、古典に登場するヒビキノナダは播磨国の歌枕と考えられている。たとえば、『夫木和歌抄《ふぼくわかしよう》』二十六は「ひびきのなだ、播磨」として八首の和歌を引く。また、『歌枕名寄』三十一・播磨国「比治奇灘《ひぢきのなだ》」の例歌も、一首目を除き、残り七首は「ひびきのなだ」という詞章である。「ひぢきのなだは播磨にあり……俗説には、ひゞきのなだとも云」（『袖中抄』十二）との説明も参考になろう。

他方で現在、一般的にヒビキナダで呼ばれる場所は、山口県長門《ながと》市あたりから関門《かんもん》海峡を経てカネノミサキで玄界灘に隣接する海域である。『大日本地名辞書』は播磨国のほかに、長門国の「響灘」も指摘し、「古書に比治奇の奈太と云ふは此とす」と述べる。ただし、長門国あるいは筑前国のヒビキ（ノ）ナダの確実な作歌例を中世以前には見いだせない。『笈埃随筆』に対応する用例は、江戸時代前期の『難波捨草《なにわのすてぐさ》』下に収載された「筑紫がた波路はるかに真帆引きて風にひびきのなだや過ぐらん」が比較的早いだろうか。

ところで、前掲の『袖中抄』十二の「ひぢきのなだ」「ひゞきのなだ」は、証歌に『万葉集』十七のほか「あふ時はますみの鏡はなるれば響のなだの波もとゞろに」「年をへてひゞきのなだに沈むふね波のよするを待つにぞありける」の二首を挙げる。前者は「孫姫式《ひこひめしき》」から、後者は「忠見集《ただみしゅう》」からの引用、と書かれる。しかし、前者は現存本『和歌式（孫姫式）』にはなく、『歌枕名寄』三十一などが載せる出典不明歌である。また、後者も『忠見集（冷泉家時雨亭文庫蔵本）』の「トシヲヘテヲ、キノナタニシツムミハナミノヨスルヲマツニサリケル」だろうが、すでに『忠見集』の諸本で、『袖中抄』のような異同が生じ、その形で『袋草紙』上、『夫木和歌抄』二十六、『歌枕名寄』三十一などに入集された。

『袖中抄』の二首はともに播磨国の歌枕として、特に前者は波の音を詠んだのであろう。しかし同時に、早く平安時代の段階でヒビキノナダが、「鏡」や「沈むふね（船）」あるいは「シツムミ（沈む身）」を連想させた事実は見逃せない。それは、既述した入水譚や、『土佐日記』に見えるような海神への鏡奉納のみならず、「ひびき（響き）」が沈んだ船に積まれていた鐘の音への連想を誘うからではないか。そして、『笈埃随筆』の「其辺を響の洋といふ」とは、カネノミサキをめぐる沈鐘伝説が、ヒビキノナダを播磨から長門そして筑前へと呼び寄せてきたことを意味していよう。

7　大陸との交流と結界

マツラサヨヒメ・カネノミサキ・ヒビキノナダは、ともに広い意味での歌枕（歌ことば）であった。すなわち、それに伴う伝承も都人を媒介としたものということになる。一方で、それらが沈鐘伝説とも無縁ではなかったことは、朝鮮半島を経由した大陸との交流史の記憶を投影するにちがいない。[*10] 沈鐘伝説ではないが、遣唐船の停泊地だった長崎県五島列島に比定され、死者の世界を示唆するミミラクも、同様の想像力に基づく歌枕と思われる。[*11]

前述した「玉取り姫」説話は通常、海竜に宝珠を奪取される場所を瀬戸内の讃岐国志度寺《しどじ》沖とするが、石川県の口承文芸には「チクラ（筑羅）の沖で難破して」とする事例も報告されている（『日本昔話通観』二十七）。これは、原拠の一つ幸若舞曲「大織冠《たいしょくかん》（大職冠）」の前半が「日本と唐土の潮境、ちくらが沖」で万戸《まんこ》将軍と竜王たちとの合戦場面だったことや、近松門左衛門の『用明天王職人鑑《ようめいてんのうしょくにんかがみ》』三が筑紫の海に沈んだ祇園精舎の鐘が播磨の浜で発見された設定だったことなどとも対応しよう。『宗像軍記』『西遊記』『筑前国続風土記』の沈鐘伝説でも、「玉取り姫」説話が北九州沖と瀬戸内海とを関連づけていた。「ちくらが沖」の結界性は、さきのミミラクに共通するものと言えよう。

大陸との関係で言えば、マツラサヨヒメの「褶振峯」伝説が、『曾我物語』四や六あるいは『六花集《ろっかしゅう》』上に見えるように、中世後期には「望夫石《ぼうふせき》」の故事と習合した事実も看過できない。マツラサヨヒメの「望夫石」は、佐賀県唐津市加部島《かべしま》の在地伝承として根づいたが、本来は中国の『幽明録《ゆうめいろく》』に由来する故事でもあり、韓国の語り物文芸との接触も指摘されている。[*12] やや範囲を広げれば、「望夫石」の影響は、沖縄地方に稠密な分布をする異類婚姻譚「熊女房」にもうかがうことができよう。民俗的想像力の世界であればこそ、彼此を隔絶する海域の持つ意味の大きさが強調されるのである。

8 おわりに

きわめて急ぎ足で、北九州における海洋的な想像力の一端を、沈鐘伝説を手がかりに考えてみた。最後にふれた「熊女房」譚のような（熊の生息しない地域から報告され、「唐話（とーばなし）」とも呼ばれる）昔話の存在は、一口に大陸からの文化的影響と言っても、その様相がきわめて複雑であることを想像させる。[*13] その点から、「玉取り姫」系説話が「朝鮮使節」という史実に触発された側面もあったことは示唆的である。本章で見た沈鐘伝説のヴァリエーションも、そうした大陸との波状的な文化交流のかすかな痕跡かもしれない。

注

1 たとえば、吉井巖「サヨヒメ誕生」、『天皇の系譜と神話・二』塙書房、一九七六年。
2 近藤直也「記紀・風土記・万葉集に見えるさよ姫伝説」、『松浦さよ姫伝説の基礎的研究【古代・中世・近世編】』岩田書院、二〇一〇年。
3 柳田國男「人柱と松浦佐用媛」、『妹の力（創元選書55）』創元社、一九四〇年。
4 鈴木弘道「浜松・とりかへばや所載「させまろ伝説」に関する考察」、『平安末期物語の研究―夜半の寝覚・浜松中納言物語・とりかへばや物語論攷』初音書房、一九六〇年。
5 柳井滋「源氏物語と霊験譚の交渉」、『源氏物語研究と資料―古代文学論叢』第一輯、武蔵野書院、一九六九年。
6 松村武雄「萬葉集伝説歌考」、『万葉集大成』第一巻、平凡社、一九五三年。
7 島内景二「源氏物語の全体像」、『源氏物語の話型学』ぺりかん社、一九八九年、菊地仁「東北地方の〝髪長姫〟と〝玉取姫〟」、『国学院雑誌』114-11、二〇一三年十一月。
8 笹本正治「他界から来た鐘」、『中世の音・近世の音―鐘の音の結ぶ世界』名著出版、一九九〇年。
9 原道生「『大職冠』論（二）」、『近松浄瑠璃の作劇法』八木書店、二〇一三年。
10 谷川健一「沈鐘伝説（ことばと民俗11）」、『言語』17-7、一九八八年七月。
11 ミミラクは、ミロク（松田修「みみらく―非在を求めて」、『日本逃亡幻譚―補陀落世界への旅』朝日新聞社、一九七八年）やゴクラク（石原昭平「道綱母の霊魂感覚―「みみらく」「さくなだに」をめぐる」、『平安日記文学の研究』勉誠社、一九九七年）などと関連するか。早く、松浦静山の『甲子夜話』三・三十にはフダラク説も見える。
12 金京欄「夫のために石となる女たち―望夫石説話を中心に」、『日・韓語り文芸における女性像と荷い手―「堤上」説話・「まつらさよ姫」から『沈清歌』まで』（早稲田大学学位論文）、https://waseda.repo.nii.ac.jp（https://hdl.handle.net/2065/5281）（二〇一八年八月二十五日閲覧）。
13 千野明日香「沖縄の「熊女房」譚と中国の類話」、『昔話―研究と資料』21（日中昔話の比較）、一九九三年七月。
※『肥前国風土記』は『日本古典文学大系』、『万葉集』『忠見集』『夫木和歌抄』『歌枕名寄』『難波捨草』は和歌ライブラリー、『和歌童蒙抄』『袖中抄』『袋草紙』は『日本歌学大系』、『浜松中納言物語』は『新編日本文学全集』、『宗像軍記』は『史籍集覧』、「大織冠」『西遊記』は『新日本古典文学大系』、『筑前国続風土記』は『益軒全集』、『笈埃随筆』は『日本随筆大成』による。

02 中台交流史からみる台湾の宗教文化

三山国王信仰を事例として

志賀市子

1 はじめに

一九四九年、国共内戦に敗退した国民党が台湾に政権を移して以来、台湾海峡を挟んだ中国大陸と台湾との政治的、経済的、文化的関係を意味する「両岸関係」は、絶え間ない政治的、軍事的な対立と緊張の荒波にさらされてきた。そのためか、台湾では戒厳令解除後の二十年余の間に、中国との文化的、歴史的関係さえも否定にとらえ、「台湾人は中国人ではない」とか、「台湾文化は中国文化とは違う」といった、少々極端とも言える主張が、声高に叫ばれるようになってきている。

だが、現代台湾人が「伝統文化」と呼ぶ諸要素のほとんどは――もちろん先住民に由来するものもあるが――大陸の中国文化に由来しており、その多くが、明代以来中国から台湾に渡ってきた漢人の移民によって持ち込まれたものであることは、歴史的にみても明らかである。東アジアの海上交易が活発化した中世期から現代に至るまでの長い中台交流――むろんその間には明清時代の海禁や日本軍による海上封鎖、戒厳令下における台湾から中国への渡航禁止の時代があったとはいえ――を無視して、台湾人や台湾文化を語ることはほとんど不可能と言ってよい。

台湾海峡を越えて台湾に移住した人々は、大陸の故郷のさまざまな文化を台湾にたずさえてやってきたが、とりわけ欠かすことのできなかったものが、台湾の人々が一般に「神明」と呼ぶ神々への信仰であった。斯波《しば》義信は、台南府の都市化と民間公共組織に関する論文のなかで、十七世紀後半に鄭成功《ていせいこう》とともに台南《たいなん》府城に移り住んだ福建《ふっけん》や広東《かんとん》からの移民集団は、「まだ治安が定かではないこの都市に定住するにあたって、それぞれの郷里で信奉していた本廟の香炉の灰を分けて持参し（分香）、この地で支廟を設けてはそのまわりに集住した。彼らにとって最も身近で確かな『権威』はこうした支廟に他ならなかった」と述べている。*1

その後、十八世紀初頭に大陸から台湾への移住が本格化すると、主として、福建省南部（閩南《びんなん》）の泉州《せんしゅう》と漳州《しょうしゅう》、広東省東部（粤東《えつとう》）の潮州《ちょうしゅう》および嘉応州《かおうしゅう》から、多くの漢人が台湾各地に入植した。台南府城への移民と同様、移住民はそれぞれの故郷からたずさえてきた彼らの守護神を祀った廟を建立し、「神明会」と呼ばれる廟の活動を支えるボランタリーな信仰組織を結成した。台湾人が篤く信仰する神々の多くは、台湾人のナショナル・アイデンティティーの象徴ともいえる「媽祖《まそ》」（天后）であれ、福佬《ふくろう》系（閩南《びんなん》語系）の漳州人の信仰である「開漳《かいしょう》聖王」や泉州人の「保生《ほせい》大帝」であれ、客家系の守護神と言われる「三山国王《さんざんこくおう》」であれ、いずれも大陸からの移住民とともに台湾に伝播し、根付いたものである。

本章では、台湾の宗教文化を中台の歴史的な文化交流の産物としてみていくとともに、現在進行中の草の根レベルの中台交流が現代台湾社会を生きる人々のエスニック・アイデンティティーや宗教文化資源の意味や価値をどのように変化させているのかという問題についても考えてみたい。本章でとりあげる三山国王信仰は、この問題を考えるうえで大変興味深い事例である。

2　三山国王信仰とは

三山国王とは、広東省東部掲揚《けいよう》市掲西《けいせい》県河婆《かば》鎮の三つの山、「巾山《きんざん》」「明山《めいざん》」「独山《どくざん》」を山神として祀る地方信仰である。三山国王に関する最も古い記録とされる元の劉希孟《りゅうきもう》撰『潮州《ちょうしゅう》路《ろ》明貺《めいきょう》三山国王《さんざんこくおう》廟《びょう》記《き》』（一三三二年）によれば、隋代のある年の二月二十五日、三人の神が巾山の石穴から出てきて、われらは兄弟であると名乗り、「命を天に受け、それぞれ三山を鎮守することになった」と言った。三山神が降臨した日、傍の楓《かえで》の老木には色鮮やかな蓮花が咲き誇った。陳という名の村人が、馬に乗った三人の将軍がやってくるのを目撃したが、まもなくこの村人も神人もどこかに消え去ってしまった。一連の神異の後、人々は巾山の麓に祠を建てた。それからというもの、水害や干ばつ、疫病の流行などが起きるたびに、村人は三山神に無事を祈願するようになった。[*2]

唐の元和十四年（八一九）、唐代の代表的な詩人である韓愈《かんゆ》が潮州刺史《しし》に左遷されたとき、三山神は人々の願いに答えて連日の大雨を鎮め、快晴をもたらした。韓愈はその恩に報いるため、豚や羊を一頭供える「少牢《しょうろう》」の礼をもって、三山神を祭祀するよう人々に命じた。宋代には、宋軍の南海平定や北伐に霊験を顕したため、皇帝は明山を「清化威《せいかい》徳報国王《とくほうこくおう》」、巾山を「助政明粛寧国王《じょせいめいしゅくねいこくおう》」、独山を「恵感弘応豊国王《けいかんこうおうほうこくおう》」に封じ、「明貺《めいきょう》」と題する廟額を与えた。三山国王の信仰は、こうした護国庇民の功績によって歴代の王朝の手厚い祭祀を受けるところとなり、劉希孟が廟記を撰した元の至順年間にはすでに、「潮（州）の三邑、梅（州）と恵（州）の二州、ここかしこに祠有り」というほどの活況となった。[*3]

伝説によれば三山国王信仰は、もとは山や石などの自然物に対する崇拝や畏敬から始まったと考えられるが、劉希孟の記述にもあるように、早くから人格神化していた。各地の三山国王廟に祀られる神像は、おおむね巾山、明山、独山とも官袍官帽を着け、両手に笏を持った武将の姿をしており、それぞれ大王（または大王爺《だいおうや》）、二王（爺）、三王（爺）と呼ばれている。だが、三山国王の形象や職業には多くの異なる伝説があり、各地の塑像にも違いがある。掲西河婆の祖廟[*4]の場合は、左側に白い顔で長い髭の大王爺（職業は教師）、右側に紅い顔で長い髭の二王爺（屠殺《とさつ》人）、中央が黒い顔で両頬に金色の模様が入った三王爺（炭焼き）が並んで安置されている【図1】。

客家人の代表的な僑郷である梅州《ばいしゅう》の近郊、泮坑にある三山国王廟は、現地では「泮坑公王廟《はんこうこうおう》」と呼ばれ、三体の神像は猛虎の上に乗った武将の姿をしている。「泮坑公王保外郷」とのいわれのとおり、外地に移民した梅州人の守護神

図1　霖田祖廟の三山国王像（撮影：筆者）

とされ、香港や台湾、また東南アジアの梅州出身の華僑に篤く信仰されてきた。潮汕《ちょうさん》地域の隣の汕尾《さんび》市（海豊《かいほう》県、陸豊《りくほう》市、陸河《りくが》県から成る地域）でも、三山国王は媽祖や玄天上帝などと同様に、村人にとって身近な信仰対象である。汕尾市の三山国王廟は、村全体で祭祀を行う村の公廟的な位置づけにあるものもあれば、「宗族」の一つのリネージ（房）が祀るだけの比較的小規模な廟もある。また国王一体のみを祀る国王廟も多く見かける。汕尾市は、一部の山村地域に客家《はっか》語を話す人々が居住するが、ほとんどの地域は福佬語（潮州語と同じ閩南語に属する方言）を話す福佬人が多数を占める。

中国における三山国王廟の分布状況については、正確な情報とはいえないが、中国語版ウィキペディアに、粤東（広東省東部）に二百か所以上、そのうち汕頭《さんとう》市に六十五か所、掲揚市に六十か所、潮州市に二十五か所、梅州市に四十五か所、汕尾市に百九か所分布しているとある。*5

では、三山国王信仰が台湾に伝播した清代の状況はどうだったのだろうか。台湾の客家研究者邱彦《きゅうげん》貴《き》によれば、清代の地方志に記載された三山国王廟は、①潮州府属の九県（海陽県、潮陽県、普寧《ふねい》県、掲揚県、澄海《ちょうかい》県、恵来《けいらい》県、饒平《じょうへい》県、大《だい》埔《ほ》県、豊順《ほうじゅん》県）、②嘉応州（民国時期の梅県）および興寧《こうねい》県、③恵州《けいしゅう》府所属の陸豊県、の三地域に分布していた。①の潮州府属の九県のうち、客家地域の大埔県、豊順県を除いた七県は純福佬地域か、客家と福佬が混在している地域である。②の嘉応州と興寧県は純客家地域、③の陸豊県は福佬人が多数を占める地域である。*6 つまり、三山国王信仰は客家地域にのみ見られる信仰というわけではなく、むしろ福佬地域や両者が混在する地域に多く分布していることがわかる。

3　台湾への伝播と土着化

三山国王信仰が台湾に最初に伝播したのはいつ頃かについては諸説あるが、中国から台湾への移民が本格化した清代康熙年間以降と考えられている。卓克華が整理した統計によれば、二〇〇四年の段階で三山国王廟は台湾全国に百六十二か所あり、最も多いのが宜蘭《ぎらん》県（四十）、その次が屏東《へいとう》県（二十四）、三番目が彰化《しょうか》県（二十二）、四番目が新竹《しんちく》県（十三）で、いずれも客家人口が比較的多いとされる県である。[*7] だが、三山国王廟がある地域が必ず客家集住地域かといえば、そうともいえない。ある地域に三山国王廟があっても、その地域住民はすべて福佬系であったり、客家集住地域であるにもかかわらず、三山国王信仰がまったく見られないというところもあるからだ。

それでも台湾では、三山国王信仰を客家の守護神と呼び、三山国王廟のあるところに必ず客家ありと見なす考え方が根強い。実際にそこには福佬人しか住んでいなかったとしても、いや、彼らはもともと客家だったのだと解釈される。こうした人々は「福佬客」と呼ばれている。「福佬客」とは福佬化した客家を指し、客家的な文化要素が下地にあるという意味で「客底」とも呼ばれる。台湾の著名な歴史民俗学者林衡道《りんこうどう》が一九六三年に発表した論文で、台湾中部彰化県の村を「福佬客」村落と呼んだことから、このような呼び方が広く知られるようになった。[*8]

林衡道によれば、彰化県の員林《いんりん》鎮、埔心《ほしん》郷、永靖《えいせい》郷、渓湖鎮には三山国王の廟があり、これはこの地域に住み着いた粤東からの客家籍移民と深い関係があるという。人口五千人の員林鎮大饒《だいじょう》里《り》の住民はほとんどが張姓で、祖先は清代に饒平県からやってきてこの地に入植した。二十世紀初頭までは客家語を話す老人がいたが、周囲の福佬村落の影響を受けて、言語も文化もほとんど福佬化してしまった。林衡道は、しかしながら員林鎮に清の乾隆年間創建と伝えられる広寧宮《こうねいきゅう》という三山国王廟があることは、彼らがもともと粤東出身の客家であったことの証拠である、と主張している。[*9]

だが、彰化客家に関する最近の調査研究によれば、彰化の福佬客の多くが原郷とする饒平は、客家と潮汕《ちょうさん》語（閩南語系）の両方が話されている地域であり、そこからの移民も、饒平を出たときから潮汕語と客家語の両方に通じていたか、あるいは潮汕語を話す福佬人であった可能性が指摘されている。[*10] そのことを裏付ける一つの証拠として、彰化の福佬客の老人が話す方言「永靖腔《えいせいこう》」の言語学的調査がある。この調査を行った陳嬿庄《ちんえんしょう》によれば、永靖腔に見られるいくつかの語彙の特殊な発音は潮汕語の影響を受けたものであり、彼らの祖先は清代に来台した時点ですでに、潮汕語を話していた可能性があるという。*11

三山国王信仰を客家特有の信仰と見なし、台湾の三山国王廟はすべて粤東地域から移民した客家（福佬化した客家を含む）によって建立されたとする考え方は、学術界においてはすでに疑問視されるようになっている。一九九〇年代初頭から中国広東省や福建省で現地調査を行い、早くからこの問題を提起してきた邱彦貴は、台湾の三山国王には少なくとも以下の四つの類型があると論じている。*12

一つめの類型は、「会館型」である。中国文化における「会館」とは、外地で暮らす同郷人の相互扶助組織であると同時に、商人の便宜を図る商会的な役割を果たすボランタリーアソシエーションの一種であり、出身地域の守護神的な神々が祀られることが多い。三山国王は福佬系、客家系を問わず、潮州府出身者にとっての守護神と見なされてきたため、潮州会館に三山国王が祀られたのである。この会館型の三山国王廟は、現在も台湾府城があった台南や県城が置かれた諸羅《しょら》県（現在の嘉義《かぎ》）、彰化県などの都市部に残っている。

たとえば台湾でも最も古い三山国王廟の一つとされる台南市の三山国王廟は、雍正七年（一七二九）、当時の台湾県知県で大埔籍の楊允璽《よういんじ》と台湾鎮左営《さえい》遊撃で海陽（民国以降潮安《ちょうあん》県）籍の林夢熊《りんむゆう》の提唱により、粤東出身の商人が中心となって創建された。正殿には主神の三山国王三体とその夫人が祀られ、左側には天后祠、右側には潮州人が尊崇する韓文公祠がある。廟は、創建以来ずっと台南の潮州府出身の商人によって運営され、戦後は潮汕同郷会の管理下に置かれ、現在に至っている【図2】。

二つめの類型は「客底型」である。客家が入植した場所で、かつては客家語が話されていたが、福佬化が進んで、客家文化の痕跡はほとんど残っていないというケースで、前述した彰化県の福佬客が最も典型的である。もう一つは、最初に客家が入植したが、械闘《かいとう》や移住の結果、客家はもはやいなくなってしまい、三山国王廟だけが残っているというケースである。こうしたケースは、西台湾平原の海岸付近に比較的多く見られるという。

三つめは漢族が「番族《ばんぞく》」と呼んだ先住民との争いの中で築かれた「防番型《ぼうばん》」である。先住民の多い山地付近に入植した漢族は、先住民の襲撃を恐れて、「嚇番《かくばん》」「退《たい》番《ばん》」（先住民を脅す、退かせる）の力を持つとされた三山国王を祀った。この類型は、台中県東勢《とうせい》、苗栗《びょうりつ》、新竹県、宜蘭県などに見られる。宜蘭県のある蘭陽《らんよう》平原は、三山国王廟の数も四十以上と非常に多い。最初に三山国王廟を迎祀したのは、詔安籍《しょうあん》の客家や広東籍の客家であった可能性が高いが、漢人が入植する過程で、先住民のタイヤル族と頻繁に接触するようになったため、先住民を倒す効力があると信じられた三山国王を祀った結果と考えられる。

図２　台南市の三山国王廟（撮影：筆者）

さらに、確定的な事例はまだないが、四つめの類型も考えられるという。それは、これまでほとんど顧みられることのなかったエスニック・カテゴリーである「潮州福佬型」、すなわち潮州府出身の潮州語話者の移民が建立した三山国王廟である。邱彦貴は可能性の高い事例として、嘉義県新港《しんこう》郷西勢潭《さいせいたん》三庄の三山国王廟を挙げている。三庄の一地区中庄の「五房陳《ごぼうちん》」と呼ばれる宗族の祖先陳振豊《ちんしんほう》は、雍正九年（一七三一）に広東省普寧県洪陽《こうよう》近郊の林恵山《りんけいざん》郷から台湾に渡り、中庄に入植した。原籍の林恵山郷は純潮州人村落であり、おそらく陳振豊とその子孫は潮州福佬であったと考えられる。

二〇一四年の春、筆者はこの五房陳宗族の祠堂を見学する機会を得た。「来台祖《らいたいそ》」である陳振豊とその夫人の位牌は、一番上位中央の林恵山郷の「開基祖」の位牌の左側に安置されていた。陳振豊の夫人の名前は倹良黄氏《けんりょうこうし》とあり、村人の話によれば、先住民の平埔《へいほ》族の女性だろうという。清代中期に中国から台湾に渡った移民の多くは単身男性であり、現地の先住民の女性と結婚して定住したのである。

この三庄からあまり遠くない雲林《うんりん》県大埤《だいひ》の通称「太和街《たいわ》」にも三山国王廟がある。この三山国王廟がいつ、どこから来た人々によって建立されたのか、はっきりしたことはわかっていない。ただ、村人たちの記憶によれば、かつてこの付近には古い港があり、三山国王廟の隣には潮汕会館が置かれ、汕頭から海を渡ってやってきた商人が滞在していたという。

このほか、台湾南部の高雄、屛東地域にも潮州福佬によって建立されたと考えられる三山国王廟がある。近年台湾では、各地の移民史の掘り起こしが進んだこと、また中国本土との学術的な交流が盛んになり、移民の出身地である粵東地域のエスニック関係についての理解が深まったことから、これまで単純に客家、または福佬客の信仰文化と見なされていた三山国王廟のエスニックな属性をめぐって、多くの新しい知見が明らかにされつつある。

4　消えた族群？——台湾の族群分類と潮州福佬

台湾の公式的なエスニック構成は、本省人である「閩南人」「客家人」、さらに「外省人」「原住民」の「四大族群」から成るとされる。「閩南人」は台湾人口の七〇パーセントを占め、「客家人」はわずか十数パーセントである。しかしながらここには、「潮州福佬」、すなわち潮州地域出身の閩南語系の潮州語を話す「潮州人」というカテゴリーは存在しない。

台湾において三山国王信仰が客家特有の信仰と見なされてきた背景には、こうした台湾独特のエスニック・カテゴリーの形成過程が密接にかかわっている。またこの問題は、「潮州福佬」——中国本土や東南アジアでは「潮州人」、または「潮汕人」と呼ばれる——というエスニック・カテゴリーが台湾で顕在化しなかったこととも関連がある。

かつての台湾移住史研究では、清代の文献に現れる「粵人《えつじん》」「閩人《びんじん》」「客人《きゃくじん》」「客民《きゃくみん》」「粵荘《えつしょう》」「客荘《きゃくしょう》」といった言葉を厳密に吟味することなく、安易にエスニック・グループとしての広東人や客家人、閩南人と解釈することがしばしばあった。だが、近年の多くの研究によって指摘されているとおり、清代台湾の官憲側史料における「粵人」／「閩人」は、省籍に基づいた住民分類、すなわち広東省籍／福建省籍を意味し、エスニックな意味での客家人／閩南人という意味ではない。さらに重要な点は、粤（広東省）人と閩（福建省）人には、いずれも客家語話者と閩南語話者の両方が含まれていたという点である。

林淑美《りんしゆくび》は、清代の台湾移住民社会に関する歴史文献を丹念に読み込み、民間の史料に出てくる「客民」や「客荘」とは、閩南語集団から見た「他者」、すなわち「我々」とは異なる言語、生活習慣を持つ粤籍の客家語集団を意味していたという。さらに閩南人のいう「我々」集団の中には、粤籍の閩南語（福佬語）系の言葉を話す人々が含まれており、清代台湾の在地社会に形成されたエスニック・バウンダリーは、省籍の違いではなく、言語や習慣を基準としていた[13]と指摘している。

粤籍の閩南語（福佬語）話者が、移民集団間の政治的、軍事的な対立構造のなかで、どのような生存戦略をとったのかについては、陳麗華《ちんれいか》の研究でも言及されている。陳麗華は、「粤東の潮州福佬はいったいどこに消えてしまったのか」という問いを掲げ、潮州府からの移民が多かった台湾南部の屏東地域を事例として、史料と人類学的なフィールドワークの両面から検討している。屏東地域における広東省潮州府、恵州府を祖籍とする福佬語話者の移民は、通常は言語的に近い閩南移民集団と連盟を結び、言語の異なる客家人と対立したが、一部は、「粤人」（広東省籍）という共通のアイデンティティーを以て、台湾南部で強大な勢力を持った「六堆《りくたい》」と呼ばれる粤籍客家の民間武装組織の保護下に入っていった。この地域の一部の三山国王廟には、三山国王が客家の娘を嫁に娶るという伝説が語り伝えられており、これは、粤籍福佬語集団が治安上の理由から粤籍客家語集団に接近し、やがて客家語集団に吸収されていったことを示唆するものではないかと指摘している[14]**【図3・4】**。

台湾北部新竹地区をフィールドとする広域的な研究プロジェクトでも、興味深い研究結果がある。歴史地理学者の韋煙灶《いえんそう》は、当該地区の客家系、福佬系宗族の祖籍地の歴史方言地図を作製し、これに現時点での宗族の空間分布と彼らの言語やエスニック・アイデンティティーに関する現地調査を組み合わせて分析している。その結果、当該地区の

図3　屏東市の九如三山国王廟

図4　高雄市の九甲圍義山宮の三山国王像

粵東閩南語系移民の子孫は、客家語を優勢とする言語環境の下で、長年の間に客家語化し、エスニック・アイデンティティーにおいても客家と自認し、客家コミュニティに溶け込んでいったことが明らかになった[*15]。

さらに重要なことは、台湾では、日本の植民地時代に新たに導入された戸籍登記制度が、台湾本省人のエスニシティに大きな影響を及ぼしたという点である。近代西洋の人種観念に影響を受けた新しい戸籍制度では、戸籍謄本に「種族欄」が設けられており、種族欄に「福」と記入すれば「福建種族」、「広」と記入すれば「広東種族」を指し、前者は福建語（閩南語、福佬語）話者、後者は客家語話者を意味していた。広東省潮州府出身で閩南語系の潮州語を話す人々もどちらかに分類されることになり、多くの「潮州福佬」は福建種族という身分に帰属させられた。こうした国家による族群分類のなかで、潮州福佬の広東省潮州府出身という属性はいつしか埋もれ、見えなくなってしまったのである[*16]。

5　おわりに――中台の新たな交流がもたらすもの

一九八九年の戒厳令解除後、中国大陸への親族訪問が解禁され、香港経由による台湾から中国への渡航が自由化されると、観光やビジネスの目的で大陸へ渡る台湾人は急速に増加した。二〇〇八年には中台間の定期直行便が就航し、中国大陸からの台湾への観光や投資も解禁されるなど、台湾と中国の交流は一層緊密化の度合いを増している。こうした両岸関係の変化に伴い、媽祖などの民間信仰を介した中台の地方レベルの交流も年々盛んになっている。もちろん三山国王信仰も例外ではなく、台湾から掲西河婆の霖田《りんでん》祖廟を訪れた進香団《しんこうだん》の数は、一九八九年から九二年の段階で五十六団体に上った。中国大陸の三山国王廟から台湾の三山国王廟への訪問団の派遣も、一九九四年頃から始まっており、現在では毎年の恒例行事となっているところもある。[*17]

近年は、中台双方の宗族や廟組織の交流から、族譜《ぞくふ》の編纂や祠堂《しどう》、廟の再建へと発展するケースも出てきた。そうした活動から、祖先の出身地の言語や文化についての認識が深まり、自己のエスニック・アイデンティティーに変化が生じることがある。横田浩一は、屏東県佳佐《かさ》地区の陳氏一族が近年編纂した族譜をとりあげ、自分たちは客家ではなく、潮州出身の福佬人であると主張している点に注目している。族譜編纂事業のキーパーソンとなった人物は、一九九八年から上海の台湾系企業に勤めており、二〇〇七年に祖先の出身地である饒平県の移民母村を訪ねたことがきっかけとなって、陳氏一族の譜編纂事業が本格化した。族譜は、佳佐地区の三山国王廟の属性にも言及し、彼らが三山国王を祀ったのは客家だからではなく、山地の疫病や原住民の攻撃から身を守る守護神だからだと主張している。横田によれば、この地域では福佬系住民と客家系住民の間の緊張・対立関係が現在まで続いており、長年蓄積されてきた社会的経験に加えて、近年新たに大陸の移民母村との関係が構築されたことがきっかけとなって、「我々は潮州福佬である」というアイデンティティーの覚醒化につながったとみる。[*18]

今後、民間信仰を通じた大陸との交流がさらに活発化していけば、屏東地域の陳氏一族に限らず、これまで客家や福佬客と見なされてきた人々が、自らのエスニック・アイデンティティーや、彼らが継承してきた宗教文化資源の意味や価値を問い直す動きはもっと出てくるだろう。今後の中台関係の変化は、政治や経済の領域だけでなく、エスニックなアイデンティティーやそのよりどころとなりやすい宗教文化の領域からも、注視していく必要がある。

注

1　斯波義信「清代台南府城の「会」、「境」と「郊」：旧中国都市における民間の公共組織」、『国際基督教大学学報』三－A、アジア文化研究別冊（一一）、二〇〇二年、四三頁。
2 邱彦貴「三山国王信仰：一個台湾研究者的当下体認」、『客家研究輯刊』第二期、二〇〇八年、三七〜三八頁。
3 同右。
4 河婆鎮は清代には掲揚県霖田都に属していたため、三山祖廟は「霖田祖廟」とも呼ばれている。
5 「三山国王」、https://zh.wikipedia.org/wiki/%E4%B8%89%E5%B1%B1%E5%9C%8B%E7%8E%8B（二〇一八年九月二十一日閲覧）。
6 邱彦貴「三山国王是台湾客属的特有信仰？：粤東移民原居地文献考察検討」、『中央研究院台湾史田野研究通訊』第二十三期、一九九二年、六八頁。
7 卓克華『寺廟與台湾開発史』台北：揚智文化、二〇〇六年、九三〜九四頁。
8 杜立偉「台湾三山国王信仰研究述評」、『台湾文献』第五十九巻第三期、二〇〇八年、一三四頁。
9 林衡道「員林附近的「福佬客」村落」、『台湾文献』第十四巻第一期、一九六三年、一五三〜一五六頁。
10 邱彦貴「第二章第二節：福佬客的属性與界定」、彰化県文化局編『彰化県客家族群調査』彰化市：彰県文化局、二〇〇五年、二二三〜二二四頁。
11 陳嬿庄「第四章：彰化県的福佬客的語言與變遷」、『彰化県客家族群調査』、二五五頁。
12 四つの類型については、邱彦貴「三山国王信仰：一個台湾研究者的当下体認」、四七〜五四頁を参照した。
13 林淑美「清代台湾移住民社会の「客」と「土着」」、『史学』74（1・2）、二〇〇五年、一〇八〜一一〇、一二〇〜一二三頁。
14 陳麗華「「消失」的族群？：南台湾屏東地区広東福佬人的身分與認同」、『台湾史研究』第二十巻第一期、二〇一三年、一七二〜一七九、一八三〜一九〇頁。
15 韋煙灶「新竹地區閩、客族群祖籍分布之空間分析」、『語言、地理、歴史跨領域研究工作坊』発表論文、二〇一二年六月三十日、台湾師範大学。
16 陳麗華「「消失」的族群？：南台湾屏東地区広東福佬人的身分與認同」、一九〇〜一九一頁。
17 貝聞喜『潮汕三山国王崇拝』台山：広東人民出版社、二〇〇七年、六三〜七一頁。
18 横田浩一「台湾南部の潮州系移民をめぐるエスニック関係—陳氏一族の社会的経験」、志賀市子編『潮州人：華人移民のエスニシティと文化をめぐる歴史人類学』東京：風響社、二〇一八年、一三四〜一四四頁。

03 台湾の鄭成功伝承

小俣喜久雄

1 鄭成功概要

鄭成功《ていせいこう》（一六二四〜一六六二年）は、台湾、中国で民族的英雄として、また、日本では江戸時代の浄瑠璃作者近松門《ちかまつもん》左衛門《ざえもん》（一六五三〜一七二五年）作『国性爺合戦《こくせんやかっせん》』（正徳五年［一七一五］・大坂・竹本座初演）の主人公和藤内《わとうない》のモデルとしてもっぱら知られている人物である。

鄭成功画像（国立台湾博物館蔵）

父は明《みん》の鄭芝龍《ていしりゅう》（一六〇四〜一六六一年）、母は田川七左衛門《たがわしちざえもん》の娘、マツであり、一六二四年、日本の平戸で生まれた。一六六二年五月八日、三十九歳にて急死した。反清復明を掲げ、清に抵抗を続けた中国明代の軍人であり、政治家である。幼名は福松《ふくまつ》、中国名は森《しん》、字は明儼《めいげん》、号は大木、諡《おくりな》は忠節《ちゅうせつ》である。また鄭森《ていしん》は父の鄭芝龍より南明政権第二代皇帝隆武帝《りゅうぶてい》（在位期間一六四五〜一六四六年）への謁見の機会を与えられた際、隆武帝から信頼を得、国姓の「朱」を賜ったが国姓に恐縮し、それを使用せず

台湾全土地図

鄭成功を名乗るにいたった。そしてこれ以降、鄭成功は国姓爺と呼ばれるようになったのである。

しかし隆武帝は北伐に失敗し、命を落とし、父、鄭芝龍は清に投降、成功は父と袂を分かち永暦帝《えいれきてい》（在位期間一六四六～一六六二年）を奉じ反清復明を目指したが、南京で大敗、当時台湾を占拠していたオランダ人を駆逐し拠点を台湾に移した。

このように歴史上、清には北伐（南京攻略）などで大敗北を喫しながらも、台湾をオランダ人の手から漢人の手に取り戻した鄭成功は、台湾奪還のわずか十四カ月後没する。

2 開台聖王主神廟

没後、時を経ず、台南で延平王廟《えんぺいおうびょう》（後の鄭成功祖廟）、開山王廟（後の延平郡王祠《えんぺいぐんおうし》）が建立され、鄭成功が主神として祀られたのを嚆矢《こうし》とし、その後も明、清、日本統治時代を経て、現在まで鄭成功を祭神とする廟は台湾を中心とし（台湾以外でも中国、日本でわずかながら鄭成功を主神とする廟がある）数多く建立され、人間鄭成功は、開台聖王神と呼称され神格化された。

私は渡台から二年後の二〇〇二年より二〇二〇年まで台湾全土にある主神廟を実地調査した。その総数は「地域別一覧表」に示したように百三十五座であった。配神として祀られる廟は少なくとも三百座とみられており、さらに、台湾各地では多くの鄭成功に関する伝説も生まれている。

地域別一覧表

台湾開台聖王主神廟総数（2020年4月現在）県市別　数量（座）・合計135座				
基隆市　1	台北市　4	新北市　9	桃園市　2	新竹県　1
新竹市　0	苗栗県　3	台中市　19	南投県　5	彰化県　6
雲林県　13	嘉義県　8	嘉義市　1	台南市　13	高雄市　1
屏東県　8	宜蘭県　29	花蓮県　11	台東県　0	金門県　1
澎湖県　0	連江県　0			

（1）明清時期の文献に見られる開台聖王主神廟

清朝期の文献に見られる鄭成功廟関連の記事を引用する。

1 高拱乾《こうきようかん》『台湾府志』・康熙三十四年（一六九五）「開山王廟，在附郭縣東安坊。」

2 陳文達《ちんぶんたつ》『台湾県志』・康熙五十九年（一七二〇）「開山王廟，偽時建。」

3 謝金鑾《しやきんらん》『続修台湾県志』・嘉慶十二年（一八〇七）「開山王廟，在東安坊。舊圮，乾隆年間邑人何燦鳩建。」

記事にある開山王廟とは現在の台南にある延平郡王祠のことである。1から清朝初葉の康熙三十四年（一六九五）以前にはすでに東安坊《とうあんぼう》（台南）に開山王廟が建立されていたことがわかり、2の「偽時」とは明鄭《みんてい》時期を指し、その建立時期が明鄭時期（一六六一～一六八三年［鄭成功は一六六二年六月二十三日没のため、これ以降］）にさかのぼる可能性もある。さらに3の資料から乾隆年間（一七三六～一七九五年）には、老朽化から再建された部分があることがうかがい知られる。また『雲林県采訪冊《うんりんけんさいほうさつ》』（光緒二十年［一八九四］頃成立カ）には沙東宮《さとうきゆう》（南投《なんとう》県竹山《ちくざん》鎮《ちん》）に関して、雲林県の東方二十八里に位置する東埔蚋街《とうほぜいがい》にあり、咸豊六年（一八五六）十一月創建、光緒十三年（一八八七）重修、広大な敷地であったことなどがわかる。東埔蚋街は現在の南投県竹山鎮である。

管見では明清期、以上の文献記事が確認できる。

（2）台湾開台聖王主神廟総数

台湾全土には「地域別一覧表」に示したように百三十五座の開台聖王主神廟がある。本項では紙幅の関係からそのうち最初期に創建され、開台聖王廟として最も人口に膾炙《かいしゃ》する台南延平郡王祠と、清朝期に創建され、ともに特異な伝承、伝説を持ち、今日まで台湾全土に影響力がある南投竹山沙東宮について詳述し、最後部においてそのほか台湾各地にみられる伝説、伝承について述べる。

（3）台南延平郡王祠（開山王廟）／台南市東区開山路一一五号

台南市にある延平郡王祠は最も人口に膾炙した鄭成功を祀る廟である。前項ですでに触れたように、清朝期の三文献に「開山王廟」の名称で紹介されている。創建はそれら資料から鄭成功没後の清初葉であると考えられる。つぎに現在の廟案内を引用し、明清期にかかわる部分の延平郡王祠の概要を示そう。

延平郡王祠明朝の永暦十六年（一六六二）、鄭成功が逝去した後、台湾の人民は、鄭成功がオランダ人を追い払って再び台湾を漢民族の土地にし、このさいはての地を開拓し、孤立した状況の下であくまで明朝に忠誠を誓った鄭成功の功績及び精神に敬服の意を表わすため、特にこの地に廟を建て鄭成功を祀り、この廟を〔開山王廟〕と名づけた。清朝時代の名臣沈葆楨《しんほてい》は朝廷に奏請して祠を建てた。この祠は光緒元年（一八七五）に竣工したのであるが、福州式の建築であった。（後略）

延平郡王祠（開山王廟）で重要なのは、近隣にある鄭成功祖廟が鄭家の廟であったのに対し、民間の多くの人々により建立された点である。ここから

1、鄭成功没後、それほど時を経ずして廟が創建されていたことから、鄭成功が民間からも英雄として捉えられていた点。

2、清朝の役人であり名将であった沈葆楨自らが清、康熙帝《こうきてい》（在位期間一六六一～一七二二年）に鄭成功が明朝の遺臣であり、祠の建設を希望し許可を得ている点から、清朝も政治的な策略はあるとはいえ、鄭成功をたたえているという点。

なお延平郡王祠は、日本統治後、政策的な理由から台湾初の神社である開山神社となり、民国三十四年（一九四五）の第二次世界大戦日本敗北後、延平郡王祠と再度名を変え、今日に至っている。

（4）南投竹山沙東宮／南投県竹山鎮延平里集山路二段一一〇一号

南投県竹山鎮にある沙東宮も歴史のある鄭成功廟である。前掲の『雲林県采訪冊』（光緒二十年［一八九四］頃成立カ）から、すでに本廟が咸豊六年（一八五六）十一月創建であることなどを述べた。さらに本廟に関しては日本統治時代の資料も現存する。加えて現在の沙東宮廟誌などを交え、以下にその特徴を検討しておこう。

『南投庁《なんとうちょう》寺廟《じびょう》調査書』（大正五年［一九一六］）内の関連記事には、

A 東埔蚋の伝説で劉神崁《りゅうしんかん》が数度の試験に失敗し、心痛から病となったこと。

B ある日、大樹の下にある小さな祠を発見し、祈願をしたところ試験に合格したこと。

C 神の加護への感謝から廟を創建したこと。

加えて廟誌『竹山《ちくざん》沙《さ》東宮《とうきゅう》沿革《えんかく》簡介《かんかい》』（二〇〇三年十月）の関連記事には以下の内容がある。

①明朝末、林圮《りんひ》（?～一六六八年）が駐屯兵により水沙連《すいされん》を開墾する命令を受けた時は、廟がある元来の場所には土地公廟があった。

②嘉慶七年（一八〇二）正月、土地公廟そばの大樹の下に光が差し込む部分を住民が発見し、その部分を掘ると国姓爺の香火袋《こうかたい》が掘り出された。

③人々は土地公廟の傍らに小さな石室を築き、鄭成功の神像を彫り、大樹の下、奉祀した。

④建廟に関する別の伝説・鄭成功の子孫は清朝による思明復明の意識の消滅を恐れ、密かに鄭成功の遺骸を唐山に持ち出そうとした。途中、東埔蚋にて濃霧で立ち往生、翌日には遺骸が背負えなくなった。そこで線香を灯し、国姓爺の霊に伺いを立てた。国姓爺はただ小指の骨だけこの地に残し置くことをもとめた。人々がその指

示に従うと滞りなく進めるようになった。その地の住民は金身を彫り、その中に小指を収め、奉祀した。

以上のように、沙東宮には二種類の創建伝説が伝えられている。両者は一見異なる伝説のようで共通点がある。それは両者とも鄭成功に関係する物（もの）〔神明信物〕が出現（香火袋）、あるいは残され（小指）、それを奉祀することになった点である。ここから両伝説の根源は同様であった可能性も想起できる。この香火袋、小指はとくに興味を引く点である。さらに伝説上、線香を灯し、国姓爺の霊に伺い立てをする点も特徴として看過できない。つぎにこの三点に注目し検討する。

A、香火袋・本廟では香火袋が出土し、それを奉祀するという伝説がある。

沙東宮ではなぜ出土した物が香火袋だったのであろうか。香火袋の一般的な内容物は、主神の押印がある護符や主炉の香灰などである。ここで考えられるのが客家人《はっかじん》である。南投県では、国姓郷が客家人が多く住む土地として知られている。現在の客家人比率はおよそ七五パーセントである。土地名が示すごとく、この地も国姓爺鄭成功と関係があり南投国姓護国宮《こくせいごこくきゅう》があるが、沙東宮がある竹山も客家人との関連が指摘できる土地である。

たとえば客家人による中寮《ちゅうりょう》、中路越嶺道《ちゅうろえつれいどう》（八通関古道《はっつうかんこどう》）の開拓は関連が深い。光緒元年（一八七五）、清朝によるこの地の開墾と原住民への教育政策および中路開発は客家人、呉光亮《ごこうりょう》（一八三四〜一八九八年）が担当した。呉光亮は現在の南投県竹山鎮を起点とし兵士を率い中央山脈を越え、花蓮《かれん》県玉里《ぎょくり》鎮《ちん》まで現在の八通関古道を開通させた。このような客家人のかかわりがすぐに沙東宮の創建縁起にかかわるかは未詳だが、一つの手がかりにはなりえよう。

ではなぜ客家人なのか。その答えが香火袋なのである。一般的に人が没した場合、台湾、日本でも位牌を作成する。位牌は中国、後漢の頃、死者の冠位を示すために始まった習慣である。日本における位牌は禅僧が中国より持ち込み、江戸時代に一般化した。香火袋はその位牌の簡易版であり、客家人の伝統的な習俗なのである。ここから沙東宮の創建縁起には客家人が絡んでいる可能性も考えられることを指摘しておきたい。

B、小指・前掲のように沙東宮に伝わる建廟縁起には、鄭成功の霊の意思からその土地に小指のみ残しおき、それが奉祀されたというものもあるが、ではなぜ小指なのであろうか。これについては以下のような理由が考えられる。

小指に関する伝説ですぐに思いつくのは、運命的な出会いをする男女は小指同士が目に見えない赤い糸で結ばれているというものである。この話の原拠は日本、中国でもとめられる。日本では『古事記』中巻に記される崇神《すじん》天皇「三輪山伝説」であり、中国では唐、李復言《りふくげん》著『続幽怪録《ぞくゆうかいろく》』に記される「赤縄を結ぶ」あるいは「赤縄の契り」という伝説である。

日本、中国の故事を比較すると中国の話のほうが赤い糸伝説の原拠に近いようであるが、ではなぜ足の縄が小指の糸に変わったのかは伝承過程での変化、また小指は本来「契り」をあらわすという見方もあるが、具体的な理由については未詳である。さらにその変化の詳細についても、はっきりした説明は管見には入っていない。

しかし、数多くの身体の部分で小指が選ばれたのは事実である。先に示したように、小指には「契り」をあらわす意味があるという。ここから小指は人と人を結びつける縁が宿る部分であるとも考えられる。

なお沙東宮のある南投県の西隣の雲林県と嘉義《かぎ》県には、五房股《ごぼうこ》（開台聖王神交替制奉祀）が現在でも行われており、今日までにすでに三百年以上の歴史を有するという。鄭成功病没当時、遺骨は中国大陸に運ばれた。その際、鄭成功配下の武官が彫像した鄭成功の神像の中に、ひとかけらの鄭成功の指の遺骨を入れた。この鄭氏の武官は五人の息子を異なる地域に居住させ、その五人の息子は交替で家中で神像を祀ったことが起源だという。鄭成功の指の信仰はこの地域一帯に広がっているものなのである。

沙東宮に話を戻せば、つまり鄭成功の遺体の内、小指が選ばれたのは、この地と深い縁を結びたい、契りを結びたい、あるいは元来、この地と鄭成功は深い縁があったということを、本廟の創建伝説は示しているのではないのだろうか。沙東宮を建立した東埔蚋は鄭成功と所縁がある土地であることを縁起は物語っているのである。

つぎに鄭成功の遺骸が背負えなくなり、その土地から動けなくなるという伝説について述べる。このような事例は日本や中国にもある。たとえば京都の天満宮には、道真の乗った牛が止まった地とする伝承がある。中国にも例は多く、四川省《しせん》の白馬族《はくばぞく》に、旅する神が止まった山を聖地として信仰しているというものがある。
このように鄭成功ではないが日本、中国で同様の例がある。結局は先の小指の例と同様に、沙東宮が創建された地が鄭成功の霊自らが選んだ鄭成功所縁の地である事、廟創建の正当性を謳うためのものだといえる。

C、国姓爺の霊への伺い立て

『竹山沙東宮沿革簡介』には、先の引用部に続けて清朝時代の以下の内容が記される。

①この地が開拓当初は未だ交通不便で瘴気に溢れていたこと。
②入山者は道中の平安を祈るため、沙東宮の香火袋を御守りとして求めたこと。
③神の御験には病気治療、雨乞い、害虫駆除、疫病退散などがあったこと。
④神輿が通ったところは害虫の危害から守られたこと。

という点である。つまり沙東宮で祀る鄭成功やその香火袋、神輿はきわめて霊験あらたかなもので、人々の生活上の困難に直接的な御利益があるものであった。

以上、沙東宮創建に関してみてきたが、先に触れた台南の延平郡王祠などが、台湾に多大な功績のあった英雄、鄭成功、人間鄭成功を祀る廟であるのに対して、沙東宮は「香火袋」の出土、鄭成功の霊の指示、「小指」を祀る、「香火袋」や「神輿」の御利益など、神鄭成功、つまり開台聖王神を強く印象づけるきわめて特徴的な廟である。またその御利益は道中の平安、害虫駆除など生活と密接に関係するものである。

3　台湾各地にみられる鄭成功伝説

(1)　湧水伝説

台中市大甲区《だいこう》鉄砧山《てつちんさん》の山頂部にある台中大甲鉄砧山国姓廟《こくせいびょう》(延平郡王廟)、近くには湧水伝説で知られる国姓井《こくせいい》(剣《けん》井《い》）がある。伝説によると、鄭成功が大軍を率い台南より北上し鉄砧山に着いた際、灼熱の太陽の下、兵士たちの飲料水に困窮し、また病による死者も数多く出た。そこで鄭成功は天へ祈りを捧げ、地に自らの剣を刺し通した。すると地面が裂け大量の甘美な水が湧き出たというもので、この水は現在でも涸《か》れることなく湧き続けている。

鄭成功の湧水伝説はほかの地域にも認められる。小金門《しょうきんもん》、アモイ（廈門）には以下の伝説がのこる。両地域とも鄭成功が来台前の軍事上、生活上の拠点であり、きわめて関係深い場所である。また両者とも海に面しており、飲料水の確保には問題のある土地であった。

小金門の「国姓井」は明朝末、鄭成功が中国大陸への進軍前に立ち寄り、井戸を掘った。その水は現在までの三百年間涸れることなく湧き、またその水は甘く清らかなものであるという。

一方、アモイは「剣泉《けんせん》」と呼ばれている。鄭成功はこの地に井戸を彫ることを命じた。しかしこの土地は石が多くなかなか掘削が進まない。弱音を吐く部下たちの前で鄭成功は宝剣を石に突き立てた。すると瞬く間に泉が湧き出した。それでこの地は「剣泉」と呼ばれるようになったというものである。

また宜蘭県の宜蘭冬山進興宮《とうざんしんこうきゅう》では井戸を掘る際、よき水源を得るために開台聖王神の神威が期待されており、これは大甲剣井の湧水伝説の影響と考えられる。

雲林県の雲林大埤《だいひ》成功廟のものは清朝後期、豊田村《ほうでんそん》に疫病が流行した際、行われた扶乩《ふけい》に国姓公が降臨、七星剣を一振り、大地は切り裂かれた。辰年生まれの人が選出され、井戸を掘らせると甘泉が湧出、それを飲用すると病は平癒したというもので、多くの人々が当地を訪れるようになった。しかし日本統治期に廟の管理者は日本当局の厳格な政治を恐れ、井戸は土で埋められ、その後どんなに掘り返しても湧水は得られなかったという。なおこの七星剣は二〇〇二年旧暦六月、扶乩により奇跡的に掘り出されている。

日本での湧水伝説は弘法水《こうぼうみず》伝説が有名であるが、鄭成功の剣井伝説と比較すると明確な相違がある。それは弘法水伝説が恩恵型と懲罰型に二分されるのに対して、管見での剣井伝説は恩恵型のみであることである。

鄭成功は軍を統率時、きわめて軍規やその法適用が厳格であったことで知られる。窃盗や姦通罪でも即座に死罪とした。それは軍糧をごまかした罪で歴戦の功将、承天《しょうてん》府尹《ふいん》の楊朝棟《ようちょうとう》（?～一六六一年）、知県《ちけん》の祝敬《しゅくけい》、斗給《ときゅう》の陳悟《ちんご》の三人が死刑となったことからもうかがえる。しかし、剣井伝説にはそのような厳格であった鄭成功の一面は反映されていない。

弘法水伝説は十世紀頃に生まれ、平安、鎌倉、室町期を通し形成されていった。一方、剣井伝説は仮に鄭成功存命時だとしても一六六二年前の数年であり、この時期は日本で言えばすでに江戸時代初期にあたり、台中大甲鉄砧山国姓廟（延平郡王廟）が創建された光緒十一年（一八八五）頃だとすれば、すでに明治時代である。つまり、弘法水伝説と剣井伝説の間には、大まかに見ても八百年から千年ほどの年代上の大きな開きがあるのである。

ここから剣井伝説の伝説としての若さ、熟成度の低さが見て取れる。また明治二十八年（一八九五）以降、日本統治下となり、また第二次世界大戦を経て国民党の統治となるというわずかな期間に激動の時代を経てきた台湾では、弘法伝説と異なり台湾内地で政治上の策略で開山神社が利用されるような事はあっても、民間の鄭成功伝説を利用するまでには至らなかったのではなかろうか。さらに民間でも伝説が熟成される期間は少なかったのかも知れない。また最も大きな理由は、弘法水伝説については、大子《おおいこ》伝説を広めた人たちが弘法大師の偉大さを全国に説いて歩いた結果、日本全国に広まる伝説となったと考えられており、弘法大師の教えを広める際には宗教的教訓として、懲罰型の伝説も構築する必要があったと考えられる。

軍人であり、政治家であった鄭成功は、弘法大師信仰を広めねばならない人々のような強固な伝承基盤もなく、また教訓話を創作するに及ばなかったのではなかろうか。

なお剣井のある鉄砧山には以下の二つの伝説もある。一つ目は鷹に関する伝説で清明節《せいめいせつ》の時、剣井上方にはたくさんの鷹が集まる。鄭成功とともに戦い戦死した兵士が鷹となり、鄭成功を懐かしみ宴を開くというものである。二つ目は田螺《たにし》に関するものである。鄭軍は鉄砧山付近で原住民に包囲され、兵糧も欠乏し、ただ田螺を食するのみであった。その廃棄された殻に新しい田螺が宿りまた食せるようになったところから、「無尾田螺」の名前を得たというものである。

（2）そのほかの伝説、伝承

以下、台湾各地にのこる伝説、伝承を台湾北部より列挙しておこう。

①台北市《たいほくし》、円山《えんざん》大飯店の後方に位置する剣潭山《けんたんさん》大忠宮《だいちゅうきゅう》（鄭成功廟）の麓にある剣潭の伝説とは鄭成功率いる軍隊が基隆《きりゅう》河に差し掛かった際、風雨が強まり魚の妖怪が出現、鄭成功が投じた宝剣により、妖怪は退治され、兵士らは安全に基隆河を渡ることができたというものである。月明かりのない夜は河底で宝剣が放つ光が見て取れるという。

②新北市《しんほくし》鶯歌《おうか》区「鶯歌石」の伝説は、鄭成功が台湾を奪還した時、この石が巨大な妖鳥になり、兵士を食い殺した。鄭成功はそれを大砲で撃ち落とし、鳥の形の石となったというものである。

この鶯歌区「鶯歌石」には、上記とはやや異なる別の伝説もある。鄭成功の軍隊が当所に駐屯した際、二羽の怪鳥に襲われた。鄭成功軍は大砲で攻撃し、一羽は鶯歌に落下「鶯歌石」となり、もう一羽は現在の新北市三峡《さんきょう》区西方山頂に落下し、「鳶山」となったというものである。

③東北部宜蘭県に属する離島、亀山島《きざんとう》にかかわる伝説とは、大亀の妖怪が煙霧を噴き出し、鄭成功軍の進路を迷わせた。鄭成功は大砲で攻撃し命中、亀の妖怪は海中に沈んだが、しばらくして浮かび上がり、亀山島となったというものである。

④台湾中部にある鄭成功ゆかりの廟。動物を主神とする水牛廟。

嘉義県の水虞厝《すいぐせき》にある水牛廟は鄭成功ゆかりの廟である。鄭成功に付随し大陸より台湾に渡った呉《ご》兄弟は、虞渓《ぐけい》の畔で農耕を営んでいた。しかし耕牛がなく苦労もひとしおであった。見兼ねた鄭成功は八頭の水牛を与え、当地の百姓は宴会を催し大いに感謝した。その耕牛による耕作により良田も増えた。村民は水牛に感謝し、寿命が尽きるまで世話をした。そして水牛の水飲み場であった場所に小廟を建立、それが水牛廟である。

⑤台湾南部、高雄《たかお》大崗山《だいこうざん》の出米岩《しゅつまいがん》の伝説は、鄭成功が軍を従え当地に進軍した際に、兵糧が欠乏、仏祖に出米岩に導かれ、あまたの米を得ることができたというものである。

⑥鄭成功台湾上陸の地、鹿耳門《ろくじもん》にも伝説がある。ある人が見た夢には鄭成功が入台したとき、鹿耳門水域に鯨が現れ、鄭成功逝去とともに水域を離れたという。鄭成功の台湾における興亡を暗示しているかのようである。

上記伝説にも関連すると考えられる鯨にかかわる伝説はさらに二つある。

『台湾外記《がいき》』には鄭成功が金門、アモイ沿海を占拠していたとき、ある人が寺中の禅師に鄭成功の星宿《せいしゅく》を問い、禅師は東海長鯨《とうかいちょうけい》と告げた。『台湾紀事《きじ》』巻一「鄭事紀略《ていじきりゃく》」には鄭成功が生まれる前に鯨鯢《げいげい》が現れ、さらに出生の数日前に、天地が暗転し、同時に母、田川氏も大魚が懐に入る夢を見たという。そして鄭成功が出生した。

またある話では、鄭成功の体調がすぐれないとき、ある部将が正装し乗馬、鄭成功が鯨に乗り海に出る場所まで導いた。程なく鄭成功は病没したという。

参考までに台南市にある台南鹿耳門鎮門宮《ちんもんきゅう》では、二〇一六年八月原住民のための済度法会《さいどほうえ》が催された。これは原住民への謝罪と原住民の国姓爺への三百有余年の恨みを取り除くためである。これは同年七月、台南駅前の鄭成功銅像に朱墨汁がかけられた事件に起因するものだが、翌八月鄭成功は夢枕に立ち、この事件への恥辱は感じず、逆に食糧徴収と開墾の際、官僚や兵士により原住民が殺害されたことを詫びたいと告げられたという。

⑦台湾でよく食べられる虱目魚《サバヒー》は、別名国姓魚と称されるほど国姓爺鄭成功と所縁が深い。伝説によると鄭成功渡台後、軍隊は食する魚に窮乏していたが媽祖《まそ》神の導きで大量の魚が得られた。鄭成功が「什麼魚?」（なんという名の魚だ）と尋ねたが、当地の人々は魚の名を知らず、「什麼魚」と発音が近い「虱目魚」が魚名となったという。両者の発音は北京語では「什麼魚」が「シェンマユィ」、「虱目魚」が「スームユィ」と異なるが、台湾語では前者が「サンミヒー」、後者が「サーマヒー（サバヒー）」となり、近しいものとなる。

なお鄭成功の長男鄭経《ていけい》もこの魚をきわめて好み、ゆえに「皇帝魚」とも呼ばれている。

⑧鄭氏王朝が終焉を迎えようとしたとき、突然鰐《わに》が澎湖《ほうこ》に上陸し、民家で死んだという。

⑨「飯魚《はんぎょ》」の伝説とは鄭成功軍の兵糧が尽きかけていた時、ある兵士が茶碗半分の飯を差し上げた。鄭成功はそれを受け取り大海へ撒き、「軍は兵糧のなきことを嘆くなかれ、海を渡れば糧は得られる」といったところ、間髪を入れず魚の群れが海上に出現した。鍋で煮るとまるでご飯のような味がしたところから、「飯魚」と呼ばれるようになったという。

⑩台湾にはもともと虎はいなかった。鄭成功渡台後、「虎あるところ君主あり」の観念に従い、中国大陸から二頭の虎を連れて来て山中に放した。しかし原住民に殺されてしまった。ゆえに台湾には虎がいないのである。なお鄭成功は虎で原住民を威嚇しようとしたが、思いもよらず虐殺されたという話も伝わる。

⑪ヤモリにも鄭成功にかかわる伝説がある。ある日、鄭成功の部隊はオランダ軍に包囲されたことをまったく察知できなかった。ヤモリはこの状況を見て取り、急ぎ鄭軍兵舎四方で一斉に鳴き、敵の存在を気付かせ、鄭軍は全滅をまぬがれた。鄭成功は南部のヤモリを「鉄甲将軍《てつこうしょうぐん》」に封じた。

このように台湾全土には鄭成功にかかわるあまたの廟同様、あまたの伝説伝承が敷き詰められている。それには亀山島のように台湾の一部になったものや、生死に直結する飲料水、食料などにまつわるものがある。また道教、仏教にかかわらずこのような伝説が存在し受け入れられている。これはそのままあまたの台湾人にとって鄭成功が民族的英雄として認められている証拠なのである。

参考文献

・小俣喜久雄著『台湾・開台聖王鄭成功主神廟の研究』致良出版社、二〇一六年。
・傅朝卿編『国姓爺・延平郡王・開台聖王―鄭成功與台湾文化資産特展図録』台南市文化資産保護協会、一九九九年。

04

奄美のユタ伝承と東アジア

福 寛美

1 はじめに

ユタとは南西諸島の土俗シャーマニズムの担い手である。人々は病院に行ってもなかなか治癒しない病気になった時や、不幸が続く時にユタのもとを訪れる。ユタは霊的な方法で病気や不幸の原因を探り、解決法を示す。ユタの指示に従ったら病気や不幸が和《やわ》らいだ、という人はおり、現代もユタが誕生している。

奄美のユタのあり方は沖縄のユタと重なる部分が多い。しかし、成巫《せいふ》式の際に自分の真水の聖地（湧水や滝など）と海辺の聖地に赴き、真水と潮水に身を浸す、というのは奄美のユタ独自のあり方である。また前代のユタは成巫式の際に馬に乗って神道具《かみどうぐ》を探索した。後述するように、これはすでに亡くなっている、自分と霊的につながるユタの神道具を継承する意味がある。これも奄美独自の方式である。また、ユタへの道を指導した親ユタと子ユタの密接な関係が成巫後も続くのも、沖縄ではあまり見られない。

奄美のユタは天ザシシ（天ザシ）の神（太陽神）、そして天ザシシの神に愛された絶世の美女、オモイマツガネ（思松金）とその子マタラベをユタの祖神としている。また、地理的に九州に近く、近世期は薩摩藩の直轄地だったため、日本神道への接近も見られる。そして自らの神を天照大神《あまてらすおおみかみ》やイザナキ・イザナミの神とみなすユタもいる。

本章では奄美のユタ信仰にみられる神観念の中で、朝鮮半島とかかわりがある要素を抽出し、分析したい。

2　オモイマツガネ（思松金）

オモイマツガネは奄美のユタの呪詞《じゅし》に登場する神的女性である。その呪詞を要約すると次のようになる。

・美女のオモイマツガネが部屋にこもり、芭蕉布《ばしょうふ》を織る。
・太陽（天ザシシの神）に感精《かんせい》して懐胎する。
・十二カ月の月が満ち、神の子カネノマタラベを生む。
・按司《あじ》の子とさまざまな競争をするが、神の子マタラベが勝つ。
・父比べの話が出てマタラベは母に父のことを尋ね、父に会うため天に上る。
・数々の試練を乗り越えて天に上り、父に会っていろいろなことを教えてもらう。
・地上に降りてきて母子共にユタの祖となった。

オモイマツガネの名だが、オモイは「思い」、ガネは「金」で美称辞である。そしてマツは「松」であり、神を待つの「待つ」でもある。大和岩雄《おおわ》は「「松」や「小松」は遊行女婦・娘子・神女と共に、神男・若子の化身とみられていた」と述べる。[*1] 美貌のオモイマツガネは、神的女性であると同時に神を待つ娘子でもあった。彼女の名は神に愛されるべくして愛された存在だったことを示す。

オモイマツガネは機織りをしていた。同様に東アジアの神的女性はしばしば機織りをする。日本神話の最高神の天照大神は機織りをすることで名高い。また大国主神の娘、下照比売《したでるひめ》の歌う神謡には「天の機織女」が登場し、これは天照大神を意味する、とされる。また宗像三女神を祀る宗像大社には機織りに用いる織機のミニチュアが所蔵されている。そして航海守護で名高い中国の媽祖《まそ》、朝鮮の『三国遺事《さんごくいじ》』に登場する細烏女《セオニョ》も機織りをし、中国から日本に伝わった七夕伝承の主人公は機織女である。

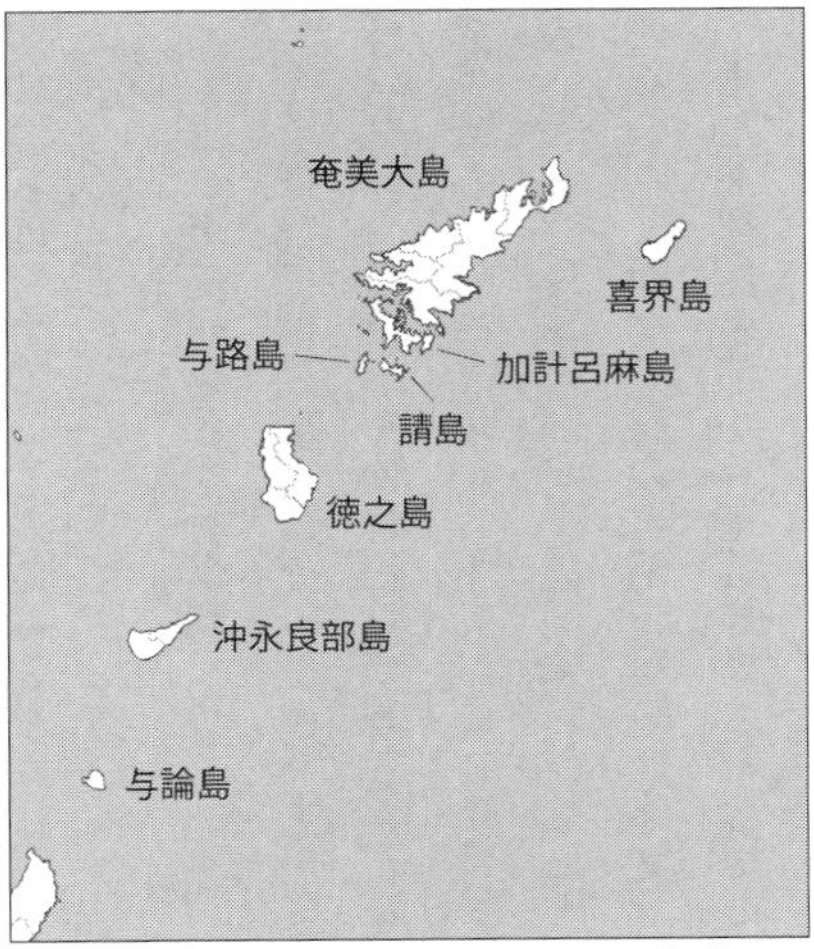

奄美諸島とその周辺（地理院地図をもとに作成）

また、太陽に感精して子を生む神的女性も東アジアにたびたび登場する。対馬の照日《てるひ》、あるいはお日照《ひで》りは日光に感精し、天《てん》童《どう》（道）法師を生んだ。天童法師は空中を飛行し、病を癒す力を持つシャーマン的存在である。また高句麗の始祖朱蒙《しゆもう》の母 柳《りゆう》花《か》も日光に感精して卵を生み、卵から朱蒙が生まれた。

徐廷範《じよていはん》は「韓国の巫女があがめる神も、中国人の神やキリスト教徒が信じる神も、みな光で象徴されるという共通性を持っている。そういう点からみれば、創造の本体は光だといえるだろう」と述べる。そして「高句麗の始祖王になった朱蒙が日の光によって誕生したから、「光」こそ創造主であり、生命の根源だといえる。新羅の始祖王である朴赫居世《かくきよせい》が生まれる時にも、やはり光がさした」と述べる。[*2]

至高の神や霊的存在はこの世ならぬ光輝を帯びる。その光輝を地上で表現する際、高貴な人やシャーマンは光沢あるものを身に着ける。朴容淑《ぼくようしゆく》は「光は聖なるもの、あるいは偉大なものの象徴である。金・銀・銅・玉その他各種の光沢物質が、神像とか古代シャーマン王の装飾に使われたのはそういう理由からである。慶州《けいしゆう》一帯の古墳で発掘される各種の金具（金冠・鈴帯）はその良い実例である」と述べる。[*3]

神に選ばれ、聖なる光であり霊力であるものを孕《はら》んだ神的な女性たちは、東アジアのあちこちに存在する。オモイマツガネもまたそのような女性たちの系譜に連なる。

3　奄美群島と朝鮮半島

奄美群島の徳之島にはカムィヤキという硬質の陶器の窯があった。徳之島は水に恵まれ、陶器焼成の燃料となる木材の森林と陶土があったからである。カムィヤキは十一世紀から十四世紀頃、朝鮮半島系の技法を用い、日本式の窯で焼成され、南九州から先島諸島にかけて流通した。カムィヤキが主に流通したのは後の琉球王国の版図である。このことは、琉球王国が交易国家であることとおそらくつながっている。このカムィヤキの技法を徳之島にもたらした人々の中に朝鮮半島の人がいたのは確実である。

また沖縄島北部から奄美群島にかけての北部琉球には沖縄島南部とは異なる他界観、ナルコ・テルコが認められる。ナルコ・テルコは部分的にはニルヤ・カナヤ（太陽の出現する土中の地下他界から海上他界へ発展した他界観）に近いが、ニルヤ・カナヤとは異なる。

まずテルコは「照る子（太陽神）」であろう。一方のナルコのナルは徐廷範によると古代朝鮮語で太陽を意味する、という。徐は琉球語の古層に古代朝鮮語が認められる、という見解を持つ。そのことを筆者はかつて共著で指摘した。[*4]

また奄美大島には○ガチ、カチ△という地名がある。龍郷《たつごう》町大勝《おおがち》、龍郷町中勝《なかがち》、住用《すみよう》町役勝《やくがち》、住用町摺勝《すりがち》、大和《やまと》村恩勝《おんがち》、宇検《うけん》村生勝《いけがち》、瀬戸内《せとうち》町勝浦《かちうら》、瀬戸内町勝能《かちゆき》、奄美市名瀬仲勝《なかがち》、奄美市名瀬伊津部勝《いつぶがち》、奄美市名瀬西仲勝《にしなかがち》、奄美市名瀬名瀬勝《なぜがち》などがそれに当たる。

これらの勝地名について、かつて共著で古代朝鮮語の「スクリ」は村や郷が原義であることを指摘した上で、「朝鮮語地名の「スクリ」に「勝」の字があてられ、それが「カチ」「ガチ」と訓じられるようになったのではないかということである」と述べた。[*5]また同著では、九州には古代から朝鮮の人々の渡来が絶えなかったことも指摘した。

これらは、時代は定かではないが、奄美群島に朝鮮系の人々が渡来した痕跡である。その奄美群島の現代のユタの中に、朝鮮民族の出自を語る者がいる。落合美貴子は奄美市在住で笠利《かさり》町佐仁《さに》出身の女性ユタのSについて「Sさんは、人種的には朝鮮民族だとおっしゃっている。Sさんの父は、朝鮮の士族の出身でかなり裕福な生まれだという。姓を「オク」といい、これは「朴」の同義であるとSさんはおっしゃっていた。家柄が良かったため、近在でもことのほか丁重に扱われていたらしい」と述べる。[*6]

ただ、Sの父はわがままな道楽者で、妻子のいる家を顧みず借金を重ね、その返済にSは苦労した、という。またSが結婚した相手も重病にかかり、苦労の連続だったという。現在、Sは朝鮮民族の出自を誇りに思い、プライドを持って生きている。Sのユタとしてのアイデンティティーと出自は密接に結びついている。

また、奄美出身で東京在住の男性ユタ、Aは自分の神は天照大神である、と述べる。そして自身の女神を「自分の女神の名はシーラという。韓国から来た、ということだ。韓国から稲米を持って沖縄に来て稲作文化を伝える。そのまま沖縄に住み、やがて亡くなり墓ができる。やがて神聖化され、シーラを天照大神と呼ぶようになった。神の名前もどんどん変わる。自分が伊勢神宮に行くと、稲が見える。韓国人の占い師の女性のムーダン（巫女）に自分の女神の名がシーラということを言ったら、「シーラは朝鮮語で種の意味だ」と言った」と語った（筆者の聞き取り）。

Aの女神が韓国から稲作を伝え、やがて日本神道の最高女神の名で呼ばれる存在となった、という語りは興味深い。それは、朝鮮半島出自の女神が日本人の主食の稲種の魂そのものであると同時に、ユタの霊能の源だからである。ちなみにAは父方も母方も奄美出身であり、朝鮮半島とは直接関係がない。

Aが朝鮮半島の稲米の女神を巫業の中心に置くことは、『三国史記』の古代新羅祭祀の記事を思わせる。かつて共著『琉球王国と倭寇』において、先学によって「（新羅の始祖王）赫居世の妹、妻、息子の妻はすべてａｒを語根とする名前を持っている。赫居世の王妃「閼英《アルヨン》」は龍が閼英井にあらわれその右腋《わき》から誕生した女性である。妹は「阿老」、南解王（二代目の王）の妻は「阿婁《アル》」である。また六代目の夫人も「愛礼」である。この語根のａｒは、卵、穀物を意味する言葉であり、宗教的には穀霊、祖霊の意味である」と述べた。[*7]

また共著では、赫居世の亡き後に廟を建て、南解王が親の妹、すなわち赫居世の妹の阿老に赫居世を祭らせた、とあることを指摘した。このことは阿老が司祭者であることを意味する。また、「閼英《アルヨン》の原像は穀霊的祖霊に仕える国母的巫女である」という見解がある。そして『世界女神大事典』によると、南解王の妻の阿婁は雲帝《うんてい》夫人（雲梯山聖母）の名を持ち、「雲梯山の女神で雨水の施与者としての性格が認められる」と同時に、「新羅王の后である彼女は穀霊的始祖・閼智《アルチ》を祀る国家的最高巫女であったと思われる」というのである。*8

これらのことは、ａｒの名を持つ新羅の始祖王周辺の高貴な女性たちは、国家的巫女であり、女神でもあったことがわかる。ａｒは同時に卵や穀霊の意味を持つ。そのようなａｒ像は『古事記』を諳《そら》んじた、とされる稗田阿礼《ひえだのあれ》にもつながる。稗田阿礼については諸説があるが、阿礼がａｒが語根の名を持つのは確実である。阿礼の名は稗の田のａｒ（穀霊）であり、神話を語るシャーマン的な存在としてのａｒでもある。

Ａの女神は稲種の魂、すなわち穀霊であると同時に巫業の力の源である。そのことは、新羅の始祖王周辺に現れるａｒそのものである。

それではなぜ、Ａがａｒそのもののシーラにヴィジョンの中で出会い、シーラであり天照大神である存在を自らの女神にしたのか、という疑問が生じる。Ａが語るには、シーラが登場する前、多くの神々や巨大できらびやかな仏たちが「自分をＡの神にするように」とヴィジョンの中に現れた、という。しかし、それらの神仏に違和感を覚えたＡがさらに待っていると、質素な白い衣のシーラが一人で現れ、Ａは「この女神こそわが女神だ」と思った、という。

Ａとシーラの出会いはユタの内面のことであり、外部からうかがうことはできない。ただ、奄美群島には前述のように朝鮮系の人々が渡来した痕跡が残り、他界観の名が古代朝鮮語で解釈できる場合もある。また、朝鮮民族の出自を誇る現代のユタもいる。これらのことは、常人から逸脱した霊的な力は奄美の外部からもたらされた、という宗教的認識が存在するからである。その認識と、朝鮮半島と奄美の実際の通交の遠い記憶とユタの霊性が結びつき、Ａの女神として表現されている、と考える。

4　両性を持つユタ

ユタの中には両性具有的な者がいることが知られている。国分直一は奄美の男性ユタのTの自宅を訪ね、若いときは女性とよく間違えられた、という女性的なユタと話す。Tは女のホゾンガナシ（ユタの丁寧な呼称）のあとを受けてユタになったという自覚がある、という。国分はTの語った性転換のあり方は興味深い、として次のように述べる。[*9]

> T氏は女を男が受け、その男を女が受け、その女を男が受ける。女・男・女・男……と両性が交互に受けつぐことによって、威力が加わるという。女のホゾンガナシのあとを男が受けるということは男でありながら女性の性をもつという意味において双性の巫となるわけであるが、その際T氏の場合に見られるように、容姿、言動、髪、衣飾等に性転換が暗示されることにもなるものであろう。或は女装すること自体が両性を止揚する上に重要な意義をもっていたと見られよう。

この両性を持つシャーマンについて、徐廷範は韓国の用例を挙げて述べる。三十五歳の巫女は二十五歳の時に神懸かりになったが、それ以来、男性以上に毛深くなり、生理も乱れがちになった、という。また四十歳の男巫《おとこみこ》は夢の中ではいつも女のチマ（韓式スカート）をはき、ときにはチョクドリ（花嫁の飾り冠）もかぶる、という。

秋葉隆は朝鮮の男巫の中で、女装して祭儀に臨む者がいること、また容貌、態度、表情、声がきわめて女性的で、羞恥の表情などとても男とは思えない者がいることを報告している。[*10]

また徐は『三国史記』の新羅第二十四代の真興王《しんこうおう》時代に、花郎《かろう》に関する記録がある、と述べる。徐は唐の『新羅国紀』に「貴人の子弟から美少年を選抜して、女のように白粉《おしろい》をつけ、よく化粧させて花郎と称し、国人がみな尊敬して仕える」とあることを指摘する。徐はまた花郎について、「彼らは詩で道義を磨き、歌楽をたしなみ、山水を遊覧しながら、自然の霊場で心身の鍛錬をつんだ。これら徒弟の中から優れたものを選んで朝廷に推薦し登用する仕組みであった」と述べる。[*11]

花郎は詩作、歌楽、山水遊覧、自然の霊場での心身鍛錬を行った、という。これらはすべてシャーマンの行うことである。奄美のユタはヴィジョンの中で神が霊示する聖域をもとめ、山に分け入り、真水や潮水に身を浸し、歌い踊る。そのあり方が洗練されているわけではないにしろ、行動は花郎と同じである。美少年であり、女性のように装う花郎は、両性を持つシャーマン的な存在でもあったのだろう。

徐は「巫女の世界では、男が女に変るかと思えば、また女が男に化けるのである」とも述べる。シャーマンは霊的な世界の消息を知る。普通の人間には不可能なことが可能なのは、シャーマンが常人とは異なる力を持っているからである。その力の一つの源が両性を持つ、ということではないか。生来の性に加えてもう一つの性を持つことにより、単性の人間には不可能なことが可能になる、という認識がそこにある。

なお琉球の神歌であるおもろを集成した『おもろさうし』には、琉球の最高神女の聞得大君《きこえのおおきみ》が鎧をまとい、刀を佩《お》びる、と謡うものがある。このおもろが謡われた具体的な祭儀は不明だが、最高神女の武装はまさに両性具有的な姿である。琉球王国で最も霊能の高い最高神女が武装して祈願したなら、必ずその祈願は叶う、という発想があったと考える。

両性を持つ巫女、そして霊的存在は奄美、朝鮮半島、東アジアのみならず世界のあちこちに存在している。神の声を聞いたフランスの少女、ジャンヌ・ダルクもまた戦闘の際に武装する、両性を持つ存在である。そして現代は男性でありながら女装し、両性的なあり方を積極的な売りにしているタレントも多い。彼らもまた、両性を持つユタはじめシャーマンと遠い縁でつながっているのではないか。

5　神道具の探索

前述のように、かつての奄美のユタは馬に乗って神道具を探索した。山下欣一は、古仁屋《こにや》の女性の病が癒えないために名瀬《なぜ》のユタにみてもらい、主人の四代前の男の人が拝んでいた神様を拝め、と言われた事例を詳述する。ユタの指示により、主人の郷里の村に白馬に乗り白衣を着て行って馬を自由に歩かせたら、馬は一度海に入り、それからある家に入り込んで入口を何度も足でけった。本人は「刀が二本あるから出せ。高膳があるから出せ」と無意識の中で口走った。この家は後に主人の親許の家であることが判明し、刀二本と高膳も先祖伝来のものなのでこれらの品物を持ち帰り、親神様を頼んで神祝いをして神様を拝むようになった。*[12]

このような神道具の探索は、奄美独特の方式である。これとよく似た探索を行う巫者が、朝鮮半島にいる。秋葉隆は朝鮮半島の降神的入巫の豊富な事例をあげる。その中に神道具を探索する事例があるので、要約して記す。*[13]

・巫女は十二歳の時に病気になり、夢に仙人を見た雪の翌朝、何かに誘われるように走り出し、田舎家の積藁《つみわら》に上り、狂乱状態で卒倒した。積藁の中には神鏡と神鈴が隠されており、それらはその家の亡くなった巫女のものであり、息子が亡母の神器をそこに隠していた。巫女はその神鏡を守護神として自家の神堂に祀っている。

・巫女が七歳の時に突然山に登りたい衝動に駆られ、山中の谷間で埋められていた刀と神瓶と神鈴を持ち帰ったが、怒った父に刀と神瓶を壊された。神鈴は六十五歳になった巫女が手元に秘蔵する。

・六歳の時に病気になり、さまざまな夢を見た後に神の名を叫び、多くの声に誘われて山中に行ったら自然に止まりたくなり、「ここを掘れ」と言われたような気がして足元を掘ったら神鏡が出てきた。神鏡は神堂に祀ってある。

このほかに、秋葉は五十七歳の男巫の言葉を記す。旧仮名遣いで旧字が用いられているが、現代文に直して引用する。以下も同様である。

死んだ巫の神鏡又は神鈴は、生前これを伝うべき神娘又は神息の無い場合には、これを山中に埋め、後日これを探し求めたものが真の巫となるということである。彼もまたある時、何となくいずこへか誘われるような気持ちになり、空中に鈴の音などが聞えて外に出かけ、二里ばかり離れた供養谷という所に行って或る場所を掘ると、一個の小さい真黒な神鏡と一本の腐った鈴が出てきた。その鈴は今でも持っている。

このように、朝鮮半島において巫女や男巫は馬に乗るわけではないが、神がかりになった時に神の声に誘われて神道具を探索する場合がある。秋葉は同巫の言葉として「昔は巫が死ぬと鏡や鈴を死体と共に埋めたので、曇った日や雨の日には、巫の墓の中から杖鼓《じょうこ》や鈴や銅鈸《どうはつ》の音がしたと言われ、巫になろうとして、わざわざ鏡や鈴を探しに山に入るものもあり、また巫の墓を掘るものさえあったが、今ではこの神器を売って銭に換えるようになってしまったということでもある」を記す。

この男巫の言葉から、巫が生きている時に用いた神道具は、その巫の巫業を引き継ぐ新巫が現れるまでしかるべき場所に埋められたり隠されたりするものであり、新巫は自らの霊能でその神道具を探索して見つけ出す、というのが理想の神道具の継承である、ということがわかる。奄美のユタの神道具探索もまた、亡きユタから新ユタへの巫業の神秘的な継承とかかわっている。そのあり方は、朝鮮半島の巫と類似する。

6　おわりに

以上のように、奄美のユタのあり方は東アジアのシャーマニズムに通底するものがある。本章では、朝鮮半島の巫と奄美のユタの類似を意図的に取り上げた。その類似の理由の一つは、奄美群島に朝鮮から渡来した人々がいた、という事実がある。渡来した人々の中に、芸能の担い手や呪医等の側面も持つシャーマンがいたことは想像に難くない。しかし、文字資料を残さなかった南西諸島の歴史は謎であり、いつ、どのような人々が朝鮮半島から渡来し、その中にシャーマンがいたかどうかは、わからない。

本章では朝鮮半島の巫と奄美のユタが部分的に類似していることを指摘するに留める。ほかの幅広い比較検討は、今後の課題とする。

注

1 『遊女と天皇』白水社、一九九三年、三一七頁。
2 『韓国のシャーマニズム』同朋舎、一九八〇年、一二七〜一二八頁。
3 『シャーマニズムよりみた朝鮮古代文化論』第一書房、一九八五年、六四頁。
4 『琉球王国誕生』森話社、二〇〇七年、一六〇・一六四頁。
5 注4、一五八頁。
6 『奄美シャーマンのライフヒストリー』南方新社、二〇一二年、一六頁。
7 吉成直樹・福寛美『琉球王国と倭寇』森話社、二〇〇六年、九七頁。
8 『世界女神大事典』原書房、二〇一五年、一〇五頁。
9 「性の転換」『南島研究　第二号』南島研究会、一九六五年、五頁。
10 『朝鮮巫俗の現地研究』名著出版、一九八〇年、五五〜五六頁。
11 注2、三三〜三七頁。
12 『奄美のシャーマニズム』弘文堂、一九七七年、一一三〜一一四頁。
13 注10、五二〜五六頁。

05 八重山の文化

澤井真代

1 境域の島々

カムチャッカ半島から南へと、千島《ちしま》列島、北海道、本州、四国、九州、薩南諸島、琉球諸島、台湾まで連なる、東アジアを弧状に縁取る島嶼地域の中、八重山《やえやま》の島々は台湾に最も近く、琉球諸島の南西端に広がっている。八重山と、その北に隣接する宮古《みやこ》をあわせた先島《さきしま》諸島は、島のない三〇〇キロメートルの海域によって沖縄本島と隔てられている。先史時代、九州以北の縄文・弥生文化の影響が及んだのは、この島のない海域の北側、すなわち奄美《あまみ》・沖縄《おきなわ》諸島までであり、先島諸島の先史文化には縄文・弥生文化の影響は及ばず、より南方の文化との関係がみとめられている。[*1]

十一世紀末頃には、日宋貿易の活発化を背景に、日本商人と中国商人の交易範囲が琉球諸島へも広がってゆき、それに伴い沖縄本島と宮古島の間の海域を行き来する航海技術がもたらされ、奄美・沖縄・宮古・八重山の島々からなる琉球文化圏の形成が促された。[*2] 一三九〇年、宮古・八重山は沖縄本島の中山《ちゆうざん》王府に入貢するが、一五〇〇年の「オヤケアカハチの乱」を契機として、先島地域は本格的に沖縄本島の第二尚《しよう》氏《し》王統下、首里《しゆり》王府の傘下に組み込まれることとなる。その後、慶長十四年(一六〇九)の島津の琉球入り、明治十二年(一八七九)の日本政府による沖縄県の設置を経て、今日に至る。

今日、八重山諸島には、日本の最西端の与那国島《よなぐに》と、有人島として日本最南端の波照間島《はてるま》が含まれている。琉球王国時代にも、八重山は国境の島々であった。政治的に設定される領域にとどまらず、言語学的に見ても、八重山地域は琉球語が使用される圏域として南端に位置する。このような境域としての八重山へ、太平洋の島々を通って北上し、ここで大きく蛇行する黒潮をはじめ、島を取り巻く海の流れによって、古来さまざまな物事が届けられてきている。あるいは、八重山の人が海の流れに乗って外の世界に出、行先の文化を携えて帰ってくることもあったと伝えられている。そうした八重山における「異国」「異文化」との間の人・物・事の交流について、本章では信仰・祭祀・芸能にかかわる事柄を中心に見ていく。

2　シマへの渡来者

琉球諸島は、島ごと、のみならず集落ごとの言語・文化の違いが大きいことで知られる。それぞれの集落は「シマ」と呼ばれ、固有の歴史・文化を有し、世界観と深くかかわる境界によってほかの集落・外界と区切られている。しかし一方で、シマ社会は当然のことながら完全に閉ざされていたわけではなく、外界・異文化とのさまざまな交流があった。

たとえば八重山のシマには、海を越えて渡来する者があった。筆者が平成十二年（二〇〇〇）以来調査を行なっている石垣島川平《いしがきじまかびら》集落の事例から見ていきたい。川平の英傑の一人に数えられる保嘉真山戸《ほかまやまこ》の父は、日本本土から石垣島に渡来した人と伝えられる。山戸の父は、川平集落北東の底地《スクジ》海岸から上陸して最初に着いた仲底屋《ナカソコヤー》に世話になり、その家の娘と恋仲になって山戸をもうけたが、やがて底地海岸から本土へ帰っていったという。*[3]

山戸は、生活用水の確保に日々苦労していた当時の住民たちのために、のちに「保嘉《フガ》カー」と呼ばれる水量豊かな湧水を居住地付近に新しく探し当てた。『川平村の歴史』によると、それはおよそ四百五十年前かと推測されている。*[4]また、川平の人々が琉球王府への上納米をまかなうために集落外に開墾した「外田《プカダ》」へ通う途中、洞窟から鬼（盗賊）

が出て収穫米を奪うとなれば、山戸は役人から鬼の征討を命じられ、知恵と力で鬼を退治した。[*5] 山戸はほかに、集落から大兼久《ホーニフ》海岸への道路も造ったという。[*6] 大兼久海岸は、川平の人々が外田で収穫した米を、船で川平に運搬してきて陸揚げする海岸であり、大兼久海岸から集落までの道は、米の初穂儀礼「スクマ」に際し、道払いが行なわれていたのであり、やはり貢納米にかかわる場所である。

　保嘉カーの掘削が四百五十年前という『川平村の歴史』の推測に従えば、山戸が活躍した時期は、石垣島の地域首長の一人で大浜《おおはま》集落を根拠地としていたオヤケアカハチが首里王府軍に倒された一五〇〇年の乱後、数十年が経ち、宮古・八重山への王府の支配・徴税制度が整えられていった時期にあたる。こうした時期に山戸は、川平の生活用水を確保し、治安の維持に貢献し、道路整備にあたるなど、上納米の耕作にかかわる場面で人々を危険から守り、生活環境を整えた。山戸の掘り当てた保嘉カーは、第二次世界大戦前後に川平に簡易水道が整備されるまで多くの住民に使用され、[*7] 現在も水を湛えており、年の変わり目の節祭《せつさい》の折に毎年、関係する家筋の人々にまつられている。

　一方で、オヤケアカハチと同時代に川平の地域首長だった仲間満慶山《ナカマミツケーマ》が幼少時から使用していた井戸、「仲間カー」については、満慶山のような傑物をその水で育んだ井戸として首里王府からわざわざ人が来て埋めたと伝えられ、場所も不明となっており、[*8] 保嘉カーとは対照的である。

　日本からの渡来者の血を引く山戸の成したとされる事業は、どれも当時の新しい社会体制に調和的に見える。群雄割拠時代の川平を代表する仲間満慶山から、首里王府の治世下に入った新しい時代を象徴する保嘉真山戸へと、像を異にする人物が口承の歴史として伝えられている。さらに、山戸の父は日本という北方から渡来し、川平集落南方（正確には南東方向）の川平湾ではなく、北方（正確には北西方向）の底地海岸から上陸したと

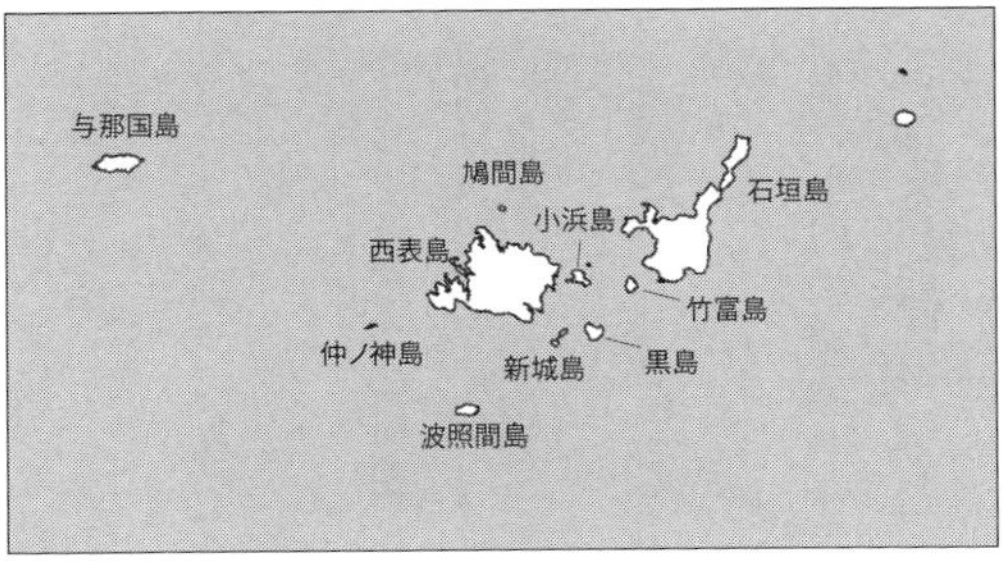

八重山諸島とその周辺

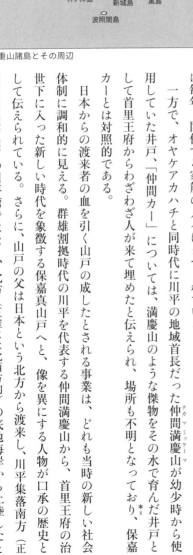

いう点、沖縄本島の「為朝《ためとも》伝承」に代表される、「北方から流離する貴種を受け入れる琉球に蓄積された受容の歴史」[*9]が想起され、興味深い。シマに渡来したと伝えられる者について、渡来時の歴史的背景、渡来者を受容する文化的心性などから慎重に分析を進めることにより、八重山の文化の一面がより明らかになるのではないだろうか。

3　八重山の御嶽

保嘉真山戸の父が川平から日本へ帰る時に、山戸の母が底地海岸で航海の安全を祈った場所は「底地御嶽《スクジオン》」になっている。[*10]

「御嶽」とは集落の聖地・祭場で、琉球諸島において「ウタキ」と総称されることが多く、八重山では「オン」「ワン」「オガン」などと呼ばれる。本島地域では一つの集落に一つの御嶽があることが一般的で、その御嶽に集落全体の住民が門中《ムンチュウ》組織を介してつながっている場合が多いのに対し、八重山では一つの集落に複数の御嶽があり、集落の人々は文化的脈絡に沿った種々の帰属原理によって、各々がいずれかの御嶽に、女性・男性の神役として、あるいは「イビニンジュ」等と呼ばれるいわゆる氏子として帰属している場合が多い。[*11]御嶽における祭祀の中核を女性神役が担うことは、琉球諸島の宗教文化の大きな特色である。琉球諸島において女性神役は御嶽の祭神に対し、集落の人々の健康や幸福を祈願する。ただ、御嶽にまつられる祭神の性格は琉球諸島の中でも地域によって異なり、八重山では、御嶽の祭神の性格や御嶽の創建の由来がきわめて多様であることが、着目される。[*12]

川平の底地御嶽は、神役やイビニンジュの所属が恒常的でない点で特異である。また底地御嶽は年間の祭祀のうち限られた場面でのみ祭場となる点でも一般的な御嶽と異なっている。しかしその場面とは、海上他界からの農耕神の「神迎え」と「神送り」という重要な場面であり、川平の祭祀・信仰にとり、底地御嶽はなくてはならない聖地であることに違いない。

こうした底地御嶽を含めて川平の五つの御嶽を主な場として今日執り行なわれる村落祭祀では、川平集落の人々の農作物の豊作をはじめとする生業の成功や健康、集落の人々の生活の安泰が祈願されている。それらの祭祀では、女性神役を中心に、集落の内部に視点を向け、内部へと祈願の力を注いでいるように見える。しかしその祭祀を執り行なう場である御嶽の一つである底地御嶽は、先に述べたように集落の外から人が渡来したことを契機に建てられた御嶽であった。さらに、川平のほかの御嶽を見ても、山川《ヤマカワ》御嶽は宮古島との交流による創建の由来を有し、浜崎《ハマサキ》御嶽は八重山・首里間の航海安全祈願を契機に建てられたとされる。[*13] また赤色《アカイロ》目《メ》宮鳥《ミヤトリ》御嶽は、石垣島南部の字石垣の宮鳥御嶽から分祀されたとされ、[*14] 五つのうち四つの御嶽までが川平の集落外とのかかわりにおいて建てられた御嶽である。これらのことを考え合わせると、外界との交流に基づく御嶽を祭場として、今日の集落の幸を願う祭祀が執り行なわれていると指摘することができる。固有信仰の発露と言い得る八重山の村落祭祀の場としての御嶽に、さまざまな外界との通路がつながっていることを、見落としてはならないだろう。

八重山の御嶽創建の契機となった外界は、日本や首里などの北方に限られない。石垣島南部の字登野城《とのしろ》の小波本《クバントゥ》御嶽とイヤナス御嶽、字大川の大石垣《ウシャギ》御嶽は、安南《アンナン》（ベトナム）とのかかわりから創建された御嶽である。これら三つの御嶽の由来について、牧野清は次のように述べている。

> 上古アンナン（古く南支那の安南地方、現在のベトナム共和国）のアレシンという地から、兄タルフヮイ、妹マルフヮイの二神が、稲種子を持ってこの島に来住し、登野城村の北方低地小波本原において、住家を建てて住み、水田を開いて島民に稲作を指導した。これが八重山の稲作伝来の嚆矢であると伝えられる。（中略）現在の小波本御嶽は、兄妹二神の住んだ屋敷の跡であるといわれ、イヤナス御嶽は妹マルフヮイの墓、大川村の大石垣御嶽は兄タルフヮイの墓で、稲作を伝えた神として、後年それぞれお嶽として崇敬されるようになったということである。[*15]

このように、安南から稲種子を携えて渡来した兄妹二神の屋敷跡と、兄神の墓、妹神の墓がそれぞれ御嶽になっている。字登野城の小波本御嶽とイヤナス御嶽、字大川の大石垣御嶽は、それぞれの字の種子取祭や豊年祭が盛大に執り行なわれる祭場となっているほか、古くから水元の神としても信仰され、雨乞い儀礼を執り行なう場ともなってきた御嶽である。*16

なお、安南に関しては御嶽の由来にとどまらず、女性神役自身が安南に漂流し、稲種子を持って帰還したという伝承もある。その女性神役とは、初代「大阿母《おおあも》」の多田屋遠那理《タダヤオナリ》である。

大阿母は一五〇〇年のオヤケアカハチの乱の後に置かれた役職で、首里王府の王族を頂点として琉球諸島の島々に張りめぐらされた女性神役組織において、宮古と八重山に一人ずつ置かれ、島々、村々の村落祭祀を担う「ツカサ」などの女性神役を統括し、首里王府と結節する役目を果たしていた。もともと、王府側についてアカハチ討伐に功績を上げた、石垣村の長田大主《ナータフーズ》の妹である真乙姥《マイツバ》が、初代大阿母に任命されていた。しかし真乙姥は、王府軍の首里への帰還の無事を一心に祈願するあまりに瀕死の状態に陥った自分を介抱した、平得《ひらえ》村の多田屋遠那理に、その職を譲ったと伝えられている。*17

初代大阿母となった多田屋遠那理は、務めのためにしばしば首里へ上国したが、ある時、帰途に台風に遭い、安南に漂着した。安南から沖縄経由で石垣島に帰島した際に、漂着先でもらい受けた稲種子と粟種子を携えていたという。この時に多田屋遠那理が上陸した真栄里《まえざと》村の多田《ただ》浜の一角には、穀物の神が宿ったとされ、多田御嶽として拝まれるようになった。*18 現在も平得の種子取祭では、海沿いの多田御嶽から平得集落内の大阿母御嶽（多田屋遠那理の墓が御嶽となっている）まで、穀物を捧げ持つ女性神役を先頭とする行列が行なわれている。

4　八重山の芸能

（1）外界からの芸能

安南からは、八重山の村落祭祀で演じられる芸能も伝えられたとされる。再び『川平村の歴史』を見てみたい。太鼓の伝来について、同書には康熙十年（寛文十一年［一六七二］）と年代も記されている。川平の士族、平田英盛が、平民の仲間松という男性を伴って政務で首里へ上国した時、嵐に遭い、安南に漂着したが、現地住民の介抱により一命をとりとめた。その後、二人は健康を取り戻し、帰郷の航行のために季節の順風を待つ間に、平田は安南の人々から太鼓の芸能を学び、仲間は笛の吹き方を学んで、川平に持ち帰ったという。*19

また、川平の棒術は、沖縄本島の人々に学んだものであるという。川平集落のほど近くに位置する川平湾は、現在、珊瑚礁の穏やかな海上に小島が点在する景勝地として知られ、八重山でも有数の観光地となっているが、琉球王国時代には、その深く湾入する地形ゆえの天然の良港として、八重山と首里を行き来する船の寄港地となっており、多くの船が川平湾に碇泊して何日間も順風を待ったという。*20 幾日も風を待つ船員たちは、退屈しのぎに浜で棒を打つことがあり、川平村の若者たちは彼らから棒術を習い、佐久川《さくがわ》棒、真境名《まじきな》棒というように、指導者の名を棒術の名称に冠したという。*21

さらに、川平の獅子舞の獅子頭は、川平集落北部の石崎《いしざき》の北にあるキッシリ浜に、箱に入って流れ着いたと伝えられる。「獅子のツカサ」と呼ばれる獅子舞の担い手の男性たちによる、年の変わり目の「節祭《シチウ》」三日目の「獅子祭り」における願詞には、次のように「唐の後方」という獅子の出所が述べられている。

ウートードゥ　トーヌ　クシャーヌ　テラヌ　バソーヤマハラ　ンデオッタ　ウーシシ　クーシシ　フカナツヌマイヤ　カビゥラムラ　ニシゥムラナーオーリ　マキゥブドゥル　マイブドゥルシトーリデリ　ジンミンヌ　フーキム　クーキム　ヒキトーリ　ニファイユー〔ああ尊　唐の　後方の　寺の　芭蕉山から　出なさった　大獅子　子獅子　フカナツの前は　川平村　北村《ニシゥ》に降り　巻き踊り　舞い踊りしなさって　人民の　大肝　子肝　ヒキなさって　ありがとうございます〕*22

「フカナツヌマイヤ（フカナツの前は）」は、「フカナツ」の意味が取り難いが、「フカナツ様」といった敬称である。「ヒキトーリ（ヒキなさって）」の箇所は、『川平村の歴史』では「慰め下さり」と訳されている。*23

獅子のツカサたちは「唐の後方」という場所を具体的に特定しているわけではないが、どこか遠方から流れてきたと認識する獅子頭を、神性を帯びたものとして丁重に扱っている。[24] 外界から来たものの数々が祭祀・信仰に位置付いていることは、八重山の文化を考えるうえで重要に思われる。

旧暦八月の収穫感謝祭「結願《キチゥグヮン》」では、川平において最も格式が高いとされる群星《ユブシゥ》御嶽に全住民が集まる中で、神へのさまざまな奉納芸能が行なわれる。太鼓・棒術・獅子舞の「座見舞い《ザーミマイ》」と「本舞《フンマイ》」は祭りの冒頭におかれ、結願の場を祓い清めることを含めて重要な役割を果たす。女性神役のツカサは、冒頭の御嶽の庭での太鼓・棒術・獅子舞の演舞のごとに、御嶽の神に向けて演目の内容や次第を伝える。一方、後半の舞台芸能では、ツカサはすべての演目について神への伝達を行なうわけではない。このことからは、太鼓・棒術・獅子舞という、それぞれシマの外からもたらされた芸能が、御嶽の祭祀に欠くことのできない要素となっていることが分かる。

なお、石垣島の新川《あらかわ》や登野城、黒島の東筋《アガリスジ》など八重山の複数の集落では、南方的な装束をまとって棒術を行なう「ハイヌスマ棒（南の島）」と呼ばれる芸能が行なわれる。[25] ハイヌスマ棒は獅子舞に伴って出される棒術であるが、竹富島《たけとみじま》のサングルロなど、単独で行なわれる南方風の舞踊もあり、沖縄本島地域の「フェーヌシマ（南の島）」系統の芸能とあわせて、芸態の研究が進んでいる。[26] また竹富島には、馬乗者《シーマヌシャー》という、チョンダラー（京太郎）系統の芸能も行なわれている。チョンダラーとは、琉球王国時代に村々を廻り歩いて芸能を披露するとともに、葬儀を執り行なった人々である。[27] このようにさまざまな外界からの芸能が、それぞれのシマの芸能となっている。

（2）大和芸能からの影響

八重山の芸能は、日本本土の芸能からの影響も受けてきた。たとえば、西表島《いりおもてじま》祖納《そない》の節祭におけるアンガマ踊の歌謡については、日本本土の歌謡との近似が指摘されていたが、[28] 近年の研究でアンガマ踊の歌謡と舞踊は、寛永十八年（一六四一）から慶安二年（一六四九）まで布かれた「大和在番制」のもと、西表島に交代で駐留した大和（薩摩）からの役人が伝えた可能性が高いと論じられている。[29] 大和在番制は、寛永十七年（一六四〇）に西表島に漂着した南蛮船の視祭のために、王府役人と薩摩役人が派遣されたことを契機として開始されたが、すでにそれ以前の寛永九年（一六三二）から、王府派遣の在番が八重山に常駐するようになっていた。[*30] 八重山の在番の制度の中で大和からの役人が駐留した時期は短いものであったが、この時にもたらされた大和の芸能は、西表島祖納の節祭の中に今日まで位置付いている。

明治期まで八重山に派遣された王府からの在番役人は、寛文六年（一六六六）に琉球王府の摂政となった羽地《はねじ》朝秀《ちょうしゅう》（一六一七〜一六七五年）が打ち出した大和の学芸の奨励策により、大和芸能を身につけるようになっていた。そうした王府からの役人に対応する八重山側の役人たちもまた、大和芸能を嗜み王府役人と交流を深めることが出世への道であり、役人たちは謡曲、大和狂言、舞踊、茶道、立華などを盛んに行なっていたという。[*31] 八重山における大和芸能は今日ほとんど忘れられているが、登野城では囃子方として「大胴《フードゥ》・小胴《クードゥ》」と呼ばれる太鼓芸が伝えられ、[*32] 字の豊年祭などで演じられている。

5　おわりに

本章では、八重山と「異国」「異文化」との人・物・事の交流について、信仰・祭祀・芸能に関する事柄を中心に見てきた。異文化間の交流に着目することにより、沖縄とも日本とも異なる八重山地域が歩んできた独特の歴史に沿って、八重山文化の特質を捉え直すことができる。八重山の文化の諸側面に在るようである、外界との通路を、今後も慎重に探っていきたいと考える。

注

1　新城俊昭『琉球・沖縄史』東洋企画、二〇一五年、二五頁。
2　新城俊昭『琉球・沖縄史』東洋企画、二〇一五年、三二〜三三頁。
3　川平村の歴史編纂委員会編『川平村の歴史』川平公民館、一九七六年、七二頁。
4　川平村の歴史編纂委員会編『川平村の歴史』川平公民館、一九七六年、三八七頁。

5　川平村の歴史編纂委員会編『川平村の歴史』川平公民館、一九七六年、三八八頁。
6　注5に同じ。
7　川平村の歴史編纂委員会編『川平村の歴史』川平公民館、一九七六年、二五三～二五四・三八七頁。
8　川平村の歴史編纂委員会編『川平村の歴史』川平公民館、一九七六年、四六頁。
9　島村幸一『琉球文学の歴史叙述』勉誠出版、二〇一五年、三五五頁。
10　川平村の歴史編纂委員会編『川平村の歴史』川平公民館、一九七六年、七二頁。
11　大本憲夫「沖縄の御嶽信仰」、『神々の祭祀』環中国海の民俗と文化2、凱風社、一九九一年、四三～四五頁。
12　大本憲夫「沖縄の御嶽信仰」、『神々の祭祀』環中国海の民俗と文化2、凱風社、一九九一年、四一～四二頁。
13　川平村の歴史編纂委員会編『川平村の歴史』川平公民館、一九七六年、六七・七〇～七一頁。
14　川平村の歴史編纂委員会編『川平村の歴史』川平公民館、一九七六年、六九頁。
15　牧野清『八重山のお嶽』あ～まん企画、一九九〇年、一六〇～一六一頁。
16　牧野清『八重山のお嶽』あ～まん企画、一九九〇年、一四一～一四二・一六二頁。
17　新城敏男『首里王府と八重山』岩田書院、二〇一四年、四五五～四五六頁。
18　牧野清『八重山のお嶽』あ～まん企画、一九九〇年、一八八頁。
19　川平村の歴史編纂委員会編『川平村の歴史』川平公民館、一九七六年、三二一頁。
20　川平村の歴史編纂委員会編『川平村の歴史』川平公民館、一九七六年、七〇頁。
21　川平村の歴史編纂委員会編『川平村の歴史』川平公民館、一九七六年、三一九～三二〇頁。
22　川平村の歴史編纂委員会編『川平村の歴史』川平公民館、一九七六年、一三六頁。宮城信勇『石垣方言辞典　本文編』沖縄タイムス社、二〇〇三年。
23　川平村の歴史編纂委員会編『川平村の歴史』川平公民館、一九七六年、一三六頁。
24　澤井真代『石垣島川平の宗教儀礼―人・ことば・神』森話社、二〇一二年、三〇六～三二七頁。
25　石垣博孝「フェーヌシマ」、『沖縄大百科事典』下巻、沖縄タイムス社、一九八三年、三五〇頁。
26　須藤義人「「フェーヌシマ」の芸態研究に関する試論―記録映像の分析を手法として」、『沖縄大学地域研究所所報』31、二〇〇四年。
27　全国竹富島文化協会編『沖縄竹富島の種子取祭台本集　芸能の原風景』瑞木書房、一九九八年、三三頁。
28　比嘉盛章「西表の節祭とアンガマ踊」、『沖縄文化論叢第二巻　民俗編Ⅰ』平凡社、一九七一年、二八〇～二八八頁。

29 大城公男『八重山・祭りの源流―シチとプール・キツガン』榕樹書林、二〇一八年、一二六~一五四頁。
30 「八重山を学ぶ」刊行委員会編『八重山を学ぶ―八重山の自然・歴史・文化』沖縄時事出版、二〇一八年、九七頁。
31 大田静男『八重山の芸能』ひるぎ社、一九九四年、八五~一一三頁。
32 大田静男『八重山の芸能』ひるぎ社、一九九四年、一〇八・二七二~二七三頁。

06 古代中国と済州島の交流

黄 暁星

1 はじめに

古代社会において、人々の移動範囲は現代社会に比べてはるかに狭く、一部の人物や特別な場合を除いて、自国を出たことがある人は少なかっただろう。しかしながら、古来、中国にとって、朝鮮半島とその周辺の島々は、「四夷《しい》」とよばれた国々の中でもっとも中国に近いところである。距離だけではなく、心理的にも近いと言える。そのため、人々の往来も頻繁になっていった。

済州《チェジュ》島は地理的に朝鮮の最も南部に位置し、独自の文化を持っており、中国などの外部世界との往来は早い時代から始まった。たとえば、済州島の山地港から紀元前二世紀の中国古代貨幣五銖銭《ごしゅせん》が出土している。これは済州島が東海、黄海の沿岸を結ぶ海域ネットワークの節点であったことを示している。済州島は従来より、中国や日本のような外国との関係を築き、東アジアの海域ネットワークにおいて活躍した存在だったのである。

2 済州島の地理的位置

朝鮮王朝前期の朝廷官員申叔舟《しんすくちゅ》（一四一七～一四七五年）は、済州島に赴任した時に、済州島の独特な地理について、次のように叙述している（『保閑齋集《ほかんさいしゅう》』巻十五「送金同年好仁安撫済州序」）。

> 済州島は古の耽羅国《たんらこく》、南海中の遠い地で、海上数百里を航海していたる。奇材や海産物を産し、商船が絶え間なく往来、海賊も従横に活動し（中略）済州は元の時代に馬を放牧して牧子を置いたり、皇帝の避難戦略の中心地になったので、蒙古《もうこ》人と漢人が雑処し険阻《けんそ》を恃《たの》んで反抗することもあった。さらには済州は、西は中国の明州をおき、東は日本の九州にあたり、南は琉球諸島に通じている。*1

当時の人々は、こうした国境を越えた人の見聞録によって、周辺地域の情報と知識を手に入れることができた。申

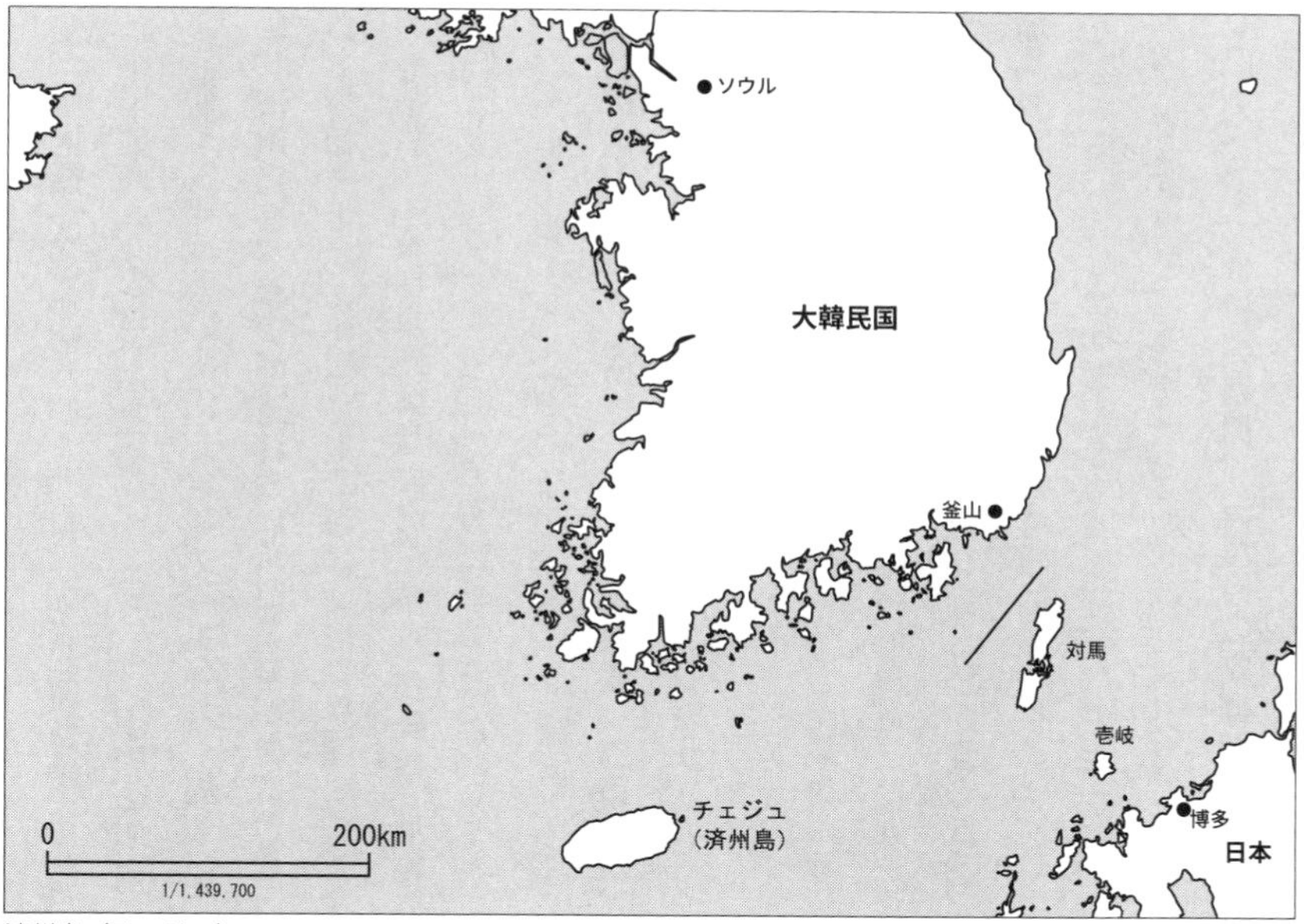

済州島（チェジュ）

叔舟はこの短い紹介の中に、済州島の歴史、地理の特質を提示している。これは、当時の代表的な済州島認識と言えるが、その中に、「況州西値中国之明州、東当日本之九州、南通琉球」（さらには済州は……通じている）と述べている。済州島は孤立した島ではなく、海を通して他の国と結ばれていることも認識していたのである。しかも、相対的な位置を描写することによって、済州島を東アジアの国際社会の中に明確に位置付けた。「海賊も従横に活動し」という表現は倭寇の乱という歴史的体験を踏まえている。その時の東アジアの海域交流の中に済州島の活躍は見られている。中国と自国を行き来する異国の船は済州島を通過するだけではなく、島に立ち寄って、水などを補給していたのである。地理的な面から見ると、済州島の国際性が認められる。海外から済州への漂流、または異国船の来航は済州島と外国との主な接触方式であった。

3　唐船と済州島

海島である済州島は周辺がすべて海であるため、諸外国との関係は古くから船を利用した。東アジアの海域のネットワークにおける済州島をめぐる国際交流は、まず、中国船の送還から始まった。九世紀以降、済州島には中国の商人（宋商）が頻繁に往来した。中国の明州《みんしゅう》（寧《ねい》波《は》）などの地域との関係もつながっていた。周知のように、済州島は、歴史的遺跡や伝承の遺産が豊富な地区である。朝鮮半島に比べても、海洋文明や異国に関するものも多い。『新増東国輿地勝覧《とうごくよちしょうらん》』では済州牧《チェジュモ》（北部）の「高齢田《こうれいだ》」について、次のように記している。

> 州城《しゅうじょう》の東一里にある。地元の言い伝えでは、ここは唐船が座礁した所で、今は耕地になっているが、唐人が持ってきた瑪瑙《めのう》などの宝物を掘り出すことができる。*2

州城は済州の旧市街にあり、東へ一里の距離に山地川の河口がある。先に述べたように、中国で鋳造した五銖銭はここから出土した。古代からこの港は済州島の政治、交通と貿易の中心地である。現在は耕地に変わっているが、ここで出土した物は唐船との関係を有している。

唐船と済州島の関係は、宗教・信仰の方面にも反映している。十七世紀の初期、済州島の安撫御史《あんぶぎょし》の金尚憲《きむさんほん》（一五七〇～一六五二年）が記録した『南槎録《なんさろく》』（巻二）は、燃灯節《ねんとうせつ》について次のように記述している。

> 済州の風俗では二月は燃灯節である。民間伝承によれば、大唐商人の船が遭難して、漂没し、その体がバラバラになった。頭骨は済州島の東側に流れ着き、手足は西南の高内、涯月、などに着いた、故にその里の人は、正月二十八日に村中からお供えをし、二月五日に至るまで、燃灯を祭るのである。毎年正月の晦日には、風が西海から吹くのは、すなわちこのためである。*3

この内容は金尚憲が一六〇二年、済州島から帰る時、草蘭《そうらん》島《とう》に船の中で聞いた話である。祭祀は今でも続いており、竜灯祭と呼ばれ、竜王夫人堂で行われるものである。その目的は海の安全、豊漁祈願である。この祭祀は『東国輿地勝覧』（済州牧・風俗条）にも記されている。「金寧《きんねい》などの東海岸では竿を立て、涯月などの西海岸では馬頭の飾りで神を迎える」という。祭祀は二月から始まり、その期間は乗船を禁ずる。この祭祀は中国船と中国商人の遭難に関連する状況、および済州島の対外交流の情報も反映している。

また、中国と燃灯節の関係は崔溥《ちえぶ》の『漂海録《ひょうかいろく》』（弘治元年三月二十三日条）にもみられる。

昔、宋の嘉佑年間（一〇五六～一〇六三年）、高麗に臣属していた乇羅《とんらとう》島人が、船の帆柱がくだかれ折れてしまい、風に漂って岸にたどり付き、蘇州の昆山《こんざん》県に至った。県知事の韓正彦《かんしょうげん》は酒食でねぎらったが、もとの船桅《せんき》（帆柱）が甲板の上に固定されてあり動かないのを見て、工人に命じて桅の造作を治して軸が回転するようにし、それを起こしたり倒したりする方法を教えた。島人は手を合わせて喜び、これをまわした。*4

海を渡る旅で、狭い物の見方が広く開かれることになった例である。耽羅の船が蘇州昆山県へ漂着した時、済州島の人は帆柱が船体から着脱できるようにする技術を中国人に教えてもらったのである。これによって中国の造船における先進的な技術が済州島に伝わった。これも済州島で中国文化を積極的に摂取し、学んできた例の一つである。

4　蒙古人と済州島

上述した申叔舟の詩では、済州島が「蒙漢雑処《もんかんざつしょ》」（蒙は蒙古人、漢は中国人を指す）のところと述べられている。十三世紀から十四世紀にかけて、元の勢力拡大によって、中国大陸と済州島の交流も促進した。済州島が元朝の馬の牧場として、元の支配下に置かれた時がある。それに伴い、済州島は中国との交流の機会を多くもつこととなった。たとえば、一三六八年、舟山群島の海上武装勢力が明の洪武帝《こうぶてい》（一三二八～一三九八年）に対して抵抗した。それが失敗した後、その頭目の一人である陳君祥《ちんくんしょう》とその一族は高麗に逃げた。一三六八年六月八日、舟山群島から逃げた陳君祥の船団は、済州島に入港した。そしてその団体の中の一部の人々は朝鮮半島の全羅道《ぜんらどう》に向かい、他の一部は済州島に残った。『明実録《みんじつろく》』洪武五年（一三七二）には次のようにある。

高麗国王が上表していうのは、耽羅国は険阻をいいことに朝貢を奉じない。そして、蒙古人がとどまっている。*5

この段階でも済州島に蒙古人がいることがわかる。申叔舟の詩の「蒙漢雑処」とは、こうした史実を反映しているのである。

『東国輿地勝覧』には次のようにある。

済州島にもともとあった姓は高、良、夫などである。その他、朝鮮半島から来た姓は金、林、朴などの十七の姓で、元朝から来たのは趙、石、宋、鄭、周などの十の姓である。元朝から来た人には蒙古人と漢人の両方ともいた。これらの人びとはその後、済州島に残って、済州の人になった。済州人、朝鮮人、蒙古人と漢人が雑居し、一緒に生活するものの、自分の国でするのと変わりがなかったと言う。それで、済州島の人びとの構成は多彩なものとなった。

また、明の初期になると、雲南《うんなん》から済州島に移り住むことになった梁王とその家臣に、梁、安、対、姜の四つの姓がある。

ここで述べられている姓について、『高麗史《こうらいし》』にはこれに関連する記事がある。

一三八一年、雲南を平定した洪武帝が、捕らえた梁王と家臣を高麗に遣わして来たので、彼らを済州に移り住まわせた。[*6]

この梁王は、中国に最後に残った蒙古王室だ。一三八二年、洪武帝は梁王を下し、済州島に移り住まわせることとした。そして、一三八八年、捕魚児海の戦いで降した蒙古王室の人たちを済州島に移住させるために、高麗政府に住居を整備させたのである。『高麗史』(一三七・列伝五十)に次のようにある。

高麗政府は官員を済州島に派遣し、建物の建築を行った。この数は八五箇所にのぼっている。[*7]

その後の記録によると、その三年後、洪武帝は済州島に配置した蒙古王室を中国に召還させた(『高麗史』巻四十五、世家四十五、恭譲王元年十一月壬午条)。しかしながら、その全員が戻ったのではなく、一部は済州島にとどまり、済州島の人になった。『東国輿地勝覧』に出た姓は、こうした歴史事実と関係がある。蒙古王室が済州島に移住したように、中国と済州島の関係は、時代により異なるが、さまざまな交流の経験を重ねていった。こうした状況からすれば、アジアの他の地域からも、済州島に移住した可能性が高い。

十三世紀から十四世紀前半にかけて、東アジアの変動と新秩序の形成は、済州島の人員構成にも影響を与えた。済州島は東アジア海域のネットワークの要衝だったのであり、その時代の済州島は、人員の構成が多元多彩であり、人々の移動も頻繁であったのだろう。

5　おわりに

上述したように、済州島は中国との国際交流を積極的に展開している島である。外交、戦争、貿易などの交流を踏まえて、国家間の通交と民間レベルの交流も続いている。中国と済州島を含む東アジアは、従来より運命共同体として、血縁や地縁の結合を緊密にして生活を続けてきたのである。中国文化の要素も済州島の地域文化の形成に深く関与していたのである。

注

1 『保閑齋集』人民出版社、二〇一一年。
2 『新増東国輿地勝覧』朝鮮史学、一九三〇年。
3 『南槎録』済州道庁、一九九八年。
4 『崔溥「漂海录」评注：域外漢籍』線装書局、二〇〇二年。
5 『高麗史』国書刊行会、一九七七年。
6 『太祖実録』台湾中央研究院历史语言研究所、一九六二年。
7 『高麗史』（太白山史庫本）ソウル大学、一六一三年。

参考文献

・高橋公明「中世の海域世界と済州島」『海と列島文化4東シナ海と西海文化』一九九二年。
・高橋公明「海域世界の中の済州島と高麗」『立教大学日本学研究所年報』3、二〇〇四年。
・藤田明良「島嶼から見た朝鮮半島と他地域の交流―済州島を中心に―」『青丘学術論集』19、二〇〇一年。
・藤田明良「「蘭秀山の乱」と東アジアの海域世界（特集民族と地域社会―東アジアの場合（1））『歴史学研究』698、一九九七年。
・末松保和「麗末明初における対明関係」『末松保和朝鮮史著作集五』吉川弘文館、一九九六年。

07 八重山・小浜島の念仏歌

酒井正子

1 はじめに

沖縄では盆といえばエイサーがつきものだ。だが八重山諸島の小浜島《こはまじま》では、念仏衆の一行が念仏歌をうたい、夜を徹して家々をまわる。小浜島は人口四百二十五世帯、六百二十六人(二〇一七年末現在)。芸能の島として知られ、ソーラ(旧盆)、結願祭《きつがんさい》、種取《たねど》り祭等に伴う芸能は「小浜島の芸能」として二〇〇四年十二月、国の重要無形民俗文化財に指定された。また赤マタ黒マタが出現する豊年祭(プーリー)を継承し、明和の大津波(一七七一年)の被害で移住した先の石垣島宮良《みやら》でも、秘祭を伝えている。

小浜島の旧盆では、他島と比べ多種類の念仏歌がうたわれるのが特徴的である。ヤマト(日本本土)風の歌や、中国・韓国と通底するモチーフの歌が入り混じる。本稿では、東アジアの人々の往来の中で成立したと思われる、そうした混淆性の一端を報告したい。

2 小浜島の旧盆行事

旧暦七月十三日はンカイ(迎え)。夕刻当主が門前で迎え火を灯し、祖霊を家内の仏壇(先祖壇)【図1】まで導く。家族一同盃をまわして拝礼する。夜はニムチャー(念仏者)【図2】ニンジュ(衆)の家まわりが午前二時ころまで続く。おもに《七月念仏》がうたわれる。

旧十四日はマナカ(真中)。日中は親戚・縁者宅へ焼香に行き、夕刻よりニムチャー衆の家まわり。おもに《無《む》蔵《ぞう》念仏》がうたわれる。

旧十五日はウクリ(送り)。ニムチャー衆の家まわりは二十三時ころには終了。夜半近く、カネの音を合図に、各家で供物を片付け、手土産や杖を持たせてご先祖様を門外に送る。島外居住者も帰郷し、極力家族全員が揃うようにする。

旧十六日は胴肌《どうはんだ》願い(生者のための健康祈願)【図3】。ご先祖の送りをすませて深夜、日付がかわるとすぐに、年長者宅の家まわりを開始。早朝には集落中央の十字路で北・南両部落の芸能が対峙する。ニムチャー衆は花笠・女装姿に身をやつし、北は《ヤマトの山さじぃ》、南は《みんまま念仏》をうたい、念仏歌を倍速のテンポで揺らすジルクが合同で踊られる。いったん散会後、十三時頃より胴肌願いを再開。最長老宅より始め、最後に部落会長宅にて念仏歌全曲を詠む。獅子舞が出て厄を払い【図4】、二十一時頃には終了する。文字通り芸能ざんまいの四日間である。

3　ニムチャー（念仏者）衆の家まわり

ニムチャー衆は若手で構成され、子供・青年の踊り連（アンガマとも言う）と三十歳代の歌三線奏者、中・高校生の笛、カネ・太鼓の鳴り物がつく。北・南二部落に分かれ、各々三日間かけて全戸を（近年は位牌を祀る家を中心に）まわる。各々五十戸ほどになる。

訪問先の家の庭に入ってきたリーダーは、まず口上を述べる。

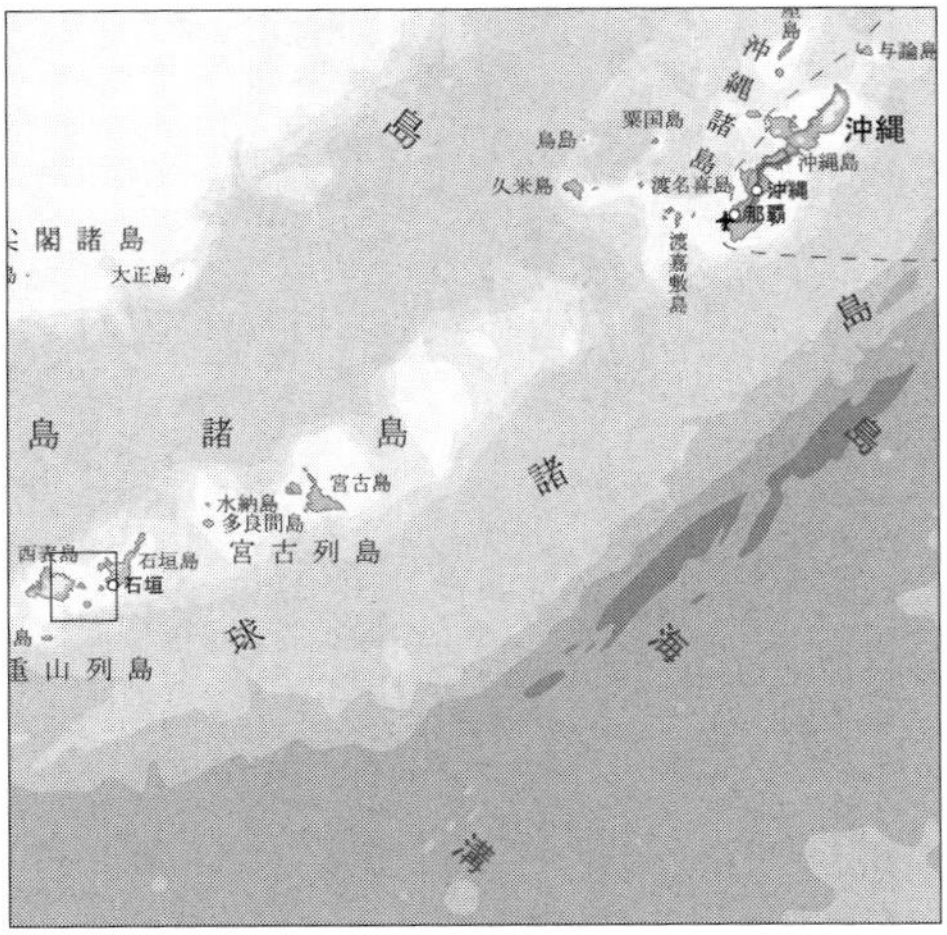

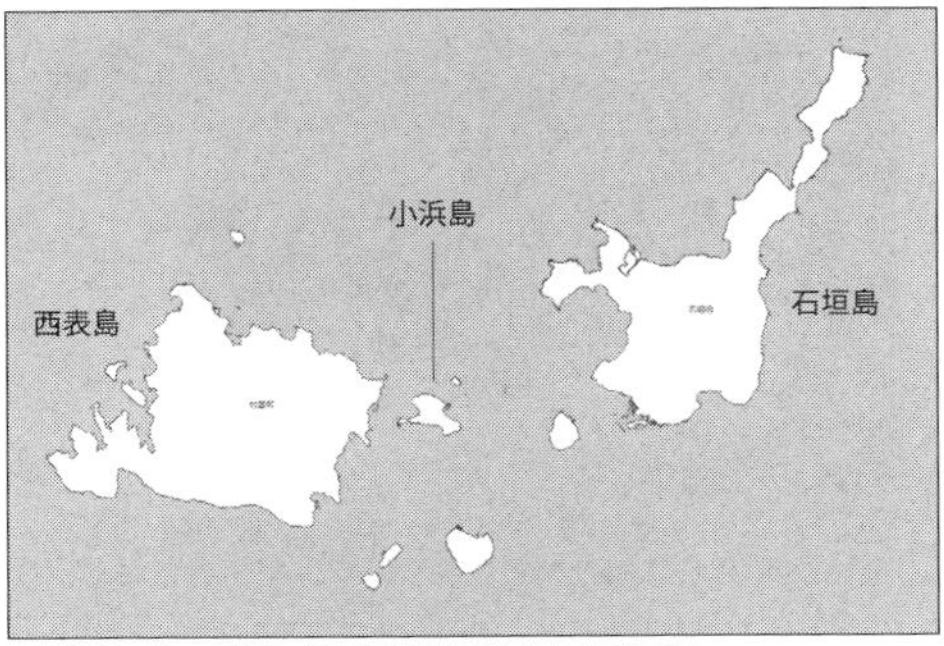

小浜島とその周辺（地理院地図をもとに作成）

ウートートゥ今殿内《こんとぅぬち》ぬ御主前《うしゅまい》、はん加那志《がなし》ぬ前／後《しー》ぬ子《くわー》　前《めー》ぬ子ひき連《ち》りてぃ／一里ぬ道十里ぬ道／親はろうぬ焼香さーく念仏者《にむちゃー》／我達《わったー》どえーびるトートゥ（この屋敷のご主人様、奥方様／前や後の子供を引き連れて／一里の道十里の道を／親兄弟親戚の焼香をしにやってきた念仏者は／私たちでございます）

家主は正装し、直立不動で迎える。

部落会長・理事・役員たちが座敷にあが

り、仏棚にお参りする。その間バックでは念仏歌の奏楽を絶やさない。子供たちは地謡の周囲を円陣行進し、自身も旋回しつつ手に持つフサやクバ扇をふりかざす。まるで光輝く回り灯籠のようだ。ひととおり念仏歌がすむと以下の挨拶がある。

〈リーダー〉うっさどぅ　う眼《み》かきやびたる（これだけお眼にかけたので）

〈一同〉とんまーとんまー　ういきゃーしゃびらトート（回り回って裕福になさって下さい）

図1　盆の先祖棚の飾りと供物。棚の中央に下げられた帯は「道引き」といい、小浜島独特のもの。「道引き」とは後生から下ってくる階段だとされる。（以下、撮影：筆者）

図2　ニムチャー（念仏者）の一団。右は中学・高校生の笛（立奏）、左に鳴り物と歌三線。周囲を子供たちが踊りまわり、フサを振る。

続いて迎える家の側からは、座開きの「御前風《ぐじんふう》」ほか祝儀舞や狂言、余興に至るまで次々と披露され、最後は全員モーヤ（自由乱舞）でしめくくる。芸達者の家系ほど盛り上がりを見せる。帰省できなかった兄弟たちから、「音だけでも聞かせて」と電話が入る。

家から家へ移動する間も、笛の楽や道行きの歌を絶やさない。

（以上、一九九四年の現地調査および『小浜島の芸能』［二〇〇六年］にもとづく。）

4　小浜島の念仏歌　詞章五種

以下①②④は基本的に同旋律で、三フレーズのフシに歌詞を連ねていく。⑤のみ曲調がまったく異なる。口伝のため人や地域により詞句は異なり、意味不詳の文句も少なくないが、一定の筋やテーマはある。ここでは主として『日本民謡大観』八重山篇によってみてゆこう（一部表記等改変）。

①《無蔵念仏《むぞう》》　別名《親ぬ御恩《ごおん》》《浄土宗が文段》

八重山諸島に広く定着し、盆や三十三年忌でうたわれる代表的な念仏歌。

(1)親ぬうぐぬや深きむぬ（親のご恩は深きもの）
父ぐぬうぐぬわ山高さ（父御のご恩は山高さ）
母ぐぬうぐぬわ海深さ（母御のご恩は海深さ）
(2)山ぬ高さや捌《さば》かりん（山の高さは測られる）
海ぬ深さや捌かりる（海の深さは測られる）
(3)扇ぬ風にあうがりてぃ（扇の風に煽がれて）
昼は父ぐぬ足が上（昼は父御の足の上）
夜わ母ぐぬ懐に（夜は母御の懐に）
とぅやいむはたいむ衣装が内（十八重も二十重も衣装の内に包まれて）
(4)濡りるかたには母憩てぃ（濡れる方には母が寝て）
乾らくかたには子ば寝してぃ（乾く方には子を寝せて）
むるとぅむ濡りりば胸が上（どちらも濡れれば胸の上に寝かす）

—以下（13）節まで概要—

▽これほど親に思われて、十、二十歳にもなるが親のご恩はまだ知らない。親を亡くし朝夕待つが戻らず、その姿を探しもとめ島々浦々訪ね歩く。浜に降り山に分け入り、墓前で寝こみ夢の中で両親に出会う。しかし手探りしても父母はいない。目覚めて声をあげて呼んでも、聞こえるのは山彦ばかり。それから家に戻り、父母の形見をとり出して泣きに泣く。

②《七月念仏》　別名《山寺》

山寺に参詣し、亡き両親のため読経し、盆の次第を尋ねお供えをする話。

(1)なむあみだぶち三人《みたり》とぅむ（南無阿弥陀仏三人とも）／あぬ山寺にさし寄らい（あの山寺にさし寄って）／むんぬ哀りや見てぃやりば（ものの哀れはみてきたから）
(2)今《ちゅ》来る十三なる月だんしゅう（今来る13歳になる月であるから）
二人ぬ親ぬ跡ば取り（ふた親の跡を取り）
西辺に向かゆて経ば詠み（西辺に向かって経を詠み）

—以下（11）節まで概要および補足—

▽東に向かって経を書き、詠んだ経文は父のため、書いた経文は母のため。受け取って下さい父や母（中略）。それほど親に大事にされて、わが親は如何《いか》に参らしなさ

図3　旧十六日深夜からの胴肌願い（健康祈願）の念仏衆。鉢巻きを赤に替える。

図4　旧十六日のイタシキバレの獅子舞（石垣市宮良）。盆の期間にやってきた死霊が持ち込んだケガレを払う。

るか。頭上に戴き胸に戴いて参らしなさる。懐かしい夏の山、この夜は七月の中のお盆。砂糖キビの茎、瓜、なすびなど供え、盆のまつりをすればふた親のためになる。

③《仲順《ちゅんじゅん》流り》 歌詞略

小さい子が亡くなった家でうたわれる。沖縄本島のエイサー歌として知られる。長者が三人の嫁を試し、子を犠牲にしても親を第一に思う三男夫婦に財宝を継がせる、

という中国の『二十四孝《にじゅうしこう》』の説話に基づく。儒教的な親への孝養の徳目が強調される話だが、長くはうたわず冒頭のみ。

④《大和の山サジィ》 別名**《山伏》**

旧十六日の胴肌願いで盛んに踊られる。本土生まれの山伏が民家を訪れ読経し、宿を乞うが断られ、つらい野宿をする話。実際かつてそうした遊行僧がめぐってきたのだろう。

(1)大和に生りたる山菩薩（本土生まれの山菩薩）
小浜にぬゆたる山ぴんがしぃ（小浜に居る山伏?）／
さーじょの袋をうち被り（衣服?の袋を被って）

—以下（12）節まで概要（?は試訳）—

▽編み笠を被り、杖をつき、念仏鉦《ねんぶつがね》を肘に、棰木を腰に差し、百十の玉を首にかけ、念仏経文を詠み上げる。経文は面白いが、宿はない。松の木の下に宿を借り、袋をかぶって寝るが足や頭が出て蚊にたかられ、夏の夜は長い。元の大和に戻ってこの苦労を語れば、哀れを誘うだろう。

⑤《みんまま念仏》

曲調はお経風で、拍ごとにことばをあてていくシラビックなうたいぶりも本土風である。二河白道《にがびやくどう》の比喩を思わせる内容で、細く危険な橋を、信心により地獄に堕ちず通り抜け、浄土に至る。説諭に耳を傾ける所作が振り付けられている。

南部落のM家が伝えたとされ、家まわりの際に同家で奏され、旧十六日早朝の中道の儀式では、南部落の演目として出される。

(1)ナムアミダンブチ　親ぬ跡目取らなく、後生《ぐしょう》通る子や（親の跡目も取らないで、あの世を通る子は）

(2)なぎぬ八百、幅《つま》ぬただ一寸五分ある橋から通る時やんま（長さ八百、幅のたった一寸五分ある橋から通る時には）

(3)橋ぬ先《すら》行きば先ん切《ち》りて、橋ぬ元行きば元ん切りて（橋の先を行くと先も切れて、橋の元を行くと元も切れて）　―以下概要―

▽さて上を見ると、大蛇様が私の目玉を抜いて食べようとし、下を見ると鰐鱶が私の舌を抜いて食べようとし、あの島この島石の棒鉄の棒をざらざらと突いて通る念仏者／親の跡目も取り済まし、後生を通る子は、同じ橋から通るときも、橋の先も切れず、橋の元も切れず。出門の仏に手を取られ、阿弥陀の仏も付き添って通る念仏者。ナムアミダンブチ。

5　おわりに

以上①②③④は沖縄最古の写本『念仏集』（一八七二年）や、大正初期の首里の念仏歌資料に記載がある。⑤は小浜島しかない念仏歌で、④にあるような、本土から流れてきた修験者や遊行僧が持ち歩いた歌ではないだろうか。

一方①、②の親の恩を思うくだりは、中国で作られた偽経『父母恩重経《ぶもおんじゅうきょう》』等に類似の表現がみられる。「母は自分がよほど腹がすいていても、苦いものは飲んでも、甘いものは子にふくませ、乾いた着物を子に着せて、自分は湿ったものを身に就ける」「水の如き霜の夜、氷の如き雪の暁にも、乾《かわ》ける処に子を廻し、湿《しめ》れる処に己《おの》れ伏す。子、己れが懐に屎まり、或いは其の衣に尿するも、手自ら洗い濯《すす》ぎて、臭穢《しゅうえ》を厭ふことなし」とある。親は自分を犠牲にして一心に子に尽くすが、子はそれに気付かず、気付いた時はすでに親はいない。「父の恩は山よりも高く、母の徳は海より深し」と、父母の恩の重さを強調し、親孝行を説くのである。仏教というよりむしろ、儒教的な「孝」の観念が前面に出ているといえよう。朝鮮半島や日本でも、高麗期や奈良天平期には知られていた。

韓国の喪輿歌《サンヨソリ》にも、

▽父の骨と、母の肉を借りてこの体が誕生し、一、二歳の頃は物心がなく、父母の恩功を知らなかった。二十、三十歳をすぎても、父母の恩功を返せない。

▽二十歳たらずで結婚し、我が子を生み育ててはじめて親の恩を知り感謝をする。

▽四十、五十歳を過ぎてから、両親のことを切実に思い出す。

などとうたわれている（江原道、珍島）。

八重山の人々は《無蔵念仏》の、父母の形見をとり出してさめざめと泣く、というくだりで涙し、現在も大切にうたい継いでいる。

琉球弧の念仏歌に関する史実は乏しい。一六〇三～〇六年まで滞琉した浄土宗の僧袋中《たいちゅう》（一五五二～一六三九年）が、仏の教えをやさしく民衆に説いて聞かせたのが始まりとされる。しかしそれは起源譚の一つであって、実際には民間の宗教者や、チョンダラーなどの放浪芸人が離合集散し、彼らの経文や歌が土着化する中で形成されたと考えてよい。そこには東アジア共通の基盤もあったのではないだろうか。小浜島のニムチャー衆が各戸を訪問する姿は、かつて遊行の僧が家々を廻り、念仏を唱えた様子を偲ばせる。

参照文献

・池宮正治『沖縄の遊行芸―チョンダラーとニンブチャー』ひるぎ社、一九九〇年。

・酒井正子「韓国の喪輿歌―珍島挽歌を中心に」、野村純一編『伝承文学研究の方法』岩田書院、二〇〇五年。

・酒井正子「死者と生者をつなぐニムチャー衆」、『月刊みんぱく』十月号、国立民族学博物館、二〇一八年。

・崔仁宅《チェインテク》「祭儀集団からみた八重山島嶼社会誌―小浜島の記述と再構成―」、『社会人類学年報』vol.19、一九九三年。

・日本放送協会編『日本民謡大観（沖縄・奄美）』八重山篇、日本放送出版協会、一九九〇年。

・竹富町教育委員会編『小浜島の芸能』、民俗文化財地域伝承活動報告書、同委員会、二〇〇六年。

第4部　交易と文化

01

海賊と海商

森田雅也

1　はじめに

タイトルの語は、すでにレジェンドとなっている語であるが、国際的には二十一世紀の今日でも過去の遺物とは言い切れず、その定義は難しい。本章では「海賊（pirate）」「海商（maritime commerce）」として論じていることを共有いただきたい。

「海賊」とは、本来、政府正規軍（水軍）と違い、公海上において、私的にほかの船舶の交通の安全を脅かす性質の暴力行為や船舶や沿岸を襲撃することによって金品を強奪する盗賊集団を指しているのである。その一方で、古代のヴァイキング（Viking）や中世のヴェネツィア共和国・ジェノヴァ共和国のような海洋通商国家が、自国、自民族の海商利益を防衛するために武装商船団を形成し、競争相手の船舶あるいは領土までも攻撃・略奪する場合も広義では「海賊」であるが、これは「海商」の域とも重なるので後述する。

ここで国際的な「海賊」史の概説を挟むべきであろうが、各国史、海洋史ともつながり、海洋法、海商法などに照らそうものなら、紙幅にいくら余裕があっても不可能であろう。また、東アジアの海域とは、広義では広大な地域を指すことになるが、世界地図の中ではなく、論者の浅学もあり、日本を海図の基点として論じるに留めたい。

2　古代の海賊・海商

「海賊」という語のイメージは、近年の映画『Pirates of the Caribbean』シリーズやアニメ『ONE PIECE』のような痛快な海洋冒険話を思い浮かべてしまうが、被害者の側から観れば法と秩序を遵守する人々が交通手段として船を選び、海の道を利用しているにもかかわらず、簒奪、もしくは生命の危機にさらされるのは、不条理極まりない行為である。

古代において、朝鮮を含む東アジアの大陸の国々は危急存亡をかけて戦いを繰り返し、国家の興廃は目まぐるしかった。しかし、四方を海で囲まれた島国国家日本は、国内情勢は別として、一人、国家としては安寧の歴史を歩み続けた。それは海が自然の要害となり、夷狄《いてき》侵入の楯となったからであった。さらに日本は大和朝廷統一以来、政治の中枢部である都は、外洋との沿岸から瀬戸内海を経た深奥部近くの奈良・京都近辺に置いた。瀬戸内海とは友ヶ島《ともがしま》水道（紀淡《きたん》海峡）、鳴門《なると》海峡、豊予《ほうよ》海峡、関門《かんもん》海峡の四海峡（瀬戸）によって外海と隔てられた内海を指し、東西の長さは大阪湾～関門海峡間で四五〇キロメートル、南北の幅は二〇～五五キロメートル、島々の数は大小あわせ、七百を超えるとされる。これらの島嶼を砦に見立てるなら、難攻不落の立地に都を据えた国家といえよう。

ところが翻って、国内の海上交通・物流の安全性となれば、この島嶼は海賊の格好の隠れ家であって、瀬戸内航路を行く船は、か弱い子羊となってしまう。

古代日本は律令制による中央集権的な統治制度国家であった。しかし、十世紀末頃からは不輸不入の権などの行使により、一部特権階級による荘園制度となっていく。いずれの場合も輸租《ゆそ》（田租を国家に納める）のため、地方から都へ京進（荘園・公領の年貢・公事・段銭などを京都に進上納入すること）が行われた。律令制度においては基本的には陸上輸送を旨とすべしとしていたが、『続日本紀』によれば、天平勝宝八年（七五六）十月の太政官処分から海上輸送が公認された。逆にここから海上輸送の保全は国家の責任において担わざるを得なくなったのである。従って海上輸送を襲い、私的に略奪を行ったり、危害を加えたものは「海賊」として、日本国家から追捕されることとなったのである。

そのような背景として、この頃すでに日本近海に先述の「海商」利益を防衛するために、武装商船団が組織的に形成され、無法行為を繰り返していたことが想像できる。

3　八～九世紀の東アジア海域の海賊・海商

八～九世紀の東アジア海域を支配していた人物として、張宝高《ちょうほうこう》（?～八四一年）が有名である。新羅人で、新羅の政界および新羅・唐・日本間の貿易に活躍し、名前を『三国史記《さんごくしき》』『三国遺事《いじ》』などでは弓福《きゅうふく》・弓《きゅう》巴《は》、杜牧《とぼく》『樊川文集《はんせんぶんしゅう》』では張保皐《ちょうほこう》、『続日本後紀』『入唐求法巡礼行記《にっとうぐほうじゅんれいこうき》』などでは張宝高とする。近年、韓国が『海神《ヘシン》』としてTVドラマ化し、「チャンボゴ（장보고）」として日本でも放映されたことでも知られている。はじめは、唐（中国）徐州《じょしゅう》の軍人であったが、帰国後海賊の取り締まりで功をたて清海鎮《せいかいちん》大使となり、韓国・全羅南道《チョルラナムド》「莞島《ワンド》（완도군）」を拠点として、日本・新羅・唐の三国間の海上貿易で巨万の富を得た。日本とは遣唐使の入唐に便宜をはかり、私貿易を行い、大宰府および筑前国守文室宮田麻呂《ふんやのみやたまろ》らと密接な関係を持ち、承和七年（八四〇）十二月には朝廷に使者を遣わすなど、かかわり合いは強い。

この動きは中世期に海上交通と商品流通機構を整えた島国イギリスがヨーロッパ大陸の封建体制の崩壊期に資本主義を打ち立てていった情況に似ている。海洋経済圏が国家の枠を超えて、各国の同志的な資本提供と結んで、新しい「資本制」を築き上げたのである。しかし、張宝高は不慮の死を遂げる。その志は大なり小なり東アジアに影響を与えたであろう。

その頃、日本でも中央は藤原氏を中心に私物化され、さまざまな形で反抗が起こっていた。とくに承平・天慶年間（九三一～九四七年）の乱は関東一帯を支配し、独立王国を目指した平将門《たいらのまさかど》（?～九四〇年）の乱は、鎮圧されたものの中央の心胆を寒からしめた。その同時期に、まさに瀬戸内海の海域を中心として起こったのが藤原純友《ふじわらのすみとも》（?～九四一年）の乱であった。

九世紀後半に入ると、西国では、租税や力役の負担をのがれる農民が、富豪を中心に党をつくって船を襲い、物資を掠奪する動きを示し始め、朝廷はこれらの海賊の追捕に腐心した。藤原純友は、伊予掾《いよのじょう》の官職のまま、伊予の日振《ひぶり》島《しま》を根拠地として船千余隻を率いて各地で掠奪を行う「海賊」行為をしていた。平将門の乱が起こると、それに呼応するように大規模な略奪行為をし、淡路・讃岐・伊予・備前・備後・阿波・備中・紀伊・大宰府・周防・土佐の各地を襲い、山陽南海道、すなわち、瀬戸内海の制海権を得ることとなる。しかし、将門の乱の鎮圧後、配下の裏切りなどから、まもなく沈静化する。

しかし、瀬戸内海の航海の安全が中央によって保たれることはなかった。日本文学でも古代、中古文学には武威のない、無抵抗な僧侶、貴族などが海賊に怯える姿が多く描かれている。たとえば、平安時代初期成立とされる『日本《にほん》霊異記《りょういき》』には、百済《くだら》からやってきた救済和尚が亀を助けたが、後日、和尚が海賊に襲われ、瀬戸内の海原に放り出されたとき、亀たちが背中に乗せ、溺れさせなかった報恩譚をあげている。『宇治拾遺物語』では、あるひ弱な僧が乗る船が瀬戸内の安芸沖で海賊に襲われ、海中に投げ込まれたものの、経典を離さず浮いている姿に、逆に海賊の方が仏道の奇特を見、発心出家したと語る元海賊の老僧の悪漢小説《ピカレスク》風懺悔話があるが、相当な手荒い無慈悲な襲撃方法であったことがわかる。

海賊襲来に何も為す術がなく、ただ神仏に無事を祈る姿は、『土佐日記』に作者紀貫之《きのつらゆき》の実体験のこととして記されているが、この場面を江戸時代後期、読本作家上田秋成《うえだあきなり》が『春雨《はるさめ》物語』「海賊」として潤色した際、海賊が紀貫之を凌駕せんばかりの歌学、史学に秀でた人物として脚色していることは注目できる。もちろん、これは国学者上田秋成が持論を仮託した、衒学的《ペダンチック》とも言える人物であり、殊の外、教養人に造形されている。しかしながら時代に限らず、船頭、船主にあたる「水主《かこ》」は、潮流はもとより、地形、天候、天文、操舵、海運、交通、行政、海上法、経済、政治等の情報力を持った知識人であったはずである。そのような彼らを束ねる頭領とも呼ぶべき人物はさらにこれらに秀でた超インテリであって、戦国期に大名さながらに活躍した「村上水軍」「九鬼《くき》水軍」といった集団例があがるのである。

「海賊」無法時代の平安時代に話を戻せば、この萌芽しつつあった海賊の知的リーダーと中央政権は、対立から妥協点を見いだしていくことになる。すなわち、海上輸送において護衛を「海賊」に依頼するのである。輸送者は何らかの名目で報酬を海賊に支払わねばならないが、対価として、瀬戸内の島々の潮流事情や風向きなどに長けた水先案内人を得、ほかの海賊からの略奪にあわないという安全性を確保できるのである。もちろん、ある特定の海賊を雇ったためにほかの海賊との縄張り争いに巻き込まれる危険性はあるが、それでも無防備の丸裸で未知の海域に挑むより安全であった。

4　日宋貿易と倭寇

これらの各地域の海賊を支配下におき、「海賊」から「水軍」として自らの一族の勢力拡大に利用したのが伊勢平氏の棟梁、平清盛《きよもり》の父、平忠盛《ただもり》であった。平忠盛は中央政権にも取り入り、八九四年に遣唐使が停止されてから、下火であった日中貿易にも参入していった。これが「日宋貿易」である。忠盛の死後、平清盛はその東アジア交易で得た資本をもとに瀬戸内海航路を整備し、大輪田泊《おおわだのとまり》（現兵庫県神戸市）を国際港とし、巨万の富を得るようになる。その点では、明治政府の庇護の元、「三菱」として急成長をとげた岩崎《いわさき》弥《や》太郎《たろう》に似通っており、「平清盛」をして、日本の「海商」の濫觴と呼べるかも知れない。

日本の政権が藤原政権から院政を経て、平氏政権、源氏政権となっても、この「日宋貿易」は続いたが、日本を含む東アジアの安寧が大きく崩れることとなる。「元」の登場である。元は日本にも文永十一年（一二七四）、弘安四年（一二八一）の二度にわたり、海を渡って襲来してきたが日本側から言えば、いわゆる「元寇」である。チンギス・ハンの蒙古は、東アジアのみならずユーラシア大陸まで席巻したが、ここで「元寇」の詳細は避けたい。ただ、最近の研究では「元」は当初、日本を武力支配しようとしたのではなく、海上交易を望んでいたという見解が定着しつつある。その意識が行き違いとなり外交問題となり、武力衝突に発展したというのである。事実、日元の衝突下でも民間レベルでの貿易関係が維持され、一二七六年、元は泉州《チュアンチョウ》、広州《コワンチョウ》、慶元《チンユエン》、上海《シャンハイ》、澉浦《ガンプ》に市舶司を設けて貿易の管理にのりだし、七八年には宣戦の国書の主であるフビライ自身が日本商船の貿易を許可している。

ただ、東アジア海域の問題としては、「元寇」よりも「刀伊《とい》の入寇」事件までさかのぼる必要がある。刀伊とは朝鮮語で夷狄《いてき》のことであるが、日本では沿海州地方に住んでいた女真族をさす。寛仁三年（一〇一九）三月、高麗《こうらい》を襲った女真人が五十艘余の船に分乗し、壱岐、対馬に襲来し、ついで筑前国（福岡県）怡土《いと》郡を侵し、志麻郡、早良《さわら》郡を略奪し、さらには大宰府まで襲った。このときの被害者たちの子孫は再び、「元寇」によって、劫掠・虐殺されることとなる。彼らは当時の朝鮮国高麗は元の支配下にあり、その命によったとは言え、中朝連合軍として攻め入ってきたと理解し、個々の集団を作って中国、朝鮮に報復攻撃を行うようになった。これが「倭寇」の始まりとされる（清・徐継畭《じょけいよ》『瀛環志略《えんかんしりゃく》』、朝鮮・安鼎福《あんていふく》『東史綱目《とうしこうもく》』等）が妥当な見解であろう。とくに被害の大きかった長崎・対馬の松浦党《まつらとう》が海賊集団を形成し、「倭寇」の中心集団と目されるのも諒解できる。ただ、主に十三〜十六世紀に活動した「倭寇」は朝鮮、黄海海域にとどまらず、東シナ海、南シナ海にまで及んでおり、その行動目的もさまざまであり、単なる略奪を目的とした者たちから、領土侵略を企図してその国の正規軍と争う者たち、海上交易の利権確保をもとめる者たちなど、すべてを「倭寇」として一括りにしてはまとめられないほど多様化する。また、民族も初期のように日本人だけでなく、たとえば、一五五四年六月に済州島《さいしゅうとう》において、唐人と倭人が同乗する「荒唐船《イヤンソン》（황당선）」（倭船か唐船かが不明瞭な海賊船を指す朝鮮側の呼称）が朝鮮の水軍と衝突するという事件があったが、これは博多・平戸など西北九州の貿易基地と漳州《しょうしゅう》（中国・福建《ふっけん》省）・湖州《こしゅう》（中国・浙江《せっこう》省）を結ぶ交易ルートがあり、そこで唐人・倭人が商う日本銀をめぐってのトラブルが原因であった。この時期、日本は世界有数の銀の産出国であったため、東アジア海上交易の商品の中心は良質な日本銀であった。一五四二年頃、ポルトガル船がイスラム教徒の船を襲い、積み荷を奪ったところ、その大部分は平戸から漳州へ向かう別のイスラム船から奪った日本銀であった（メンデス・ピント著『東洋遍歴記』）と

いう例もあり、いかに東アジアの海域に多くの民族が海賊として跋扈《ばっこ》していたかがわかる。また、十六世紀半ば、平戸・五島諸島を本拠地として倭寇の首領「徽王」こと「王直《おうちょく》」が猛威をふるうが、彼は元来、明の歙県《きゅう》（安徽省《あんき》・黄山市）出身であった。明の禁輸品・火薬等を交易する海商として活躍するうちに、明の官吏、奸商、貴家などの密貿易仲間として追捕され、日本の松浦党、五島海民、瀬戸内の村上氏、豊浦大友氏などを率い、史上最大の倭寇を組織することになったのである。このように倭寇の歴史は、東アジア海域の人々の交易と紛争の歴史とも言えるのである。

しかし、当然ながら、倭寇の活躍は東アジア海域諸国全体の国際的安全保障問題となり、王直が密貿易を理由に明政府に召喚され処刑されたように、日本も近隣諸国から自国の倭寇の厳重な取り締まりや撲滅を迫られることとなった。室町幕府も十四世紀頃は、明・朝鮮とともに盛んに倭寇を取り締まり、明軍の「望海堝《ぼうかいか》の戦い（一四一九年）」によって沈静化させたが、朝鮮軍が「応永《おうえい》の外寇《がいこう》（一四一九年）」によって対馬を倭寇の拠点と目して、その占領を企図して攻め込んで来たことから、かえって倭寇対策が消極化してしまったという経緯がある。

5　勘合貿易

その後、室町幕府は応仁の乱などで弱体化し、代わって地方の有力大名が勢力を拡大していったが、彼らも又、海民たちの一部が倭寇に関係する集団を知りつつも、戦時には水軍として与力してもらう可能性や外敵からの海防上の利点から、積極的に撲滅しなかった。

ただ、脆弱な室町幕府であったが、日本を代表して中国と正式な海上交易も行った。いわゆる「勘合貿易《かんごう》」であるが、勘合符とは明が発行する通航証明書であって、貿易許可書ではないので、国家間の正式な交易という意味では、「日明貿易」と呼んだ方が実態に即している。日本からは刀剣、硫黄《いおう》、銅、蘇木《そぼく》、扇、蒔絵《まきえ》漆器、屏風、硯《すずり》等が輸出されたが、最も必要とされていたのは先述の「日本銀」であった。対貨としては銅銭、絹、布等が支払われた。とくに明の「**銅銭**」は日本の通貨でもあったから重要であった。しかし、室町幕府の衰退とともに、本来、「勘合船」は名義上、足利将軍の派遣すべきものであったが、実際の経営者は有力守護大名や大寺院で、博多や堺の商人がそれらと結びついて行く。のちには細川・大内両氏によって勘合の争奪がおこり、その結果、大永三年（一五二三）、両氏の使節が寧《ね》波《は》で衝突して争乱に及ぶ。いわゆる「寧波の乱」である。その後勘合は大内氏の独占に帰し、同氏が滅亡するまで勘合船は大内氏によって派遣された。従って、大内氏は、日明貿易によって巨額の富を得、九州の一部から中国地方を領し、その勢力は盤石となる。一方、大内氏以外の戦国期の大名も豊かな領地経営のためには、明との交易は欠かせず、私貿易に頼るほかはなく、結局、倭寇の密貿易を利用することとなる。

その大内氏や有力戦国大名も滅び、日本が織豊政権によって天下統一されていく過程で、倭寇は水軍に吸収されて、その頭目は一大名として支配下に置かれていく。当然、海賊行為はなくなり、海の交易航路はかつてない安全性を保つこととなる。

もちろん、アジア海上交易の意義は、ヨーロッパからの海商などの活躍から活況を呈していく。それが十六世紀後半の「南蛮貿易」であり、十七世紀前半の「朱印船貿易」であり、博多や堺には海上貿易の独自ルートを持つ海商が生まれ、莫大な富を稼ぎ出していく。その背景には、輸出品として最も必要とされる「金」「銀」が、当時の日本では世界有数の産出量を誇っていたという事情がある。造船技術も高くなり、日本はアジアのみならずヨーロッパからも経済大国として世界的に認知されていく。やがてキリスト教の布教とヨーロッパ列強による植民地政策に危惧した徳川政権によって、いわゆる鎖国政策がとられ、外洋進出は禁止されるが、長崎の平戸・出島、朝鮮、琉球などから「金」「銀」は流出し続け、十八世紀を迎える頃には、海外貿易によって栄える大商人はいなくなってしまう。

6　博多と堺の海商

さて、翻って、その博多と堺の海商たちであるが、まず陳者、「博多海商」の歴史は古い。遣唐使派遣の七世紀頃、博多湾には海外からの使節を受け入れる迎賓館「筑紫館《つくしかん》」が造営され、これが遣唐使派遣停止（八九四年）後は「鴻臚《こうろ》館《かん》」と名を改め、唐の官人、商人たちを迎えて交易の場として賑わいを見せた。さらには先述の国際的海洋交易に明るい伊勢平氏と結びつき、平清盛の時代には日宋貿易の玄関口として博多湾が整備され、大輪田泊につながる国際交易ルートが確立したため、多くの中国商人たちも住み着き、国際貿易港として大きな役割を果たした。彼ら貿易商人は「綱《ごう》」という組織を作り、その「綱」を束ねる者を「綱首《ごうしゅ》」と呼んだ。その博多綱首の代表格が「謝国明《しゃこくめい》」（生没年不明）である。彼の拠点とした玄界灘の小呂島《おろのしま》（福岡市西区）は中国・朝鮮航路の要地にあたり、貿易拠点としては絶好の場所であったため、海上貿易で巨利を得た。しかし、彼は貿易で得た巨額の富を禅宗の普及や貧民救済にもあて、博多の人々から尊崇を集めた。この商人が海上貿易で得た利益を文化活動や社会貢献に還元する剛毅な姿は、後の博多豪商の原型となっていく。「元寇」によって荒廃した博多であるが、元朝が明朝となると、日明貿易の窓口となり、巨額の富を得る。しかし、そのために戦国武将の争奪の場となり、個々の商人はしたたかに生き残らねばならなかった。豊臣秀吉が天下統一すると、「太閤町割《たいこうまちわり》」による博多復興計画が計られ、それに協力した商人は海上交易に関する庇護を受け、類い希な豪商として名を残すこととなる。中でも「博多三傑」と呼ばれた神屋宗湛《かみやそうたん》（一五五一〜一六三五年）、島井宗室《しまいそうしつ》（一五三九〜一六一五年）、大賀九郎左衛門《おおがくろうざえもん》（?〜一六四一年）が有名であるが、とくに宗湛は中国貿易に、宗室は朝鮮貿易でその名を馳せることになる。しかし、彼らも秀吉の死去・豊臣家の滅亡とともに力を失うが、大賀家は朱印船貿易における糸割符《いとわっぷ》を得て、一族の一部が博多を支えることとなる。

堺の海商は、南蛮貿易とともに栄える。日本からの輸出品が当時世界的産出量を誇った「銀」であったことは再三述べてきたが、代わりに多く輸入された品は、外国産の良質な生糸・絹織物であった。なるほど、十六世紀半ばに鉄砲が伝来し、いわゆる戦国時代の戦術が大転換し、鉄砲を多く有する大名が天下に号令できるようになったので、鉄砲をヨーロッパから大量に輸入したかのようなイメージがあるが、鉄砲は天文十二年（一五四三）、種子島に輸入されるや、一年ほどで島の鍛冶《かじ》たちに模倣され、瞬く間に全国各地で国産の鉄砲が制作されるようになった。生産地としては泉州堺・江州国友・江州日野が有名であるが、全国の戦国大名のもとめに応じて、多くの物資とともに鉄砲を交易したのは堺商人が多かった。

堺商人の活躍は博多商人より遅い。勘合船との関係で述べた山口の大内氏は十五世紀の応仁の乱前後から、畿内でも勢力を振るい、瀬戸内航路に面した兵庫、続いて堺を掌中に収めていく。そのことによって博多→堺など九州、中国地方から海運ルートを整備していくが、大内氏が東アジアの海上貿易までも手を広げたことによって、堺商人は博多商人とともにスペイン・ポルトガルなどとの国際交易にも乗りだし、世界に知られた「海商」集団として巨額の富を築いていく。天王寺屋の津田宗久《つだそうぎゅう》、今井宗久《いまいそうきゅう》、呂宋助左衛門《るそんすけざえもん》、千利休《せんのりきゅう》などが有名である。また、堺商人たちは、戦乱で室町幕府や摂津・泉州の大名たちが急速に疲弊し、支配力が弱まったのに乗じて自治力を高め、会合衆と呼ばれる三十六人のもと、西欧の自治都市のような独自の組織が形成され、大いに繁栄することとなる。しかしながら、十六世紀後半になると自治都市「堺」も織田信長、豊臣秀吉という強力な支配者の前に屈し、十七世紀に入ると徳川政権による「堺」解体、大坂夏の陣による「堺」焼亡、大和川の付け替え工事などによって、往時の堺の「海商」の姿は消えてしまうことになる。

7　朱印船・糸割符

この博多・堺の「海商」終焉と自由な国際海上交易を禁止した鎖国体制の完成までに光彩を放った「海商」たちがいる。それが「朱印船貿易」「糸割符《いとわっぷ》貿易」にかかわった人々である。

「朱印船貿易」の定義は難しいが、一般的には豊臣秀吉、徳川幕府が倭寇や海賊と日本公認の海商を区別するため、大名や商人に朱印を与え、外洋貿易を許可したための呼称であるが、その貿易による巨利は十六世紀晩期から十七世紀初頭の日本の好景気を支えた。大名は島津・松浦・鍋島・亀井・加藤・五島・有馬・細川など、主として西国大名で、外人には三浦按針《みうらあんじん》（ウィリアム＝アダムス William Adams）、ヤン＝ヨーステン（Jan Joosten）など十名余、中国人では在留民の頭李旦《りたん》や林五官《りんごかん》など十名余いたが、商人では京都の角倉了以《すみのくらりょうい》父子・茶屋四郎次郎《ちゃやしろうじろう》、大坂の末吉孫左衛門《すえよしまござえもん》、長崎の末次平蔵《すえつぐへいぞう》・荒木宗太郎《あらきそうたろう》らが最も有名で、そのほかの多くも京・大坂・堺・長崎などの主要商業都市の商人であった。とくに大商人の物語は、仮名草子・浮世草子のモデルとなり、後の井原西鶴《いはらさいかく》（一六四二～一六九三年）の『日本永《にっぽんえい》代蔵《たいぐら》』（貞享五年［一六八八］刊）にみる致富談のように、商人憧れの理想像となるが、鎖国体制が整うにつれて、非現実的な過去の商人像となり、庶民から忘れられていく。

これと重複・並行して「糸割符」貿易が注目されるようになる。日本国内の戦乱期を終え、絢爛な小袖など平和を謳歌するようになった富裕層の登場によって、生糸・絹織物に対する需要は高まり、良質の生糸をもとめて、先述の国産「銀」「金」と国外との海外貿易が盛んとなった。「糸割符」貿易とは、輸入白糸を糸の「しるし（題糸高）」をもってこれを割ることに由来するとされる。徳川幕府は輸入白糸を統制した貿易仕法として、糸割符仕法を慶長九年（一六〇四）に成立させ、海外へ多額な日本銀が流出するのを防ごうとした。そこで白糸貿易の中心地、堺・京都・長崎の豪商の中から糸割符年寄を選任し、糸割符仲間を作らせ、彼らに輸入白糸の購入、販売を独占させ、価格の統制・管理にあたらせた。当初は中国、ポルトガルが対象であったが、マカオ商人との交渉やスペイン・イギリス・オランダなどが介入し、活況を呈したが、日本銀の流出は止まらず、明暦元年（一六五五）、糸価の高騰などを理由にこの制度は廃止された。それまでの鎖国体制で、イギリス・スペイン・ポルトガル船の来航は禁じられていたため、中国・オランダだけが生糸貿易の対象国となったが、両国の窓口も長崎に限られていたので長崎貿易として栄えるようになる。しかしながら、再三の銀輸出規制にもかかわらず、長崎からの絹輸入による銀の流出は押さえられないため、再び、堺・京都・長崎の豪商を加えて、国産絹を加えることで絹糸の販売統制を行った。次第に、国産絹が増産されたことと贅沢禁止令などにより、絹布市場は安定したが、貿易に巨利をもとめる「海商」の姿は消滅することとなった。

8　おわりに

江戸時代、鎖国体制の完成後も海外との交易は続くが、外洋へ出て自らの船での取引が禁じられた以上、「海商」として一攫千金を夢見ることはなくなり、日本文学の中にも「海商」としての英雄伝説も描かれなくなる。わずかに井原西鶴の浮世草子に千石船《せんごくぶね》の利点を説く箇所が多いことや「海と船」に関する句が多いことや、近松門左衛門《ちかまつもんざえもん》（一六五三～一七二四年）の『博多小女郎波枕《はかたこじょろうなみまくら》』（一七一八年）のように、「海賊」「密貿易」を題材とした作品があるが、そのほかの海洋作品は漂流物、島流し物などに偏っていく。それは遠洋航海術である沖合航法より沿岸航法に適した西廻り航路、東廻り航路の千石船が海上流通の主役になり、それらの船が着く河口の港へ通じる川船などに日常のドラマを見出すこととなったからであろう。

すでに紙幅が越えている。十六世紀から十九世紀における日本以外の東アジア海域における「海賊」「海商」に触れていない。これには数ある論文集の中で体系的にまとまった、東洋文庫編『東インド会社とアジアの海賊』（勉誠出版、二〇一五年）を参考文献として紹介し、結びとしたい。

参考文献

・朝尾直弘編『日本の近世』1、中央公論社、一九九一年。
・網野善彦『蒙古襲来』、『日本の歴史10』小学館、一九七四年。
・鮎貝房之進『朝鮮姓氏・族制考』国書刊行会、一九八七年。
・石野博信編『古代の『海の道』―古代瀬戸内海の国際交流』学生社、一九九六年。
・岩生成一『新版朱印船貿易史の研究』吉川弘文館、一九八五年。
・宇田川武久『日本の海賊』誠文堂新光社、一九八三年。
・尾崎朝二『拓かれた五島史』長崎新聞社、二〇一二年。
・小林昌二「藤原純友の乱」、『古代の地方史』2、朝倉書店、一九七七年。
・佐藤和夫『海と水軍の日本史・下』原書房、一九九五年。
・田中健夫『島井宗室』吉川弘文館、一九六一年。
・田中健夫『倭寇　海の歴史』教育社、一九八二年。
・田中健夫『倭寇と勘合貿易』至文堂、一九六一年。

・中田易直『近世対外関係史の研究』吉川弘文館、一九八四年。
・永留久恵『対馬国志』第二巻　中世・近世編、交隣舎出版企画、二〇一二年。
・松原弘宣『古代国家と瀬戸内海交通』吉川弘文館、二〇〇四年。
・村井章介『中世倭人伝』岩波新書、一九九三年。
・森田悌『王朝政治』講談社学術文庫、二〇〇四年。
・ヤツェク・マホフスキ著、木村武雄訳『海賊の歴史』河出書房新社、一九七五年。
・山脇悌二郎『日本歴史叢書・長崎の唐人貿易』吉川弘文館、一九九五年。

02

東南アジア交易と中国人町・日本人町

松浦史明

1　はじめに

異文化間交流・地域間交流の諸形態のなかで、もっぱら商業的な理由によって行われる交易は、人・モノ・情報がやり取りされる交流ネットワークの主要な基盤であり、現在に至るまで各地域の社会や文化に大きな影響を及ぼし続けている。本章では、東南アジア史の視点から東アジアとの交易関係を概観し、日本人町・中国人町の形成に至る経緯を述べる。

2　東南アジアの交易

古くから東西海上交易路の要衝であり、香辛料などの森林産物をはじめとした国際商品の産地でもあった東南アジアという地域にとって、交易は有史以前からそこにある地域社会の前提そのものである。東南アジア地域について言及する最初期の文字史料である中国の『漢書《かんじょ》』「地理志」（一世紀頃成立）には、東南アジアの諸国について、「これら諸国は、武帝《ぶてい》の治世以来、みな謁見した。訳長という官（通訳）が、海外派遣に応募した者と共に航海し、真珠、ガラス類、奇石などを買いに、黄金や絹織物を持って行った。至ったところの国では、みな食糧を供給し同行者をつけ、蛮

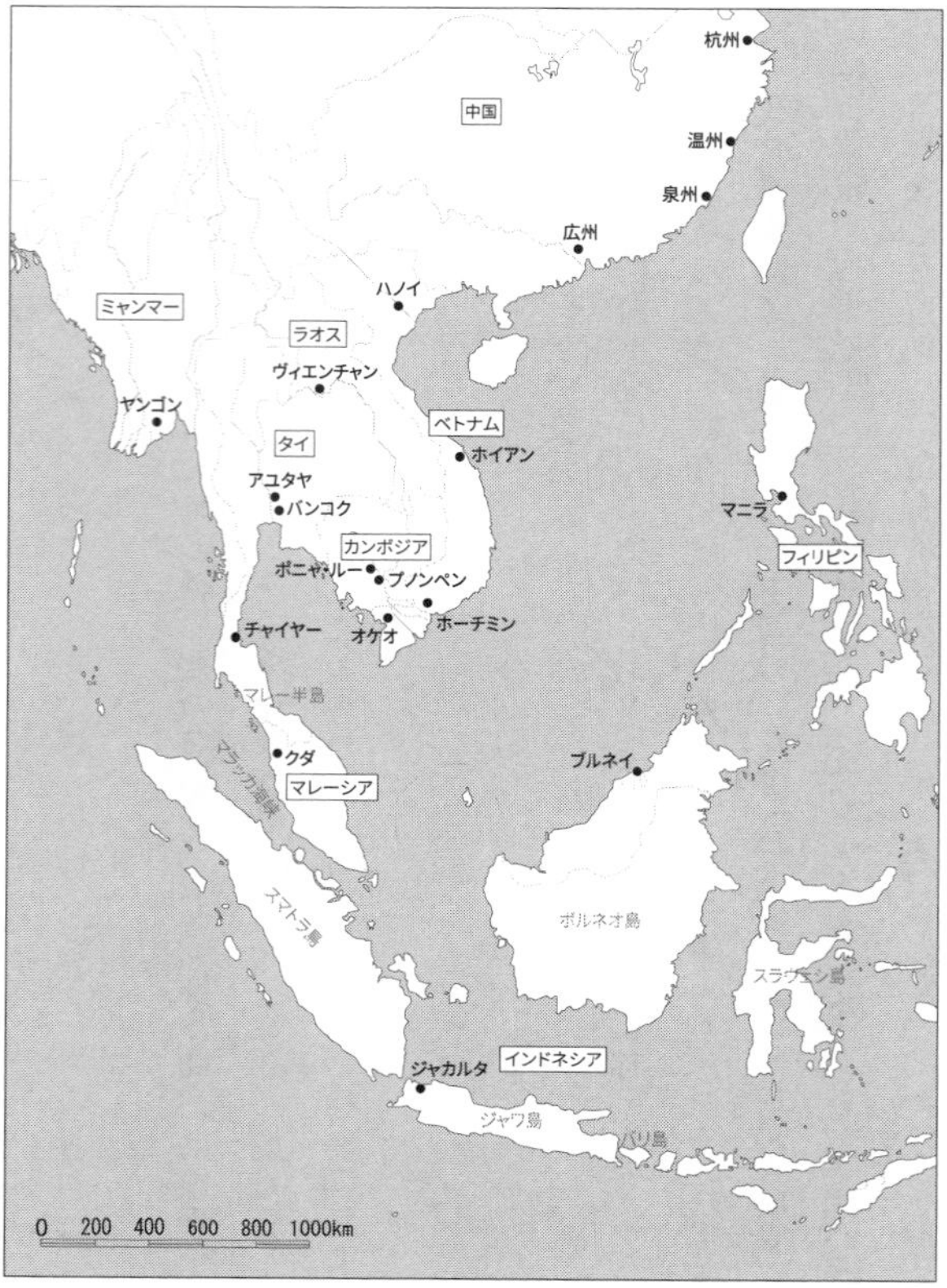

東南アジアの中国人町日本人町

夷の商船が転送して目的地に到達させた。諸国は交易で利を得ており、うまく行かないと、人をおびやかし殺す」と記されていることからわかるように、有益な交易品の産地としての東南アジアは、古くから遠距離交易に携わる人々の目的地の一つであった。

東南アジアの側では、河川を通じて内陸の森林産物を集貨し、国際市場に流す港町が発達した。とくに平原が少なく居住地の面的な展開が困難な熱帯多雨林地域においては、それぞれの港町が一つの政治単位として機能するようになり、後世の歴史家はこれを「港市《こうし》（国家）」と名付けた。結節点としての港市が相互に結びつき、東南アジア海上交易ネットワークが形成されていった。

近世以前の東南アジアの現地史料は、宗教的な行事にともなって残された刻文史料がほとんどであるため、この時期の交易活動の実態についてはわからないことが多い。そのため、東南アジアの交易の趨勢については中国史料やイスラーム世界の史料に頼るところが大きい。とりわけ、東南アジアの諸国は歴代の中国王朝に対し、朝貢《ちょうこう》という形で貢物を捧げて交易・外交関係を維持することが少なくなかったため、各国の朝貢の記録が海上交易における各地域のプレゼンスをはかる指標となっている。

中国への初期の有力な朝貢国が、三世紀頃から朝貢を開始するベトナム中部の林邑《りんゆう》と、ベトナム南部メコンデルタからマレー半島北部にかけて展開した扶南《ふなん》である。扶南の外港として有名なオケオ遺跡からは、装身具を中心とした域内流通品に混じって、ローマ皇帝の銘を刻んだコイン、ヒンドゥー教神像彫刻およびサンスクリット語を刻んだ護符などのインド系遺物、中国製の鏡などが出土しており、国際港としての性格が明らかになっている。その後、五世紀頃にマラッカ海峡地域の海上交易ルートが開拓されるに従い、マラッカ海峡地域のシュリーヴィジャヤやジャワ島のシャイレーンドラなどが交易の覇権を握るようになる。

さて、本巻の主題である東アジアと東南アジアの交流という視点から、これらの初期東南アジアの交易活動を振り返ると、紀元前一一一年の前漢朝の征服以来中国の勢力下にあった北・中部ベトナム地域を除いて、東南アジアにおける東アジアの影響は大きいとは言えない。もともと、中国における政治・経済の重心は華北の黄河中流域にあり、遠距離交易についても陸上交通路のいわゆるシルクロードが主軸となっていた。先に触れた『漢書』「地理志」の記述を見ても、中国から東南アジア・インド方面に赴くものは、「蕃夷《ばんい》の商船」すなわち東南アジアなどの外国船に同乗することで移動したことがわかる。同様に、中国からインドへ仏教経典をもとめて旅した入竺求法僧《にゅうじくぐほうそう》の法顕《ほっけん》（五世紀）や義浄《ぎじょう》（七世紀）も、移動には外国船を利用している。つまり、当時の中国人の東南アジア方面への移動は、すでに確立していたインド洋から南シナ海にいたる海上ネットワークに便乗する形で行なわれた。唐朝の史料では、中国の沿岸諸港に天竺船（インド）、師子《しし》船（スリランカ）、崑崙《こんろん》船（東南アジア）、波斯《はし》船（ペルシア）、大食《たいしょく》船（アラブ）などが往来し、多数の外国商人が居住していたことが記されているが、この時期の中国では、朝貢や民間貿易の形で巨大な消費市場である中国にやってきた商人とのやり取りが主体の、受動的な交易が行われていたと言える。

3　中国船の東南アジア進出

九世紀以降、中国船による海上貿易進出の機運が高まった。その背景には、七五〇年に成立したアッバース朝によって中東イスラーム世界の陸海の交易ネットワークが再編され、海上商人の活動が活発化したことがある。朝貢貿易によらない民間貿易の活況が、中国商人にも刺激を与え、造船・航海技術にも進展がみられた。同時に、安史《あんし》の乱（七五五〜七六三年）による華北の荒廃によって旧来の陸上交通路の維持が困難になったこともこの動きを後押しした。日本への唐商船の来航が承和九年（八四二）を皮切りに急増するのも、これと軌を一にする動きである。これより百年ほど前に、中国の高僧鑑真《がんじん》が日本渡航を決意したものの五回にわたる挫折を経験し、七五三年にやっとのことで日本に渡ったことと比べると、中国の外洋航海にかなりの進歩が見られたものと考えられる。

中東のバグダード出身の地理学者マスウーディー（八九六ごろ〜九五六年）による『黄金の牧場と宝石の鉱山』は、この時期の状況をイスラーム世界の視点から伝えている。同書ではマレー半島南部の港市クダについて、「そこはシナなどへの道の中間地点で、当時、シーラーフ人、オマーン人によるイスラム〔世界〕の人々の船の最終地であった。彼らはそこでシナの地から船に乗ってくる人々と会同する。しかし昔はそれとは違っていた。つまり、シナの船〔中国で商売するアラビア船〕はオマーン地方、シーラーフ、ファールスの海岸やバフライン〔東アラビア地方〕の海岸、ウブッラとバスラにまで達していた。それと同じように、〔アラブとイランの船が〕上述の場所からそこ〔シナ〕にしばしば言っていた。しかし状況が悪化し、不正がはびこり、すでに説明したようなシナの状況になると、両者〔の船〕はみなこの中間地を最終地とするようになった」[*1]と述べている。これは、黄巣《こうそう》の乱（八七四〜八八四年）の際に国際港広州に滞在していた外国商人が大量に殺戮されるなど、唐末の南中国の混乱により、イスラーム商人が中国沿岸から撤退し、「中国人たちの船」がマレー半島のクダにまでやってきてイスラーム商人との交易を行なうようになった状況を説明したものである。

九六〇年に宋朝が成立すると、中国商人の東南アジア進出はいよいよ本格化した。宋朝では遼や大夏、金など北方の隣国との対立関係が続いたため、国家戦略として南方の海上交易が奨励された。その施策の一つとして、唐代の中期に臨時の財政措置として設置されていた海外貿易を統括する部署を継承・発展させ、新たな常設の機関として「提《てい》挙市舶司《きょしはくし》」を主要な沿岸貿易港に設置した。また、詳しい時期は定かではないが、宋朝成立に前後して、船体内部に隔壁を設けた平底船であるジャンク船が開発され、大人数と重量貨物が輸送可能になった。陶磁器は中国の主要交易品の一つであるが、「割れ物」であるため陸上輸送には向かない。宋朝に入って陶磁器生産が活況を呈し、貿易陶磁が世界各地に広がったのは、これらの海上交易の発達の結果にほかならない。十二世紀には羅針盤も実用化され、安定的な大量輸送ができるようになった。

4 「住蕃」して活動する中国商人

一一一九年に成立した広州《こうしゅう》地方の見聞録『萍州可談《へいしゅうかだん》』巻二に、以下の記述がある。

> 中国人が海外で過ごし、その年のうちに還らないことを「住蕃《じゅうばん》」という。また、海外諸国の人が広州に来て、その年のうちに帰らないことを「住唐《じゅうとう》」という。広州の人が〔航海のための〕資金を借りると返済金は倍額となり、船が戻ったら返済することを約束するが、「住蕃」して十年も帰らないとしても、利息は増えない。富者が積み荷の絹織物や陶磁器などの値段も加味して借金を求めるものに与えると、その利益は五倍どころではない。広州の官吏が〔契約を〕処理し、利息と負債を調べる。また市舶使が専勅《せんちょく》して商品を流通させようとする。

この記事からわかるように、海外貿易の投資は回収までに数年を要することもあったが、裏を返せばそのような契約が成立するほど交通が安定していたと言える。市舶司がその管理にあたり、そして「住蕃」という、海外に長期にわたって居住し、交易を営む人々が出てくるようになった。

また、一一七八年に成立した周去非《しゅうきょひ》の『嶺外代答《れいがいだいとう》』巻二「海外諸蕃国」には、中国商人たちが「都会」と呼ばれる各地域の物資集散地に集まっていたことが示唆されている。

> 海外の諸国は、たいてい海を領域の限界としており、それぞれ地方の一隅をなして立国している。国に物があれば、それぞれの都会にしたがって大いに通交するのがよい。正南諸国は、三仏斉《さんぶつせい》（マラッカ海峡地域）がその都会

> である。東南諸国は、闍婆《ジャワ》がその都会である。西南諸国は、〔海が〕広いので言い尽くすことができない。近いところでは、占城《せんじょう》（南ベトナムのチャンパー）・真臘《しんろう》（カンボジア）が窊裏《わり》諸国（インドシナ半島からマレー半島北部・中部あたり）の都会となっている。遠いところでは、大秦《たいしん》（バグダードか）が西天竺諸国の都会である。さらに遠いところでは、麻離抜《まりばつ》国（オマーンのメルビト？）が大食《たいしょく》（アラビア）諸国の都会である。さらにその外では木蘭皮国（地中海西部のムラービト朝？）が極西諸国の都会である。（深見一九九七）

宋代の中国商人たちは、貿易のために各地に住み着き、時には現地の政権とも深いかかわりをもつようになる。九九二年の朝貢記事には、「いま船主の大商人毛旭《もうきょく》なる者は、〔福建省〕建渓の人であるが、しばしばその国に往来しており、故郷に帰るという口実で朝貢使を案内してきた」とある。*2 この毛旭が史料に登場する東南アジアに渡った最初の中国商人である。この記事にあるように、中国商人が現地政権に勧めて中国への朝貢をサポートする事例はその後も散見され、これが宋朝で問題視され禁止されたこともあった。

また、南宋の政治家洪邁《こうまい》（一一二三～一二〇二年）が書いた『夷堅志《いけんし》』には、十二世紀半ばに泉州の人である王元懋《おうげんぼう》という人物について記されている。王元懋は寺院の小僧として奉公しながら僧侶から東南アジアの言語を学び、長じてベトナム中・南部のチャンパーに渡ったが、その言語能力の高さから現地の王に厚遇され、王女を妻として十年滞在した。そしてある時、別の商船で貿易の利益を狙う船員による船主殺害事件が起こった際、官吏に賄賂を贈るなどしてこの犯罪の隠ぺいを図り、露見して投獄されたという。

王元懋のように現地で結婚して定着する人々がいたことは、宋朝の宮廷でも議題になったようで、『宋会要《そうかいよう》』にみえる政和二年（一一一二）の記事では、海商が南方諸国に出かけると、風待ちをするなどの名目で数年や長い時には二十年も滞在し、結婚して子を養うまでになっているので、罪人などが逃れないように法令を整備すべきことが議論されている。

さらに、同じ『宋会要』の乾道三年（一一六七）の記事には、チャンパーの国王が自国周辺で海賊行為におよんだ際、現地人と「土生唐人」を差し向けたとある。「土生唐人」は文字通り現地生まれの中国人（いわゆる僑生・華裔）のことである。現地に定着した中国商人のもとに生まれた子供たちが、成人して一勢力を形成するほどに成長していたことがうかがえる。

増加する中国からの定住者、および現地生まれの中国人たちに対し、現地政権も対応策を講じていたようである。『島夷《とうい》雑誌』の真臘国（カンボジア）の条では、「現地の人が唐人を殺害すれば蕃法に基づいて死をもって償う。もし唐人が現地の人を殺し死に至らせると、ただちに重く罰金し、もし金がなければすなわち身を売って金を取って贖う」とあり、同じ殺人でも現地人と中国人で扱いが異なっていたことがわかる。また、同書の仏羅案《ふつらあん》（マレー半島中部のパッタルン）の条には、海賊の襲来から守護する力をもつとされる観音像に対する祭典を、毎年現地人と中国人が一緒に行なっているといい、現地社会に溶け込む中国人たちの姿がみえる。

5　華僑社会の発展と中国人町

宋朝が滅亡し、その前後には宋人の東南アジアへの国外逃亡などもあったものの、後を継いだ元朝（一二七一～一三六八年）でも中国の海上交易は大いに発展した。元朝の世祖クビライが企図した東南アジアへの元寇は不調に終わり、次代成宗テムルの代からは武力によらない交易関係の維持が図られた。十三世紀末の『真臘風土記《ふどき》』は、元代の人周達観《しゅうたつかん》が真臘に訪問した経験をもとに書いた見聞録であり、成宗が派遣を命じた使節に随行して真臘（カンボジア）に渡ったと述べている。同書には、「私と同郷の人である薛氏《せつ》は、この土地に住んで三十五年になるという」とあり、中国人と現地の人々が雑居している様子が描かれると同時に、最近「新唐人」が増えてきて現地の慣習に不慣れであること、かつて真臘の人は中国人を尊敬していたが、今では数が増えたこともあり、さほど尊敬の気持ちをもたないようになったことなどが記されている。*3

その後、明朝（一三六八～一六四四年）は海上交易を公的な朝貢貿易に限る海禁令を出し、管理貿易へと舵を切った。

これに反発する民間商船による密貿易やいわゆる後期倭寇の活動も広く行われたようであるが、東南アジアに居留する中国商人たちも対応を迫られた。東南アジアに滞在し続けることを選択した者たちは、生活の安全のために現地政権の後ろ盾を以前にも増してもとめるようになった。この頃に李氏朝鮮に派遣されたタイやジャワの通交使節の責任者は中国名を名乗っており、現地政権の中で役職を得て立場を確保する人々がいたことがわかる。

さらに特筆すべき事例として、有名な鄭和《ていわ》（一三七一～一四三四年）の南海遠征に関する史料である馬歓《ばかん》の『瀛涯勝《えいがいしょう》覧《らん》』のジャワに関する記録の中に、「もとは砂州の土地であったが中国の人々がここにやって来て始めて住みついたことにより新村と名づけられ、今に至るまで村主は広東人である。約千軒あまりあり各地の人々がここに来て売買する。金や宝石などいろいろの品物が売られ甚ださかんな所である[*4]」とあり、もともと荒れ地であった土地に中国人が多く定住したので新村となり、広東人が村主となっている様子が描かれている。

ここまで見てきたように、中国商人の「住蕃」は十一世紀ごろから本格化するが、その後の進展の結果、遅くとも十五世紀の段階で中国人が集住し、一村をなすまでになったことがうかがえる。この時期に東南アジアに渡った中国人の末裔で、現地住民との混血が進んだ後も独特の生活様式を保持する人たちは、今日のマレーシア等で「プラナカン」と呼ばれている。

これらの一連の流れの中で、どの時期をいわゆる「中国人町」の萌芽期と見るかは、「中国人町」をどのように定義するかによる。同様に、中国（人）なる国家的・民族的アイデンティティーのあり方も時代によって一様ではないから、一時的に中国人町と呼べるものが形成されたとしても、その後現地社会に同化した可能性も考慮する必要がある。

今日、東南アジアのいたるところで中国系住民の集住地がみられるが、十八世紀のいわゆる「華人の世紀」が到来した後に形成されたものも少なくない[*5]。

6 東南アジアの日本人町

東南アジアに定住した外国商人は、中国商人だけではない。東南アジア域内での人の移動と定着は当然もっと古くから行われていたし、インドや中東世界の商人なども多く東南アジアにやって来ていた。さらに、十六世紀にポルトガル人が東南アジアに到達した後は、西欧人もこれに加わった。

日本からの商人の進出は、十七世紀はじめの朱印船貿易の時代に本格化する。一六〇〇年の関ケ原の戦いに勝利して覇権の基礎を固めた徳川家康は、海外交易の促進と統制を企図して、海外諸国に外交関係樹立の使節を派遣すると同時に、貿易船に対する渡航免状として朱印状を下付した。東南アジアに来航したほかの外国勢力と比べて後発の進出ではあったが、朱印船制度の創設以後、日本商人は旺盛に各地に渡航し、東南アジアの主要な貿易港に日本人が居住するようになっていった。とくに、ベトナム中部のホイアンやタイのアユタヤ、カンボジアのポニャ・ルーとプノンペン、フィリピンのマニラなどでは、日本人が集住して現地政権から一定の自治を認められる、いわゆる「日本町」が形成された。

しかしその後、徳川幕府は鎖国政策へと方針を転換し、一六三三年には五年以上海外に居住する日本人の帰国を禁じ、一六三五年に東南アジアへの日本人渡航を禁止するなどしたため、各地の日本町は衰退の一途をたどった。各種の史料によれば、現地に留まることを選んだ日本人たちの中には、日本に渡航する中国船に託して物資や書状を送る者、現地政権との交流を行なう者などがいたようであるが、十七世紀の終わり頃までには、現地住民との同化が進み、「日本人」としての足跡がみられなくなっていった。

7　おわりに

以上、本章では東南アジアへの中国商人と日本商人の進出の経緯を中心に述べてきた。文化的背景を異にする人々の到来と定着は、単なる商品の流通にとどまらない文化的影響を東南アジアにもたらした。現地への同化等によって、現代において明確な痕跡が残っていない事例も多いと思われるが、現地社会の形成におけるその影響は無視できない。

注

1　家島彦一『海が創る文明―インド洋海域世界の歴史』朝日新聞社、一九九三年、七七～七八頁。
2　深見純生「ジャンク船の南海進出」、『じっきょう　地歴・公民科資料』七五、二〇一二年、一九頁。
3　和田久徳訳注、周達観著『真臘風土記―アンコール期のカンボジア』平凡社（東洋文庫五〇七）、一九八九年。
4　小川博編『中国人の南方見聞録―瀛涯勝覧』吉川弘文館、一九九八年、二三頁。
5　池端雪浦ほか編『岩波講座東南アジア史3　東南アジア近世の成立』岩波書店、二〇〇一年、一四～二〇頁。

参考文献

・荒野泰典「唐人町と東アジア海域世界―「倭寇的状況」からの試論」、歴史学研究会編『港町の世界史3　港町に生きる』青木書店、二〇〇六年。
・今村啓爾編『南海を巡る考古学』同成社、二〇一〇年。
・岩生成一『南洋日本町の研究』岩波書店、一九六六年。
・岩生成一『続南洋日本町の研究―南洋島嶼地域分散日本人移民の生活と活動』岩波書店、一九八七年。
・榎本渉『東アジア海域と日中交流―九～一四世紀』吉川弘文館、二〇〇七年。
・亀井明徳『日本貿易陶磁史の研究』同朋舍、一九八六年。
・菊池誠一「ベトナムの港町―「南洋日本町」の考古学」、歴史学研究会編『港町の世界史2　港町のトポグラフィ』青木書店、二〇〇六年。
・桜井由躬雄「東アジアと東南アジア」、濱下武志編『シリーズ国際交流3　東アジア世界の地域ネットワーク』山川出版社、一九九九年。
・蔀勇造「エリュトラー海案内記」、『東洋文化研究所紀要』一三二、一九九七年。
・土肥祐子『宋代南海貿易史の研究』二〇一三年。
・本田精一「王元懋の大悪事―南宋時代の南海貿易犯科帳」アジア遊学70、二〇〇四年。
・深見純生「生産と流通の中心としてのジャワ―『諸蕃志』の輸出入品にみる」、『東洋学報』79-3、一九九七年、一九～三七頁。
・和田久徳「東南アジアにおける初期華僑社会（九六〇―一二七九）」、『東洋学報』42-1、一九五九年、七六～一〇六頁。
・和田久徳「東南アジアにおける華僑社会の成立」、『世界の歴史13　南アジア世界の展開』筑摩書房、一九六一年、一一一～一四八頁。

03

明末白話小説と海外貿易

中島楽章

1　三言二拍のビジネス小説

明末江南の文人、馮夢龍《ふうぼうりゅう》と凌濛初《りょうもうしょ》が編纂した五種の短編白話小説アンソロジーを、まとめて「三言二拍《さんげんにはく》」という。そのなかには歴史物・裁判物・恋愛物などとならんで、商人を主人公とするビジネス物のジャンルがある。その内容は悪徳商人があくどい手段で金を儲ける『ナニワ金融道』型から、主人公がご都合主義的に商売に成功する『課長島耕作』型までさまざまだ。ストーリー自体は現実的ではない場合も、そこに描かれた商人の姿や取引のありさまは、当時の商業の実態を如実に伝えていることも多く、早くから明代商業史の貴重な史料として活用されてきた。[*1]

また海外を舞台としたものとしては、東シナ海域の倭寇《わこう》を扱った「倭寇小説」のジャンルがある。[*2] 一方、南シナ海域における華人海商の貿易活動を題材とした作品としては、まず凌濛初《りょうもうしょ》『初刻拍案驚奇《はくあんきょうき》』巻一の「転運漢《てんうんかん》が巧みに洞《どう》庭紅《ていこう》に遇い、波斯胡《ペルシャこ》が鼉龍《たりゅう》の殻を指破《しは》す」が代表的だ。[*3]「転運漢」とは「運が向いた男」の意味。南海貿易に加わった主人公が、思いがけない幸運つづきで大金を手にするという、拍案驚奇の冒頭を飾るにふさわしい景気のいいストーリーだ。清代には三言二拍ダイジェスト版の『今古奇観《きんこきかん》』にも収められ、その和訳も参照できる。[*4]

この物語の元ネタは、十六世紀後半の筆記小説、周元暐《しゅうげんい》『涇林続記《けいりんぞくき》』の「蘇和経商《そわけいしょう》」という一編だ。[*5] 物語の骨子は原作のままだが、拍案驚奇ではそれを大きくふくらまし、商取引のありさまや海商たちの行動様式や心性などを、はるかに具体的に活写している。フィクションとはいえ、明末の南海貿易の実態をうかがわせる興味深い素材であり、ここでは明代海外貿易史の視点からこの物語をあらためて紹介・検討してみたい。

2　物語の舞台と概要

この物語の時代設定は、十五世紀後半の成化年間（一四六五～八七年）となっている。元ネタの「蘇和経商」の冒頭には、「福建《ふっけん》・広東《かんとん》の奸商は通番に慣れており……」とあり、もともとは明朝が海禁政策を維持していた時代の、密貿易商人（奸商）の話だった。ただし拍案驚奇では、登場人物を国禁を破った密貿易者だとする描写はまったくない。明朝は一五六〇年代末に海禁を緩和し、華人海商が福建南部の海澄《かいちょう》港から東南アジア各地に渡航することを解禁していた。拍案驚奇の描写も、実際には華人海商の福建―東南アジア貿易が活発化していた、十七世紀前期の状況を反映している。なお主人公の名前を、原作の蘇和から文若虚《ぶんじゃくきょ》に変えているが、これは「文は虚《そらごと》の若《ごと》し」ということで、作者みずから「実際にはこんなうまい話はありませんがね」と言っているわけだ。

主人公の文若虚は明代最大の商業都市蘇州《そしゅう》の、そのまた商業中心地であった閶門《しょうもん》外の出身。祖先代々の資産があり、弁舌巧みでなんでも器用な趣味人だったが、遊びくらして家産を消耗し、タイコモチやら家庭教師で口を糊していた。

ある日、近所の四十人あまりの連中が海外貿易に乗りだそうとする。そのリーダーは張大《ちょうだい》。長年の海外貿易で商品価値に精通し、「張識貨《ちょうしきか》」とあだ名された男だ。文若虚も張大に頼んでその仲間に入れてもらう。彼は口がうまく機転が利くので、みな長い航海の間、彼がいれば愉快だと思ったのだ。ただし彼には商品を仕入れる金がない。張大がなんとか銀一両を工面して、これで果物でも買って船旅中に食べろよと言ってくれた。あたかも街中で、近くの太湖《たいこ》に浮かぶ洞庭山《どうていざん》でとれる、名物の「洞庭紅」というミカンを売っていた。文若虚はそれをたくさん買いこんで、あとは身一つで乗船する。

船は南海に乗りだし、やがて吉零国《きつれいこく》の国都に入港した。乗船者たちはみな自分の商品を売りに上陸していく。なんの商品もない文若虚は、ミカンが腐っていないか甲板上に並べて調べることにする。やがて甲板上に敷きつめられたミカンを目にして現地の人々が集まってくる。一人が物珍しいミカン一個を銀貨一枚で買ってかぶりつくと、とても美味だ。それを見て周りの人々も争って銀貨でミカンを買い、文若虚はミカンを売りつくして銀貨一千枚を手にした。張大はその銀貨で仲間から商品を買い、それを交易してもう一儲けすることを勧めたが、文若虚はこれで満足して銀貨を持ち帰ることにした。

やがて船は帰国の途につくが、途中で暴風にあい無人島に漂着する。順風を待つあいだ、文若虚は一人で島に上陸してみる。島のてっぺんに登ると、寝台ほどもある巨大な亀の甲羅が横たわっている。彼はみやげ話の種にもと、それを船上に持ち帰った。翌日順風が吹き、船は福建の港に帰着する。乗員一行はなじみの波斯《ペルシャ》人の大商人、瑪宝哈《ばほうごう》の店にむかう。瑪宝哈は宴会を開き一行をもてなすが、何も商品がない文若虚は末席で小さくなっている。

翌朝、船に商品を検分に行った瑪宝哈は、文若虚が持ち帰った甲羅をみて驚き、すぐに文若虚たちを店に連れ帰り、それを売ってほしいと頼む。値段の見当がつかない文若虚が、張大の手引きで銀五万両とふっかけると、瑪宝哈は安すぎるくらいだと応諾する。張大を中心に、一堂を立会人として売買契約を作成した。さらに瑪宝哈は、五万両を蘇州まで持ち帰るのは大変だろうと、彼が所有する五千両の価値の呉服屋を文若虚にあたえ、そこに残りの銀を運び込むことを提案する。文若虚は承知し、その主人に収まることになる。

文若虚がなぜこの甲羅がこれほど高価なのかとたずねると、瑪宝哈は答える。龍には九つの子がおり、その一つを鼉龍という。鼉龍は成長すると甲羅を脱ぎすてて龍になる。その甲羅には二十四箇の珠玉が残され、それ一箇で五万両に値するような無上の宝なのだという。その後、文若虚は福建に定住して呉服屋を経営し、富商として代々富み栄えた。

3　貿易船の船主と客商

この物語は才気はあるが根性のない蘇州人の、苦労せずに運よく一攫千金ができないかという願望を具現化したようなサクセス・ストーリーで、実際に南海貿易の荒波をくぐっている福建海商から見れば、甘く見るなというところだろう。その一方、物語にあらわれる具体的な描写には、当時の海上貿易の実態を伝える部分も多い。たとえば、文若虚が貿易船に同乗したいきさつは、次のように語られている。

ある時、何人かの隣人が海上貿易に乗りだすことになった。音頭を取ったのは張大・李二《りじ》・趙甲《ちょうこう》・銭乙《せんおつ》といった面々。四十人あまりの仲間を集めて出航することになった。文若虚がこれを知って思うには、「俺は落ちぶれて生計も立たない。彼らといっしょに航海して海外の風物を見てくるのも、むだな人生経験ではなかろう。連中も俺が乗るのを拒《こば》むまいし、家で飯炊きの心配もしなくていいし、けっこうじゃないか」。

こう思案していたところ、ちょうど張大がやってきた。もともとこの張大という男、張乗運《ちょうじょううん》という名で呼ばれ、もっぱら海外で商売していた。貴重な財宝を見分ける眼力があり、きっぷが良く進んで善人を助ける。地元では彼を目利きの張と呼んでいた。文若虚は彼を見て、その願いを逐一話した。張大はいう。「いいとも。俺たちは船上では無聊《ぶりょう》をかこっている。あんたが同行して船中で笑いを取ってくれれば、気も晴れるというもんだ。仲間たちもさぞ喜ぶだろうさ。ただな、俺たちはみな商品をもっていくんだが、あんただけ手ぶらで、ただ往復するだけじゃもったいない。俺たちみんなで相談して、多少の元手を集めてやるから、それでいくらか品物を買っておきな」*6。

文若虚が住む閶門附近は蘇州有数の商業地域。そのあたりの商人連中が海外貿易に乗りだすことになった。そのリーダーとなったのが張大だ。明末には貿易船の船長を「船主」・「舶主」などといった。船主は貿易船の所有者のこともあれば、その代理人のこともあり、一船の総責任者として、航海・貿易活動を統括する。一方、貿易船に同乗して商品を積みこみ、交易をおこなう商人たちを「客商《きゃくしょう》」という。このほかに財副《ざいふく》（財務責任者）・総管《そうかん》（事務長）、直庫《ちょくこ》（武備担当者)、火長《かちょう》(航海士)などの幹部船員や、多くの一般船員が乗りこんでいた。*7

4　貿易船の経営形態

こうした貿易船は、どのように南海貿易をおこなったのだろうか? 明代の史料には、その実態を詳しく伝える記録は乏しい。有用なのはむしろマラッカ関係の史料だ。マラッカ王国は十五世紀から海域アジア最大の集散港として繁栄していたが、十六世紀初頭にポルトガルに占領される。マラッカ王国時代にさかのぼる『マレー海上法』や、ポルトガルのマラッカ商館員だったトメ・ピレスの『東方諸国記《とうほうしょこくき》』には、マラッカに往来する貿易船の経営実態について、かなり具体的な記録が残されている。

マラッカでは貿易船の船長(船主)を、ペルシャ語によりナコダと呼び、華人はこれを「哪嗒《ナタ》」などと記した。船主(ナコダ)は船舶所有者かその代理人で、貿易船の装備・乗員募集・商品調達・航海・交易を取りしきった。このほかに多くの客商が同乗する。マラッカでは客商をキィウィと呼んだ。これは福建南部方言の「客位」に由来する。

船主(ナコダ)が船舶所有者の代理人の場合、船荷は所有者の商品、船主の商品、客商(キィウィ)の商品、船員の商品に大別される。船主は所有者の商品の交易にあたり、その利益の何割かを取り分として得た。さらに船主は船艙《せんそう》の一定部分に自分の商品を積みこんで、独自の交易を行うこともできた。客商は代価を払って船艙の一部を租借《そしゃく》し、そこに商品を積みこんで交易を行う。さらに幹部船員にも船艙の一部が配分され、一般船員にも若干の商品の持ち込みが認められ、それぞれ交易を行った。船主から船員にいたるまで、所有者から報酬を受けとることはなく、それぞれの地位に応じて商品を積みこむ権利が、報酬の代わりになったのだ。また船主以下の乗員が自己資本だけでなく、陸上の出資者から資金や商品を集め、帰航後に出資額に応じて利益を配分することも多かった。*8

張大は経験豊かな「船主」であり、おそらく何人もの船舶所有者の代理人として、そのつど同乗する客商を募って航海に乗りだしたのだろう。文若虚もその末席にもぐりこんだわけだ。張大は親切にも、仲間に呼びかけて文若虚に商売の元手を融通してやろうとしたが、金を出すという話になるとみんな冷淡だ。結局張大など数名がわずかに銀一両を調達してやる。文若虚は娯楽要員としてタダで同乗しているのでこれでもいいが、通常の客商はかなりの乗船料を払って船艙の使用権を得るので、もちろん多くの商品を積みこむ。自己資金が足りなければ投資を募って、帰航後に利益を配分する。このように華人貿易船は船舶所有者のほか、船主から一般船員にいたる多くの経営主体の寄り集まりだった。それだけに彼らを統率する船主の手腕が物をいう。

この物語の張大は有能で人望厚く、義侠心があり太っ腹な理想の船主だ。しかしそれはあくまで小説での話。現実はそれほど甘くなかった。十七世紀初頭、福建の地方官の報告によれば、大型の南海貿易船には数百人の客商が同乗するが、彼らは船主のなすがままだ。船主は市場の顔役や官庁の下役人とグルになり、出入港時の関税や諸経費を、実際の何倍も客商たちに割りつけて取りたて、自分のふところに入れる。政府が貿易船の商品を買いあげるにも、下役人が代価の二倍の商品を要求し、船主はそのまた二倍を客商から取りたてる。立場の弱い客商たちは、船主や下役人のカモになるばかりだという。[*9] 実際にはこれほど悪辣な船主ばかりではないだろうが、張大の人物造形は、はこんな船主がいればいいな、という客商たちの願望の産物だろう。

5　吉零国の銀貨

張大の貿易船は、各自の商品を積んだ四十人あまりの客商たち、おまけにミカンを積んだ文若虚を乗せて東南アジアに向かう。そして入港したのが吉零国だ。この国では、「中国の貨物をもっていけば、三倍の値段がつく。その地の貨物を中国にもっていけば、また同じだ。往復で実に八、九倍の儲けになるのだから、誰もが争って赴く」のだという。明末の史料には吉零という国名はみえないが、マレー半島東岸のパハン居留の福建人は、クリン人（インド南部のタミール系ヒンドゥー教徒）を「吉零」と称したという。[*10] 当時の華人商船が南インドまで渡航することはないので、この吉零国は、タミール系商人が来航するマレー半島あたりの港市を漠然と指すのだろう。

張大の船が吉零国に入港すると、客商たちはみなここで交易したことがあり、なじみの仲買人・商品宿・通訳もいるので、上陸して商品を売りさばいていく。残された文若虚がミカンが傷んでいないか甲板にならべていくと、現地の人々が物珍しく集まってくる。文若虚がその一つを食べてみせてやると、一人の現地人が「一個いくらだ?」と聞いてくる。文若虚が銀一銭（三・七グラム）のつもりで指一本を立てると、彼は一両（三七グラム）ほどの銀貨一枚を出してミカンを買ってその場で食べ、これは美味いと、さらに銀貨十枚を出して十個を買う。それを見た人々も争って買い求め、ミカン一個に銀貨二枚を出すようになる。彼らが使っていた銀貨は次のようなものだという。

もともとこの国では銀を貨幣としており、表面には模様がある。龍鳳の模様が最高値で、次が人物、その次が鳥獣、その次が樹木、最安値で使うのが水草の模様だ。みな銀で鋳造し、目方も変わらない。いましがたミカンを買った連中が払ったのは、みな水草の模様。安値の貨幣でけっこうな品を買ったといってご機嫌だ。そこに最初にミカンを買った男が戻ってきて、彼の親分が国王にミカンを献上するつもりなので、残りを全部買うという。彼は龍鳳模様の銀貨一枚を出すが、文若虚は前と同じ銀貨がいいと答える。男は次のように言う。「この銀貨一枚は前の銀貨百枚に当たるんだぜ。それを払わなくていいなら、欲しいのをくれてやるよ。俺のこの一枚をいらずに、前のやつが欲しいとは呆れたもんだ。あんたの品物をみなくれるのなら、さらに一枚上乗せしてやるよ」。こういって五十二個のミカンに、水草模様の銀貨百五十六枚を払ったのだ。*11

吉零国の銀貨は額面が百倍ちがっても、模様が異なるだけで重量は同じで、文若虚はもっとも低額面の銀貨だけ受けとって大いに儲けたのだという。むろん実際には、東南アジアでも銀貨のような貴金属貨幣は、額面が素材価値と一致する本位貨幣だったはずだ。そうでなければ海外商人が低額貨幣をすべて持ち去ってしまう。現実は小説のように甘くはない。その一方、華人海商が東南アジア各地から大量の銀を輸入していたことも確かだ。

6　明末南海貿易と銀流通

十五世紀後半から、中国では銀が主要通貨となっていた。ただし経済発展による貨幣需要の増大にもかかわらず、国内の銀産量は乏しく、銀供給はほとんど海外からの輸入に依存していた。まず一五四〇年代には、華人海商や倭寇が海禁を破って、日本銀を中国に密輸しはじめる。一五七〇年代以降は、ポルトガルの長崎―マカオ貿易が日本銀の最大供給ルートとなった。一方、このころからスペイン領アメリカでもポトシ銀山などの銀産量が急増する。アメリカ銀は大西洋を渡ってスペイン本国に運ばれたほか、太平洋を渡ってフィリピンにも輸出された。あたかも明朝が南海貿易を解禁した直後でもあり、多くの華人海商がフィリピンに渡航して、アメリカ銀を輸入するようになる。

さらにスペインに運ばれたアメリカ銀のかなりの部分も、ヨーロッパ諸国に拡散したのち、アジア貿易に投じられた。それらはポルトガル船でマラッカやマカオへ、オランダ船によってバタヴィアに運ばれ、最後には中国市場に流入した。ビルマなどの現地産の銀もこれに加わった。さらに日本の朱印船も、マニラやベトナムのホイアンに日本銀を輸出し、華人海商と出会い貿易を行った。明末中国に流入した膨大な海外銀は、マカオ―長崎貿易などを除けば、過半が東南アジアを経由していたのだ。[*12]

東南アジア諸国では、もともと銅・鉛《なまり》・錫《すず》などの低額貨幣を鋳造していた。しかし十六世紀末ごろから、海外からの大量の銀流入により、各国で銀貨を鋳造しはじめる。こうして東南アジアでは、スペイン人がマニラに輸出した八レアル銀貨（メキシコドル）と、現地諸国が発行した銀貨が大量に流通することになる。[*13] 華人海商は胡椒・香辛料・香木などの南海産品とともに、八レアル貨をはじめとする銀貨も大量に輸入した。文若虚の成功譚は、ストーリー自体はご都合主義的ながらも、こうした状況をたしかに反映している。

『拍案驚奇』の作者凌蒙初は浙江湖州《せっこうこしゅう》の人で、福建海商の海外貿易の実態を必ずしも知悉《ちしつ》していたわけではないようだ。ストーリーもあまりに話がうますぎる。その一方、この作品では官僚や士大夫が残した正統的な文献資料があまり語らない、海外貿易で一山当てようとする商人たちの心性や行動様式が活写されていることも確かである。また末尾近くで、「波斯胡」が文若虚に銀五万両で鼉龍の甲羅を買う契約を結ぶ場面では、売買契約（合同議約）作成の手続きやその文面が、きわめて詳細かつ正確に叙述されている。この種のビジネス小説は、娯楽作品であるとともに、商業実務マニュアルとしての側面もあったのだ。

注

1 代表的な論著として、藤井宏「新安商人の研究」一～四（『東洋学報』36-1～4、一九五三～五四年）、陳大庚『明代商賈与世風』（上海文芸出版社、一九九六年）など。

2 遊佐徹「小説に描かれた倭寇—明清「倭寇小説」概論」、須田牧子編『「倭寇図巻」「抗倭図巻」をよむ』勉誠出版、二〇一六年。

3 凌蒙初『拍案驚奇』上（上海古籍出版社、一九八二年）巻一「転運漢巧遇洞庭紅　波斯胡指破鼉龍殻」。

4 抱甕老人《ほうようろうじん》（千田九一・駒田信二訳）『今古奇観』上（平凡社、一九七〇年）第九話「転運漢　巧く洞庭紅に遇うこと」。

5 張進徳「《転運漢巧遇洞庭紅》本事補正」、『明清小説研究』二〇一〇年一期。

6 前掲『拍案驚奇』上、六頁。訳文は筆者による。

7 佐久間重男『日明関係史の研究』（吉川弘文館、一九九二年）三四一～三四三頁、斯波義信「綱首・綱司・公司：ジャンク商船の経営をめぐって」（森川哲雄他編『内陸圏・海域圏交流ネットワークとイスラム』九州大学、二〇〇六年）。

8 M. A. P. Meilink-Roelofsz, *Asian Trade and European Influence in the Indonesian Archipelago between 1500 and about 1630*, The Hague: M. Nijhoff, 1962, pp. 42-51.

9 佐久間前掲『日明貿易史の研究』三三五～三四一頁。

10 Jean DeBernardi, *Penang: Rites of Belonging in a Malaysian Chinese Community*, National University of Singapore Press, 2009, p. 262.

11 前掲『拍案驚奇』上、八～一〇頁。

12 Richard von Glahn, *Fountain of Fortune: Money and Monetary Policy in China, 1000-1700*, University of California Press, 1996, pp. 113-141.

13 アンソニー・リード（平野秀秋・田中優子訳）『大航海時代の東南アジア　1450-1680年　Ⅱ拡張と危機』法政大学出版局、二〇〇二年）一二二～一三九頁。

04 長崎民衆の異国認識

位田絵美

1 異国に開かれた扉――『増補華夷通商考』から見えるもの

『増補華夷通商考《ぞうほかいつうしょうこう》』（以下、『通商考』と呼ぶ）は、宝永五年（一七〇八）京都で刊行された対外貿易関係の情報書である。[*1] 著者の西川如見《にしかわじょけん》（一六四八～一七二四年）は長崎生まれの天文・地理学者で、長崎の地の利を活かし、禁教下にありながら多くの異国情報（東アジア情報・西洋知識）を吸収した。[*2] 彼は享保四年（一七一九）、学問好きな将軍徳川吉宗《とくがわよしむね》に召し出されて江戸で下問を受け、数年江戸に逗留した経歴も持つ。

如見の膨大な知識の蓄積には、長崎という地域が大きくかかわっている。彼の祖先は対馬で朝鮮貿易によって財を成し、祖父忠政は呂宋《ルソン》（現在のフィリピン）・東埔寨《カボウチャ》（現在のカンボジア）への渡航経験もあったといわれる。[*3] 如見自身も唐通詞と深いかかわりがあった。[*4] このような経緯から、如見は父祖伝来の独自の異文化ネットワークを有していた。そこで蓄積された膨大な情報は、当時の日本を動かしていた徳川将軍でさえ無視できないものであったと推察される。

では、そのような如見が著した『通商考』には、どのような情報が記載されていたのだろうか。まずこの【図1】に掲載した地図をご覧いただきたい。中国十五省を中心に朝鮮・台湾等を示したものであるが、その右端に「日本九州」とあり、さらに「長崎」と記載がある。つまりこの地図は、当時の日本から異国（東アジア諸国）へとつながる扉

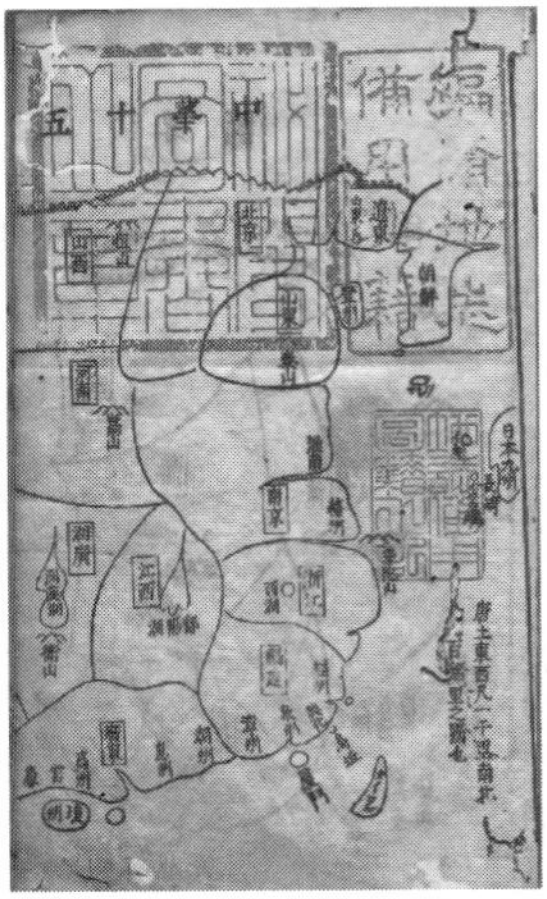

図1 『増補華夷通商考』 国立公文書館内閣文庫蔵「中華十五省之略図（の右半分）」（巻一、一丁表）

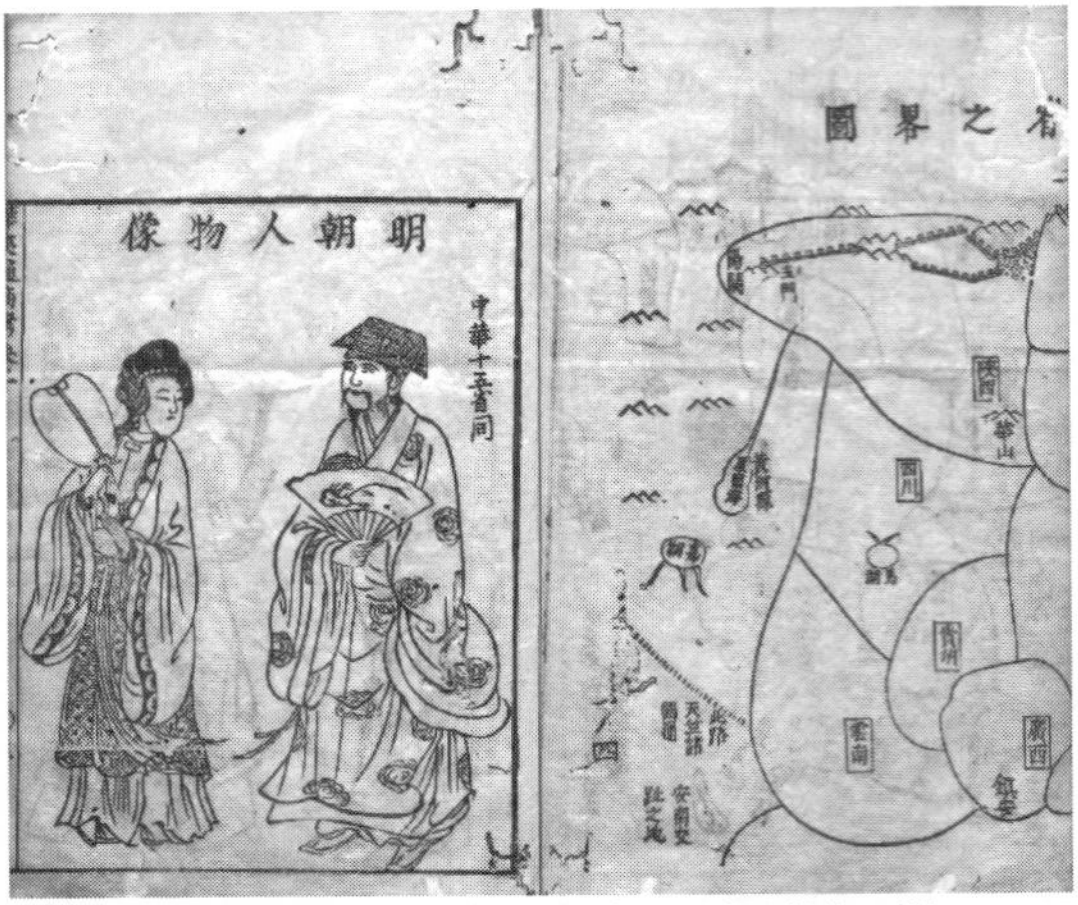

図2 同「中華十五省之略図（の左半分）と明朝人物像」（巻一、一丁裏～二丁表）

が、長崎であったことを象徴するものである。

『通商考』がもたらした情報は地図だけではない。【図2】に、【図1】に続く左半分の地図と「明朝人物像」をあげる。長衣をまとい、手に扇を持ち、靴を履いた男女が微笑み合って立っている。被り物・長衣・靴の三要素は、当時の日本から見た文明国人の象徴であり[*5]、「明朝人物像」の男女の姿はその典型例である。また、【図3】は「紅毛《ヲランダ》人物像」で、帽子をかぶって靴を履き、右手に煙管を持って口から煙を吐き出す男性が描かれている。紅毛人が煙草を吸う様子をこのように描いたものであろう。左には、ヴェールをかぶって裾の広がった長衣をまとい、手に花を持つ紅毛人女性が描かれる。『通商考』の「明朝人物像」や「紅毛人物像」の絵から、宝永五年（一七〇八）の長崎には、すでに【図2】や【図3】のような明確な異国人の情報が存在したことがわかる。

さらに『通商考』では、日本を訪れた外国船の様子も記載されている。【図4】に「南京船艊《ヘサキ》ノ方ヨリ斜《ナヽメ》ニ見タル図」、【図5】に「福《ホク》州《チウ》船艊《ヘサキ》ノ方ヨリ斜《ナヽメ》ニ見タル図」をあげる。同じ中国船でも、南京《ナンキン》と福州では船体の色や帆の形状、旗、吹き流しの形などが異なる様子が、詳細に示されており、これらは実際に南京船や福州船を見た上で描かれた情報であると見て取れる。このように長崎には、当時の日本のどの場所よりも詳細な異国情報が集まり蓄えられていた。

図3　同「紅毛人物像」（巻四、一丁裏）

図4　同「南京船艦ノ方ヨリ斜ニ見タル図」（巻二、二八丁表）

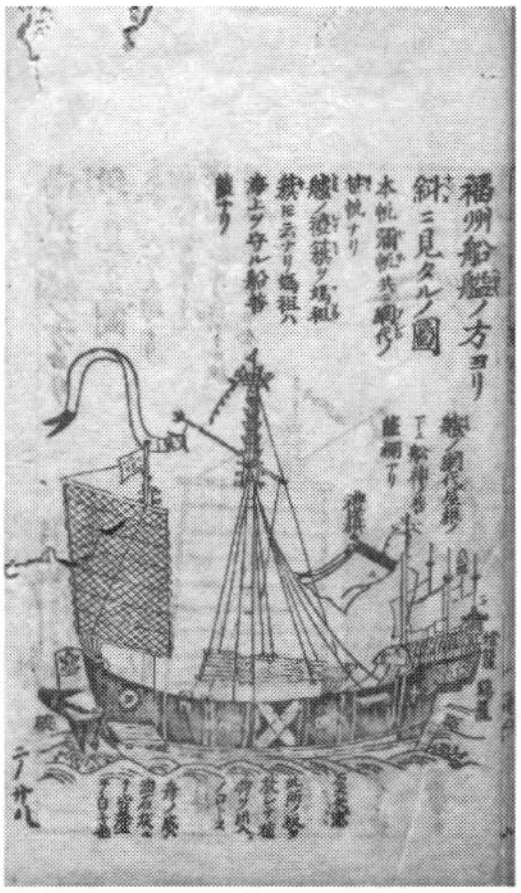

図5　同「福州船艦ノ方ヨリ斜ニ見タル図」（巻二、二八丁裏）

実は如見が有していたような異国情報は、決して特別な知識人層にのみ限られるものではなく、長崎に住む多くの人々が同じように有していた情報でもあった。その背景には、二つ特殊な事情がある。一つは、長崎がさまざまな異国人情報が集約される特殊な町であったこと。もう一つは、長崎の民衆が地役人という特殊な人々の集団であったことである。比率として最も多いときには、じつに成人男性の五〜六人に一人が地役人であったといわれる。*6

つまり、長崎の民衆は、当時の日本では最先端の異国情報を有する人々であり、その情報を正確に書き留めて後世に残したいと強く願う人々の集団でもあった。それを確認するために、次節では元禄期（一六八七年）〜享保の初期（一七二〇年頃）にかけて長崎の民衆が自ら書き記した文献「長崎旧記類《ながさききゅうきるい》」を使用して、当時の長崎における異文化情報を分析する。

2　長崎民衆が持つ異文化情報——「長崎旧記類」から

「長崎旧記類」（以下、「旧記類」と呼ぶ）とは、近世初頭の長崎に関する記事（対外貿易・異国・長崎の情報等）を収録した膨大な写本群を指す。その大半は執筆者・書写者、執筆年・書写年が不明で、収録された記事内容から執筆年等を推定するしかない。しかも「旧記類」にはさまざまな系統が存在し、それらが複雑に絡み合って形成されており、未だその全容は明らかになっていない。

ただし、「旧記類」の成立については、木崎弘美が、寛文三年（一六六三）の長崎大火、元禄二年（一六八九）の唐人屋敷の完成、元禄十一年（一六九八）の長崎会所の設立と貿易仕法の改変などが、執筆の契機になったと述べる。[*7] 実際に、寛文三年の長崎大火の後、延宝期に入って「旧記類」の数は急増し、当時の長崎民衆が、火事で焼失した記録を補う必要性を感じていたことが認識できる。

本章では、元禄期～享保の初期に執筆されたつぎの三種の「旧記類」（『崎陽雑記《きようざつき》』『長崎根元記《ながさきこんげんき》』『長崎始原記《ながさきしげんき》』）から見えてくる長崎民衆の異国認識に焦点を当てて紹介したい。（ ）内は、三種のおよその成立年と所蔵機関である。

(1)『崎陽雑記』（一六九六年・独立行政法人国立公文書館蔵）
(2)『長崎根元記』（一六九七年・新村出重山文庫蔵）
(3)『長崎始原記』（一七一七年・独立行政法人国立公文書館蔵）

三種を選んだ理由は、ほぼ同時期に作成された三種を比較することで、相互の関係を明らかにし、当時の長崎民衆の異国・異文化への関心がどこにあったのかを探究するためである。

すでに筆者は、三種に収録された記事を比較し、そこに特定の記事が繰り返し収録されていることを明らかにしている。[*8] 次節ではこれをもとに、当時の長崎の民衆が異国をどのように捉え、どうかかわろうとしていたのかを考察する。

3　異国人情報が集約される地役人集団の町――長崎

まず(1)『崎陽雑記』と(3)『長崎始原記』に共通する異国人来航に関する記事を取りあげたい。具体的には、①「琉球にて捕る南蛮人の事」、②「甑《コシキ》嶋に南蛮人隠居る事」、③「筑前カヂメ大嶋にて南蛮人捕ふ事」、④「南蛮船二艘来朝の事」などの記事である。この四つはどれも史実に基づいたもので、それぞれの記事の概略は以下の通りである（一）

内、傍線、筆者)。[9]

①寛永十四年(一六三七)七月二十五日、ドミニコ会修道士アントニオ=ゴンサルベスら四名、琉球より薩摩国に連行され、この日、薩摩の国より長崎に連行される。

②寛永十九年(一六四二)七月十六日、イエズス会宣教師アントニオ=ルビノら九名、日本潜伏を図り、琉球で捕らわれる。次いで長崎に連行され、二十七日、長崎に到着。

③寛永二十年(一六四三)五月十二日、イエズス会員ペドロ=マルケスら十名、マニラより筑前国大島に到着し捕らわれ、十九日、長崎に護送される。

④正保四年(一六四七)六月二十四日、ポルトガル国王使節ゴンサロ=デ=シケイラ=デ=ソウザ、長崎に到着し、ポルトガルの独立とヨアン四世の即位を告げ、貿易再開を求める。

①~④の記事は、いずれも(1)『崎陽雑記』や(3)『長崎始原記』の成立よりおよそ五十年から八十年以上前の異国人来航記事だが、それぞれの執筆者によって採録に値すると認識されたため、時代をさかのぼって「旧記類」に繰り返し記録されたものであろう。これらの記事から、江戸幕府が慶長十八年(一六一三)に伴天連追放令を発布し、寛永十六年(一六三九)にポルトガル船来航を禁じた後にも、琉球や大島などの西国各地に異国人が来航していることがわかる。

また長崎奉行所で異国人の調書が取られたこと、大村に牢舎があったこととも関連するが、いずれの場合も、最終的に異国人たちが長崎に連行される(長崎を訪れる)ことが重要な点である。長崎の民衆は実際に連行された異国人や来航した異国船をその眼で見て、彼らのうわさをその耳で聞いていた。なぜならば、当時の異国人の来航情報は、異国人が西国のいずれに来航しても、最終的にすべて長崎に集約されることになっていたからである。

これは長崎が幕府の直轄領であり、対外との貿易地(唐船・ヨーロッパ船の来航地)として、当時、唯一公的に開かれた港であったことにも関連する。もちろん、連行された異国人の調査に直接当たったのは長崎奉行所の役人(同心など)と通詞である。しかし実際には、「旧記類」が書かれた十七世紀末の長崎奉行が手足として使えたのは、与力十名・同心三十名の計四十名ほどの人員である。[*10] わずかこれだけの人数で、長崎における外交交渉や、貿易関連の事務作業、長崎の警備、密貿易の取り締まり、さらにはキリシタンの取り締まり等の多様な業務を遂行するのは、まず不可能であった。当然、町年寄を頂点とする長崎の地役人、その配下の内町町人、外町町人の補佐が必要となる。

地役人は、江戸から下向した士分ではなく、長崎の地付きの人々であり、彼らは世襲制度を守り、家柄も確立されていた。豊臣秀吉時代以来の由緒を持つ町年寄の下には、各町に町乙名《おとな》がおかれ、その下に組頭、日行使《にちぎょうじ》が配された。宝永五年（一七〇八）当時、地役人の総数は千七百余人といわれ、当時の長崎市中の総人口のほぼ二十五分の一を占めたという。言い換えれば、長崎の民衆は幕藩体制国家の外交・貿易を担う地役人の集団であった。その結果、同時代の京、大坂、江戸の民衆とは比べ物にならない異国情報を、長崎の民衆は有していたのである。

4　海でつながる連帯感

では、長崎の民衆は、度重なる異国人の来航をどのように見ていたのだろうか。ここでは⑵『長崎根元記』と⑶『長崎始原記』に共通に採録された記事をもとに考えてみたい。

⑵『長崎根元記』と⑶『長崎始原記』に共通する異国人の来航関係記事は、⑤「日向に漂着のパタアニ人の事」、⑥「朝鮮へヲランダ人漂着の事」、⑦「伊勢の者風に放れ、天川より南蛮人送り来る事」などである。この三つの記事も先の①～④と同じく史実に基づいたもので、それぞれの概略は以下の通りである（（　）内、ふりがな、傍線、筆者）。

⑤延宝八年（一六八〇）五月十七日、バタン島人十八人を乗せた船一艘、日向《ひゅうが》国那珂《なか》郡外浦《そとうら》（飫肥《おび》藩領）に漂着。六月十八日、長崎に護送し、バタン人と判明。次第に病死。六人をオランダ船にて送還し、バタヴィアに定住した模様。

⑥寛文六年（一六六六）八月十日、オランダ船デ＝スペルウェル号乗組員ヘンドリック＝ハメルら八人、朝鮮を脱出し、五島へ漂着。この日捕縛される。長崎に回送し、乗員八人を尋問したところ、オランダ商民と自称し、

「鹿子皮・砂糖を商うため日本へ向かう途中、暴風にあい、二十八人が溺死し、生存者三十六人が朝鮮へ漂着した。全羅道《ぜんらどう》に留置されること十三年、生存者は十六人に減った。昨年秋、小舟を盗んで逃げてきたが、まだ八人が同地に残留している」と答える。

⑦貞享二年（一六八五）六月二日、これより先、マカオ政府、マカオ近くの小島に漂着した伊勢国度会《わたらい》郡神社《かみやしろ》村太兵衛《たへえ》船乗組員の送還を対日通商再開に利用することを決定し、五月十二日、マノエル＝デ＝アギャル＝ペレイラの一行を漂民に同行させ、サン＝パウロ号で長崎に派遣。この日、同号、長崎に到着。

先の①～④が一六三〇～一六四〇年代の記事であったのに対し、ここであげる⑤～⑦の記事は、一六六〇～一六八〇年代の内容であり、採録した(2)『長崎根元記』と(3)『長崎始原記』の成立時期に、より近い時節のものである。西国各地に来航した異国人（と漂流民）が、長崎に護送・回送される点は、①～④と共通している。

①～④の記事と違うのは、これら⑤～⑦の記事が、必ずしも奉行所の方針やキリシタン取り締まり、国防関連の記事とは言い切れない内容が記載されている点である。たとえば、⑤「日向ニパタアニ人漂着」記事はわずか一丁ほどの短い記事であるが、以下に本文を一部引用して、内容を見てみる。（(3)『長崎始原記』を使用。本文は漢字カタカナ混じり文。書き下し・ふりがな・（）内、筆者）。

⑤此異国人（パタアニ人）の形は、長さ高く、色うす黒く、髪は中将にしてかむろのごとく、手足長く、（中略）着類は肩に油簞《ゆたん》のやうなるものをかけ、下帯は前にて緒後にたれ、不断《ふだん》はだかにて居候者と見ゆる。腰に脇ざしと相見えし、鞘《さや》は木にて身は包丁のごとく鉄打の物をさす。食事の時は、椰子《やし》油のからに入て、手づかみに食す。（中略）此言ヲランダ、唐人に通ぜず。尤も、諸通詞にも通ぜず。只、ハダアニと云ふ事計、幾度も云ふ。之《これ》に依《よ》り、ハダアニと云所の者と申す。（後略）

一読してすぐに、その記載内容が、禁教・国防の目的というよりも、異国からの来訪者を珍しがる雰囲気を漂わせていることがわかる。

ここでいう「ハタアニ」は「太泥《タニ》」と表記され、マレー半島に位置する港町（現在のタイ）で、朱印船貿易時代に日本人が来航・居住した土地として知られる。慶長九年（一六〇四）～寛永十二年（一六三五）の三十二年間に、百五人の貿易家が幕府から朱印状を下付され、少なくとも三百五十六隻の朱印船が高砂《タカサゴ》・交趾《カウチ》・東京《トンキン》・安南《アンナン》など十九の土地に渡航している。百五人のうち三十四名が長崎関連の大名・商人・中国人・ヨーロッパ人・幕府役人などである。京都・大坂・堺の貿易家も長崎から船を出し、朱印船貿易の基地である長崎には渡航商人が全国から集まり、多数の長崎民衆が水夫として乗船した。当時、海外に渡航した日本人の数は延べ約十万人、台湾やフィリピン、マレー半島などの南方の各地に住み着いた日本人数は、延べ約七千人～一万人ともいわれる。

およそ八十年前の朱印船貿易時代、自分たちの祖先が居住した土地、「ハタアニ（太泥）」。その懐かしい響きを持つ土地からやってきた異国人の様子を、長崎の民衆が、物珍しく、懐かしく見つめているのが⑤の記事から見て取れる。

⑥「朝鮮へヲランダ人漂着」の記事は、まさに海を経て朝鮮につながることを強く感じさせる記事である。暴風に遭い、誤って朝鮮に漂着したオランダ商人たちは、全羅道（現在の韓国）に長年留置された。耐え切れず、小舟を盗んで日本まで逃げてきたという半丁ほどの短い内容である。昨年秋に小舟を盗んで逃げ出し、長崎の五島にたどり着いたのが翌年の八月であるから、一年近くを海に漂ったことになるが、運がよければ小舟で、朝鮮から日本へ渡航することも可能だったことがわかる。海の向こうには、長崎から見えなくとも、確かに異国（朝鮮）が存在することを、長崎の民衆はオランダ商人たちの証言から改めて思い知ることになる。

⑦「勢州の者天川より南蛮人送来ル事」は、ほかの記事とは少し異質である。単純な異国人の来航記事ではなく、海を経て日本人が異国へ漂着してしまった事例を述べる。昨年十一月、伊勢国度会郡神社村の太兵衛船の乗組員が暴風に遭い、天川《あまかわ》（澳門《まかお》・現在の中華人民共和国マカオ特別行政区）近くの小島へ漂着する。彼らを乗せたサン＝パウロ号は五月にマカオを出航し、一カ月弱で長崎に到着した。本人たちの意図とは異なる渡航であったとはいえ、海を漂流することで、祖先が訪れた異国へたどり着いた伊勢国の人々が、異国船に乗って再び日本に帰ってきた。彼らを目の当た

りにした長崎民衆が、わざわざこの短い記事を書き留めた目的はどこにあったのだろうか。

筆者は、「旧記類」に⑤〜⑦の記事が採録された理由を、単純なキリシタン取り締まりや、国防目的だけではなく、海を経てつながる異国への連帯感ではなかったかと考える。徳川幕府の方針で、当時の日本人の海外渡航は厳しく管理・禁止されていた。元禄期〜享保期の長崎民衆にできることは、かつての祖先が渡り歩いた海を自在に往来する異国の貿易船を羨ましく眺めることだけである。しかし、日本の周囲を囲む海は、彼らの祖先が異国へと飛び出していった八十年前と変わらぬ、異国へとつながる道であった。[*11]

5 おわりに

「旧記類」の執筆者たちは、決して一部の知識人層に限定されない、普通の長崎の民衆である。彼らは、さまざまな「旧記類」の中で、繰り返し同じ内容の異国人・異国情報を記載しており、そこには海を経てつながる異国への連帯感のような意識が感じ取れる。

先述のように、長崎民衆は、その特殊な時代・政治背景から、同時代の日本国内で最も異国人との接触があり、異国への関心を強く持った人々の集団であった。彼らの意識の底に、海は国防のための防壁ではなく、異国（外の世界）へつながる道という認識が芽生えていたとしてもおかしくない。だからこそ彼らは、海の向こうからやってくる来訪者たちの記事をこまごまと書き留めたのである。

「旧記類」の記事には、幕府の政策に対する表立った批判や反発は一切見られない。しかし、自分たちの意志ではなく、為政者側の政策として海外渡航を一方的に禁じられた長崎民衆には、異国人と同等に海を渡り歩いた先祖のように、海外（異国）へ出たいという意識が、どこかに残されていたはずである。それが日本を訪れる異国人への関心をかき立て、彼らへの親愛の情を込めた記事が多く書き残されることへとつながった。長崎の民衆は、決して異国人の来航を否定的に記載することはなかった。「旧記類」に残された記事から、彼らのそのような気持ちが透けて見える。

注

1 『増補華夷通商考』は、国立公文書館内閣文庫蔵の五冊本を使用。同書は「世界地理書」に分類されることが多いが、本章では掲載内容から「対外貿易関係の情報書」と判断した。なお如見は、宝永五年（一七〇八）刊の『増補華夷通商考』に先立ち、元禄八年（一六九五）に『華夷通商考』（二冊本）を刊行しているが、同書には、今回取り上げた絵（地図・人物図・船図）はない。本稿のカタカナの国名・地名のフリガナは『増補華夷通商考』に拠る。

2 『国史大事典』第十巻（吉川弘文館、一九八九年）・『長崎事典　歴史編』（長崎文献社、一九八二年）。なお、吉宗の下問を受けたのは享保三年（一七一八）という説もある。

3 足立栗園『海国史談』中外商業新報商況社、一九〇五年（国立国会図書館デジタルコレクション）、佐久間正「西川如見論――町人意識、天学、水土論――」（『長崎大学教養部紀要（人文科学篇）』26–1、長崎大学学術研究成果リポジトリ、一九八五年七月）。

4 鮎沢信太郎『鎖国時代日本人の海外知識』原書房、一九七八年覆刻。

5 同様の異国人物像が、『増補華夷通商考』の数年後に刊行された図説百科事典『和漢三才図会』（寺島良安著、一七一二年自序）の巻十三異国人物に収録されている。

6 木村直樹『長崎奉行の歴史　苦悩する官僚エリート』株式会社KADOKAWA、二〇一六年。

7 木崎弘美「長崎旧記類の変遷――『長崎根元記』を中心として」、『長埼談叢』87、長崎史談会編、一九九八年五月。

8 位田絵美「元禄～享保期における異国への関心――『長崎旧記類』を比較して」（『文学研究』93、日本文学研究会、二〇〇五年四月）、同「映し出される長崎民衆の意識――『長崎旧記類』に見る異国人来航記事と異国船焼討記事」（『文学研究』94、日本文学研究会、二〇〇六年四月）。

9 以下①～⑦の各事件の概略は、対外関係史総合年表編集委員会『対外関係史総合年表』（吉川弘文館、二〇〇〇年）を参照。

10 『長崎県史　対外交渉編』吉川弘文館、一九八六年。

11 西川如見（の意を受けて子息正休が著した）『長崎夜話草』（享保五年刊）の巻一「異国渡海禁止之事」に「長崎より渡海せし人、近き比まで存命なりしも多かりし」との記述がある。

05

経済小説の胎動と東アジアの交易

経済以前と貨幣の歴史

染谷智幸

1 はじめに

『資本論』(カール・マルクス、一八六七年)を紐解くまでもなく、すべての文化活動の基盤には経済がある。しかし、従来の文学・文化研究、とくに古典研究でこの経済と古典との関係を論じたものはきわめて少ない。むろん、交易という側面から、その経済的基盤について論じられることもあるが、それは一部に留まっている。

加えて、上述の『資本論』が象徴するように、現代の経済学の基盤が西欧近代由来のものであることが災いして、アジアや東アジアの古典を経済から捉え直す志向はきわめて弱い。ところが、その経済を含めて、西欧とアジアの優位が逆転したのは十八世紀も後半に入ってからのことだった(玉木俊明『近代ヨーロッパの誕生』)。さすれば、アジアや東アジアの古典を経済の側面から捉え直すことは、極めて重要な課題だと言ってよい。

私は、二〇一七年刊行の『文学・語学』二百十八号(全国大学国語国文学会・創立60周年記念号、二〇一七年三月刊行)に「日本経済小説史は可能か」なる小稿を発表した。[*1] それは、今述べた経済と古典文学の関係を見直すことを目的としたもので、その経済と文学の間に唯一とも言ってよい橋渡しをしてきた「経済小説」に白羽の矢を立てて、その学際的研究の可能性を探ってみたものである。

本章では、そうした学際的な問題を踏まえながらも、日本の経済小説の展開がどう国際的な意味を持っていたのか、とくに、東アジアの交易史とどうかかわって来たのかについて考えを廻らすことにする。とはいえ、東アジア交易全般を考えるとなると、本稿に与えられた紙幅では難しい。ここでは日本の経済小説のスタートと東アジアのつながり、とくに貨幣の問題に絞って論じることにしたい。

2　日本経済小説史の見取り図

まずは、問題の在り処を把握するために、次の日本経済小説史年表【表】を見ていただきたい。ご覧いただければわかるように、この表ははなはだ雑駁なものだが、日本の経済小説史全体を把握、あるいは鳥瞰するには手っ取り早くて良いだろう。

これを見て、改めて感じることは、前稿でも述べたように、従来言われてきた「経済小説」の範疇があまりに狭すぎることである。その従来の範疇とは、城山三郎『総会屋錦城』（新潮文庫、一九六三年版）の解説において、小松伸六が述べたものである。すなわち城山三郎『総会屋錦城』（一九五九年）を嚆矢とし、それ以後の経済や経営（とくに企業における）を取り扱った作品とする考え方である。私の意見は、これも前稿で述べたように、小松の範疇は「企業小説」の歴史とも言うべきもので、「経済小説」と銘を打つならば、江戸時代の元禄期に活躍した井原西鶴の『日本永代蔵』を嚆矢とし、その後現在までの作品を位置づけるべきだと考える。

この考え方は、昨今矢継ぎ早に出版されている日本経済史の通史のあり方を見ても蓋然性があると考えてよい。その昨今出版されているものの中で、代表的な日本経済史の通史を挙げてみた。*2

注目すべきは、書名からもわかるように、このほとんどが、日本経済史を江戸時代初期から書き起こしていることである。

こうした趨勢に、この表を合わせてみれば、経済小説史を近世初期から考えなくてはならないことは誰が見ても明

表　日本経済小説史関連年表

世紀	経済小説	代表的作品	経済事象関連
16			
17	近世小説 A	『長者教』	前・経済小説期 近世経済勃興期
	西鶴の町人物	『日本永代蔵』（井原西鶴）	経済小説第一期
18	浮世草子の町人物	『日本新永代蔵』（北条団水） 『商人軍配団』（江島其磧）	近世経済安定期
		「貧福論」（『雨月物語』上田秋成） 『莫切自根金生木』（唐来三和）	
19	B	『貧福道中記』（山東京伝） 『士農工商心得草』（為永春水） 『貧福太平記』（洛東まぬけ庵）	近代経済勃興期（殖産興業） 経済小説第二期
	近代小説	『商人立志寒梅遺薫』（岩田以貞） 『大つごもり』（樋口一葉）	
20	C	『蟹工船』（小林多喜二） 『夫婦善哉』（織田作之助）	第二次大戦後経済勃興期 経済小説第三期
	企業小説	『総会屋錦城』（城山三郎） 『虚構の城』（高杉良）	
21		『俺たちバブル入行組』『下町ロケット』（池井戸潤）	

らかであろう。日本経済史の中に、いまだ日本経済小説史は立項されていないが、そうした日が近々に来るだろうと筆者は考えている。ちなみに、最も新しい日本経済史の通史として『講座・日本経済の歴史（全六巻）』が出版されている。[*3]この講座はさらに踏み込んで、日本の経済史を十一世紀から説き起こそうとするもので、いずれにしても時代をさかのぼらせている傾向に変わりはない。

そこで、ざっとこの表の三百年間を見渡してみると、西鶴と西鶴以後の浮世草子の時代と城山三郎以後の経済企業小説が出版された時期に、集中して、経済小説が出版されていることが見て取れる（表の太い黒枠の部分）。この集中した時期がどのような状況であったのかは言うまでもなく大切だが、西鶴から『下町ロケット』までを、東アジアと関連させながら通史として把握することを目指す私としては、この隆盛期以外の時期、すなわちA・B・Cの時期をどう考えていくのかに、今最も関心がある。

とくにAの時期は重要である。というのは、経済小説は、その経済の特性として国際の問題を常に含むものだが、Aの時期は日本が活発に諸外国、とくに東アジアと交流を重ねた時期であったからである（C以後もそれは同様であるが）。

とはいえ年表を見てもわかるように、このAの時期に経済をテーマにした作品で目ぼしいものはほとんどない。そこを改めて博捜しなおすことも大事だが、有効な方法として以下の三つを現在考えている。

①第一期の経済小説の中に、このAの時期とつながる材料を見いだし、それを吟味しながら、Aの時期の実体に迫る。すなわち、第一期の経済小説の内容そのものに、経済小説以前から続く、経済と文学との胎動を読み取る。

②十七世紀以前の中国・朝鮮・越南の小説・説話類から経済に関する話（商人伝など）を拾い出し、日本への影響の有無を考える。

③経済を考える上で大切な貨幣の視点から、①と②の問題を考える。

本来なら①〜③すべての問題をここで考えたいが、「はじめに」でも述べたように紙幅の問題があるので、ここでは比較的に短く述べることができる①と③について述べてみたい。

3　『日本永代蔵』にみる商業の胎動

まず、①の方法に先鞭をつけたのは、西鶴や江戸時代文学の研究者ではなく、経済学者の岩井克人であった。岩井の「西鶴の大晦日」[*4]中に展開された『永代蔵』論がそれである。岩井は巻一の一「初午は乗てくる仕合」の主人公網屋に注目した。この章の梗概を簡単に記す。

泉州水間寺では、毎年の初午の日に、信者が寺から十文程度の少額の銭を借り、それを次の年に二倍にして返すという風習があった。ところが、ある年に「年のころ廿三四の男、産付ふとくたくまし」い男が銭一貫文の大金を借りて行ってしまった。寺僧たちは貸したことを後悔したが、この男はこの金を他人に同じく倍返しで又貸ししたところ、借り手に幸運があると評判になって、十三年後には、八一九二貫の大金にまで膨れ上がった。男はその金を水間寺に奉納すると、寺では大喜びして宝塔を立て、この男（網屋）も武蔵に名だたる分限者となった。岩井は主人公の網屋とは、中世的な祠堂銭（寺院の経済活動）が持っていた「拝金思想」ではなく、近代資本制の「貨幣の論理」を身につけた男だとして、本物語を「拝金思想」が描かれたのではなく、むしろ「拝金思想」が解体された物語であると認定した。すなわち、岩井は、この物語の中から、日本における中世から近代への転換のありさまを鮮やかに抜きだして見せたのである。ただ、残念だったのは、岩井の視座が文学史ではなく経済史の文脈上にあったために、文学研究者側であまり話題にならなかったことである。しかし、こうした試みはもっと多くなされるべきである。たとえば、岩井は拝金思想とその解体という言い方をしたが、これは金銭にまとわりついていた宗教とその宗教的世界の解体、もしくは変容という言い方もできると思う。

たとえば、『永代蔵』によく登場する「長者」や同じく西鶴その人のことも指した「有徳人」（伊藤梅宇『見聞談叢』[*5]）という言葉がある。ともに金持ちを意味するが、両語に、後世金持ちに付着した否定的な意味合いはない。そればかりか「長者」は『法華経』などの仏教経典では釈迦・仏陀そのものを意味した言葉であり（法華七喩「長者窮子の喩え」）、また「徳」は『論語』顔淵篇等で古くから強調されていたように「君子の風」の象徴でもあった。それが日本では江戸時代の元禄期頃を境に変容する。たとえば西鶴は『永代蔵』で長者を「惣じて親のゆづりをうけず、其身才覚にしてかせぎ出し、銀五百貫目よりして、これを分限といへり。千貫目のうへを長者とはいふなり」（巻一の一「初午は乗てくる仕合」）と規定するが、ここにあるのは金銭の多寡のみで仏教経典が保持していた意味での尊崇の念はまったく残っていない。すなわち、この『永代蔵』冒頭章に見える宗教性の解体は、日本という場を越えて広くアジア、東アジアの問題でもあるのである。

『永代蔵』にはこうした東アジアにつながる作品がいくつもある。すでに指摘したことがあるが、[*6]『永代蔵』巻二「天狗は家な風車」に登場する天狗源内の一生というのは一人の男の人生ではない。倭寇が江戸時代の海禁によって漁業（捕鯨）へ転換し、その捕鯨を知恵と工夫によって進展させ、さらには魚を取るだけでなく、死なせず遠方へと運ぶ養殖漁業へと転換を図った近世漁業の歴史が描き込まれているのである。

詳しくは拙稿をご覧いただきたいが、東アジアという視点から、この短編を見直してみると、やはり倭寇との関係が重要である。たとえば田上繁が「熊野灘の古式捕鯨組織」[*7]で指摘したように、天狗源内のモデルである太地鯨猟の和田氏一統とは、中世に存在した熊野の海賊（水軍）の系譜を持つことは明らかなのである。むろん、こうした系譜を持つのは和田氏だけでなく、中世の大名たちには多く海賊が居て、彼らは、日本近海のみでなく東アジアの海に進出して活躍する海の民であった。西鶴が、この話の主人公の名前に「天狗源内」という怪しげかつ超人的な名前を冠した理由の第一には、おそらくこの点にあったのである。

こうした東アジアとのつながりという点で、さらに大きな問題を含むのは、③の貨幣の問題である。それは巻一の三「浪風静かに神通丸」に書かれたことで、西鶴当時の商人たちが、米に対して絶大な信頼を寄せていたことを示すエピソードである。西鶴は言う、大坂の米商いでは、相互の信頼度がきわめて高く、「互いに顔を見知った人には、千石万石の米を売買しても、文書を交わすことなどなく、いったん双方が手打ちをすれば、すこしもその約束を違えることがない。ところが、世間一般の金銭の貸借と言えば、借用証書を書き、保証人の判までしっかり押して『何時なりとも必要になり次第にお返しします』となどと相互で取り決めをした事さえ、その約束期限を伸ばして訴訟沙汰になることなのに、この米市場では、空模様によってはどうなるか分からない米相場で、まるで雲に判を押したような契約を違えず、その約束の日に損得を考えずにきちんと売買するのである」と。このエピソードに関して、従来の研究は何も触れてこなかった。また、江戸時代初期の関西において、金銭（とくに大坂であれば、銀と銭）よりも米が信頼を得ていた理由というのも、従来ほとんど説明されていない。これを考えるには、Aの時期からさらにさかのぼって、東アジア全体の貨幣の歴史に踏み込まなくてはならない。

4　東アジアの貨幣流通とその展開

単に経済活動のみならず、歴史・文化・社会の来し方を見直す上で、貨幣は極めて重要である。とくに、古い時代の貨幣は今、ちょっとしたホットイシュー（注目株）である。それは後ほども触れる、新安船から発見された大枚の宋銭（そしてそれと一緒に積載されていた陶磁器類）によって、東アジアの経済史・文化史が大きく変わったなどということがあったからだが、とくに貨幣は、多くが原形をとどめていること、そして何よりも残ることが極めて重要だ。文書類は「残る／残らない」に政治的な意思や社会的な構造・差別が絡むが、貨幣はそうした思惑を乗り越えて、当時の実情を後世にまで長く伝えてくれる。

加えて、貨幣はそれを作り出した政治権力も一旦社会に広がりだしたら制御できない。宋銭を生みだした中国政府も、銭が海外へ渡ることを禁止したが上手く行かなかった。また、その宋銭が流れ込んだ日本側も禁止したにも関わらずに広がってしまった。[*8] それが社会を動かすと同時に多く残り痕跡をとどめるのである。

東アジアの貨幣と言えば、まずは今触れた宋銭であろう。これは宋の時代の経済的隆盛が背後にあったことは言うまでもないが、井上泰也[*9]によれば、宋朝の年間銅銭鋳造量は五百万貫を越えていたと言う。その前に繁栄期を迎えた唐代が二十数万貫であったことからすれば二十倍を越えていたことになる。結局この五百万貫云々は、後の清代になり日本の銅などの流入で増産されるまで破られなかったと言う。このように、貨幣の数量によって社会の繁栄がどの程度のものであったのかの裏付けが取れる。これが貨幣史の面白さ、かつ有意性であろう。

この宋銭は、今も述べたように日本を中心に、朝鮮、越南（ベトナム）等、東アジア全体に広がってそこには宋銭を媒介にした東アジア経済圏が出現した。その中でも重要なのは、やはり日本である。

日本では、八世紀の初めには富本銭や和同開珎があったことがよく知られている。しかし、当時の社会状況から鑑みて、この時期に商品の流通が広がっていたとは考えられない。そうしたことから、これらの貨幣には呪術的な要素（保持していれば福を招来するなど）があったと指摘されている（東野治之『貨幣の日本史』[*10]）。

日本で本格的に貨幣が流通したのは、十二世紀～十五世紀にかけて大量に日本に流れ込んだ宋銭（主に北宋銭）である。この宋銭が日本にどのくらい流通していたのかは分からないが、十四世紀前半に中国から日本に向かう途中、朝鮮半島木浦沖で沈没したとされる新安船（寺社造営料唐船と呼ばれ寺社中心の貿易船と言われるが、近年では博多の商人が主体であったとも指摘される）には、八百万枚という宋銭が積載されていたことが分かっている。ここからすれば、膨大な数の宋銭が日本に流れ込んでいたことは容易に想像できる。その結果、室町時代初めの十四世紀後半には、年貢の多くが銭で納められていたと指摘されている。すなわち室町時代から日本は貨幣経済社会へ突入していたことになる。

しかし、このことが、日本が中国の銭を中心にした経済圏の中に組み込まれたことを直ちに示すものでないことは十分に注意を払っておく必要がある。それは『宋銭の世界』（伊原弘編）[*11]所収の諸論文にも指摘されているように、宋の銭とその流通のあり方が、そのまま日本で通用したわけではないこと、また、明などの中国王朝が銭でなく紙幣中心の流通体制を取ろうとしたために、銭が中国国内から周辺国家へ押し出されたという事情もあったことなど、である。

とはいえ、宋銭が日本の中世社会において大きな役割を果たしたことは間違いない。その後、十六、十七世紀を中心に日本各地で産出された膨大な銀の流通に押されて、銭は貨幣としての価値を相対的に落としてゆくことになるが、それでも、江戸時代の三貨制度（金・銀・銭）の下地を作り、高度な貨幣経済社会の発展に寄与したことは間違いないことである。

5　日本の貨幣流通と米

しかし問題は、この銅貨から金貨・銀貨へと単純に発展、広がりを見せたわけではないことである。そこには、先に述べた米の問題があった。

中世も室町後期・戦国期になると、関西を中心に米が銅銭に代わって主流な通貨の働きを果たすようになる。便利な銅貨がなぜ米に取って代わられたのか。そこにはさまざまな理由が考えられるが、やはり大きいのは、武士の戦時物資として米が重要だったからである。戦時体制において金銀銅貨は不便であった。交換する場（市場）が近くに必要だったからである。米はそのまま食料として使え、しかも保存がきいた。戦国武将が石高制を取ったのはこの為である。爾来、武家政権が続く江戸時代末まで日本経済は米中心となった。この米に対する社会の信頼は絶大なものであったことは、先に指摘した西鶴の『永代蔵』の一節からもよくわかるのである。

この米に対する信頼は、江戸時代の米相場を中心にした経済体制を作り上げたことは周知のことであろう。それは「堂島に存在した大坂米会所こそ世界最古の先物取引所であり、かつ証券取引所であった」[*12]とも言わせるものであり、そこで公認された帳合米の取引は現在に続く先物取引の方法であった。この帳合米取引は、当時「空米《くうまい》」とも言われたように、当初幕府からは禁止された方法であったが、この帳合米によって相場が抜群の安定を示すことが知られるとにわかに合法となったのである（一七二五年）。

この米相場や帳合米取引で最も重要なのは、これが経済・経営の世界を越えて、広く文化一般にまで根を下ろしていたことである。たとえば、『商家秘録』【図】（大玄子著、一七七〇年刊）に次のような言葉がある。

図　『商家秘録』表紙（架蔵本）

第四相場高下論

相場の高下はヒトの賣買するに付て高下するといへども、是をなすは人力の及ぶ所にあらず、天地自然の道理なり。大富なる人金銀の力を以て、或は買〆賣出す時、一旦其米の高下ある様に見ゆる事ありといへども、始終に其功ある事なし。萬民の人氣日本國より集りてなす高下なれば、一人の力を以てなすは、喩いかほどの大富成人とてもならざる道理を辨ふべし。既に商始れば米仲買商人ゆび先にて、一統に手を打村鳥のねぐらを争ふごとく、数千の人毎日數十萬俵うりかひ、一俵も違はず日々に滞なく帳面納る事、又①外に類なき商なり。いか程高下有ても邪をいふ人なく、誠に産業の中、正直成商是にまさりたる事なし。喩ば善悪の人立交るといへども、此商に偽りを以て立身出世ならざる理を知るによりて、自然と邪をいふ者なく正直が習と成ぬ。②是此米商は天地自然の理を以て高下をなす事明らかなり。是によって諸萬物の値段、是を元として位を知る理哉。箇様の道理あれば此商に心を用ん人は、正直を元として謀る所、私の心を以て相場に贔屓をつけず。掛引の法を以て勤ずしては、立身出世のならざる事成べし。

傍線部に明らかなように、ここには以下二つの理が説かれている。

①米相場によって商人や万人の「正直」が達成されること

②天地自然の理を理解することが立身出世につながること

すなわち、米相場による自然と人倫の再編成、再構成、再認識が企図され、それが社会の安定化を促すという発想である。米を中心にした新たな自然観、倫理観が醸成されたと言って良いだろう。

これは私の憶測でしかないが、もし日本、そして江戸時代が米を中心とせずに、金・銀・銭のみを基軸通貨として経済運営を行ったとすれば、江戸期の経済はもっと早く瓦解していたように思われてならない。それは、金・銀・銭が世界とつながって変動していたものだからである。近年の為替レートの変動を見ればわかるように、それは経済の不安定要素となる。しかし、米（ジャポニカ米）はそうではなかった。日本の中での地方格差からの価格変動はもちろんあったが、それは相場で、そして帳合米という帳簿上の先物取引で十分に調整が可能だったからである。

もしこうした考え方が許されるなら、江戸時代の徳川幕府が取った海禁・鎖国という政策は根本から見直されなくてはならないだろう。従来からも鎖国という言葉を使わずに海禁という言葉を使うことで、徳川幕府が海外との管理貿易を行っていたことを示唆したが、貨幣を越える米の力を見据えることは、海禁・鎖国にもっと積極的な意味があったことを示唆する。すなわち、江戸の社会は、世界につながる貨幣と国内のみの米との関係を調整することで、安定した経済状況を生みだそうとしていたことになるからである。

6　おわりに

最初に挙げた、年表Aの部分にさらに光を当てるためには、「2日本経済小説史の見取り図」の最後に掲げた「②」の十七世紀以前の東アジア商人伝と日本の経済小説との比較が重要であろう。中国・朝鮮・越南の物語・小説類における、商人の活躍を描いた話、とくに、宋代の随筆『鶴林玉露』（羅大経）や志怪小説『夷堅志』（洪邁）に表れた経済活動の写実的な描写や、明末蘇州の文人馮夢龍（一五七四〜一六四六年）が編んだ短篇白話小説集「三言」（『古今小説』＝『喩世明言』、『警世通言』、『醒世恒言』）等、また、明代公案小説等にも触れることが有効だと思われる。さらに、有名な『清明上河図』をはじめとする図像等の分析も有効であろう。

しかし、管見ながら、そうした作品類を見渡しても、『永代蔵』のように、それまで支配的だった宗教的権威を一挙に解体してしまう力を持った経済小説は『永代蔵』以前にはなかなか見出せない。ここから、従来比較史的に指摘されてきた図式[*13]、すなわち、十五・十六世紀、驚異的な発展を遂げた東アジア海洋交易は、中国でなく、日本を経由しながら東アジアの近代化に結実した、を展開することは可能だろう。またそれは『永代蔵』を嚆矢とする日本の経済小説が、東アジアの交易と文化にとって極めて重要な成果だったという結論にもなる。しかし、今後の博捜によってそれは変わる可能性があると感じている。その見極めのためにも、東アジアの海洋域、亜周辺の積極的な探索が何よりも求められるのである。この点については改めて論じてみたい。

注

1　染谷智幸「日本経済小説史は可能か」、『文学・語学』218（創立60周年記念号）、全国大学国語国文学会編、二〇一七年三月。

2　『日本近世史　近世―現代』（杉山伸也著、岩波書店、二〇一二年）、『日本経済史　近世から現代まで』（沢井実・谷本雅之編、有斐閣、二〇一六年）、『日本経済史1600-2015 歴史に読む現代』（浜野潔ほか著、慶応義塾大学出版会、二〇一七年）、『日本経済史』（石井里枝・橋口勝利編、ミネルヴァ書房、二〇一七年）。

3　深尾京司ほか編『講座・日本経済の歴史（全6巻）』岩波書店、二〇一七年。

4　岩井克人「西鶴の大晦日」、『現代思想』一九八六年九月臨時増刊号。
5　この『見聞談叢』にのる西鶴評は、きわめて少ない西鶴の伝記中、西鶴その人の実体を伝える貴重な伝記である。その中に西鶴について「有徳なるものなれるが、妻もはやく死し、一女あれども盲目、それも死せり」とある。
6　染谷智幸「大交流時代の終焉と倭寇の成長―近世漁業の起源と西鶴の『日本永代蔵』」、『冒険・淫風・怪異』笠間書院、二〇一二年。
7　田上繁「熊野灘の古式捕鯨組織」、『海と列島文化』第八巻、小学館、一九九二年。
8　井上正夫「国際通貨としての宋銭」、伊原弘編『宋銭の世界』勉誠出版、二〇〇九年。
9　井上泰也「宋代貨幣システムの継ぎ目」、注8同書所収。
10　東野治之『貨幣の日本史』朝日新聞出版、一九九七年。
11　注8同書。
12　高木茂「江戸時代米先物取引についての一考察」、『兵庫大学論集』2、一九九七年三月。
13　小林多加士『海のアジア史―諸文明の「世界＝経済」』（藤原書店、一九九七年、一一三〜一一四頁）、川勝平太「日本の工業化をめぐる外圧とアジア間競争」（浜下武志・川勝平太編『アジア交易圏と日本工業化　1500-1900』リブロポート、一九九一年）、並びに拙著『西鶴小説論』（翰林書房、二〇〇五年）所収「西鶴 可能性としてのアジア小説」を参照されたい。

06

文化力《ソフトパワー》と政治・経済

朝鮮半島のルネサンスと南北対話

Emanuel Pastreich

1　はじめに

日韓をはじめ、東アジアのほとんどの人々は、朝鮮半島における南北間の交流を考える際、両者のイデオロギー的分裂が大きすぎるため、政治イデオロギーや統治方式について議論することは、いたずらに分裂を助長するものとして、これを意図的に避けるべきだと考えている。代わりに、貿易や投資のような中立的な問題に焦点を当てることを優先すべきとも考えていよう。

しかし、これはかなり時代遅れの仮説である。まず、貿易と投資は中立的な問題などではない。おそらく、貿易と投資等によって、朝鮮民主主義人民共和国（北朝鮮）のすべての階層の人々は、金日成《キムイルソン》の遺産に幻滅を感じるだろうし、その一方では、一般的に普及している中国とベトナムの経済優先の高成長モデルについても、懐疑的にならざるをえない証拠をさらにあふれさせる結果になるだろう。

韓国人たちは、過去五十年間、韓国をリードしてきた輸出志向の高度成長と消費中心の経済体制が持つ限界と重大なリスクを認識するようになった。いま、非武装地帯（ＤＭＺ）をまたいだ両側の多くの人々、そうした経済優先の高度成長とは違った代替案を作成するために苦心しているのではなかったか。

これからは固定観念から脱して新しい思考をしなくてはならない。
私は、政治・哲学・経済の根本的な問題について、朝鮮半島の南北の学者や高級官僚の真剣な議論は、イデオロギー的対立のリスクではなく、大きな歴史的意義を持つ創造的で感動的な瞬間になるかもしれないと考えている。以下の文章は、その私見の一端を述べてみたものである。

2　朝鮮半島・南北間の古い用語・政治体制に目を向ける

朝鮮半島・南北間の協力において、その障害の一つは、用語や概念が暗示している意味についてである。このような観点から過去を振り返って見ることは現代社会からの反動的な後退ではなく、むしろイデオロギー的問題を解決する機会を提供する創造的な解決策となるはずである。

たとえば、韓国で一般的に使用されるイデオロギー的用語である「自由」は、北朝鮮で使用される用語「共産」と和合するのは難しい。ある文化圏では、個人の競争力を成功のための必須要因としてみなしているが、ほかの社会では、集団の協力を究極的な最高価値とみなす。しかし、朝鮮半島にある昔からの伝統的用語「弘益」[*1]を使用した場合はどうだろうか。それは、過去六十年間の偏狭なイデオロギー的分裂による制限を受けない社会的コンセンサスを構築することができるのである。そしてそこから独創的な哲学的空間を創造することもできる。

同様に、韓国の「国会」を北朝鮮の「労働党」と調和させることは機能的に難しい。両機関は、根本的に異なる仮定の下で運営されている。私たちは、いずれかの側に肩入れをしてそれを押し出し、片方を完全に排除する代わりに、朝鮮時代の最高行政機関であった「議政府」の利点を考慮してみたらどうか。そのおよそ五百年間続いた非常に強固な制度を再解釈することによって、二十一世紀の難題を解決しようと努力するとき、それらの古い政治体制を、将来のための新しい青写真として活用することができるかもしれない。

たとえば、議政府にはさまざまな問題が存したが、そこで働く人間たちの道徳性が高かったことは確かである。時にそれが誤った方向に向き、熾烈な権力闘争に向かうこともあったが、人間として道徳性と使命感を持ち続けようとしたことは、彼らの遺した書物から十分過ぎるほど伝わってくる。

これに比べて現代の我々は、民主主義の神話に浸っていて、何年かに一回投票すれば、自分の義務が全部終わったと思う傾向がある。それは大変な勘違いで、政治は自分の日常的な行為から始まるものであり、共同体の意識を高める努力が必要である。朝鮮王朝の政府機関、習慣などをどうやって再解釈して現在社会に使うのかは一概に言えないが、政治を政治家のものだけでなく、また彼らに付託すれば終わりということでなく、継続して培う市民のものとして取り戻す必要があり、その為に朝鮮の各王朝の行政と制度を改めて見直す必要があるのである。

また、昔の朝鮮半島におけるベスト・プラクティスを創造的に見直すために、古代ギリシャの統治概念を再解釈し、現代に合わせて再生させた、十八世紀のアメリカで推進されたプロジェクトを思い起こしてみよう。一七八七年に開かれた憲法制定会議に代表される米国のこのようなプロセス（市民と政府の関係、君主のいない国の構造、個人の自由と権利を守る方法、政治家の責任を負わせる制度、地主の権利を優先しない方法など本格的に論じられた。結果は完璧ではなかったが、それ以降フランス革命、一八四〇年代の欧州における革命と革新、一八六〇年からアメリカ南北戦争ロシア革命まで、現在まで数多くの自由と透明な政府のための政治運動は、アメリカ憲法からその影響を受けた）は、世界中の責任ある政治のために、複数の世代にわたって行われた活動に大きなインスピレーションを与え、結果、新しい普遍的概念である民主主義を生み出すお膳立てとなった。少数の参加者が政府の根本的な革新に関する過去のベスト・プラクティスを見つけるために道徳的に専念したため、そのプロジェクトは成功したのである。

アレクサンダー・ハミルトン（一七五五〜一八〇四年）とトーマス・ジェファーソン（一七四三〜一八二六年）が、米国憲法草案を作成する過程で注目したのは、十五世紀と十六世紀のヨーロッパのルネサンスであった。イタリアとフランスのルネサンスの思想家たちは、古代ギリシャやローマのベストプラクティスに着目し、彼らが発見したことを再解釈して瀕死状態に陥った文明に活力を注入するための手段として活用した。彼らは過去の文化から変革の力を発見して新しい地平に進んだ。彼らにとって過去を振り返ることは郷愁ではなく、むしろ革新のための機会であった。類似の文化的ルネサンスの事例は、韓国の伝統においても見つけることができる。今日の韓国政治で議論されている政治改革は、非常に狭い概念で、一九六〇年代以降から現在までの韓国政治にその対象を限定している。ほとんどの韓国人は、朝鮮王・正祖《チョンジョ》*2（一七五二～一八〇〇年）の時代の十八世紀後半またはそれ以前から多様な方式で改革と近代化の過程が開始されたという事実を知らない。

残念ながら韓国人は、西洋式の経済と制度改革が始まった二十世紀以前までは、朝鮮半島が絶望的なほど遅れていたという、日帝植民地時代に確立された神話に、多くの場合取り憑かれている。朝鮮半島における政治的発展のそのような限定的な例を見ることによって、私たちは過去に発見された、制度的、経済的難題に対しての創造的対応の可能性を過小評価しているのである。この問題は、朝鮮半島の南北両方で同じように見いだすことができる。

3　南北ルネサンス・プロジェクト

こうした誤謬を乗り越えて、創造的対応をするためには、朝鮮半島における歴代各王朝の制度史、習慣、価値および技術を共同で研究し、過去において得られたそのような宝物を、現代社会のニーズに合うように調整可能なものとしてよみがえらせることが必要である。そしてそうした再生を可能にする、南北の学者や芸術家、作家および思想家で構成されるグループを結成しなければならないだろう。その過程を通じて、朝鮮半島における哲学、芸術、文学、建築、文化の再発見の機会を得ることにより、不満を持つ南北の人々に政府の新しい可能性と、共通の過去に基づいた新しい共通言語を作る機会を提供することができるはずである。

この南北のプロジェクトには、学者だけではなく、多様な視点から朝鮮半島の過去を通して潜在力を発見することができるビジョンと誠実さを兼ね備えた政府官僚、政治家、芸術家、哲学者、企業、ＮＧＯ活動家などが参加しなければならない。そして何より、そのグループ内において、南北の人たちを一緒に集めることで相互の共通点を発見することが大切だ。その発見は朝鮮半島の持つ潜在力を再認識することにつながるはずだからである。

朝鮮半島の伝統は古朝鮮、百済《くだら》、新羅《しらぎ》、高句麗《こうくり》、渤海《ぼっかい》、高麗《こうらい》、朝鮮の王朝ごとに、大きな多様性を持っている。この南北の委員会が、一連の会議を通して共同で探求することができるいくつかの主要テーマをここで想定してみたい。以下、主要テーマについて大まかに記述しよう。

（1）統治方式

各王朝は中央および地方政府をどのように運営し、中央政府と地方政府との間の関係はどうであったのか。利害の対立と腐敗を防止し、行政府内の能力中心主義を確立し、有能で倫理的な人々を政府に登用して維持するために、各王朝はどのような解決策を提示したのか？　透明性を奨励して党争を防ぐ方法は何であったのか？　各王朝の政府権力の限界は何であり、権力乱用や富の集中を防ぐためにどのようなメカニズムを開発したのか？

たとえば、丁若鏞《チョンヤギョン》（一七六二〜一八三六年）[*3]を中心とした、改革を望んだ若い学者たちは、いわゆる実学運動を展開した。中国（清）などから習った新しい技術と政治思想を導入して、実力のある学者中心の制度を作ろうとした。とくに朴趾源《パクチオン》（一七三七〜一八〇五年）、李徳懋《イドンム》（一七四一〜一七九三年）、朴斉家《パクチェガ》（一七五〇〜一八一五年）の思想が優れている。丁若鏞は文学と歴史に深い造詣を持ちながら、同時の技術、農業、政策、安保外交に深い関心をもち、あらゆる方面の改革を実施しようとした。具体的には、丁若鏞は正祖と共に水原で華城という城を斬新な技術を使って建て、後世の模範になるような建築を具現化した。

（2）統一、外交と安全保障

韓国人たちが統一について考えるたびに、常にドイツをモデルに考えるが、過去の朝鮮半島には、新羅の三国統一や高麗の後三国統一のように、私たちがやるべきことと、やるべきではないこと、また効果的に長期的な統合を実現し、新しい制度を構築することに対してのヒントを提供してくれる事例がある。

同様に、各王朝の新しい展開を計画する際に、推進したさまざまな外交と安全保障政策があり、これは現在の南北の人たちに非常に貴重で価値的かもしれない。新羅の外交の天才である崔致遠や、朝鮮の天才武将・李舜臣、中国に毎年送った燕行使、日本に送った朝鮮通信使による周辺国との交流といった事例は、私たちに多くの教訓を与えている。私たちに必要なのは、彼らの言葉を新しいコンテキストに翻訳して行動に移すことである。

(3) 経済

各王朝の政府は長期的な経済発展をどの程度まで調節することができたのか、各王朝で利用した市場経済はどのような面で成功であったのか?

各王朝で「経済」の領域はどのように定義されて、そのような過去の経済的なアプローチを通じて、私たちは過酷な社会主義と無謀な消費志向的市場経済を超えた「第3の道」を見つけることができるだろうか? 以前の王朝では長期的な経済プロジェクトをどのように考えて議論、実行してきたのか? 効果があったものと効果がなかったものはどのようなものか?

現在の南北の政府は、長期計画設立と長期政策実行能力を大きく失っている。よって何よりも新しいモデルを見つけることが肝要である。

また、この委員会は、各王朝がどのように競争への執着を越えて経済の共同アプローチを多様に提供してきたかを探求すべきであろう、私たちは、伝統的なアプローチを通じて、株式、債券、およびデリバティブではない、人々に関する情報を提供することで経済を再生させることができるモデルを見つけることができる。

王朝毎にどのような経済改革を実行し、どのような要因で改革が成功したのか、または失敗したのか? 各王朝は社会的不平等と誇示的消費が増加する危険な傾向をどのように扱ったのか。

（4）持続可能性

朝鮮半島に襲いかかった危機状況はさまざまにあったが、この持続可能性こそは、南北双方が解決できなかった大きな問題である。私たちは、それぞれの王朝が倹約、環境の保護、そして倫理的かつ文化的に豊かでありながらも、民のために控えめで持続可能な文化をどのように奨励したのかを自問・自省するべきである。持続可能な農法を奨励する効果的な農業政策は何であり、これを今日、持続可能な経済を再発見しようとする韓国の努力とどのように関連付けることができるのだろうか。リサイクルを推奨して耐久力のある製品を製造し、分解されないごみの生産を避ける方法は何か。そのような習慣と価値を、現在のこの時代にどのように再導入するのか。

以前の王朝の有機農法と灌漑《かんがい》政策は、今の私たちに大きな価値をもたらすかもしれない。これまで南北で行われた、過去の知恵を無視して強行した浅はかな開発により、深刻に破壊された土壌や川を復元する必要がある。現代科学の洞察力を通じた伝統農法の復元は、カーボンニュートラル[*4]の時代を確立する最速の方法である。地域営農を奨励し、農業部門で新たな雇用を提供する持続可能なコミュニティを作る方法を、私たちは過去から学ぶことができる。過去には、人間の排泄物をきれいな水と混ぜて海に流さずに天然の肥料として使用することにより、輸入人工肥料への依存から脱することができた。北朝鮮は、土壌を復元し、森林を再造成するための強力なアプローチを見つけることができよう。

このように、朝鮮半島において持続可能な伝統を復活させることは、農業での石油依存と輸入食品の危険依存から抜け出す最速の方法である。各王朝が提供する持続可能な都市計画、建築、インフラストラクチャに対するモデルは非常に貴重である。おそらくこの委員会は、日本の伝統的な持続可能な慣行に関するアズ・ブラウンの著書『Just Enough : in Living Green from Traditional Japan』[*5]と同様の、コリアンコミュニティ・ベストプラクティスを記述することになるであろう。

(5) 教育

韓国は数千年間受け継がれてきた私立学校（書院）と官立学校（郷校）の形態で豊富な教育と学問の伝統を持っている。過去の学校は、新しい教育モデルを提供することができる。伝統教育で強調された教師と生徒との間の長期的なかつ良好な関係は、私たちに新しい道を提示する。伝統教育で教えてきた倫理と社会的責任へのコミットメントは、現在韓国の商業化された教育システムと北朝鮮の硬直化した教育システムを超える手段となることができる。

現代の問題に対する新たな創造的アプローチを提示する手段として、政府、経済、人間関係に関連する過去の事例を調査することは、伝統的な儒教教育の中核であり、今日の教育により適した新しいアプローチになるかもしれない。

儒教教育は男性を対象にしたものだが、私たちはその伝統を変え、女性にも適用することができる。また儒教、道教、仏教の教えに対するアプローチを通して、私たちは競争に過度に執着することから脱して新たな協力文化に進むことができる。

(6) 家庭

過去の人たちが持っていた価値観が、常に今より良いと主張することは間違っているだろう。しかし、高い自殺率、広範なうつ病、家庭内に深刻な問題を目の前にすれば、過去の家族・家庭の在り方に学んでみたくなるのは当然の成り行きである。少なくとも、過去に学ぼうとする意欲の欠如が韓国の活力を蝕んでいることは間違いない。伝統的に集中してきた家族関係から離れること、他者へ関心を持つ意欲を失っていくことは、私たちの社会を深刻に傷つけた。この問題は、南北を問わずに同じである。儒教、仏教と道教の伝統の家族の習慣と価値の検討を通して、私たちはどのように家族との間の密接な関係を確立し、協力と相互支援を奨励するのかについてのモデルを得ることができるはずである。

(7) 精神的な生活と意味のある経験

私たちは、仏教、道教と儒教を介して生活の経験をさらに深く意味のあるようにする多くの方法を学ぶことができる。私たちは、どのように心の平安を見つけられるか、ともすると薄っぺらで不毛なものになりがちな、消費文化を超えることができるのかについて自問すべきである。朝鮮半島の精神的な伝統を復活させることは、スターバックスで疲れを癒し、イケアの家具に囲まれて快適な生活を送るより、はるかに重要である。というのは、自然との交感（風水）、先祖に対する意識と尊重（親孝行）、仏教の注意深い瞑想、儒教朱子学の倫理と悟りを組み合わせた朝鮮半島の伝統は、現代社会に特別な癒しと快適さを提供するからである。

加えて、何よりも、そのような過去の哲学の伝統を受け入れることで、近代韓国人の首を締めつける、物質的豊かさへの強迫観念から脱し、自由になることができるからである。朝鮮半島の伝統文化は本質的な真理を強調していることが多い。最高の価値観、誠実さ、思いやりと敬意、それらは、決して目に見えず、数値化できないものであるが、私たちの生活にとってどれだけ重要なものであるのかは、計り知れないものがある。

朝鮮半島の過去の人々は、物質的な側面が最も重要であるとは考えて来なかったので、彼らの置かれた状況ごとに、誠実さと思いやり、そして敬意を満たすことに専心していたから、たとえ素朴な部屋であったとしても、満足げに座ることができたのである。

4 東アジアへ向けて

中国と日本は､アヘン戦争以来､西洋文明を理想として継続的に改革と近代化を進めて来た。それは朝鮮半島をはるかに上回る規模とスピードで行われた。しかし、今になっては、気候変動の問題、社会や家庭の崩壊、経済格差の噴出など、その矛盾がいたるところで現れていて深刻な状況である。理想としてきた西洋の近代化は、実は非常に危険なものであることが、ここに来てわかったのである。とくに、東アジアにおいて、気候変動はきわめて深刻な問題を提起している。それは具体的に記さずとも、今や日々のニュースの中からいくらでも拾うことができるが、結局、石炭と石油に依存している以上は、地球を破壊し続けていくことでしかない。そうした破壊が今までは、まさに「成長」と考えられてきたのである。

では、東アジア全体で、そうしたさまざまな問題を見直すにはどうすべきか。私の考えは、本章で述べて来たように、朝鮮と同様に、中国も日本も過去に学んで、それを新しい未来に向けて生かすことが肝要だと考える。言うまでもなく、中国にも日本にも、さまざまな優れた過去の遺産がある。その遺産の中から、現代や未来に生きる知恵を見つけ出すことがきわめて大切である。紙幅の関係で、それらを述べるスペースはないが、かつて私は、『韓国人だけが知らない別の大韓民国』*6という本を書き、韓国社会からある一定の評価を得た。それに合わせるなら、『東アジア人だけが知らない別の東アジア』をそろそろ書く時が来たのかもしれない。

注

1 個人ではなく、広く社会やそこに住む人間に利益を与えること。広益。檀君神話中に建国理念として登場する理念の一つ。

2 朝鮮第二十二代王。李祘《イサン》（「祘」は諱《いみな》）。祖父であり二十一代王であった英祖とともに名君と言われた。正祖はとくに改革に力を入れ、実学（実践的学問）、北学（中国の清を敵対視せずに学ぶべきところは学ぶ姿勢の学問）を主張していた若手等を登用した。

3 朝鮮時代後期の学者。以下に名の出る朴斉家等と共に実学運動を繰り広げた。

4 カーボンとは炭素のこと、ニュートラルは中立のこと。直接的には、排出される二酸化炭素などの温室効果ガスと、植林などで吸収される温室効果ガスの量が同じであること、またその状態を言う。環境としてバランスが取れた状況のこと。

5 アズ・ブラウン『Just Enough : in Living Green from Traditional Japan』チャールズ・イ・タトル出版、二〇一三年。

6 『韓国人だけが知らない別の大韓民国―ハーバード大学の博士が見た韓国の可能性（한국인만 모르는 다른 대한민국 하버드대 박사가 본 한국의 가능성）』21世紀ブックス（21세기북스）、二〇一三年。

※なお、本章は、ハフィントンポストに載ったパストリッチ稿「朝鮮半島における伝統復活のための南北対話の構築―これからは固定観念から脱して新しい思考をしよう」（二〇一八年七月三日15時58分JST）を本講座向けに大幅に改稿したものである。

07 仏教経典と長者伝承

堀部正円

1　長者とは

現代人が「長者」と聞くと、果たしてどのようにイメージするだろうか。ある人は、村の長のような存在を想像するのかもしれない。ある人は、目上の人を想像するのかもしれない。ある人は、金持ちを想像するのかもしれない。

村の長や目上の人のような人物を想像すると、長者はリーダシップのある人とか、単純に偉い人というイメージを持つことになる。

ところが、金持ちを想像すると、人によってそれぞれ印象が異なる。懸命に働いて金持ちになった立派な人物と思う人もいる。逆に、何となく強欲だとか、性格が悪いとか。そのようなイメージを持つ人は、自分にとっては高嶺の花で、決して手の届くことがない境涯だから、どことなく恨めしい思いが多少入り込んでいるのかもしれない。

バブルの破綻を経験した日本人は、「清貧」という言葉に心を寄せた。これまでの経済観念の変更を余儀なくされ、金（物）から精神（心）へと思いが移った。標語としての「清貧」はよいのだが、この当時は、おそらく求不得苦に基づく清貧への思いがあったろう。

多少景気がよくなったと言っても、現代人にとって金持ちは、それほど善いものとしてはとらえられていない印象がある。アメリカの例ではあるが、金持ちの評価として、勤勉であるが強欲という印象があるとの調査結果が出た（https://news.ameba.jp/entry/20120828-492、二〇一八年五月十五日閲覧）。これは、日本でも似たような結果が得られるのではないだろうか。つまり、金持ちがどうも負や汚のイメージとして考えられているということになる。従って、長者を金持ちととらえた場合、どうしても負のイメージが先行してしまうのが現実ではなかろうか。

一方、経典における長者の位置づけはというと、決して負や汚のイメージではなく、逆に善や清の側で描かれることが多い。その一端を少しく考えてみたい。

2　釈尊への信仰

長者は、サンスクリット語グリハ・パティ（gṛhapati）の意訳である。現地では、家長や施主、長老の意味で用いられた。

釈尊《しゃくそん》の教団は、外護者に支えられた。とりわけ、仏教と長者をつなぐ最も欠かせない人物は、コーサラ国に住んだスダッタ（Sudatta、須達《しゅだつ》）長者であろう。スダッタ長者は、慈悲深い人で、孤独な貧者に食を給するという意味のアナータ・ピンダダ（Anāthapiṇḍada）、給孤独《ぎっこどく》長者とも言われた。スダッタ長者は、釈尊に深く帰依をした。コーサラ国に釈尊を迎えたいと考えたスダッタ長者は、王子のジェータ（祇陀《ぎだ》）が所有していた林を入手すべく、王子の冗談を聞き、その林に金貨を敷き詰めはじめた。ジエータ王子は、あまりの熱心さに驚き、その土地を譲るだけでなく、その金貨とスダッタ長者のさらなる財により精舎《しょうじゃ》を完成させた。祇樹給孤独園《ぎじゅぎっこどくおん》精舎、略して祇園精舎、と言えばおそらく多くの人が知っているだろう（『中《ちゅう》阿含経《あごんきょう》』、『大正新修大蔵経《たいしょうしんしゅうだいぞうきょう》』〔以下『大正蔵』〕一巻四五八b。『原始仏典第七巻　中部経典Ⅳ』五一三頁）。このような長者たちによって、釈尊の教団は支えられたのである。

とはいえ、こういう話もある。やはり、祇園精舎を寄進したスダッタ長者を主人公とする。

スダッタは、長者とは名ばかりで大変貧しかった。けれども信仰は深かった。ある日、スダッタは苦労してわずかばかりの米を手にした。夫が外出から帰ってきたら食事にしようと、妻は米を炊いた。すると、釈尊の弟子たちが托鉢にやってきた。スダッタの妻はご飯をいっぱいに盛って渡した。次々と弟子がやってきて、米を供養した。最後に釈尊が一人で托鉢に来たので、妻はすべてを供養した。夫が帰ってきたが、米はない。妻はスダッタに事情を話すと、妻の行為は正しいと答えた。すると、たちまち庫中は飲食衣類が充満し、食べても飲んでも着ても、庫中に物が減ることはなかったという（『雑宝蔵経《ぞうほうぞうきょう》』、『大正蔵』四巻四五九a）。

この話から、単なる金を持つ長者でなく、心から釈尊に帰依をする者、それが真の長者であるということ、すなわち釈尊に対する信仰心という点に大きな意義が与えられているのである。

３　長者窮子の喩

長者の意義をさらに深めたのが『法華経』と言われる。第四の信解品《しんげほん》（鳩摩羅什《くまらじゅう》訳『妙法蓮華経』、梵本《ぼんぽん》からは「意向」と訳される）【図1】には、「長者窮子喩《ちょうじゃぐうじゆ》」が説かれる。この喩えは次のような話である。

ある貧乏人の男がいた。男は小さい頃、父の元から失踪し、諸国を浮浪していた。五十年ほど放浪し、衣服をもとめてとある城下町にやってきた。一方、父は子供を探していたが、とある町に住居を構え、財をなして長者となって住んでいた。浮浪していた男は、その長者の子であった。衣服をもとめてやってきた城下町とは、まさに長者の住む町であった。長者は、外で醜い姿をした浮浪男を我が子だと気づき、急いで使いの者に連れてこさせるよう命じた。ところが、男は使いの者を不審に思い、殺されると思って気絶してしまった。長者は何とか我が子を自らの邸宅に招き入れたいと思い、一旦邸宅から引き離した。そして、使いの二人を我が子に近づかせ、自らの邸宅で働かせることに成功する。男は熱心に働いた。

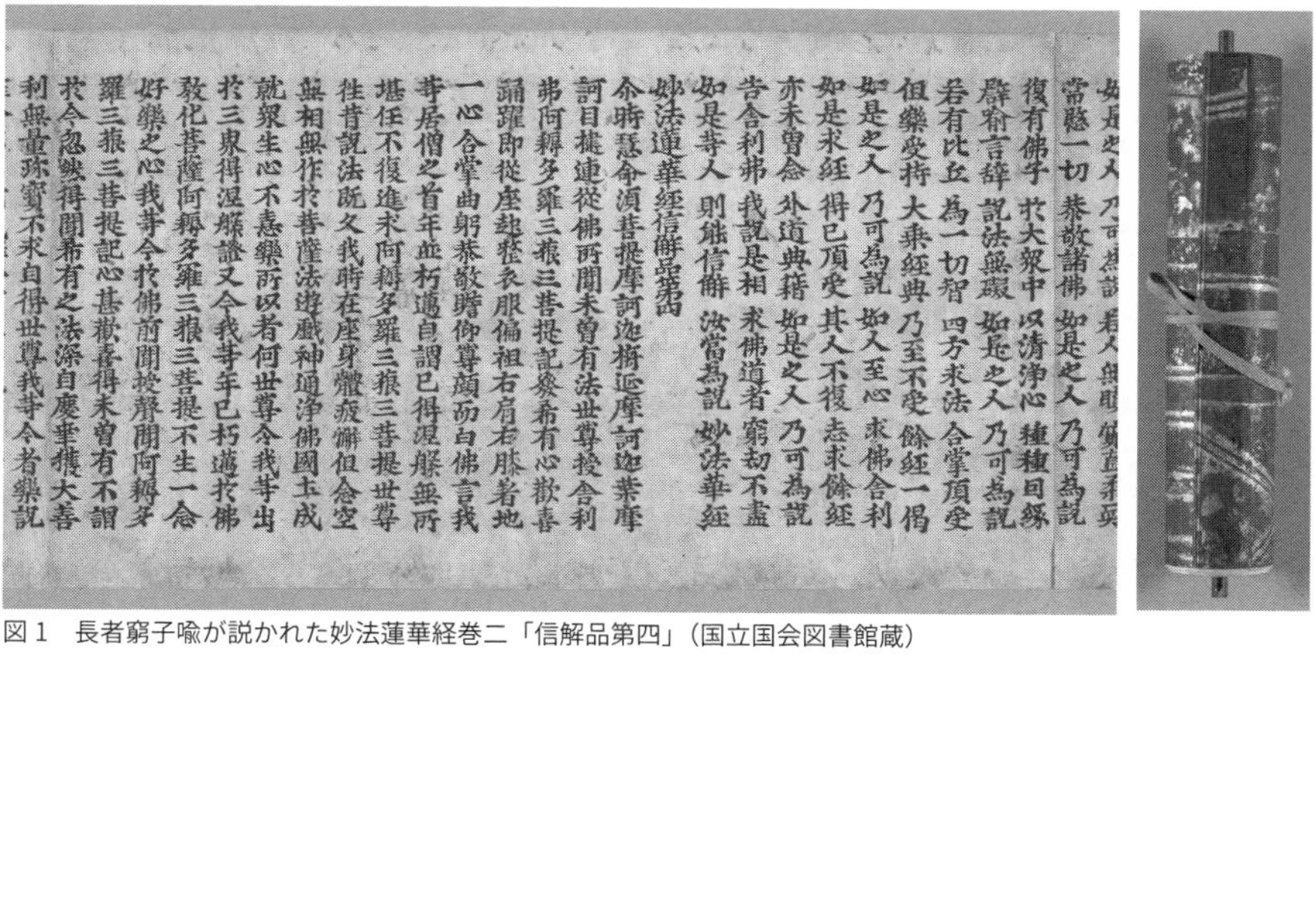

図１　長者窮子喩が説かれた妙法蓮華経巻二「信解品第四」（国立国会図書館蔵）

その過程で、少しずつ長者は我が子に近づいた。そうして二十年が過ぎ、長者は男に財産の管理を任せるまでになった。そして、長者が臨終を迎えるとき、まわりの者を集めて語った。「実を言うと、この者は子供の頃、失踪してしまった我が子である。私の財産は、すべてこの者に付与する。」このように宣言し、子供は驚きながらもその事実を受け入れ、望んでもいなかった財宝をすべて得たという話である。

この長者窮子喩の長者とは仏を指す。そして、貧乏な男は我ら凡夫《ぼんぷ》を指す。長者である仏にさまざまな手段をもって教導され、最後に仏の境界に至る経緯をこの物語では説いている。

ここで注目しておきたいことは、長者が仏という点である。そもそも、長者は教団を支えた外護者であったが、『法華経』ではその長者が仏として描かれている。

『金光明経《こんこうみょうきょう》』（『大正蔵』十六巻三五二b）には、釈尊の本生譚として長者が描かれているなど、長者と仏のかかわりは仏典にしばしば示される。

4　中国古典と長者

中国の古典に目を向けると、『礼記《らいき》』には、「長者に謀《はか》るには、必ず几杖《きじょう》を操りて以《もっ》て之《これ》に従う。長者問ふに、辞《じ》譲《じょう》せずして対《こた》ふるは礼に非《あら》ざるなり」（曲礼《きょくらい》上、『新釈漢文大系』二十七巻一七）とある。これは長老とか、地位の高い人に解される。『孟子《もうし》』には、「長者のために枝を折らんとす」（梁恵王《りょうけいおう》章句上、『新釈漢文大系』四巻三三）とある。これも『礼記』と同じ意である。孟子は自らを長者と呼称したようであるが（公孫丑《こうそんちゅう》章句下、『新釈漢文大系』四巻一四九）、これは年長者という意味での使用である。『荀《じゅん》子《し》』には「長者は市《し》を為さず」（哀公《あいこう》篇、『新釈漢文大系』六巻八七七）とある。ここでは、徳の高い金持ちという意味に解される。ただし、テキストによっては「者」が抜け、「長は市と為さず」とするともいわれる。『論語』や『孟子』などの古典における金持ちの意は、おおむね「富」と表現しているようであるが、一般的に中国でも、長者は徳の高い人や身分の高い人、金持ちという意味で用いられた。中国にあっても、長者は善いイメージで示される。

5　日本における長者

「長者、富に飽かず」「長者に情けなし」「猫は長者の生まれ変わり」「昔は長者、今は貧者」……。

こうした格言は、長者（＝金持ち）がそれほどよいイメージとして用いられていない。とはいえ、日本における長者のイメージも、古代から近世に至るまで、基本的に善いイメージが多い。とりわけ、仏教徒においては、たとえば、『今昔物語集』巻二第二十三（『日本古典文学大系』二十二巻一五八）には、樹提伽《じゆだいか》長者が過去に行った福徳によって現在長者として生を受けたという物語がある。中国の『法苑珠林《ほうおんじゆりん》』などがベースとなっている。長者がよい形ばかりで登場するわけではないが、仏教の因縁観《いんねんかん》に基づいて長者の形成が説かれるのも興味深い。

6　近世の長者

井原西鶴《いはらさいかく》は、「長者に二代なし」（『西鶴置土産《おきみやげ》』、『新編西鶴全集』四巻二二八頁）と述べて、金を持つ親の子は、没落しないように心しなければならないと訓戒したり、『日《にっ》本永代蔵《ぽんえいたいぐら》』では、成功や失敗を物語にして、町人への処世術を示したりもする。金持ち＝長者となるための教訓を示した『長者教《ちょうじゃきょう》』があるが、書物による限りでは、近世では長者＝金持ちという図式が強い印象を受ける。

『今長者物語』（『假名草子集成』五巻三二五頁）という浮世草子がある。この物語は、主人公で長者の藤屋市兵衛に一夫が質問するというものである。市兵衛は、詩・歌・文学にも携わらず、仏道にも趣かない、毎日毎日、釜の火を焚《た》き、庭を掃き、溝を浚《さら》い。貧しい人の営みのような生活をしている。あるとき花見に誘われて行ってみたが、何とも面白くなく、早く帰って釜に火を焚いて庭を掃きたいと思ったという。そういう市兵衛が語る長者観とは、「人間万の道に知恵才覚を現し、芸のふを嗜《たしな》み辛苦をなすも本来皆長者を望む故也《ゆえなり》」と述べる。すべては長者になりたいがために苦しさを感じても、それを実践するのだという。さらに、「万の道を覚りたる人の、世をも逃れたるは、見たるところは浅ましく見苦しいものなれど、真実の主は偏《ひとえ》に楽しし」と述べ、その道を歩む姿は第三者的には見苦しくても、その人はただ楽しいのだという。一つのものに真剣に向かうことで、その道を成し遂げ、結果として長者になれるということである。この市兵衛の長者観の素地は、「長者となることも第一過去の善根果報なくしては成し難し」といっている。このほかにも、釈尊の生涯を述べてみたり、経典の意義を並べてみたりと、仏教観に基づいていることは言うまでもない。「富める人の渡世の営みに苦しむは人を思う。時の苦しみに似たり。貧しき人の営みに苦しむは、逃ぐる時の苦しみに似たり」とまで言っており、ここまで語れば、金持ちの指南でなく、精神論を教えているとしかいいようがない。そして、極めつけは「長者となりても、儒仏神道を知らざれば、鬼畜に等し」とまで言っている。いかにも日本的、近世的な見解のように受け取れるが、これが長者になるための一指南書として出版されたのである。

7　おわりに

現在、一般的に長者という言葉が用いられるのは、せいぜい「億万長者」くらいだろう。とはいえ、長者という用語は誰でも耳にしたことがある著名な用語でもある。数ある日常仏教語集のような書籍の中で、長者を探すことは容易でない。

紙数も尽き、多くを描くことはできないが、長者が持ついくつもの意味が、イメージを複雑にしているようである。とはいえ、日本の歴史上において、仏教的視座より長者を論じていたことも興味深い一面と言える。

参考文献

・中野孝次『清貧の思想』草思社、一九九二年。
・水野弘元『原始仏教入門』佼成出版社、二〇〇九年。
・田村芳朗・藤井教公『法華経』仏典講座七、大蔵出版、一九八八年。
・細井日達『通釈法華経』和党編集室、一九八一年。
・中嶋隆『西鶴に学ぶ貧者の教訓富者の知恵』創元社、二〇一二年。

08 東アジアの紙銭

森田憲司

1　紙銭とは、そしてその歴史

「紙銭《しせん》」という語は、我々の日常になじみがあるものではないから、「紙銭」とはなんなのか、ということからはじめよう。

「紙銭」とは、狭い意味では、何かを祀《まつ》るために燃やされる、紙で作られた「お金」のことで、銭貨も紙幣もある。煙になって対象のもとに届き、送られたほうは、それを蓄え、使う。紙幣の場合は、その額面は百万とか百億といった大きな金額であるのが普通であり、札束の形で燃やされるのが一般的であるが、分厚い札束がどんどん放り込まれるから、一度に燃やされる「金額」は莫大になる。あの世は物入りらしい。もっとも、きちんと印刷されているのは一枚目だけという場合もままあるが。

さて、「紙銭」には、冥銭《めいせん》、冥幣、冥紙、楮銭、楮鏹《ちょきょう》、寓銭など、いろいろな呼び方があるが、文献での用例を見ると、「紙銭」が一番ポピュラーなので、以下、「紙銭」を用いる。ただし、燃やされるものはお金の形とは限らない。とくに、「金紙」や「銀紙」とまとめて呼ばれる、金色、銀色の箔が貼られた各種の紙はよく用いられる。従って、燃やし送られるものがお金の形か否かを分けて考えるのは、あまり意味がないし、「紙銭」という語は、こうしたものを含めて幅広く使われるのが普通だ。台湾では、伝統文化への関心と生活上の必要の両方の必要からであろう、このような伝統儀礼についての小百科的な本が多数出ている。

さらに、「紙」が燃やされ送られる対象は、祖先や知り合いの故人ばかりではない。好兄弟《ホーヒャンディ》（無縁仏）にも送られるし、神仏へも送られる（こちらは「賄賂」とも言えるが）。だから、墓前で、あるいは神仏を祀るために寺廟の「金《きん》爐《ろ》」で、さらには自宅の前の路上でと、さまざまな場所と機会に、各種の紙銭は盛大に燃やされる。次頁の写真は台南での光景。財神の祭日に路上で燃やしているのは、すぐ前で開店したばかりの店の黒い制服を着た若い男女で、「燃やす」習俗が現役のものであることがわかる。撮影をはじめると、彼らは面白がって燃やす光景を繰り返しやってくれた【図1】。

図1　焚かれる紙銭（台南）（撮影：著者）

　さて、紙銭を燃やすという習俗の起源や歴史については、宋代の諸文献以来、さまざまに考証されてきている。ここでは清代の考証学者趙翼《ちょうよく》（一七二七～一八一二年）の『陔餘叢考《がいよそうこう》』（巻三十・紙銭）をベースに簡述しておきたい。

　漢民族の間では、少なくとも漢代には墓に実物の銭を副葬する「瘞銭《えいせん》」という習慣があった。しかし、南朝斉の東昏侯が紙を剪《き》って銭を作った話や、唐の封演《ほうえん》の『封氏聞見記』が「紙銭は魏晋以来」と述べているように、魏晋南北朝時代からは、民間では銭に限らず副葬品が紙で作られた模製品に変わっていった。唐の玄宗の時代には宮中の祭祀でも紙銭が用いられたという記事がある。あるいは、宋初の『太平広記《たいへいこうき》』や南宋の『夷堅志《いけんし》』といった説話集をはじめ、この時代の随筆雑記には、紙銭をめぐる説話がいくつも見えることからも、唐宋時代にはポピュラーなものになっていたことがわかる。その後、明清時代を経て今日に至るまで、ずっと紙銭は祭祀にもちいられてきた。

2　紙銭の今

だから、中国であれ台湾であれ、寺や廟へ行けば、紙銭を売る店は必ずある。さらに、私自身の経験では祭祀用品の専門店も存在して、製作、販売がおこなわれている。たとえば、台北の東門市場や台南の新美街、あるいは北京市地下鉄の雍和宮《ようわきゅう》駅から雍和宮までの道の左右に並ぶ店舗群などをあげることができる。旧都台南においてこうした宗教的な紙々を製造し、扱う商工業を現地調査した、施晶琳《せしょうりん》の『台湾的金銀紙銭』は注目すべき業績である。

　施氏の本にも詳しいように、燃やされる紙は今も変化し続けている。話を「紙幣」に限っても、私がこれらのものに興味を持った八〇年代初めには、「冥国銀行」などと記された、どこか米国紙幣を思わせるものしか知らなかったが、やがて外貨（ドル、香港ドル、ユーロ、フラン、円）のそっくりさんやいろいろなデザインが登場し【図2】参照）、さらに興味深いことには、世紀が変わってしばらくしたころだろうか、人民元が出現した。いわば人民元も「国際性」を持ったことになる。今では台湾でも人民元の紙銭が存在するし、もちろん台湾元のものもある。中国では表裏ともに実物のコピーで、こんなものを作っていいのかと思わせるものすら見かける。

さらには、上にも書いたように、伝統的な習俗としては、「紙銭」の金額は何百億といったような金額にするはずなのだが、最近では、百元札とか一万円札といった現実的なものも多いし、「分」（元の百分の一）単位のものまで出現して（蘇州《そしゅう》で購入）、どこまで伝統が継承されているのかわからない。もっとも、「分」単位の紙銭なんかを作って売っている商人は紙銭についてわかっているのかどうかすらわからない、とは、ある中国人の意見。

図2　各国通貨の紙銭（撮影：筆者）

そして、今日の中国大陸では、実に多様な「紙製品」を見ることができる。こうしたものが、かつての伝統的習俗の「復活」なのか、たとえば分額面の紙銭が示すように、伝統的な品々をベースにした業者たちの商魂による「なんでもアリ」なのか、については疑問が残る。もちろん、現代中国における宗教状況の資料として考えれば、面白い現象なのだが。

こうした宗教行為に、かつては否定的、現在では冷淡な社会主義政権のもとでも、最近では廟のまわりや路店などで紙製品が売られているのを見ることは珍しくない。また、祖先を祀る清明節《せいめいせつ》の前後には、公墓の近くで紙銭を売っていた商人が取り締まりの対象となったことなどを報じる記事が、まま見られる。

一方で、近年では、紙銭をめぐって、大量の紙を燃やすことが、環境汚染という角度から問題とされることも生じている。台湾の廟の中には、環境問題を理由に紙銭を燃やす爐を閉鎖したり、「電子化」したサイトを開設するものもあるし、あるいはそのことが中国での清明節における紙銭焼毀批判の理由となることもある。

3　東アジアの紙銭

紙銭は、中国大陸や台湾、香港だけでなく、世界の華人世界、たとえば東南アジアやアメリカなどでも普通に見られる。では、中国周辺の東アジア諸地域ではどうなのか。

まずは日本。横浜や神戸などの関帝廟で金紙や銀紙が売られ、燃やされているのは当然として、上では「我々にはなじみがない」と書いたが、中国の習俗とかかわりの深い沖縄では、紙銭は今も日常的に用いられている。写真のように、銭の形がエンボスされたデザインの紙銭が、「うちかび」という呼び名で、スーパーなどでも普通に売られている。使用されるのは、やはり祖先祭祀、具体的には先祖の墓を祀る清明《しーみー》の時には墓前で先祖のために、また墓の土地神にも燃やされ、お盆には仏壇の前で燃やされるし、そのためのボウル状の器具も売られている。あるいは、天妃《てんぴ》（媽祖《まそ》）などの神仏を祀るのにも用いられる【図3】。

図3　那覇のスーパーで買ったうちかび（撮影：筆者）

また、ベトナムにおける紙銭の現状については、参考文献に挙げた芹澤知広の論文に詳しい報告があるし、韓国についても存在が知られている。さらに、中国西南部の少数民族でも紙銭を燃やす習慣があることが報告されている。

なお、死者に送るために燃やされる「紙製品」は、お金だけではない。葬儀の際には、お金や金銀はもとより、貯金通帳や株券、クレジットカード、房産証（土地の権利証）、さらにあの世で使うための品々、具体的には家、装身具、携帯電話、麻雀、トランプ、子供のためには玩具などなど、限りない種類の品々（糊紙《こし》、紙紮《しさつ》などと呼ばれる）が、専門店の店頭には並んでいる。

参考文献

・施晶琳『台湾的金銀紙銭』蘭台出版社　二〇〇八年。
・芹澤知広「ベトナム・ハノイの紙銭―比較研究の試み」、『東アジアの民具・物質文化からみた比較文化史（国際常民文化研究叢書三）』神奈川大学国際常民文化研究機構、二〇一三年。
・都築響一『Souvenirs from hell：香港式・冥土のみやげ』アスペクト、二〇〇〇年。
・森田憲司、芹澤知広編『中国民間の紙々：祀られる紙、燃やされる紙、貼られる紙』奈良大学博物館、二〇一四年。

09 南シナ海の海盗

張保仔と女海賊鄭一嫂

松尾恒一

1 倭寇から海盗へ——明・清代、海賊と日中欧の交流

日本人海賊を意味する「倭寇」が登場するのは鎌倉時代、中国の元代で、主に大陸・半島の沿岸部を襲撃した。倭寇はゲリラ的な海賊であったが、倭寇以前、日本は、元からの襲撃を受けた。

大陸は宋代より、フビライ・ハンの支配する元王朝に替わり、半島の高麗もその版図に入り、元、すなわちモンゴル帝国は、日本との国交をもとめてきた。彼らの交戦をも辞さない強硬な要求を幕府は無視したが、その結果、海を越えてきた艦船の大群、蒙古《もうこ》軍兵士による二度にわたる襲撃を受け、対馬や北九州地域が甚大な被害を受けた。一二七四年と一二八一年、二度の蒙古襲来（文永の役・弘安の役）である。

蒙古軍が去った後、倭寇が登場するが、時代を経てその内実は変化し、室町時代／明代には、明国人が主たる構成員となった。そこに、日本人・高麗人も加わる多国籍海賊となり、東シナ海・南シナ海で他船の襲撃、略奪など反社会的な活動をした。

この頃、西洋に目を転じると、スペイン・ポルトガルが、世界進出に乗り出す大航海時代へと突入する。中国にはじめて到達したのは、アフリカ南端の喜望峰を回り、アラビア海、東南アジアを経てやってきたポルトガルであった。ポルトガルは、大陸ではマカオを拠点として交易を行った。彼らは倭寇と結託して東シナ海にまで進出し、さらに倭寇の導きにより日本にまで到達した。一方、スペインはアメリカ大陸より太平洋を横断してアジアへと至る西回りによる航海に成功し、太平洋を隔てた植民地メキシコとの間で貿易を行うようになった。こうして、ポルトガルによる東回り航路と、スペインによる西回り航路とにより地球を一周する航海が実現し、ヨーロッパによる世界各地への進出が始まったのである。

日本は室町時代後期、戦国期には平戸が、海賊でもあった明国人海商と、ポルトガル・スペイン・オランダ等のヨーロッパ人海商の交易地となる国際港となった。織豊期を経て徳川幕府の政権へと移行する時期である。その頃、中国では明朝より清朝へと王朝が交替した。この政変が東アジアにとって衝撃であったのは、清国は、満州族が、人口の上では多数であった漢族を支配する王朝であったことである。隣国の激変に対して日本は静観し、琉球国は清朝とただちに朝貢《ちょうこう》関係を結んだ。一方、半島の李氏朝鮮は、満州族の政権が長くは続かないとみて、朝貢を躊躇《ためら》った結果、清朝軍に攻め込まれ制圧された（丙《へい》子《し》の乱、一六三六～三七年）。

北京を都とした清朝が、大陸南部までを統治するのには時間を要したが、明朝の復興を目指して、清朝と戦い続けたのは鄭成功《ていせいこう》（一六二四～一六六二年）であった。

2　ヨーロッパの東アジア進出と南シナ海海賊
――張保仔と女海賊鄭一嫂

鄭氏が台湾に建国した東寧国は、鄭成功の孫の鄭経《ていけい》（錦舎）の時代に清朝軍に敗れ、台湾は清朝の統治下に入る。鄭氏は明朝の復興を目指す「反清復明《はんしんふくみん》」を果たせず滅亡したが、大小の海賊の、大陸沿岸での活動は続いた。清朝と戦い続けた鄭成功の記憶は、彼らの反政府活動の精神的支柱となることが多かった。

規模の大きな海賊は、いく門もの大砲や多数の鉄砲等、武器弾薬を装備し、数百艘から成るジャンク船と一万人超の船上兵士から成る軍事勢力で、海上で交易船を襲っては積荷を奪い、商売をする海商であった。彼らは海上では清朝と対峙し、また、マカオを拠点としたポルトガルやイギリスの商船とも交戦した。

鄭一（一七六五～一八〇七年）はそうした海盗の一人で、鄭成功の遠戚であると自称した。鄭一の活動の後、彼の船団を引き継いだのが張保仔《チャンパオツァイ》（一七八六～一八二二年）である。張保仔は、鄭一の死後、鄭一の妻であった鄭一嫂《チンシー》と結婚する。名目上の首領は張保仔となるが、実質的には妻の鄭一嫂とともに船団を率いた【図1】。清朝水軍にも勝利し、水軍の兵士を捕らえ、自身の海賊団に加えて勢力を拡大した。

張保仔や鄭一嫂の事跡は、ほぼ同時代の史料としては、清代後期の袁永綸記『靖海氛記』（道光十年［一八三七］刊）

より、また、後世に編纂された地方志『広東省新会県志』（中華民国五十五年［一九六六］発行）等より知られる。

張保仔は、『靖海氛記』上に「張保、新会江門漁人子《しんかいこうもんのりょうしのこ》」と記されるように、南シナ海に面した新会の漁民の出身であったが、十五歳の時に父とともに漁に出ていたところ、鄭一に掳《さら》われて育てられ、海盗の頭目にまでなった。張保仔は香港を拠点に、最盛期には千隻を超える大船団と、一万以上の兵士を率いて、南シナ海で暴れた。船に紅い旗を掲げた軍船を率いたことから、その軍団は「紅《こう》旗帮《きほう》」の名で呼ばれたが、同じころ、ほかに黄・青・藍・黒・白の旗を掲げた海賊がおり、「六旗帮」と総称された。六旗の海盗のなかでも、ひときわ大きな勢力であったのが紅旗帮であるが、張保仔は一八一〇年、両広総督（広東省・広西省において軍政・民政を統括した総督）の百齢《ひゃくれい》に降伏、投降した。ともに、海賊から一転して清朝の役人となった。イギリス・ポルトガルのアヘン貿易・密輸にかかわる事件（嘉慶二十年［一八一五］マカオ事件）においては、清朝政府にイギリス・ポルトガルの動向について情報提供するなどの協力をした（井上裕正「清代嘉慶・道光期のアヘン問題について」『東洋史研究』41−1、一九八二年六月参照）。

図１　船に乗る張保仔。《張保仔投降新書》第三幅插図（蕭國健「〈乙〉《靖海氛記》原文標點及箋註」、『田野與文獻』第 46 期、2007 年 1 月より）

一方、鄭一嫂であるが、実は彼女は、鄭一と結婚する前には妓女であった。紅旗帮を解散した一八一〇年、三十五歳以後は、海賊時代の蓄財を元手に広東省で賭博場や売春宿を経営し、商売でも成功し、六十五歳で他界した。

3　張保仔
——南シナ海漁民の英雄より世界の英雄に

私は二〇一六年に香港の中元節の調査に赴き、市内のいくつかの盂蘭盆《うらぼん》行事のほか、離島坪州島の祖霊供養「中元建醮《ちゅうげんけんしょ》」の調査を行った。坪州島の中元節は、かつて島の行政の中心であった坪州郷事委員会の建物の前の広場に、いくつかの祭壇を立てて行われる。坪州郷事委員会の脇には、海上・航海安全の女神媽祖《まそ》を祀る天后宮《てんこうきゅう》が建つが、旧暦七月の三日間、先祖供養を中心とする道士の道教儀礼の一環として、天后宮内において媽祖祭祀も行われる。中元節での媽祖祭祀は、香港市内で見ることはできず、海に囲まれた坪州島のきわだった特色なのである。

それとともに私の目を引いたのは、天后宮脇に立つ『奉禁封船碑《ほうきんほうせんのひ》』であった。この碑は清代後期、道光十五年（一八三五）に島の蛋民《たんみん》によって立てられたものである。「蛋民」とは、漁船を住家とする漁民たちのことである。中国では、陸に住む漁民と区別されて、古くよりこの呼称が使われたが、その碑文の概要は次のようである。

広州沿岸では、海賊が活発な活動をしており、清朝政府は海賊掃討のために、我々「蛋民」に漁船の提供を命じた。漁船を貸す費用としていくばくかをもらったものの、実際には漁ができず、生活は苦しい。また、狭い船内に兵士が乗り込むことにより、家族の生活にも支障をきたしている。こうした窮状のため、我々は今後、我々の漁船を提供しないことを要請し、承諾を得た。その確約として、政府の許可のもとに、この旨を記した石碑をこの天后宮の脇に立てることとしたのである。

この文章より私が素朴に感じたのは、彼ら蛋民は海上での漁において、海賊の被害に遭うことはなかったのか、そうだとすれば、清朝政府に協力した方が彼らにとってはよかったのではないだろうか……、といった疑問である。その後、香港史や伝承を調べてゆくなかで徐々に疑問が解けてきた。

南シナ海の蛋民の多くは、帆船の時代には旧暦十～十一月の季節風に乗って漁に出た。興味深いのはこの時期には海盗の被害が激減した。このことは、蛋民は、漁期以外には海賊として雇用されていたことを意味する。

明代までさかのぼるが、『明実録《みんじつろく》』巻百四十三、洪武十五年（一三八二）三月条には、広州の島々の蛋民について、彼らには定まった家がなく、盗賊でもあったので、南雄侯趙庸《ちょうよう》は戦いのため、彼らを水軍として雇用し編成した、といった記事が見られる。実はこの『明実録』の一節は、香港の『新会県志』巻十四、雍正七年（一七二九）五月条に引用されている。この後、同巻、嘉慶十四年

（一八〇九）、十五年条に、張保仔・鄭一嫂の記事が記される。明代に、南シナ海に面した広州で海盗をも行った蛋民の一群は、政府として対策を講じていたにもかかわらず、その状況は清代後期まで変わりなかったのである。さらにポルトガルやイギリスの進出のなかで、漁の傍ら、清朝の水軍、あるいはこれと対立する海賊と深くかかわって活動し続けていたと推測される。

香港のなかでも、とくに坪州島における張保仔の人気は高い。島の古老は、張保仔は天后を厚く信仰し、坪州島の発展にも大きく寄与したと伝えている（鄧家宙《とうかちゅう》・陳覺聰《ちんかくちょう》・香港史学会『文物古蹟中的香港史』「坪州与海盗伝説（坪州と海賊伝説）」中華書局、二〇一四年［香港］）。張保仔は、兵士ともなった船員に対して、「食糧を供給してくれる村人から盗みを働いた者は極刑に処す」といった規律をはじめ、厳しい綱領を発令し、こうした定めによって庶民が被害を受けることはなかった。香港の長洲《チュンチャウ》島には、巨石の合わさった「張保仔洞」と呼ばれる、張保仔が宝物を隠したと伝えられる洞窟があり、現代では香港の史跡として観光地ともなっている。

張保仔は、映画『パイレーツ・オブ・カリビアン／ワールド・エンド』（アメリカ、二〇〇七年）においては、九人の〝伝説の海賊〟の一人である中国人海賊のモデルとなったという。また、二〇一五年には鄭一嫂を主人公とするアメリカ映画〝Red Flag〟（紅旗帮）が制作された。

二十一世紀、インターネットにより世界が緊密に結びつくことによりトランスナショナルな状況が急拡大するなかで、個々人がインターナショナルな存在となることが容易になる状況となった。これによって程度の差はあれ、個々人に内在されるナショナルな意識を自覚し、向き合わざるを得ないようになった。一方、世界各地で国家間、国内紛争も頻発し、〝歴史〟に対する認識や解釈が国家戦略ともかかわって国家間の火種となり続けている。

近代の前夜、大砲や鉄砲など近代兵器を装備した私水軍であった海賊が、庶民を味方につけつつ国家と対峙し、同時に国家と敵対する外国とも闘う英雄として張保仔や鄭一嫂が注目され、国を超えて映画やテレビドラマなど新たなメディアにおいて造形され続けているのだろう。

参考文献

・松尾恒一「清代、南シナ海の海商・海賊、漁民と媽祖信仰、歴史と伝承」、『儀礼文化学会紀要』5、二〇一七年三月。

第5部　東アジアの聖地

01

五台山の仏教文化

東アジアが育んだ歴史

小島裕子

1　本朝における仏教の黎明と五台山

「五台山に文殊なし」とは、唐代に臨済宗を興した禅僧、臨済義玄《りんざいぎげん》（生年未詳～八六六年、一説に八六七年）のことばである。後に弟子の三聖慧然《さんしょうえねん》が師の語録を編輯したとされる『臨済録《りんざいろく》』（鎮州臨済慧照《えしょう》禅師語録）に収められ、臨済禅の到来とともに我が国においても多く座右で温められてきた説示の一つである。[*1] 文殊菩薩が住む華厳《けごん》の聖地としてアジア諸国に広く知られる中国山西《さんせい》省の五台山に、「五台山無文殊」と、あえてその文殊の不在を説く。

この意表を突くような印象深きことばに通底する思想が、つとに奈良時代、薬師寺僧景戒《きょうかい》によって編まれた日本最古の仏教説話集『日本霊異記《にほんりょういき》』（日本国現報善悪霊異記、以下『霊異記』、弘仁年間［八一〇～八二三］、延暦六年［七八七］頃に稿本成るか）の中に認められ、注目される。それは樟《くす》の霊木漂着という仏像造立始源譚にはじまる大和《やまと》王権時代の仏教公伝、いわゆる日本仏教の黎明を語る説話の後段において、東大寺の草創と大仏の造立といった、奈良時代の未来をほのめかす謎解きのごときことばにより、次のように刻まれている。[*2]

> 黄金の山とは五台山なり。東の宮とは日本国なり。宮に還りて仏を作らむといふは、勝宝応真《しょうほうおうじん》聖武太上天皇の日本国に生まれたまひ、寺を作り仏を作りたまふなりけり。その時に並び住む行基大徳は文殊師利菩薩の反化《へんげ》なり。

（原漢文）

大化改新の前夜、聖徳太子《しょうとくたいし》腹心の侍者であった大部屋栖野古連《おおとものやすのこのむらじ》という者（蘇我氏とともに親百済派であった大伴氏とみられる）が他界して死後の世界で太子に遇い、共に登頂した黄金の山の頂で、ある比丘《びく》から得た玉によって蘇生、蘇我《そがの》入鹿《いるか》の乱を乗り越え東アジア的な集権国家体制の確立に功労したという話である。比丘は大部連に「南無妙徳《みょうとく》菩薩」（Mañjuśrī の漢語意訳）と、文殊菩薩の名号を三遍誦すことを促した。この時、五台山を想起させる山の頂で発せられた太子の謎めいたことばの読み解きが右の言であるが、そこに仏教公伝から二百年後の大仏造立の未来が、太子が聖武《しょうむ》天皇に生まれ変わって寺を建立するという予言的なことばによって暗に示され（東大寺の寺名をあえて記さず）、日本国が仏教を中心とする国家体制を敷くことに五台山の地が深いかかわりをもって捉えられているのが読み取れる。

それは、仏教の伝来に伴う旧来の文化と渡来の新文化との衝突を語り、渡来文化を受け入れた聖徳太子の後身に、仏教文化の受容と興隆を実現してゆく聖武帝を位置づけ、東大寺の草創と大仏の造立は、五台山の文殊が行基《ぎょうき》に化し、日本国において行った菩薩行の一つであったと解するもので、宗教思想史的にも考究すべき点を多分に含む説話といえる。その最末にきわめて象徴的に、行基が五台山の文殊菩薩の化身であることが明かされているのだが、それは文殊がその聖地である五台山を離れ、「沙弥行基」として日本国は奈良の地で衆生《しゆじよう》教化《きようけ》と社会事業に尽力しているという、『霊異記』以後たびたび諸々の説話に引かれる「行基即五台山文殊」という伝承の現存最古の事例でもあった。

後に確立する東大寺草創の「四聖《ししょう》」、すなわち本願《ほんがん》聖武皇帝を観音菩薩に、開山良弁《ろうべん》僧正を弥勒《みろく》菩薩に、勧進聖《かんじんひじり》行基僧正を文殊菩薩に、開眼導師《かいげんどうし》菩提僊那《ぼだいせんな》（以下、菩提僧正）を普賢《ふげん》菩薩の化身とする思想の形成は、ここにはじまるといっても過言ではない。*3 そうした大仏の勧進に邁進した行基の活動に五台山の仏教文化を投影し、広く東アジアの仏教文化の中で日本仏教の確立を捉える視座はいかにして芽生えたのか。以下に少しくその痕跡をたどることにしたい。

2 中国、五台山における文殊菩薩値遇の思想

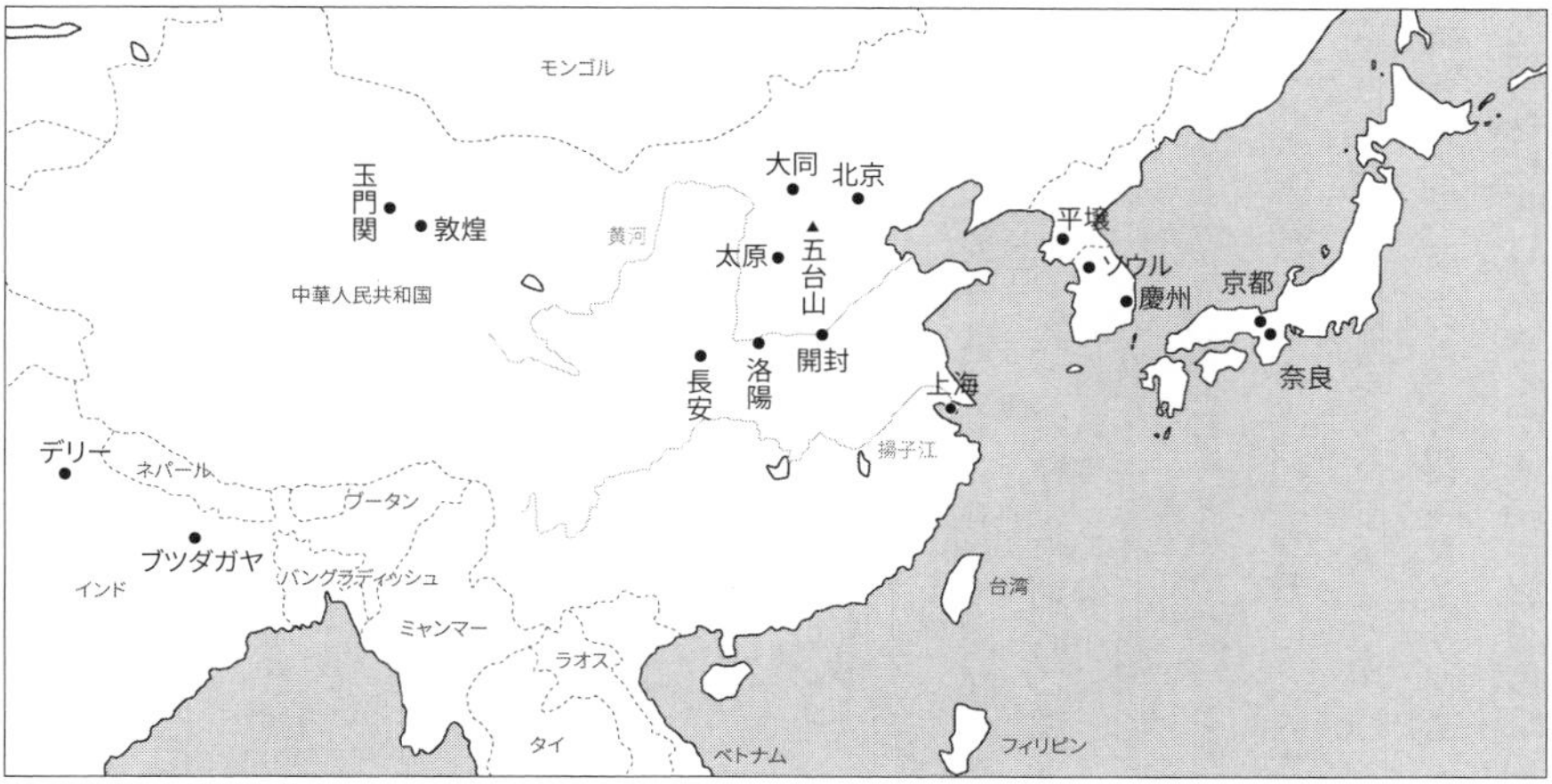

東アジアにおける五台山

先の臨済のことばを、改めて説示の文脈に帰すれば次のごとくである。

一般の学人有って、五台山裏《り》に向かって文殊を求む。早く錯《あやま》り了《おわ》れり。五台山に文殊無し。你《なんじ》、文殊を識らんと欲すや。祇《た》だ你が目前の用処《ゆうじょ》、始終不異《ふい》、処々不疑《ふぎ》なる、此箇《しこ》是れ活文殊。　（原漢文）

これは、「文殊菩薩は囚われのない一念の心のはたらきにこそ在る」として、一切の超越的価値を否定し、人間存在そのものを絶対化する、いわゆる「大機大用《だいきだいゆう》」という禅風を直截に体現する禅僧のことばであるが、それがまさに雄大な五台山を拝する山麓の地で発せられた語であったことを忘れてはなるまい。臨済の呼称は、河北《かほく》省正定《せいてい》県（鎮州）の東南、滹《こ》沱《だ》河の古き渡しに臨んだ小院（臨済院）に義玄が止住したことからの名であるが、その滹沱河は五台山の南麓を懐き包むように流れる河であった。

中国で逸書となった唐臨《とうりん》撰「冥報記《めいほうき》」や孟献忠《もうけんちゅう》撰「般若験記《げんき》」、唐の『霊異記』（『日本国見在書目録』）などの伝来諸書の引用や影響が認められる本朝の『霊異記』であることからも、こと五台山の聖地を出でて活躍する文殊菩薩に対する思想の背景には、景戒自身や引用の本記類の創作という枠内では解しきれぬ、生きた五台山の篤《あつ》い文殊信仰の歴史的反映が少なからずあったであろう。五台山文殊の不在を説く臨済のことばも臨済一人の独創にあらず、五台山内に構築された思想が、行を錬ずる身体に取り込まれ、自然に発露されたものであったものと考えられる。「五台山無文殊」ということばが、かの『臨済録』に遺されるのに先立ち、本朝に五台山の文殊とあがめられた人物の存在が見いだされ、それが日本最古の仏教説話集に収録されていたという事実から、東アジアの思想交流について思考しておくべきことは多分にあるものと思われる。まずは、「行基即五台山文殊」の思想に無縁ではないであろう「五台山無文殊」の思想構築の淵源を中国、五台山に追ってみたい。

古くは神仙思想に基づく山であった五台山が仏教、とりわけ華厳の聖地となったのは、五世紀後半の北魏孝文《こうぶん》帝の頃とされる。『華厳経』菩薩住処品に「東北の方に菩薩の住処《じゆうしよ》あり。清涼山と名づく。過去に諸の菩薩、常に中に住したまふ。彼に現に菩薩あり。文殊師利《しり》と名づく。一万の菩薩眷属《けんぞく》ありて常にために法を説きたまふ（原漢文）」（東晋・仏陀跋陀羅訳六十華厳第二十七、四一八～四二〇年）と説かれる、その文殊菩薩の居所はどこにあるのか。[*4] 経典をいでて具体的な場をもとめる思考は、この『華厳経』内のことばにすでにその派生の可能性が秘められていたのであるが、もとより山内に文殊信仰があったとはいえ、それがもっぱら五台山に比定されるに至ったのは、『文殊師利法宝蔵陀羅尼経』（唐・菩提流支［覚愛］訳、梵本不明、景龍四年［七一〇］）に「我が滅度《めつど》の後、この贍部州《せんぶしゆう》の東北方に国あり。大振那《だいしな》と名づく。その国の中間に山あり、号して五頂と為す。文殊師利童子、遊行居住す（原漢文）」とあることによるもので、漢訳の「大振那」「五頂」の語が五台山を想起させたことはよく知られる。[*5]

そのことを踏まえ新たに留意しておきたいことは、訳経者である南印度出身の菩提流支が高宗《こうそう》と則天武后《そくてんぶこう》に勅を奉じて迎えられ、諸々の経典の翻訳に従事していたことである。同経の訳経完成は中宗の時代のことで、高宗の勅命の下、龍朔年中（六六一～三年）に長安の会昌《かいしよう》寺の会頤《えい》が五台山の聖迹検行を行って、「五台山図」の小張を製作し、『清涼略伝』一巻を著したことや、慧祥《えしよう》が西域の梵僧の釈迦蜜多羅《しやかみつたら》（セイロン出身）と五台山を巡礼し、『古清涼伝《こしようりようでん》』を撰述（調露元年［六七九］頃、乾封二年［六六七］より二か年巡礼）したこと、また五台山に程近い山西省文水《ぶんすい》県を生地とする武后の五台山崇敬の意を承け、山内の寺塔の修復が行われた（『法苑珠林《ほうおんじゆりん》』）という、相次ぐ五台山事業が成されて以後のことであった。唐朝の大雲寺制度を模した国分寺制度や洛陽龍門石窟奉先寺洞《ほうせんじどう》を模した東大寺の大仏造立に顕著なように、日本国の聖武朝が唐の高宗や武后の仏教政治体制を模範として中央集権国家体制を敷いたことは明らかであるが、聖武帝と五台山とを結びつけて語るこの『霊異記』の説話は、そうした唐朝と五台山との関係が聖武朝の仏教政策に到達し、投影されたことを如実に物語るものであった。本朝で『古清涼伝』が書写された最古の事例が天平十二年（七四〇）の記録に残り（『正倉院文書《しょうそういんもんじょ》』写経目録内「清涼山伝二巻」、旧「清涼山伝」と称す、後に延一「広《こう》清涼伝」の撰述により古を冠す）、爾来同十九年（七四七）までの八年間で九度に及んだ書写は、聖武朝における五台山仏教文化に対する関心とその受容の高さを示していよう。*6

かくして『華厳経』に、善安住楼閣《ぜんあんじゅうろうかく》を離れ、衆生済度《さいど》のため南方への遊行に出たと説かれ（入法界品《にゅうほっかいぼん》）、また東方の清涼山に住所あり（菩薩住処品）とされた文殊は、唐朝の聖地化構想により、中原の五台山に具体的な場が見いだされてアジア地域にその名を広めたのであったが、その五台山に文殊が不在であるとする思想の形成過程と、本朝への伝来の脈とを可能な限りたどってみるならば、『道宣律師感通録《どうせんりつしかんずうろく》』（一巻、六六四年）に興味深い問答がみいだせる。*7

余問ふ、「昔より相伝ふるに、文殊は清涼山に在りて五百仙人を領じて法を説きたまふ、と経中に明らかに説けり。これ久しく娑婆世界に住せる菩薩なり。娑婆とはすなはち大千の総号なるに、如何ぞ此方《このかた》に偏在《へんざい》せるや」と。

（原漢文）

中国唐代の四分律宗《しぶんりつしゅう》（南山律）の祖である道宣（五九六〜六六七年）には、『集神州三宝《じゅうじんしゅうさんぽう》感通録』（三巻、東夏三宝感通録、以下『神州感通録』）という五台山の記述をも含む著作が広く知られるが、右は道宣自ら感得した霊異を記す今一つの感通録として注目すべき記録である。圧倒的に後者の受容が高いが、『正倉院文書』から当該書と思しき伝来・書写の記録も確認することができるので（写経目録内 天平八・九年［七三六・七三七］「感通録一巻」）、本朝においてもその存在は知られていたことになろう。三千大世界という娑婆に在り、と経典に説かれる文殊がなぜ「此方（五台山）」に偏って居るのかと、道宣が天人に対して投げかけた問いの前提には、たとえば『文殊師利般《はつ》涅槃経』（西晋・聶道真《しょうどうしん》訳または失訳、二八〇〜三一二年）*8に、「この文殊師利法王子は、若し人有って念じて、若し供養して福業《ふくごう》を修せんと欲せば、貧窮《びんぐ》孤独なる苦悩の衆生となりて行者の前に至らん。若し人有って文殊師利を念ぜば、まさに慈心を行ずべし。慈心を行ずる

五台山内図

図1　莫高窟 第61窟 西壁 五代「五台山図」内、大仏光寺
（『中国石窟 敦煌莫高窟』第5巻、文物出版社、平凡社より）

者は、即ちこれ文殊師利に見《まみ》えるを得たり（原漢文）」と説かれるような、「文殊に見えたい」と切なる願生を懐く供養者の前に文殊はあまねく変幻自在に顕現するとした、いわゆる観想《かんそう》法に裏打ちされた思想があった。同経の五台山内における受容は『古清涼伝』や『広清涼伝』に重ねて引用があることでも知られ、文殊との値遇《ちぐう》をもとめてその住所を捜しもとめる逸話に満ち満ちており、本朝における多くの書写の事例からも（『正倉院文書』写経目録内 天平八年初）、それは衆生の傍らに寄り添う文殊信仰を大いに導く思想を備えた経典であったといえよう。

　その眼目たる「文殊を見る」あるいは「文殊に見える」ということに関する五台山の思考活動と信仰の様相が垣間見られる事例として注目されるのが、台外《たいがい》の仏光寺（五峰の外、豆村鎮）【図1】に止住し、仏光観を修した解脱《げだつ》禅師の説話である。禅師は初め文殊との値遇を期して再三文殊に見えて礼拝するのみであったが、次第にその教えに傾聴し、何のための礼拝か、自ら悔責すれば必ず大悟するはずであると文殊に言われ、「無生《むしょう》」という生滅・変化しない「空」を悟り、さらに空中に声のみある文殊から「真の法性《ほっしょう》を究めんと欲さば、一切見るところなかれ」と告げられて深く悟りを得たという。この話は道宣《どうせん》の『続高僧伝《ぞくこうそうでん》』二十（六四五年）に引かれ、後に法蔵《ほうぞう》の『華厳経伝記』や澄観《ちょうかん》の『華厳経随疏演義鈔《ずいしょえんぎしょう》』にも引かれて、『華厳経』の流伝や経旨などの教学のなかで膾炙《かいしや》されたことが知られるが、慧祥の『古清涼伝』巻上「古今勝迹」にも編纂され、後段に「箋に曰はく、別伝を按ずるに云う」とする、他書にはない「別伝」が付されているのがひときわ目を引く。文殊が悟りの真偽を試さんと姿を現じたが禅師は一顧だにせず、押して「われはこれ文殊なり」と語りかけてみるが、「文殊は自ら文殊、解脱は自ら解脱なり」と応える禅師のことばに、文殊はその真悟を認め、再び姿を現わすことはなかったという話である。それはまさに、先の臨済の説示をも想起させるような、禅問答さながらの書留と思しき「別伝」といえる。*9「かの時いまだ着席ならず。故に露座するもの多し」、「学びて禅業を成ずるものまさに千余人」という解脱禅師の名声を広く知らしめた仏光寺の隆盛を語り、北魏創建といわれる由緒ある古刹《こさつ》（唐代の仏殿現存）を唐代に興隆した禅師にまつわる「仏光寺縁起」として、五台山で盛んに語られていたことが彷彿とされる。

かくしてこの解脱禅師の話に象徴的に浮かび上がる五台山の生きた文殊信仰、すなわち文殊は五台山にありと思いきや、究極は自身の心の中（一念心、一瞬の心の思い）にありとする五台山文殊の真髄を説く新たな思想。その思想によって、経中に変幻自在に遊化すると説かれた文殊が、往来の僧侶や仏典を介して自在に海を渡り、「行基のはたらきこそが活文殊である」と信ずる者の一念に受けとめられ、「行基は五台山文殊である」とする言説が生まれるに至ったのではなかったか。それは、やがて東大寺の「四聖」の構築という、我が国独自の展開を遂げる思想形成の起点に位置づけられる思想となったものと思われる。

3 本朝における「五台山文殊」伝承の展開

そこで、日本国内に目を転ずれば、「時人号して行基菩薩と曰ふ」（『続日本紀』「行基卒伝」天平勝宝元年［七四九］二月条）とあるごとく、行基が生前からその善行により菩薩と呼ばれていたことは公然のことであった。また『霊異記』内には当該説話以外にも、「内に菩薩の儀《すがた》を密にし、外《ほか》に声聞《しようもん》の形を現はす。聖武天皇、威徳に感ずるが故に重みし信《う》く。時の人欽《つつし》み貴び、美《ほ》めて菩薩と称《い》ふ」（中巻第七縁）や「日本の国においてはこれ化身の聖なり、隠身《おんしん》の聖なり」（中巻第二十九縁）というように、仏が本身を隠して化現《けげん》したのが行基であるとする菩薩信仰が認められる。仏教伝来の波が幾重にも押し寄せる中、大乗仏教が枢要とする菩薩行を前提に、高徳の修行者に菩薩の可能性をみいだす思潮が国内的な広がりをみせ、現実社会の困難に向き合い、衆生と共に生きる行基に具体的な姿がみいだされていった。

そうした行基文殊化身説に端を発し、次なる展開として行基と菩提僧正の値遇を和歌の贈答とともに語る、いわゆる「二聖《にしょう》」を合わせ見る思考が育まれ、「四聖」の形成へ向けて一連の説話が伝播の裾野を広げて流布していった。とりわけ注目しておきたいのは、『東大寺要録《ようろく》』に引かれた「大安寺菩提伝来記」（以下、「伝来記」）である。*10「伝来記」の「二聖」説話は、文殊値遇を期して五台山を訪れた菩提僧正が、文殊は不在で日本国（耶婆提）にいると知り、天竺から日本への来朝が五台山経由で語られており（『今昔物語集』は同型）、行基のみならず菩提僧正にも、『仏頂尊勝陀羅尼経《ぶっちょうそんしょうだらに》』を天竺から唐朝に請来し漢訳した仏陀波利《ぶつだはり》三蔵にまつわる五台山の伝承（『宋高僧伝』、『広清涼伝』、同経序）の投影が見て取れる。

いずれの説話にしても、その生成と伝承の場を具体的に特定することは難いが、行基に五台山の文殊性を見る一面や、「二聖」を合わせ見る思考が育まれた土壌を想定してみるならば、その背景には聖武帝より大仏開眼の導師を請われた行基が法会《ほうえ》を目前に他界し、開眼の筆が菩提僧正へと引き継がれたという歴然とした史的経緯があり、そこに両者と同時代を生きた渡来僧道璿《どうせん》（七〇二～七六〇年）の存在がにわかに浮上する。行基と菩提僧正、道璿の三者が同時代を生きていたことは紛れもない事実で、中国東都洛陽の大福先寺にいた道璿は、聖武朝の招請を受け、天平八年（七三六）の遣唐使船で天竺僧菩提僧正や林邑僧仏哲らとともに来朝し、大安寺の西唐院に止住していた（菩提僧正は東唐院止住）。後の大仏開眼の法会の庭において各々朝廷から位を得、菩提僧正は開眼導師として筆を執り、道璿律師は呪願師《じゅがんじ》として大仏に加護を祈る呪願文《もん》を唱えたことで知られる。「伝来記」の当該説話が、「唐沙門道璿、善く三蔵に達して偏へに律部に精し、内外に博く通じて人を導くことを倦まず。共に遊化の志ありて聖崖に来たり着く」という道璿伝とともに語られていることからも、それが大安寺道璿、もしくはその周辺に語られていた可能性が想起されよう。[11]道璿周辺としたのは、弟子行表《ぎょうひょう》（七二二〜七九七年、最澄の師）がその晩年、近江から大安寺に還って同寺で示寂しているなど、寺内伝承の書承などに寄与し得る存在があったことを入れてのことである。

道璿は、鑑真が三師七証《さんししちしょう》に基づく授戒壇法をもたらす以前、本朝に律を伝え、大安寺において道宣の『四分律行事《しぶんりつぎょうじ》鈔《しょう》』や『梵網経《ぼんもうきょう》』（梵網経盧舎那仏《るしゃなぶつ》説菩薩心地戒品第十）および『華厳経』を講じていた。必ずしもその多くを知ることは難いが、道璿が常に自ら語っていた「遠く聖人の聖と成る所以の者を尋ぬるに、必ず戒を持し、次《ついで》を以て漸く登るに由《よ》る」ということばが、最澄の『内証仏法相承血脈譜《ないしょうぶっぽうそうじょうけちみゃくふ》』（以下、『内証血脈』）に遺されているのが注目される。[12]それは形式的な授戒作法を受ける以前に、菩薩戒を身に備えていることこそが「聖」たるゆえんであることを説くことばである。『華厳経』の菩薩戒思想を発展させて具現化する『梵網経』を講じ、晩年にその三巻の註釈書を成すに至った道璿が、菩薩とは何かを説くなかで、当代において私度《しど》の身で菩薩行に邁進する行基のことを、生きた「聖」として、讃嘆をもって語ることは十分にあり得たであろう。一方、道璿は律を勧める立場にある僧侶であると同時に、北宗禅第七祖で華厳和尚と称した普寂《ふじゃく》（神秀《じんしゅう》付法）に師事して禅旨をも伝えており、先述の『続高僧伝』や『古清涼伝』の解脱禅師伝にみられるような文殊を捉える五台山特有の禅的な思考活動にも通じていたであろうことが十分に考えられる。天平十二年（七四〇）に書写記録が認められる『古清涼伝』や、解脱禅師の観法を大成した五台山華厳の大成者である李通玄《りつうげん》（六三五〜七三〇年、あるいは六四六〜七四〇年）の『新華厳経論』（開元十七年［七二九］撰述、「奈良朝現在一切経疏目録」支那撰述釈教）が、いずれも道璿の請来と推定されることは[13]、道璿が「五台山に文殊なし」の思想を前提とする「行基即五台山文殊」の説を語るにふさわしい条件を備えた存在であった可能性を指摘できるかと思う。

加えて、道璿がその晩年に吉野の比蘇寺《ひそでら》に隠棲していたことは、『霊異記』当該説話前段の仏像造立譚が、『日本書紀』欽明紀十四年条の仏教伝来説話と根を同じくする、「比蘇寺縁起」であったことをも想起させる（『延暦僧録《えんりゃくそうろく》』、『内証血脈』）。聖徳太子創建と伝えられる比蘇寺と道璿との縁は太子信仰をもって法隆寺との交流にも及んでいたから、『霊異記』の当該説話が一部「比蘇寺縁起」に依拠することに付随して、太子にかかわる「行基即五台山文殊」の伝承が加えられたとみることもあながち付会とはいえまい。[*14]遺された徴証は少ないが、吉野には五台山の一部が飛来して山ができたという伝承もあり（『古今和歌集序聞書三流抄』「日本紀云」）、古代における比蘇寺をとりまく対外交流に秀でた宗教文化圏的機能について、五台山の聖地観とともに思考しておくべき点もあろう。道宣の『神州感通録』には、中国から見た日本の仏教伝来に対する視線が認められる記述もみられるが（上巻「入唐会承説話」）、『霊異記』の当該説話も、単に五台山の名を織り込んだ話というのではなく、日本の仏教伝来と奈良朝の仏教政策を、中国五台山の仏教思想を入れて新たに解釈し、東アジア的視点から客観的に描こうとする確かな意識が働いているように思われるのである。

道璿が止住していた洛陽の大福先寺や出身地である河南省許州《かなんきょしゅう》は、五台山が一支脈として属する太行《たいぎょう》山脈南端から程近くにあった。地理的にも、また古都としても、五台山の仏教文化を受け入れる環境で行を積んだ道璿が、渡来僧として海を渡った日本の地から彼の聖地を想い、行基菩薩説に重ねて東大寺の草創に結びつけたのが「行基即五台山文殊」の思想ではなかったか。菩薩と聖と行基、そして五台山を結ぶ線上に想起される道璿にあえて注目してみたが、かように仏典を請来し、それを講じ、伝道するといった渡来僧とその交流の周辺に胚胎《はいたい》された思想や文化の痕跡を探り、それが到達した風土においていかなる展開を遂げたのかを、構築された表現自体の分析を通して見究めることの肝要なることを感じる。そうすることでこの場合は、聖地五台山の当代における信仰の活気を、中国・日本双方の相対化の中でささやかながらよみがえらせることができるように思うのである。

4　小結　緒としての東大寺草創「四聖」考

仏教の伝来以来、接受しつつあった仏教思想や文化を、東アジアを見すえ、日本が独自に展開することを試みた揺籃期において、その思想形成の端緒が認められる事例として「行基即五台山文殊」の思想を挙げ、その先に展開し表象化された東大寺草創の「四聖」を位置づけてみた。そこに明らかに五台山の仏教文化を入れて語られる東アジア仏教史の中の大仏造立の思想が認められる。この「四聖」の説話はまた、中世鎌倉期に東大寺聖守《しょうしゅ》により『四聖御影《ししょうのみえ》』

という絵像として結実し、一連の思想構築の一つの到達点をみている。その造形化に至る道筋には、断続的に影響を及ぼした五台山仏教の片鱗が段階的に認められるが、とくにそこにみいだされる「四聖同心」の思想には、李通玄の「三聖《さんしょう》円融観」（毘盧遮那・文殊・普賢）の影響を受けた明恵《みょうえ》の「五聖《ごしょう》五秘密」の思想が深く介在しているとみられる。*15 それは新たな南宋からの波によって五台山仏教文化が本朝へ再来し、大仏炎上後の東大寺の再興の原動力として再構築される時代のことである。仏法東漸《とうぜん》の国日本の物語として、こぼれたわずかな伝承の中にも、確かにすくいとるべき東アジアが育んできた歴史の一滴がある。

注

1 「示衆 四種無相の境」という講義録。『大正新脩大蔵経』第四十七巻、一九八五所収。馬祖道一を祖とする洪宗禅は義玄の時に五台山を遥拝する河北の地に移っている。

2 「三宝を信敬し現報を得る縁 第五」。原漢文表記の文献については（原漢文）と明記し、私に訓読した文章を提示した。以下、本章のすべての引用はこれに同じ。当該縁に言及する先行研究として、朝枝善照「『日本霊異記』と五台山仏教文化圏について」（『日本古代国家の展開』思文閣出版、一九九五年）、吉田靖雄「『日本霊異記』の行基と文殊菩薩」（『日本古代の菩薩と民衆』吉川弘文館、一九八八年、初出は一九七八年）。

3 久野修義「中世東大寺と聖武天皇」（『日本中世の寺院と社会』塙書房、一九九九年、初出は一九九一年）、藤巻和宏「東大寺四聖本地説の成立」（『伝承文学研究』54、二〇〇四年）、小島裕子「五台山憧憬―奝然入宋の聖地化構想」（『仏教と人間社会の研究』朝枝善照博士還暦記念論文集、永田文昌堂、二〇〇四年）、小島裕子「大仏を開眼した菩提僊那（ボーディセーナ）―日本文化の中に構築された印度」（『鶴見大学仏教文化研究所紀要』24、二〇一九年）。本稿は、四聖説話の形成の端緒を見つめることに限り、造形化に至る『四聖御影』の研究史を踏まえた考察は別稿に譲る。

4 『大正新脩大蔵経』第九巻、二七八所収。

5 『大正新脩大蔵経』第二十巻、一一八五A、B所収。同名異人の北天竺出身の菩提流支（道希）との間に生没年等の混同があるが、勅を受ける以前の本名達磨流支（法希）。

6 『大正新脩大蔵経』第五十二巻、二一〇七所収。

7 吉田靖雄「文殊信仰の展開―文殊会の成立まで」（注2書所収、初出は一九七七年）。

8　『大正新脩大蔵経』第十四巻、四六三所収。竺法護の訳場の居士道真訳とするのは隋費長房『歴代三宝記』、唐道宣『内典録』。梁僧祐『出三蔵記』は失訳とする。宝亀四年まで十二例。

9　『大正新脩大蔵経』第五十一巻、二〇九八所収。『国訳一切経』（和漢撰述部史伝部十八）の当該注に大正蔵所収本には見えずとあるのは誤り。「別伝」に関する文献資料学的見地からの考証について今は措く。小島岱山「特論 中国華厳思想史の新しい見方」（高崎直道・木村清孝編『新仏教の興隆—東アジアの仏教思想Ⅱ』シリーズ・東アジア仏教3、春秋社、一九九七年）に五台山における霊弁から解脱、李通玄へと至る中で大成された思想として「空智慧」の華厳思想が説かれている。

10　『東大寺要録』は諸書・諸伝を収集、嘉承元年（一一〇六）編纂、元永元年（一一一八）頃の成稿とされる。収録の現存最古例は『三宝絵』中—三の永観二年（九八四）、勅撰の『拾遺和歌集』への入集を介して歌学書、文芸類にも派生。諸説話については、前掲（注3）、小島裕子「大仏を開眼した菩提僊那」第四節参照。

11　筒井英俊校訂『東大寺要録』国書刊行会、一九四四年。

12　『伝教大師全集』第二所収。親交のあった吉備真備撰「道璿和上伝纂」の逸文。血脈譜の大唐大福先寺道璿和上条および大通和上条に引載。最澄が師行表を介して道璿の教学を受けたことが大乗戒壇樹立へ与えた影響を鑑みることは、かの存在を明かす上で意義深い。常盤大定「道璿律師の日本仏教史上に於ける位置」（『日本仏教の研究』春秋社松柏館、一九四三年）。

13　石田茂作『写経より見たる奈良朝仏教の研究』、柴崎照和「明恵と禅観」（『明恵上人思想の研究』大蔵出版、二〇〇三年）に本朝への請来時期と流布状況を考察した優れた注が存する。

14　道璿について、前掲（注3）、小島裕子「大仏を開眼した菩提僊那」に少しく言及した。法隆寺献納御物「竜首水瓶」（初唐製）が比蘇寺什物であるのは貴重。堀池春峰「比蘇寺私考」（『南都仏教史の研究下〈諸寺篇〉』法蔵館、一九八二年、初出一九五四年）。山口敦史「仏教東漸と阿育王伝承—上巻第五縁〈吉野寺縁起〉の思想」（『日本霊異記と東アジアの仏教』笠間書院、二〇一三年、初出一九九四年）。

15　説話文学会五十五周年記念・北京特別大会『中国仏教と説話文学』於・中国人民大学（二〇一八年十一月三日）で、口頭発表「中国仏教文化からの創造—日本説話の中の五台山」。後に、「説話の創造—淵源としての東アジア、東大寺草創「四聖」観の生成過程」（『説話文学会五十五周年記念論集』文学通信、二〇二〇年）に僅かにふれた。

＊本稿は、原題「五台山仏教文化の波濤—文殊菩薩の行方、東大寺草創「四聖」の萌芽にみる東アジアの痕跡—」として成稿、本講座への入稿に伴い改題した。

02

普陀山と観音信仰

張龍妹

1 はじめに

杭州湾《こうしゅうわん》に位置する普陀山《ふださん》を含む舟山《しゅうざん》列島は、古来中国と海東諸国との海上交通の要衝であった。その北東または東側には東海を隔てて朝鮮半島、日本列島がある。入り口の蓮華洋《れんげよう》から沈家門《しんかもん》、定海《ていかい》（鎮海）を通って明州《めいしゅう》（寧波《ねいは》）に入り、そこからさらに杭甬《こうよう》運河にそって杭州に至り、江淮《こうわい》運河で洪沢湖《こうたくこ》を経て汴河《べんが》に入り、船のままで北宋の首都開《かい》封《ほう》にたどりつくことができる。北宋熙寧七年（一〇七四）に、高麗王から「遣使臣金良鑑来言、欲遠契丹乞改涂由明州詣闕（使者の金良鑑を遣わして、契丹《きったん》を遠ざけるために明州を経由して都に参りたいと進言した）」（『宋史』巻四百八十七、列伝二四六）という使節改道の要求があった。当時、遼東《りょうとう》半島から鴨緑江《おうりょくこう》までは遼の支配下にあり、北宋と高麗の陸路の交通が絶たれていたばかりでなく、山東《さんとう》の密州《みつしゅう》、登州《とうしゅう》との間の「北方海路」も影響されていた。それ以後、明州は貿易のみならず、外交の場ともなった。北宋が滅び、南宋が臨安《りんあん》（杭州）に首都を定めると、その外交、貿易港としての役割はさらに重要になった。[*1] 従って、明州の入り口としての舟山列島分けても普陀山が国際舞台となるのも当然である。

造船技術などもさほど発展していなかった時代において、人々が航海の安全を神仏にもとめることは必須である。普

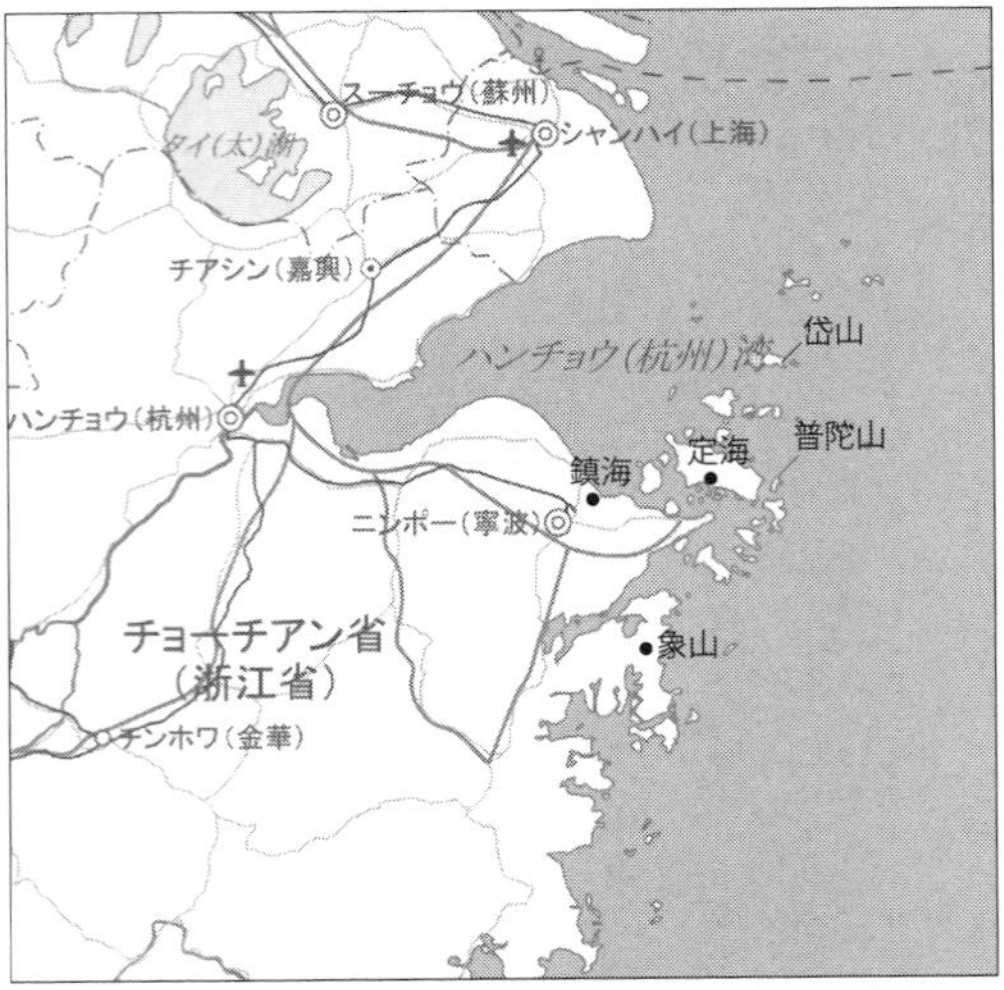

現在の普陀山周辺地図（© OpenStreetMap contributors をもとに作成）

陀山が観音の住居である補陀落《ふだらく》に擬《ぎ》せられていることから、航海安全の守護神としての観音信仰が盛んになるのもごく自然であるように思われる。以下は普陀山と観音信仰の結びつき、また「不《ふ》肯去観音《こうきょかんのん》（去りたくない観音）」とのかかわりについてすこし考えてみたい。

2　水神信仰と観音信仰

普陀山は漢代の隠者梅子真《ばいししん》が隠居したことがあるため、梅嶺《ばいれい》と呼ばれた。宣和五年（一一二三）、高麗国王王俣《おうぐ》（一〇七九〜一一二二年）が薨《こう》じたため、宋からの弔問使節が派遣された。徐競《じょきょう》（一〇九一〜一一五三年）がそれに随行し、翌年その経験を『宣和奉使高麗図経』（以下、『図経』と略す）にまとめた。その中にも普陀山は梅嶺として登場している。まず、その出発前後に行われたさまざまな祈禱活動を列挙してみる。

(1) 五月十九日　定海《ていかい》（鎮海）の総持院《そうじいん》で道場を設け七昼夜祈禱を行い、顕仁助順淵聖廣徳王祠《けんじんじょじゅんえんせいこうとくおうし》で御香を焚いて「宣祝」した。

(2) 五月二十四日　招宝山《しょうほうざん》で御香を焚き、海を眺望して再拝した。

(3) 五月二十五日　沈家門《しんかもん》の山上にて土地の人が言う「祠沙《しさ》」を行なった。

(4) 五月二十六日　梅嶺に入り、使者の二人が小舟に乗り換え岸に登り、その夜「僧徒焚誦歌唄甚厳（僧侶たちが厳かに香を焚き偈頌《げじゅ》を唱誦《しょうじゅ》し）」「三節官吏兵卒莫不虔恪作礼（三人の使節および他の官吏、兵卒のなかに慎み恭しく礼をしないものはない）」というふうに観音への航海安全の祈願を行なった。

(5)五月二十八日　正使副使が道官とともに神霄玉清九陽総真符簶《しんしょうぎょくせいきゅうようそうしんふろく》並《ならびに》風師龍王牒《ふうしりゅうおうちょう》を投じ、天曹直符引五岳真《てんそうちょくふいんごがくしん》形《けい》と止風雨《しふうう》など十三の符を投じた。

(6)五月二十九日　黄水洋《こうすいよう》にて「鶏黍《けいしょ》（心のこもったご馳走）」を以って「祠沙」を行なった。[*2]

『図経』は普陀山と観音信仰を論ずる時に、必ずと言っていいほど引用される文献であるが、論者がよく注目するのは上に掲げた(4)だけである。しかし、以上の六項目からわかるように、最も厳《おごそ》かに行われたのは(1)である。道場で七昼夜の祈禱を行い、それから廣徳王祠《こうとくおうし》で献香し祈願した。廣徳王は東海龍王《とうかいりゅうおう》のことで、宋代の国家的祭祀である「岳鎮《がくちん》海瀆之祀《かいとくのし》」において祀られた四海四瀆《しかいしとく》の一つである。[*3]宋の東海龍王の本廟は本来山東の萊州《らいしゅう》にあり、登州と密州にも廣徳王廟があった。[*4]今回使節が東海龍王を祀った定海の廣徳王祠は、元豊元年（一〇七八）、安燾《あんとう》（一〇三四〜一一〇八年）が無事に高麗出使を果たしたため、その建議によって建てられたものである。[*5]七昼夜の祈禱で東海龍王の化身と思われるトカゲが現れ、祈禱が成功したと推測された。また、出発後の六月十日では途中の哈窟《はくつ》（永崇島《えいすうとう》）の龍祠でも祭祀を行なっている。(2)も龍王そのほかの水神への祈禱と見られる。

(1)と並んで明らかに道教的祭祀は(5)である。正使と副使が朝服に着替え、道官と宮城を遥拝し、十三にも及ぶ符を投じた。これはすべての道教の神祇を祀ったと考えられよう。それが終わって正式に出港した。しばらくすると、「水色漸碧、四望山島稍稀（ようやく水面が澄みわたり、周りの島々が次第に少なくなってきた）」と言う理想的な天気になった。

それから注目されるのは、(3)と(6)の「祠沙」である。「祠沙」とは「岳瀆主治之神《がくとくしゅじのかみ》」に対する民間の修祓《しゅばつ》である。(3)では多くの位牌に食べ物を供え、舟毎に小舟を刻み、仏教の経典や食料を乗せ、搭乗者の氏名を書込み、その小舟に納めて海に流した。(6)で言う黄水洋《こうすいよう》は黄河《こうが》の海への入り口で、海に流れ込んだ沙が千里以上に及ぶため、罹災者が多い。「鶏黍」で「祠沙」を行うのは溺死者の魂を鎮むためである。

(4)については、宝陀寺《ほうだじ》は「以観音著霊、使高麗者必禱焉[*6]（観音の霊験があらたかであるため、高麗へ派遣される者は必ず祈願する）」とあるから、元豊元年の高麗使安燾らも普陀山観音へ祈願したであろう。さらに元豊三年（一〇八〇）では、

王舜封使三韓、至此黒風驟起、巨亀負舟。向山禱告、大士現相舟穏。還朝以聞。朝廷頒金帛、移寺建於梅嶺山之陽、賜額宝陀。[*7]

（王舜《おうしゅん》は勅使として三韓に向かい、ここに至ったとき、黒風がにわかに起こり、舟が巨大な亀に乗り上げた。山に向かって祈禱し、観音様が現れ、舟が無事に進行することができた。帰朝してこのことを奏聞すると、朝廷から金帛が捧げられ、梅嶺の南に寺を移し、宝陀という額を賜われた。）

と言うような霊験があったため、勅命によって寺が建てられ、「宝陀」と言う額が賜れた。徐競らの宣和五年（一一二三）の時点では、すでに航海安全の守護神としての名声も高かったであろう。祈禱が夜中に至ると、「星斗煥然、風幡揺动、人皆懽躍、云風向回正南矣（星辰が明るく輝き、旗が翻り、人々が歓喜し、風向きすでに西南に変わったと言う）」と言う好天気が現れた。

以上でわかるように、観音への祈禱は国家的祭祀ではないが、寺社の建立からみて、朝廷では普陀山観音と東海龍王をほぼ同様にその霊験を顕彰していたと思われる。民間でも定海の廣徳王祠の建立に当たって、「往来商旅聴助営葺[*8]（行き来の旅商人が助けて修繕した）」とあり、普陀山観音の場合は、「海泊往来必詣祈福、無不感應[*9]（海上を行き来する舟は往来に当たって必ず詣でて祈願し、感応しないことはない）」とあるように、龍王と観音に対する信仰に優劣をつけがたい。さらに「祠沙」のような対象性目的性の強い民間の修祓行為が存在していた。要するに、(4)が語るところの航海守護神としての普陀山観音への信仰は、多くの信仰の中の一つであることは見落としてはならないのである。

遣唐使船上で住吉三神が祀られていたように、航海の安全を守るそれぞれの国籍の神がいたはずであるが、東アジアの範囲で普陀山の観音信仰が普遍性をもつようになったのは、それが無国籍だったからであろう。

3　大中三年と大中十三年

ところで、普陀山の盛況は北宋に入ってからではなく、その観音信仰も唐大中年間から発達したようである。それは日本僧恵萼《えがく》または新羅賈人《こじん》が五台山から観音像をもたらしたと言う伝説からうかがえる。*10 入唐僧と在唐新羅人とは深いかかわりを持っていたし、*11 恵萼自身も楚州《そしゅう》新羅坊《しらぎぼう》総管である劉慎言《りゅうしんげん》と親交し、*12 在唐新羅賈人である李隣徳《りりんとく》の舟も利用していることから、*13 二説は結局同じことを言っていると思われる。つまり、そのような異伝が却って普陀山を往還する人々の実態を物語っていることになる。

それでは、恵萼または新羅賈人が五台山から観音像を運んだのはいつだったのか。現在見られる諸資料の説を年代順にまとめると、以下の通りである。

①大中二年（八四八）『日本考略《にほんこうりゃく》』
②大中三年（八四九）『皇明経済文録《こうみんけいざいぶんろく》』『西園聞見録《さいおんぶんけんろく》』
③大中十二年（八五八）『仏祖統紀《ぶつそとうき》』『元亨釈書《げんこうしゃくしょ》』『本朝高僧伝《ほんちょうこうそうでん》』
④大中十三年（八五九）『宝慶四明志《ほうけいしみんし》』『延祐四明志《えんゆうしみんし》』『寧波郡誌《ねいはぐんし》』
⑤大中年間後『大徳昌国州図志《だいとくしょうこくしゅうずし》』『仏祖歴代通載《ぶつそれきだいつうさい》』『釈氏稽古略《しゃくしけいこりゃく》』『寧波府志《ねいはふし》』
⑥梁貞明二年（九一六）『補陀洛迦山伝《ほだらかさんでん》』『普陀山志《ふださんし》』『雍正浙江通志《ようせいせっこうつうし》』
⑦貞明年間『普陀山志《ふださんし》』

これは田中史生《ふみお》の整理に対して少し修正を加えたものである。*14 ③〜⑦は基本的に田中が列挙したものであり、ただ⑤の「大中年間」を「大中年間後」にし、『大徳昌国州図志』と『釈氏稽古略《しゃくしけいこりゃく》』の二つの文献を補足した。これらの資料では、「唐大中年間有西域僧来……厥後、日本国僧恵萼自五台山得瑞相（唐大中《だいちゅう》年間に西域の僧がきた。……その後、日本国の僧恵萼が五台山より瑞相を得た）」（『大徳昌国州図志』）のように、「大中年間」は西域僧が普陀山に来た年で、恵萼が観音像を将来した具体的な年時について言及していない。従って、ここでも触れないことにする。

さらに、⑥⑦と③については田中の説に説得力があり、それに従うほかないが、氏が提起された④大中十三年という仮説について少し検討を加えてみたい。

大中十三年（八五九）とする最初の資料は、『宝慶四明志』である。その信憑性は、一面ではそのむすびにおける「唐長史韋絢嘗紀其事（唐の長吏《ちょうり》韋絢《いけん》がかってその事を記した）」と言う付記によって付与されている。韋絢《いけん》（七九六～?年）と元稹《げんしん》・白居易《はくきょい》の関係、ないし恵蕚との関係が推測されがちであるが、散逸した韋絢の著述で現在確認できるものは、『戎幕閑談《じゅうまくかんだん》』と『劉公嘉話録《りゅうこうかわろく》』の二書である。前者は李徳裕《りとくゆう》（七八七～八五〇年）に仕えていた時の話を記録したものであり、『説郛《せっぷ》』などにその序文が残っているため、太和五年（八三一）十一月二十三日にまとめられたことがわかる。[*15] 後者は彼が師事していた劉禹錫《りゅううしゃく》（七七二～八四二年）から聞いた話の記録であり、それも大中十年（八五六）二月に書かれた序文が『新唐書《しんとうじょ》』に見える。[*16] 従って、韋絢に別の散逸した作品があるならともかく、少なくとも恵蕚の話が『戎幕閑談』と『劉公嘉話録』に存在していたことは不可能である。

これに対し、後世の文献で今まで注目されなかったものに、①と②に掲げたものがある。『日本考略』は明の薛俊《せつしゅん》（一四七四～一五二四年）が一五二三年に編纂した中国最初の日本考で、後の胡宗憲《こそうけん》の指示によって編纂された『籌海図編《ちゅうかいずへん》』にも大いに影響を与えている。その「朝貢略」において恵蕚の来朝を朝貢使ととらえ、年時を大中二年としている。②の『皇明経済文録』は、一五五四年に編纂された経世済民の書物で、『西園聞見録』は洪武から万暦までの見聞を書き集めたものであるが、恵蕚の来朝を大中三年としているだけで、ほかは『日本考略』と同文である。成立年代からみると、②は①を参照しているはずであるが、年代だけを換えているのは、ほかに正確な史料があったのか。突然として現れたようなもので、それを大中十二、三年の誤写と見ることもできるが、海防書のような作品にそれが採用されていることは看過できないように思われる。さらに、大中三年（八四九）はまた恵蕚が五台山の無々《むむ》和尚を連れて徐公祐《じょこうう》の船で帰国した年でもある。[*17]

その上、この大中三年説に興味を覚えるのは、次節で述べる『宝慶四明志』巻十一に見える開元寺の再建とも深くかかわっているからである。

4　「不肯去観音」と「不肯去観音院」

現在では、「不肯去観音院」は普陀山で最初に建立された寺院とされ、「不肯去観音」も当然普陀山の観音と信じられているが、[*18] 実はそうではなかった。

A『宝慶四明志』巻十一、寺院

鄞県南二里。開元十八年建、以紀年名。会昌五年毀仏祠、此寺例廃。大中初、刺史李尊方有請于朝、復開元寺。乃即国寧寺旧址建焉。（中略）有不肯去観音。先是大中十三年、日本国僧恵諤詣五台山敬礼。至中台精舎、睹観音貌像端雅、喜生顔間。乃就懇求、願迎帰其国、寺衆従之。諤即肩舁至此。以之登舟而像重不可挙。率同行賈客尽力舁之、乃克勝。及過昌国之梅嶺山、涛怒風飛、舟人惧甚。諤夜夢一胡僧、謂之曰、「汝但安吾此山、必令便風相送。」諤泣而告衆以夢。咸驚異、相与誅茆縛室、敬置其像而去。因呼為不肯去観音。其後開元僧道載復夢観音欲帰此寺。乃創建殿宇、迎而奉之。邦人祈禱輒應。亦號瑞應観音、唐長史韋絢嘗紀其事。皇朝太平興国中重飾旧殿。曰五台観音院。以其来自五台山故也。

この記述によると、恵萼が五台山を礼拝し、そこの観音像を気に入り、本国に持って帰ろうと懇願したところ、快く受け入れられ、それを一人で鄞《ぎん》県（寧波）の開元寺《かいげんじ》まで担いできた。ところが、そこから舟に乗ろうとすると、像が重くなり、同行の賈客《こかく》たちと力を尽くしてやっと舟に載せることができた。その舟が梅嶺（普陀山）にくると、激しい風波に遭遇した。恵萼の夢に胡僧が現れ、この山に止めてくれれば、順風で見送ると告げる。恵萼がそれを皆に告げると、ともに茅を刈り、室を作って観音像を安置して去った。そのためにこれが「不肯去観音」と呼ばれた。後に、開元寺の僧道載《どうさい》が、観音がこの寺に帰りたいとの夢を見た。それで殿舎を建立し、迎えて供養した。邦人が祈禱すると感応しないことはなく、瑞應《ずいおう》観音と呼ばれた。また五台山からもたらされたことから、その寺が五台観音院と呼ばれた。

これでまず確認しておきたいのは、「不肯去観音」は開元寺の観音であること。これは先に触れた『図経』では、「呉越銭氏移其像于城中開元寺。今梅嶺所尊奉即後来所作也（呉越《ごえつ》の銭氏《せんし》がその像を城中の開元寺《かいげんじ》に移し、今の梅嶺《ばいれい》に供養されているのはその後に作られたものである）」とある記述と一致する。それに、Aは完全に開元寺の再建をめぐる縁起譚的性格を有している。恵萼が一人で観音像を五台山から担いできたこと、舟に乗ろうとしたときに重くなり、最後に開元寺僧の夢に寺に戻りたいと告げることなど、「不肯去観音」は日本へ行きたくないと誤解されてきたようであるが、*19 開元寺を去りたくないのである。ここに普陀山の観音の住居としての優位性も見出せない。

また、冒頭の下線を付した箇所によると、再建は大中初で、「国寧寺旧址《こくねいじきゅうし》」で行われた。一方、同じ『宝慶四明志』（巻十一「報恩光孝寺」）によると、「国寧寺」は「大中五年置（大中五年に建立）」とある。つまり、開元寺は「国寧寺旧址」に建てられ、国寧寺も場所を移して大中五年に再建された。*20 従って、開元寺の再建はどうしても大中五年以前に行われたと考えられる。前節で述べたように、恵萼の観音像将来年時が大中三年と考えれば、この話はまさにその再建にふさわしい縁起譚として読むことができよう。

それでは、「不肯去観音」はなぜ開元寺のではなく、普陀山の模造品を指すようになったのか。これで注目される文献は『大徳昌国州図志』（一二九八年）巻七の記述である。

B『大徳昌国州図志』巻七「宝陀寺」

宝陀寺在州之東海梅嶺山。（中略）唐大中間、有西域僧来、燔盡十指、頂礼洞前、親感菩薩現大人相、為説法、授以七色宝石。神通変化已顕於此。厥後、日本国僧恵諤自五台山得瑞相、欲返故国。舟抵新螺礁不為動。諤禱之曰、「使我衆生無縁見仏、当従所向、建立精藍。」有頃舟行、竟泊于潮音洞下。有居民張氏目睹斯異、亟舎所居双峰山卓庵奉之。俗呼為不肯去観音院。郡聞遣幕客迎其像置城中、為民求大吉祥。已而有僧、即大衆中求嘉木、刻像扃戸、弥月工竟、而僧不見。今之儼然趺坐於殿者是也。

この一段の内容を以下のようにまとめることができる。

①大中年間に西域の僧が来て、観音の霊験が現れた。

②恵蕚が観音像を五台山から日本へ持って帰ろうとしたときに坐礁した。それを普陀山に止まろうとする観音像の意志の現れとし、現地の張氏の庵を得て、像を安置した。
③それが不肯去観音院と呼ばれた。
④その像が後に持って行かれ城中に安置された。
⑤異僧が現れ、観音像を彫刻した。それが今の観音像である。

Aと比べると、④今の観音像は恵蕚が持ってきたものではない点だけが共通で、①②は普陀山を観音の聖地としてのイメージをふくらませ、③で張氏の庵を「不肯去観音院」と呼ぶことによって、主体を見事に「観音」から「観音院」にすり替えている。さらに⑤において、異僧をもって現在の観音像に霊験を付与することで、開元寺の「不肯去観音」とはまったく別個の「不肯去観音院」説話を作り上げ、そのため、「不肯去観音」も「日本に行きたくない観音」と誤解されるようになった。

『大徳昌国州図志』のこのような改変は、突如としてできたものではない。それより三十年ほど前にできた『仏祖統紀』（一二六九年）では、上掲②⑤の要素がすでに備わっていた。ただ、③に相当する箇所は「不肯去観音」であり、④に対応する部分も「帰安開元寺」とあるので、依然として開元寺の「不肯去観音」の由来を語る話であることには変わりはない。従って、『大徳昌国州図志』における改変は画期的であると言わねばならない。

時代が下るに従い、開元寺の観音が次第に忘れ去られ、宝陀寺の観音が却って「不肯去観音院」とともに本物の「不肯去観音」と思われるようになった。その中で、恵蕚も宝陀寺の開基としてあがめられた。[*21] このような改変、展開を可能ならしめたのは、普陀山の東アジアにおける交通要衝としての立地、三国に共通した航海守護神としての観音への信仰、貿易・求法・外交などの頻繁な人的往還であることは言うまでもないのである。

注

1 『宋会要輯稿』によると、宋真宗天禧年間（一〇一七〜二一）明州造船数は百十七艘であったが、哲宗元祐五年（一〇九〇）になると、官営造船所の造船数は六百に至り、全国一位に登った。
2 徐競『宣和奉使高麗図経』巻三十四。四庫全書版によってまとめた。
3 「四海」とは東海、南海、西海、北海で、ただ東海は現在の渤海、黄海、東海ないし福建に及ぶ海域を指す地域だった。「四瀆」とは江瀆、淮瀆、河瀆、済瀆である。
4 黄純艶「宋代水上信仰的神霊体系及其新変」『史学集刊』6、二〇一六年十一月。
5 宋・李燾編『続資治通鑑長編』巻二百九十四、元豊元年。
6 宋・羅浚撰『宝慶四明志』巻二十・昌国県志、寺院、四庫全書版による。
7 『佛祖歴代通載』巻十六。
8 注5に同じ。
9 注2に同じ。
10 ほとんど恵蕚に関係する伝説であるが、『宣和奉使高麗図経』巻三十四「梅嶺」に「其深麓中有蕭梁所建宝陀院、殿有霊感観音、昔新羅賈人往五台刻其像、欲載归其国、暨出海遇焦、舟膠不進、乃还置像於焦」という「新羅賈人」説がみえる。
11 金文経「円仁と在唐新羅人」、『円仁とその時代』高志書院、二〇〇九年。
12 田中史生『入唐僧恵蕚と東アジア』勉誠出版、二〇一四年。
13 朴現圭「中国佛教聖地普陀山与新羅礁」、『浙江大学学報』（人文社会科学版）33-1、二〇〇三年一月。
14 田中史生前掲書、九四頁「表4」を参考にした。
15 清・陸心源輯『唐文拾遺』巻二十八。
16 『新唐書』巻五十九、志第四十九。
17 田中史生前掲書、一〇五頁「表5」参照。
18 たとえば二〇一二年に制作された映画『不肯去観音』である。
19 たとえば『本朝高僧傳』巻第六七「唐国補陀落寺沙門慧蕚傳」では、「蓋観音大士、欲霊於此而恵勝福於衆人也」と普陀山に留まった観音の意図を推測している。
20 田中史生前掲書。
21 『元亨釋書』巻十六「唐補陀落寺慧蕚傳」に「以蕚為開山祖云」とある。

参考文献

・林正秋「試論古代寧波海外貿易的発展」、『杭州商学院学報』一九八一年八月。
・周勳初「韋絢考」、『古籍整理研究学刊』一九九二年六月。
・金　涛「東亜海神信仰考述」、『民間文学論壇』一九九七年六月。
・大阪大学文学部日本史研究室編『古代中世の社会と国家』、清文堂出版、一九九八年。
・王連勝『普陀洛迦山志』上海古籍出版社、一九九九年。
・住吉大社編『遣隋使遣唐使と住吉津』東方出版、二〇〇八年。
・郭万平・張捷主編『舟山普陀与東亜海域文化交流』浙江大学出版社、二〇〇九年。
・郭泮渓「中国海神信仰発生演変過程及其人化影響」、『民俗研究』二〇〇九年十二月。
・森公章『遣唐使の光芒　東アジアの歴史の使者』角川選書、二〇一〇年。
・李炳魯「円珍の唐留学と新羅人」、『桃山学院大学総合研究所紀要』34-3、二〇〇九年三月。

03

泰山と日本の古典文芸

泰山名句と封禅説話を中心に

李 銘敬

1 はじめに

泰山《たいざん》は一九八七年十二月十二日世界遺産の自然と文化の複合遺産に登録され、世界的により広く知られるようになるが、漢字文化圏の東アジア地域においては、泰山の文化はすでに千年を超えて共有されているものである。とりわけ「泰山治鬼《めいふかんり》」などの民間の素朴な冥界信仰は、仏教の地獄思想と地蔵信仰などの諸要素と融合して因果応報・救済思想の説示を通して広まり、日本の古典文芸において大いに受容されている。たとえば『捜神記《そうじんき》』『冥報記《めいほうき》』など六朝の志怪と唐宋の仏教霊験説話集の日本への伝来に伴って、『日本霊異記《にほんりょういき》』『今昔物語集《こんじゃくものがたりしゅう》』などの説話集では因果応報の説示意図のもとで泰山府君《ふくん》の冥界説話の翻案・翻訳が行われていた。*1 中国の五代・宋以来、十王信仰が流行し十王図がたくさん制作され、日本平安後期以来の民間信仰と仏教芸術に多大な影響を与えていた。また陰陽家で祀られた泰山府君祭などを通して、泰山は人格化され、攘災《じょうさい》・延命・福禄をつかさどる現世利益を招く神として天皇家・貴族を中心に信仰を集め、漢詩文・謡曲・説話集・唱導《しょうどう》文芸などさまざまなジャンルに登場した。この方面についての論考はすでに多く備わるので、本章では、主に「泰山の名句」と「泰山封禅《ほうぜん》説話」に絞って考察を試みたい。

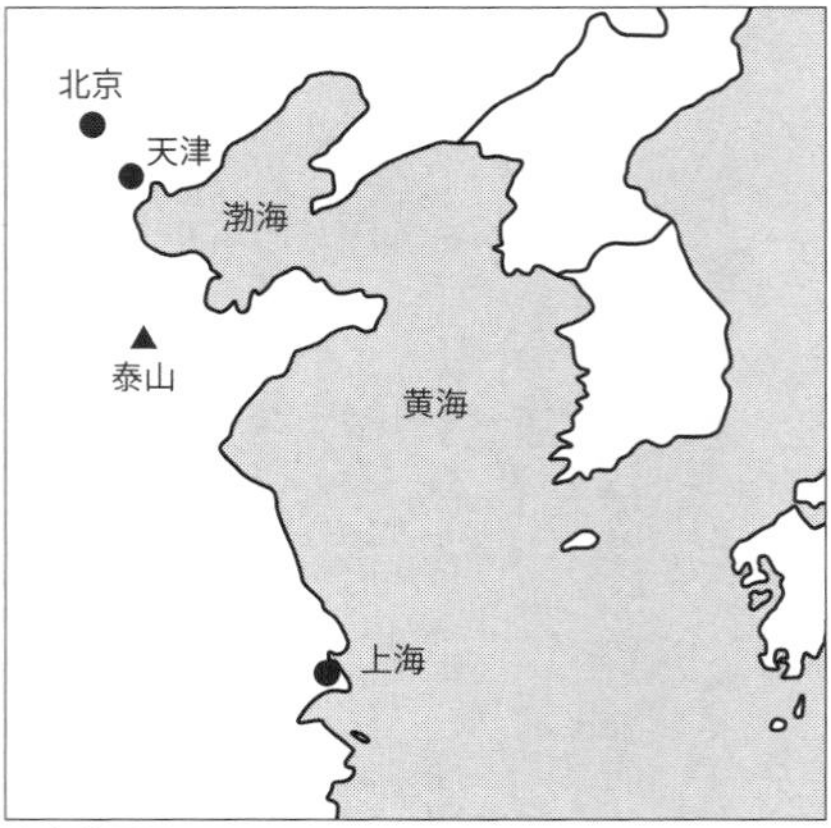

泰山位置図

2　泰山の名句

泰山は、太山、岱宗、岱岳、東岳、泰岳などとも言い、山東省《さんとう》の中部に位置しており、海抜は一五三二・七メートルだが、平らかな華北平原《かほくへいげん》に置かれているので、殊に高大な存在と見られる。衡山《こうざん》・華山《かざん》・恒山《こうざん》・嵩山《すうざん》とともに五岳《ごがく》と称され、中国屈指の高山として「世界自然遺産」にも認定されている。『詩経《しきょう》』「魯頌《ろしょう》・閟宮《ひつきゅう》」には「泰山巌巌、魯邦所詹」、泰山は高くて厳しく、魯国《ろこく》の所々で仰ぎ見られると詠まれ、『孟子《もうし》』には「孔子登東山而小魯、登泰山而小天下」**【図1】**、孔子は東山に登って見ると、魯という国は小さく、泰山に登って見ると、天下というものは小さく感じられた、と記される。杜甫《とほ》「望岳」に「會当凌絶頂、一覧衆山小」とある詩句もこれによるものだが、その首聯と頷聯にあたる「岱宗夫如何、斉魯青未了。造化鐘神秀、陰陽割昏暁」、すなわち「さておとに名だかき泰山という山はいかようぞというと、その山の青さは、北の斉と南の魯の二国にまたがり、どこまでも続いている。造物主もこの山に神秀の気を集めたものと見えて、その高大さと言わば山南と山北とで夜と昼が分かれているかと思われるほどだ」と、泰山の偉容《いよう》をほどよく描いている。後世には、泰山についての幾多の言説が生まれたが、そのほとんどは泰山の高大さを形容するものであった。ここでよく知られているものを少し例示する。

①太山之高、非一石也、累卑然後高。（『晏子《あんし》春秋《しゅんじゅう》・内篇諫《ないへんかん》下』）
②挾太山以超北海（『孟子・梁恵王《りょうけいおう》上』）
③一葉蔽目、不見泰山。（『鶡冠子《かつかんし》・天則』）
④泰山不譲土壌、故能成其大。（『史記《しき》・李斯諫逐客書《りしちくかくをいさむるしょ》』『文選《もんぜん》』）
⑤重於泰山（『史記・報任少卿書《じんしょうけいにほうずるのしょ》』）

⑥安於泰山、居泰山之安（枚乗《ばいじょう》『上書諫呉王《じょうしょしてごおうをいさむ》』、『史記』『漢書』『文選』）
⑦夫愛東岳者、然後知衆山之邐迤也。（『文選・答東阿王書《とうあおうにこたふるしょ》』）
⑧泰山壓卵（『晋書《しんじょ》・孫恵伝』）
⑨泰山北斗（『新唐書・韓愈伝賛』）
⑩瞽者不見泰山（『新唐書・列伝・陳子昂《ちんすごう》』）
⑪太山一毫芒（韓愈《かんゆ》詩『調張籍《ちょうせきをあざける》』）
⑫措天下于泰山之安（欧陽脩《おうようしゅう》『相州昼錦堂記《しょうしゅうちゅうきんどうき》』）

①は春秋時代（前七七〇年～前四七六年）晩期の斉国政治家の晏嬰《あんえい》の話を記す説話集『晏子春秋・内篇諫下』に出た言葉で、泰山は一つの石で成るものではなくて石を一つ一つ低い所から累《かさ》ねて次第に高くなるとの意。この後に、「夫治天下者、非用一士之言也。固有受而不用、悪有距而不入者哉」とあって、「国家を上手く治めるには一人一人の意見を聞き入れるべきだ」につながる。これと似たような意味は④であり、それは李斯《りし》が秦の始皇帝へ人材を集めることの重要性を訴えるために上書した『諫逐客書』に出た名句であるが、『史記』『文選』ともに見えているので、広く世の中に知れ渡っている。この二句はみな泰山の高さを譬えに、高大のものでさえも小さいものから次第に形成していくことを説くことに重きを置いているものである。

図１　東岳泰山図（欽定古今図書集成・方輿彙編・山川典・泰山部より）

②⑤⑧は泰山の高さよりその重さを強調するもので、②は『孟子』に出て、「泰山を脇に挟んで渤海《ぼっかい》を渡る」とあって、人の能力では到底できはしないことの譬えである。⑤は司馬遷《しばせん》が任少卿への手紙に見られ、「人固有一死、或重于泰

山、或輕于鴻毛、用之所趨異也」と、泰山と鴻毛《こうもう》の軽重から人生の意義の重みに転用した名言である。⑨も「五岳独尊」という泰山の影響力からの転用意味で、各々の道での大家として仰ぎ尊ばれている人を表している。また、泰山の高さと重さからどっしりした安定感が生まれるわけであるが、それを表わすものは⑥と⑫である。そして、③⑦⑩⑪などは、一葉に目を覆われてか盲人のために泰山までも見えないという意味、あるいは周辺の山々の緩やかさ（「邐迤」）と豪毛の尖《とが》りを泰山の雄大さと対比させて二つの事物の懸隔の甚だしさを表わしたりした用例である。

総じて言えば、これらの言葉は、それぞれの文脈の中で特別の意味とニュアンスを持っているものの、泰山の高さ・重さ・大きさ・安定さの譬えとして通底している。とりわけ「重於泰山」「泰山北斗」「泰山不譲土壌、故能成其大」などの成句は現代語の中にもよく使われ、泰山が広く知られる重要な媒介となっているのである。

現代日本語には「泰山北斗」「泰山の安きに置く」「泰山は土壌を譲らず」などの成句がまだ見えるが、よく使っているのは「泰山北斗」ぐらいであろう。しかし、日本の古典においてこれらの言葉が当時大いに使用されていたのは事実である。「泰山不譲土壌、故能成其大」を例にしてその引用文献を挙げてみると、『和漢朗詠集』巻下「山水」、『江《ごう》談抄《だんしょう》』＊2巻六「長句事」、『明文抄《めいぶんしょう》』＊3「雑事部」、『海道記《かいどうき》』末尾「結論部分」、『十訓抄《じっきんしょう》』巻上第一「可施人恵事」、『古今著聞集』跋、『東大寺造立供養記《ぞうりゅうくようき》』＊4、『長弁私案抄《ちょうべんしあんしょう》』＊5「四十五・緬以夫三春鳴花」、『鷲林拾葉集《しゅうりんしゅうようしょう》』＊6、『旧事本紀玄義《くじほんぎげんぎ》』＊7、『清溪稿《せいけいこう》』＊8、『勝福寺鋳鐘勧進帳《しょうふくじかねいかんじんちょう》』＊9、『快元僧都記《かいげんそうずき》』＊10「天文四年廿八日勧進帳事」、『法隆寺記補忘集《ぎぶもうしゅう》』＊11「大永年中会式勧進帳」など、平安時代から江戸時代にかけての詩文集や説話集、旅行記、願文において広く見えている。『和漢朗詠集』『明文抄』あるいは『江談抄』巻六は性質上、類書のように名言・名句の類集などをしたようなもので、そこに引用した内容の典拠も注出した場合が多い。たとえば、『和漢朗詠集』には「泰山不譲土壌、故能成其高。河海不厭細流、故能成其深。漢書」と、伝藤原行成《ふじわらのゆきなり》筆写本と葦手《あしで》本には「漢書」、嘉禎《かてい》本と東大寺本には「史記李斯上書」と記す。『漢書』は『史記』の誤記であろう。そして『江談抄』には『漢書』『文選』、『明文抄』には『史記』とそれぞれに注出するのである。しかし『史記』を『漢書』に間違えたところからすれば、これらの諸書における本句の採録は原典を読んでのものかどうかは言いがたい。このように名句の収録に止まるものに対して、そのほかに見た諸書では、すでにそれらの名句・成句を織り成して文章の中の一文脈となっているのが特徴的である。

この成句の外にも、五山文学漢詩文や僧伝、軍記、浄瑠璃、仮名草子、説話集、そして近世の漢詩文などにその使用例が数多く見られる。また、五山漢詩文（たとえば、『幻雲詩藁〈新補〉』『月舟和尚語録〈新補〉』*12『三益艶詞』等）には、「置枕泰山安」（「枕を高くする」）というような、ユニークな表現の多用が注目される。なお、『明文抄』などの漢語章句集には複数の泰山名句が載せてある場合もうかがわれる。たとえば、本書の「人事部・下」には「一葉蔽目不見泰山、両豆塞耳不聞雷霆。金楼子」「瞽者不見泰山、聾者不聞震霆。唐書」、「文事部」には「夫愛東岳者、然後知衆山之邐迤也。奉至尊者、然後知百里之卑微。文選」、「雑部」には「泰山不譲土壌、故能成其大。河海不厭細流、故能就其深。文選」とあるように、『唐書』『文選』『金楼子《きんろうし》』とその出典を明記した四つの泰山名句が同時に抄出されているのである。

要するに、泰山の名句は先秦諸子や、『史記』『漢書』『晋書』『唐書』などの史書、『文選』と唐宋八家などの文集には多く見えており、日本律令制以来、大学寮での必読書目にはこれらの書籍が多く含まれるし、五山文学以後、唐宋八家の文章も広く読まれるようになった。以上見てきたように、日本における泰山名句の受容は、一つには、『和漢朗詠集』のような和漢詩文佳句集、『明文抄』のような漢語故事金言集、『江談抄』のような故実書など、いわば類書的な書籍を通して広く長く伝えられたようである。もう一つは、『本朝麗藻』『幻雲稿』『梅花無尽蔵』など平安時代以来の漢詩文を始め、説話集、軍記、浄瑠璃、仮名草子、僧伝、諷誦文《ふじゅもん》・願文《がんもん》、五山抄物《ござんしょうもの》など多数のジャンルで泰山の成句を活かしながら作文していたのである。それには作品ごとに個性的な改変を見たところも少なくなかった。

3　泰山封禅説話

封禅とは中国古代に泰山で天子が行なった祭祀で、封は天を祀り、禅は地神を祭ることだが、後漢の泰山郡太守を務めていた応劭《おうしょう》（一五三？〜一九六年）の著した『風俗通義《ふうぞくつうぎ》』には、「泰山、山之尊、一曰岱宗。岱、始也。宗、長也。

萬物之始、陰陽交代、……故為五嶽之長、王者受命易姓、改制應天、功成封禪、以告天地」（王利器『風俗通校注』「山澤第十・五嶽」）とあり、泰山は山の尊者であり、一つに岱宗《たいそう》という。岱とは始まり、宗とは長《ちょう》なり。萬物の始まりと陰陽の交代であるゆえに、五嶽《ごがく》の長となる。王たる者は天命を受け、易姓の改革を行い功成れば封禅する、という。また後漢の班固《はんこ》撰『白虎通《びゃっこつう》』には「升封者、増高也。下禪梁甫之基、廣厚也。皆刻石紀號者、著己之功迹以自效也。天以高為尊、地以厚為德、故増泰山之高以示報天、附禪梁甫之基以報地」（『白虎通疏證』巻六「封禅」）とあり、升封とは、昇って高さを増すこと。下って梁甫の基で禅するのは、厚さを広くすること。封と禅を行う時、ともに刻石・紀号し己の功績を著わす。天は高さをもって尊と為し、地は厚さをもって徳と為すゆえに、泰山の高さを増すのをもって示して天へ報じ、梁甫の基で禅するのをもって地へ報ずる、という。『史記』には「齊桓公欲封禪、管仲曰、古者封泰山禪梁甫者七十二家」とあり、往古、泰山で封禅を行った帝王が七十二人いたという記述はあったものの、「刻石・紀号し、己の功績を著」して記録を残したのは、秦の始皇帝二十八年（前二一九）の封禅が始まりとされる。その後、前漢の武《ぶ》帝《てい》、後漢の光武帝《こうぶてい》、唐の高宗《こうそう》、玄宗《げんそう》、宋の真宗《しんそう》などによって盛大に営まれていた。帝王の封禅に伴い、それにまつわるいろいろな故事や説話、名跡なども生まれる。封禅関係の刻石は、李斯の手になる「秦刻石」、泰山の頂上に立てられた漢の「無字碑」、唐玄宗が自ら撰文し書いた「紀泰山銘」【図2】（「東岳封禅碑」または「泰山唐摩崖」とも）が有名である。始皇帝二十八年、「上自泰山陽至巓、立石頌秦始皇帝徳、明其得封也」（『史記・封禪書』）、始皇帝が泰山の南面より頂上に至り、自らの功徳を頌《たた》え、石碑を立ててその封の祭りを成し遂げたことを告げたという。当時、丞相李斯筆の篆書石刻は、もとは泰山頂上の「玉女池」付近にあったが、後は碧霞元君祠《へきかげんくん》【図1】の東廡《とうぶ》に移されて火事のために焼かれ、現在は麓の泰山廟内

図２「紀泰山銘」碑（撮影：Rolf Müller、https://commons.wikimedia.org/wiki/File:Mount_tai_rock_inscriptions.jpg）

にその残欠が保存されているが、十字程度しか残存しなかった。にもかかわらず、二千年を超えて現存している泰山最初の刻石であって、中国古代文化の至宝と言えよう。唐の開成十四年（七二五）、唐玄宗が文武百官、外国使節を伴わせながら長安から泰山に到達し、盛大に封禅の儀式を行い、泰山を「天斉王」に封じた。翌年九月、「御製御書」である「紀泰山銘」を立てた。その銘には「（前略）朕統承先王、茲率厥典、實欲報玄天之眷命、為蒼生之祈福、（前略）道在觀政，名非從欲。銘心絶巖，播告羣岳」（『旧唐書』「志第三・礼儀三」）と、「天命をうけ蒼生黎民のために幸福を祈る」、「国家統治の道は政情を察知することにある」といった玄宗の政治抱負と理念を示した文言がちりばめられている。玄宗の豊満で華やかな隷書の書きぶりで、数多くの泰山刻石の中の名作とされている。*13 泰山の刻石はその山中のあちこちに千以上散在し、文化の名山に独特の価値を賦与せしめているものとなっているのである。

刻石の話より封禅にまつわる故事や説話の方がもっと多く、中には「五大夫松」「漢柏千株」「金篋玉策」「泰山之力」などはよく知られているが、ここにて少し例示してみよう。

（1）漢官儀及泰山記云、盤道屈曲而上、凡五十餘盤、經小天門、大天門。仰視天門、如從穴中視天窗矣。自下至古封禪處凡四十里、山頂西巖為仙人石閭、東巖為介邱、東南巖名日觀。日觀者、雞一鳴時、見日始欲出、長三丈所。又東南名秦觀。秦觀者、望見長安。呉觀者、望見會稽。周觀者、望見齊。黄河去泰山二百餘里、於祠所瞻黄河如帶、若在山阯。山南有廟、悉種柏千株、大者十五六圍、相傳云漢武所種。小天門有秦時五大夫松、見在。*14

（『初学記《しょがくき》』巻第五「地部上・泰山第三・敘事」）

（2）二十八年、始皇東行郡縣、上鄒嶧山。立石、與魯諸生議、刻石頌秦德、議封禪望祭山川之事。乃遂上泰山、立石、封、祠祀。下、風雨暴至、休於樹下、因封其樹為五大夫。

（『史記』「秦始皇本紀」）

（3）明皇封禪太山、張説為封禪使。説女婿鄭鎰、本九品官。舊例、封禪後、自三公以下皆遷轉一級。惟鄭鎰因説、驟遷五品、兼賜緋服。因大脯次、玄宗見鎰官位騰躍、怪而問之、鎰無詞以對。黄幡綽曰、「此乃太山之力也。」*15

（『酉陽雑俎《ゆうようざつそ》』巻十二「語資」）

（1）は後漢・応劭『漢官儀《かんかんぎ》』および『泰山紀《たいざんき》』に載せられる記事だが、封禅の儀礼を行う泰山山頂に至るまでの四十里ほどの間には、曲がりくねった山道が五十箇所以上あって、途中、小天門《しょうてんもん》と大天門《だいてんもん》を経るが、下から天門を仰ぎ見ると、穴から天窓を見るがごとくである。古《いにし》え、封禅の儀礼を行った場所はおおよそ四つ、山頂の西の岩は「仙人石閭《せんにんせきりょ》」、東の岩は「介邱」、東南の岩は「日観《にっかん》」と名付く。日観とは、雞《にわとり》が鳴くと、朝日が高さ三丈ほど昇ろうところ。また日観の東南は秦観と名付く。それは長安のことが見えるから。（中略）黄河は泰山を去ること二百餘里だが、祭場から眺めると、それは帯《おび》のごとくして、山の址《ふもと》にあるようである。山の南には廟があり、ことごとく柏が千株ほど種えてあり、大なるのは十五、六囲にあまる大木であり、前漢の武帝が種えたそうである。[*17]そして、小天門に秦の時の五大夫松があり、今も見在す、とのこと。[*16]五大夫松のことだが、（2）でわかるように、始皇二十八年、封禅のために泰山へ上がるその途中、小天門付近で暴風雨に遭遇し、大樹の下で休憩をとり、よってその樹を五大夫と封じたとのこと。

（3）は『酉陽雑俎』巻十二・「語資」に出る話で、唐玄宗の封禅後、中書令《ちゅうしょれい》の張説《ちょうえつ》は当時の封禅使を務めたという便宜を図って、娘婿の鄭鎰を九品官から五品官に昇進させ、恩賜の緋服も賜わった。しかし旧例では、封禅後、三公以下の官吏すべては恩賜として一級しか昇進できない、ということになっているのに、鄭鎰の破格の昇進ぶりに、玄宗は不思議に思ってその事情を当の本人に確認したら鄭鎰は答えられなかった。すると、傍にいた楽師の黄幡綽《こうはんしゃく》は「これは泰山のお陰でした」と言った。ここでの「泰山之力」は、泰山封禅の効き目をいうと同時に、泰山の封禅使を担当した岳父の張説のお陰だという含みもあったので、後は嫁の父のことを泰山と呼ぶようになったわけである。

4　泰山封禅と日本

泰山封禅の記事は『史記』『漢書』『後漢書』などに記載してあり、これらの史書は日本の上古以来、律令制の官吏や大学寮の学生たちにとって必読の書物であった。たとえば、藤原明衡《あきひら》撰『本朝文粋《ほんちょうもんずい》』巻第九・序乙・詩序二に収めた「北堂漢書竟宴詠史得蘇武　紀在昌」は、大学寮の講堂で数年続いていた『漢書』講義の竟宴の際に紀在昌《きのありまさ》の作った詩序であり、「延喜十九年仲冬十一月、以此書（漢書）經國之常典、命翰林菅学士講之。（中略）廿二年冬、篇軸漸盡，披授始畢」と、『漢書』は国家管理の経典として延喜十九年（九一九）仲冬十一月より二十二年冬まで三年間、講義し続けられていた。その冒頭部に「若夫萬八千年聲塵、堙滅於巣穴之居、七十二代軌躅、寂寥於縄木之化」とあるが、傍線部の文句は『漢書』・「郊祀志」・上に「穆公立九年、齊桓公既霸、會諸侯於葵丘而欲封禪。管仲曰、古者封泰山禪梁父者七十二家、而夷吾所記者十有二焉」という記事をさすものである。また、『本朝文粋』巻第十・詩序三・木・「夏日侍左相府池亭、諸道講論後同賦松聲當夏寒應教　江以言」にみる「秦皇泰山之雨、風消黄雀之跡、周穆長坂之雲、汗収赤驑之溝」という対句の前半も、秦始皇の封禅にちなんだ「五大夫松」の故事を述べたものであった。『本朝文粋』はその書名通り平安朝漢詩文のアンソロジーであり、平安時代の中国文化への受容の有様がよく反映されている作品集である。さらには、『江談抄』巻第六にも同様の内容が収めてあるのである。

『明文抄』では、泰山に関しての記事が多く見え、既述した『文選』『唐書』などから抜き出された成句のみならず、その帝道部・上には『維城典訓《いじょうてんくん》』から「唐高宗乾封元年泰山封禅」、人事部・下には『孔子家語《こうしけご》』から「孔子遊於泰山見栄声期」と、『漢書』から「元鳳三年春正月、泰山有大石自起立。上林有柳樹枯僵自起生」などの記事も抄録されている。ここで、唐高宗の封禅に関しての話を引用してみよう。

唐高宗乾封元年春正月戊辰朔、泰山封禪。先是天皇散斎四日、致斎三日云々。天皇神壇望祭訖、親封玉冊、置石碱、以五色土封之。時有白鶴百餘、自日觀山飛繞行宮、至於社首、徘徊久之、方升雲漢。天皇云々。服袞冕、升輦詣壇東、大次依禮行事時分、丘東南山谷中隠然有聲、三稱萬歳。其時有白鳩翔於輦側。斯乃大聖至孝所感焉。維城典訓*[18]

『維城典訓』による話だが、唐高宗が乾封元年（六六六）の春、泰山への封禅の儀式を挙げる際には、「白鶴升雲」「三称万歳」「白鳩翔輦」など一連の奇瑞が生じる。『新唐書』「志第三・礼楽四」によれば、「是歳（乾封元年）正月、天子祀昊天上帝於山下之封祀壇、……如圓丘之禮、親封玉冊、置石碱、聚五色土封之、……已事、升山。明日、又封玉冊于登封壇。又明日、祀皇地祇於社首山之降禪壇、如方丘之禮……。又明日、御朝覲壇以朝群臣、如元日之禮。乃詔立登封、降禪、朝覲之碑、名封祀壇曰舞鶴臺、登封壇曰萬歲臺、降禪壇曰景雲臺、以紀瑞焉[19]と、乾封元年正月、泰山山下の封祀壇（「望祭」）と山頂の登封壇（「封祭」）、そして社首山《しゃしゅざん》の降禅壇（「禅祭」）で封禅の祭りを行って終了した後、高宗皇帝は朝覲壇《ちょうきんだん》に出御《しゅつぎょ》して群臣百官を朝見させ、詔《みことのり》して「登封」「降禅」「朝覲」という石碑を樹立させ、名付けることに封祀壇を舞鶴台といい、登封壇を万歳台といい、降禅壇を景雲台といって、奇瑞を紀《しる》した、とのこと。傍線を引いた記事からわかるように、「舞鶴台」「万歳台」などの名前は、まさに『維城典訓』に記された奇瑞によっての命名であった。『新唐書』「礼楽志」を補うべき貴重の資料と言えよう。『維城典訓』は二十巻、則天武后《そくてんぶこう》がその側近の文学士に勅命して皇太子のために編纂させた帝王教育の書物であり、『新・旧唐書』・本紀「則天皇后」と芸文志に見え、『群書治要《ぐんしょちよう》』『帝範《ていはん》』などとともに遣唐使によって日本に将来されて国家管理と帝王養成の書籍として大いに読まれた。「承暦」「長寛」「應仁」などの年号はみな本書を出典としたもの。この唐高宗の封禅記事からも、日本での本書受容の一齣がうかがわれよう。

第三節（1）の事例には、封禅にちなんだ山頂の名所として、「仙人石閭」「介邱」「日観」などが挙げられているが、中で「日観」が最もよく知られる景観である。『連集良材《れんしゅうりょうざい》』[20]には、

未明先見海底日、良久遠鶏方報晨。龍泉寺絶頂ト云題ノ詩也。註云　泰山東岸名日觀、鶏ノ一鳴ニミルニ日出高數丈云々。泰山ハ高山也、其頂ニテミレバ、鶏ノ未鳴時分ニ、海中ヨリ日出ヅ。然後鳥鳴云々。ツ子ノトコロモ夜ノ寅時ヨリハヤ白ク成テ、明ル氣色ノアルハ日影ノス、ム心ナリ。高山ニテミレバ、夜中ヨリ日影ミユベキ物也。[21]

とある。「未明先見海底日、良久遠鶏方報晨」は唐・方干《ほうかん》「題龍泉寺絶頂」の首聯にあたるもので、それについての注釈には「日観」の故事が引かれている。注釈文の後には、室町時代の連歌師の行助《ぎょうじょ》と肖柏《しょうはく》との二人の発句が一句ずつ解釈してあるので、方干の詩句はそのために引用されたのである。いわば連歌解釈のために、日観の故事が生かされたのである。

歴代帝王の封禅に由来した説話には、始皇帝ゆかりの五大夫松が広く伝承されてきた。五大夫とは秦の官位で、秦

二十の爵位の中で第九番目の爵に当たる。元々始皇帝が立ち寄った一本の松に「五大夫」の爵位を授けて「五大夫の松」と呼ぶが、後はそれは「五つの大夫松」と誤解されてしまった。たとえば、「水奠三川石、山封五樹松」（北周・庾《ゆ》信《しん》『陪駕幸終南山《がにばいしてしゆうなんざんにこうす》』）、「雖五松受職、草木有知、而萬象乖度、禮刑將弛」（李白『奉餞十七翁《じゆうしちおうにほうせんす》』）、「願符千載壽、不羨五株封」（唐・陸贄《りくし》『禁中春松《きんちゆうしゆんしょう》』）などからしても早い段階ですでに誤解が生じたようである。本説話は、『本朝文粋』『江談抄』『和漢朗詠集』『新撰朗詠集』などに収めた大江以言の詩序のほかに、『百詠和歌』『唐鏡《からかがみ》』『十訓抄』『宴曲集《えんきよくしゆう》』『真曲抄《しんきよくしょう》』などにも見られるが、そのほとんどは「五株の大夫松」となっている。その中の一、二例を見てみよう。

『十訓抄』第一、人に恵を施すべき事（一ノ九）

（前略）もろこしには、秦始皇、泰山に行幸《みゆき》し給ふに、俄雨降り、五松の下に立ち寄りて、雨を過ごし給へり。このゆゑに、かの松に位を授けて、五太夫《ごたいふ》といへり。五品《ごほん》を松爵《しようしやく》といふ、これなり。（後略）

『十訓抄』は鎌倉中期の教訓説話集であり、文中の「五松」からしては、「五大夫松」**【図3】**を五つの松に五品の爵位を授けたというふうに解釈されているのではないかとみられる。

図３　五大夫松図（新編日本古典文学全集『十訓抄』より）

『宴曲集』[*22] 巻第五・山

五天竺國、震旦國、浪をへだてゝ百萬里。其地はいづくもしらねども、名を傳て聞山々は、鐵圍山、須彌山、王舎城の耆闍崛山。此観世音の補陀落山、文珠のまします五臺山。悉達太子の修行せし、阿私仙人が檀特山。崑崙玄圃節風山、曝布の泉は天台山。海中五の神山は、龍伯人につられて、蓬莱、方丈、瀛州の、三の山こそ残けれ。秦皇帝のやどりしは、泰山五株の松の陰。漢の武帝の上しは、萬歳呼崇高山。李將軍が隴山、嚴子陵が富春山[*23]（下略）。

宴曲は早歌《そうた》とも言い、鎌倉時代に貴族・武士・僧侶の間に流行した歌謡である。『宴曲集』は、鎌倉中期の僧、早歌の大成者の明空《みょうくう》の作品であるが、『山』の一首は早歌特有の「山尽くし」で、「天竺」・「震旦」・「我国秋津島」の実在の山・神話に出る山や、名山を思い出させる名物・名人を並べ挙げる内容であった。線を引いた部分は秦始皇ゆかりの五大夫松の話であるが、これもやはり「五株」の松であった。

これらの文学作品に対して、『唐鏡』（第二「始皇事」）や鎌倉時代の和漢対照年表『仁寿鏡《じんじゆかがみ》』[*24]、南北朝時代頃の『神皇《じんのう》正統録《しょうとうろく》』（「七代孝霊天皇」）などの歴史的な文献においては、むしろ「その樹」「一ノ松ノ木」と記述したのが一般的であった。

以上、見てきたように、泰山の石木は帝王の封禅によってある種の神聖性を持たせられたことが確かだが、これは取りも直さず自然と文化との二重性を持つ泰山の性格的一面を物語っている。なお、「元鳳三年春正月、泰山有大石自起立、上林有柳樹枯僵自起生。漢書」（『明文抄』『唐鏡』『仁寿鏡』『神皇正統録』などに引用）と、泰山の大石が自ずから立ち上がった、という細やかな記事のようであるが、これほど多くの日本の文献から引用、重視されていることが意外であった。『漢書』においては、「昭帝紀」に記された元鳳三年（紀元前七八）春正月の出来事であって、帝王の政治・起居と当時に流行した「災異思想」と絡んだ記事らしいが、『名文抄』になると、その「帝道部」にではなくて、「人事部」にそれを収めている。こうした引用姿勢からも中国の儒家思想の日本的受容の片鱗が窺われるのではないか。

もちろん、こうした文化的部分を取り除いた、大自然の山としての泰山も多彩である。たとえば「桂　花満自然秋。泰山の上にかつらの林あり。秋を迎事とに花白盛なり。風かほる春の匂をみつる哉かつらの里の秋の梢に」[*25]（『百詠和歌』第四・嘉樹部）と、桂の林が秋を迎えると花を白く盛開させるという泰山秋色の独特なシーンが、まことに美しき大自然に包まれた泰山の四季折々の掛け軸を飾るべき一幅となるものではなかろうか。ここで硬質の漢詩を柔軟な和歌で再演出させ、まさしく和漢文学の交響し合った泰山秋色の詩でもあった。また、「圖経曰、木蘭生零陵山谷及泰山」（『香要抄《こうようしょう》』[*26]）、「圖経曰、遠志生泰山及冤句川谷」（『香薬抄《こうやくしょう》』[*27]）とあるように、漢方の薬材に富んでいる宝の山でもあった泰山幽谷の神秘的一側面を、平安時代末期に作られた密教修法用などの香に関する文献らによってのぞかせることもできたのである。

5　おわりに

泰山は古代斉魯の二国間にまたがって、平らかな華北平原にその雄姿が聳《そび》えており、中国東部にある第一の高山である。五行思想の流行にともなって生命の生起する山、人間の生死を司る山と見成される。歴代の帝王の泰山での封禅儀礼により一層独特な文化の性格を有せしめる名山となる。いわば五岳独尊の山と位置づけられる。「泰山北斗」「重於泰山」「安於泰山」「泰山不譲土壌、故能成其大」など多くの泰山に関しての成語成句の使用により、泰山の影響力はそれらの言葉の翼に乗せてどこにも翔けていくように次第に拡大される。さらには、儒家の代表人物の孔子と泰山の記事、歴代帝王の泰山での封禅、とくに中国の伝統的な道教と外来文化の仏教とが融合された泰山地獄信仰などにより、泰山の知名度が隅々まで響き渡る。

こうした泰山文化は、漢字漢文文化を共有した日本では、『史記』『漢書』『後漢書』『晋書』『唐書』などの史書や『晏子春秋』『孟子』などの先秦諸子著作、『文選』・唐宋八家文集などの詩文集、そして『藝文類聚』『初学記』『維城典訓』などの類書など、各種の漢籍文献を通して広く受容された。今回は、成語成句と封禅の二項目に絞って考察したものの、漢詩文はもちろん、句題和歌、朗詠、説話集、紀行文、軍記、浄瑠璃、仮名草子、僧伝、諷誦文、五山抄物など多数の体裁で泰山ゆかりの記述・記事が大いに見られた。それらによると、泰山の成語成句はすでに和漢によるいろんな文章の文脈の中に織り込まれて活用されているし、独特な慣用表現（「置枕泰山安」など）も生まれた。また歴代帝王の封禅による泰山の記事・説話は日本の漢文学・説話文学においてのみならず、和歌・連歌・宴曲・雅楽など韻文文芸にも浸透している。さらに泰山に関しての石の変異や本草の記録などが帝王の政治・起居生活および密教の修法などにも絡みあったことも印象的であった。なお、『維城典訓』における泰山記事（『明文抄・帝道部』所引）など、中国ですでに散佚して日本の文献のみに引用された唐代史料はきわめて貴重であり、中日文化交流の歴史的意義をより一層見出すことができる好例として高く評価すべきであろう。

注

1 李銘敬『日本仏教説話集の源流』研究篇（勉誠出版、二〇〇七年、第三章第一節）参照。
2 平安時代後期の説話集、大儒大江匡房の談話を筆記したもの。
3 藤原孝範撰、鎌倉時代初期の分類漢語章句抄録。
4 一一八一年から一二〇三年まで、東大寺の再建記録。
5 室町時代初期、僧長弁の作った諷誦文・願文等を集めたもの。
6 室町時代の募縁状・諷誦文の集録。
7 鎌倉時代末から南北朝時代にかけての天台宗の学僧・慈遍の撰したもの。
8 五山の禅僧・煕春龍喜（一五一一～一五九三年）の詩集。
9 室町時代、寺院勝福寺の勧進帳。
10 室町時代、鶴岡八幡宮の造営日記。
11 元禄・享保間、奈良法隆寺伝来の仏像・仏具・調度或は文書・伝記等を同寺僧良訓が筆記した書。
12 月舟寿桂（一四六〇～一五三三年）の法語を継天寿戩（月舟寿桂の弟子）がまとめたもの。
13 日本文政二年（一八一九）、伊藤久政が公命を奉じて装丁した紙本墨拓の一幅は東京国立博物館に所蔵され、昨年（二〇一九年一月十六日～二月二十四日）本館で行われた「特別展顔真卿」で本拓本も展示され、日本天皇御夫妻を始め多くの人々に観覧されたのである。
14 唐・徐堅等著『初学記』上冊、中華書局、二〇〇五年第五刷。
15 段成式撰、許逸民校箋『酉阳雑俎校箋』（二）、中華書局、二〇一五年。
16 両手を伸ばして抱えるぐらいの大きさ・太さ。
17 武帝が元封五年（前一〇六）以来、五回ほど封禅の祭りを挙行したが、それについては史書における記載が少なくて、ただこの「漢柏」の伝説は長く伝承されてきたのである。
18 『続群書類従』第三十輯下・雑部巻第八百八十六所収。『明文抄』一、一一三頁。

19 『新唐書』第二冊、中華書局、二〇〇三年七月第七刷。
20 室町末期成立、中国の人物故事を記し併せて連歌師専順・心敬・宗祇その他の作例を収めた書。
21 『続々群書類従』第十五・歌文部所収、四九七頁。
22 明空作の早歌の詞章を集録した書。明空は鎌倉中期の僧で、早歌（宴曲）の大成者。一二四〇年（仁治一）ころ生まれ、一三一〇年代まで活躍した。鎌倉極楽寺または三村寺と関係のあった僧侶で，早歌のもう一人の大成者月江と同一人物とされる。『宴曲集』『宴曲抄』『真曲抄』などの作品がある。
23 『続群書類従』第十九輯下・遊戯部巻第五百五十四所収、一〇一頁。
24 本朝は国常立尊から花園天皇、漢朝は盤古王から元の成宗の記事を収める。延慶元年（一三〇八）八月以前成立。
25 『百詠和歌』第四・嘉樹部。『続群書類従』第十五輯上・和歌部巻第四百六所収、一六〇頁。
26 平安時代末期に作られた密教修法の香に関する文献の集成、二巻。『続群書類従』第三十一輯上雑部巻第八百九十五所収。
27 密教修法に必要な香と薬に関する諸説を抄出した平安時代末期の類書、一巻。『香要抄』と『薬種抄』から適宜抄出し必要に応じて私案と裏書を加える。『続群書類従』第三十一輯上雑部巻第八百九十六所収。

［付記］本成果受到中国人民大学二〇二〇年度「中央高校建設世界一流大学（学科）和特色発展引导专项资金」支持。

04

金剛山像
金同伝説とその変遷

龍野沙代

1　金剛山紀行文と伝説

朝鮮半島の金剛山《クムガンサン》は、一万二千の峰々や渓谷の清らかな流れ、風霜に削られた奇岩怪石など、自然が織りなす勝れた景観で知られる。この山は、その神奥さから古代より霊山としてあがめられ、高麗時代からは仏の聖地として信仰を集めた。寺院と庵の数は百八ともいわれ、大勢の僧侶が修道した。高麗末期ごろには、自己の修養のために山を訪れる知識人が増えはじめ、朝鮮時代には、金剛山は半島随一の遊覧の地ともなった。遊覧客は山内の名勝をめぐって詩作をし、旅の感興や道中で見聞したことなどを紀行文に具に記録した。彼らが著した紀行詩文は、現在も韓国に数多く伝わっており、韓国では学界で取り上げられることも多い。

金剛山の紀行詩文のなかには、山僧や付近の住民らが語った、山のさまざまな伝説が書き留められたものがある。これらは、高麗、朝鮮時代の伝承を知る貴重な資料であり、金剛山に対する人々の信仰の様相を現代に伝えてくれる。その内容を見ると、寺院の縁起や、仏菩薩の聖跡、修行僧や神仙の足跡を伝えるものなど、仏教や道家の要素をもつ伝説が多いが、龍神などの在来宗教や儒教的要素が絡み合ったものも見られる。

このなかで本章はとくに、金剛山で語られてきた人物伝承の一つ、金同《キムドン》伝説について取り上げる。[*1] 金同は著名な人

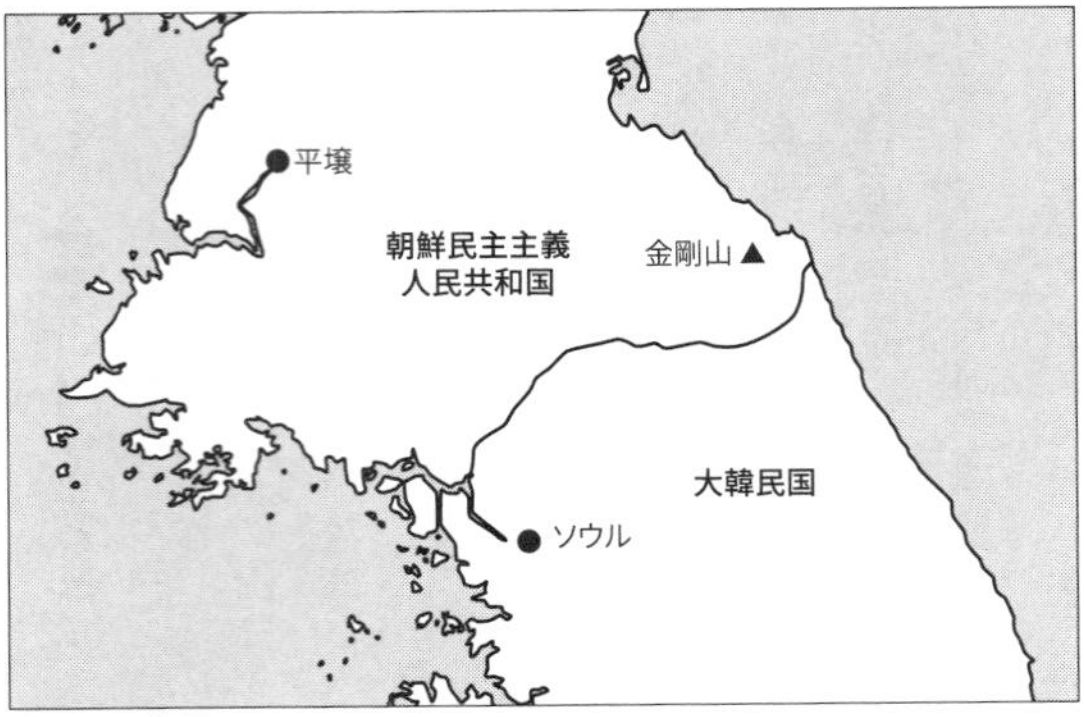

金剛山の位置

物ではなく、金剛山でのみ伝説が伝わる。叙事も決して長くないが、金剛山の山僧や遊覧客のあいだで、変化しつつも絶えず語り継がれた。無名の金同が金剛山において持続的に語られた背景には、金剛山ゆえの事情や信仰がある。先人の遺した紀行詩文を資料に、金同伝説の変遷をたどることで、金剛山が経てきた歴史や、半島の人々が心に描いてきた金剛山の姿を理解する一つの端緒を見いだしてみたい。

2　鬱淵に沈んだ外道

金同にまつわる伝説は、時代や記録により内容がさまざまであるが、[*2] 共通して認識されている事実は、彼が鬱淵《ウルソ》に落ちて死んだということである。金剛山の内山地域に、測り知れないほど深い鬱淵という淵がある。金同はこの淵で命を落とした。鬱淵の「鬱《ウル》」は、朝鮮語の「泣く」と同音で、鬱淵の大きな音から命名されたとも、金同が悲しく泣く淵であるとも語られる。

金同が鬱淵に落ちた経緯を記した文献は、南孝温《ナムヒョオン》（一四五四〜一四九二年）の紀行文が最も古いようである。南孝温の作品は、後代の知識人らの間でもよく知られていたため、この伝説も、南孝温の作品を通して周知された。

> 庵前に深い淵があり、鬱淵というが、金同が落ちた場所である。金同は、高麗時代の金持ちで、平素より仏教を信奉し、鬱淵の上に庵を建てて、あちこちの岩に仏像を彫り、僧を供養する米を運ぶ車は都まで続くほどであった。指空《チゴン》がこの山に来て、金同のことを外道だと言ったが、金同は聞き入れなかった。すると指空が、「お前が正しくてわたしが間違いだとしたら、わたしは今日天罰を受け、わたしが正しくてお前が間違いだとしたら、今日お前が天罰を受けるだろう」といった。金同は「いいだろう」といった。指空は摩訶衍寺《マハヨンサ》に宿したが、夜、果た

して雷雨になった。金同の寺は水や岩に撃たれて、金同と庵にあった仏像、梵鐘、僧らは同時に鬱淵に落ちてしまったという。[3]

南孝温の記録によると、金同は高麗時代の富者で熱心に仏を供養していた。指空（?～一三六三年）が彼を外道だと指摘したが、これに対抗した金同は、朝鮮半島の伝来説話、長者池伝説[4]の結末のように、雷雨に撃たれ鬱淵に沈んだという。金同と対立した指空とは、高麗に二年ほど滞在し、金剛山にも入山したことがあるインド出身の禅僧である。舎利が高麗にも招来されるなど、指空は韓国禅宗の祖として崇敬されている。また外道とは、一般には仏教以外の教えをいうが、異なる宗派や教えを指すこともある。金同は財をもって仏を奉っており、これが指空の説く禅とはかけ離れたものだったのだろう。

この伝説は、本来、金同伝説というより指空の外道教化譚というべきものである。それは、指空は過去にも、何人かの外道に出逢ってきたからである。李穡《イセク》（一三二八～一三九六年）撰の指空の浮図銘《ふとめい》（「西天提納薄陁尊者浮図銘」『牧隠藁』巻十四）を参照すると、指空が自ら語る形式で彼の遍歴が記されているが、西域諸国をめぐる途中、外道を信じていた国王に説法して改宗させた話や、国王から歓待されるも外道たちに襲われた話など、外道とのエピソードが五件登場する。つまり、指空にとって金同は、諸国で出逢った外道のなかの一人として理解できるのである。高麗は仏教国家であったが、その末期である十四世紀の仏教界は、多くの群小宗派が存在し、チベット仏教の流入もあって混乱していた。そのため、宗派間の葛藤が激しい時代であったとされる。南孝温が記録した伝説は、高麗末期の仏教界を背景に伝わった指空の外道教化譚と長者池伝説が融合し伝承されたものと理解することができる。

3　懶翁との法力対決

十六世紀までの金同伝説の伝承様相は、南孝温の記録のほかに文献がなく明らかでないが[5]、十七世紀に入ると、金同の名が紀行文に記される頻度が高くなる。そして、彼の伝説もしばしば書き留められるようになる。南孝温の伝説

図1　三仏岩（撮影：個人）

を引用して記した紀行文もあるが、異なる伝説も見られる。

十七世紀以降に記録された金同伝説では、金同の対立相手として、懶翁《ナオン》（一三二〇～一三七六年）が登場することが多い。これは、現在は「妙吉祥《ミョギルサン》」の名で周知される、高さ一五メートルに及ぶ摩崖仏《まがいぶつ》を懶翁作と伝えるようになったことが発端のようである。金同も山内のあちこちに仏像を彫っていたため、二人が結びつけられたのだろう。さらに二人は、「三仏岩《サムブラム》」の仏像の作者としても伝承されるようになった。三仏岩とは、三体の大仏と数十の小仏が刻まれた巨大な岩で【図1】、鬱淵のすぐ近くにあった。十七世紀に入ると、「壁に弥勒仏一体が刻まれているが、これは懶翁が創ったものだ」[*6]や、「三仏は大変立派で、懶翁の刻したものだが、一面には五十三仏があり（これは）高麗の金同が施主となり石に刻んだものだ」[*7]というように、伝説までは記さずとも、仏像の作者を書き留めた紀行文が増えてくる。

元に渡り指空に学んだ懶翁は、指空と並び韓国禅宗の祖とされる。金剛山に滞在したこともあり、彼の袈裟や舎利を見たという記録が紀行文にも散見される。しかし、妙吉祥の造成は一三一五年ごろと考えられるから[*8]、実際には懶翁の作ではない。また、三仏岩に関しては、妙吉祥と同じく高麗時代の作と見られるものの、十六世紀以前の目撃証言がない。「岩は大水で漂流してきた」[*9]という一六〇七年の記録があり、他所にあった岩が新たに鬱淵近くに鎮座したようだ。十六世紀末から十七世紀前半の金剛山は、戦乱や自然災害により寺院は廃れ、山道は崩壊し、居僧も減少するなど、苦しい時代を迎えていた。懶翁信仰の動きが山内に生まれた可能性も考えられるだろう。これについては今後検討の余地があるが、いずれにせよ、十七世紀以降、金同と懶翁の名が、三仏岩や妙吉祥、鬱淵付近で語られるようになった。

三仏岩や鬱淵、妙吉祥は、遊覧客が必ず訪ねる名所であったから、紀行文に記録される頻度が高かった。とくに、三仏岩が鎮座した場所は、長安寺《チャンアンサ》と表訓寺《ピョフンサ》という、山内の拠点となる二寺を結ぶ山道となった。そして三仏岩から数十歩の場所に鬱淵があった。そのため、遊覧客は必ず三仏岩の前を通り過ぎて鬱淵を鑑賞し、その際に案内役の僧たちから仏像の作者の話を、そして時には金同の伝説を聞くことになった。

十七、十八世紀の紀行文に見られる金同伝説は、多くの例があるわけではなく、叙事も短いが、多様である。そして、金同と懶翁の伝説は、南孝温の記録した伝説と比べると、善と悪の対決としての性格がやや強い。対決内容が具体的に描写されるには至らないが、金同は、高僧を妬《ねた》み淵に落とされる悪者として登場する。次の李玄錫《イヒョンソク》（一六四七〜一七〇三年）の記録は、指空が金同の相手となっているが、李玄錫が南孝温の紀行文を参照したためであって、実際は懶翁の話として語られたものである。

金同が幻術で指空と争ったのだが、指空が彼を嫌って、岩獅子《トルサジャ》をして吠《ほ》えさせ、淵の龍をして火を噴かせ、金同を突き落として水の中で殺したという。南孝温の記文によると、これは指空の話なのだが、今、僧たちは懶翁の話として間違って伝えている。*10

岩獅子や淵の龍（火龍）の登場は、金同に対するイメージの変化を意味する。実は、金同を水没させた岩獅子や火龍《ファリョン》は、金剛山の気を制圧しようとした胡宗旦《ホジョンダン》を駆逐したと語られてきたのだ。*11 胡宗旦は、高麗に帰化した実在の宋人で、済《チェ》州島《ジュド》の風水の脈を絶った伝説で知られている。彼は金剛山でも、四仙（かつて金剛山に遊んだ四人の花郎《ファラン》）の遺した碑石を三日湖《サミルホ》に捨てたと伝わる。胡宗旦は、金剛山にとっても、山の気を制圧しようと企《たく》む山の敵対者であった。敬虔な仏弟子であった金同も、胡宗旦と同類の、山から駆逐されるべき者として認識されるようになったことがわかる。また次は、李夏坤《イハゴン》（一六七七〜一七二四念）の記録である。

僧が伝えて言うには、「昔、金同という者は、外道禅を習い、懶翁と法を競ったが勝てなかったので、懶翁が金同を淵に突き落としました。このときから水は常に人が悲しく泣くような声を出すようになり、鳴韻潭《ミョンウムタム》、または金同淵と呼ばれるようになりました。そもそも懶翁は如来の現身で、金同の前身は波旬《はじゅん》だそうです。それでこのような果報を受けたのです」と言った。[*12]

波旬とは、仏道修行を妨げる悪魔のことをいう。金同が何をもって懶翁に対したかは不明であるが、高僧が淵に突き落とすほどの悪者とあれば、ここに熱心に仏を信奉する金同の姿は描き難い。また、妙吉祥や三仏岩の造成をめぐって金同が懶翁に対抗した話の例として、崔有海《チェユヘ》（一五八八〜一六四一年）と洪百昌《ホンベクチャン》（一七〇二〜？年）の記録を見よう。

懶翁が（妙吉祥を）成したのだが、そのとき金同という者がこれを羨《うらや》んで改刻しようとしたが直すことができず、自ら逃げていった。[*13]

時に金東《キムドン》居士という人がいて、すなわち外道であったが、（懶翁が摩崖仏を彫ったのを）憎んで欲を張り、衆徒を率いて鉄釘で岩に穴をあけ、石像を倒そうとした。[*14]

あちこちの岩に仏像を刻んでいた金同は、懶翁が立派な仏像を彫刻したことを妬み、仏像を彫ったり妙吉祥を破壊したりして対抗した。これらの例から、金同が否定的に語られる傾向にあったのは間違いないようだ。しかし、対する懶翁の言動が詳しく語られることもないため、高僧懶翁の行跡を讃える逸話であるとも言い難い。この時期の金同伝説は、宗教性とは離れた次元で、懶翁が善、金同が悪というきわめて単純な構図で人々の興味を引く逸話として伝承されたようだ。かつて仏教宗派間の葛藤から由来した金同伝説が、宗教の神聖性から離れ、勧善懲悪型の民話に近づいたといえる。

4　鬱淵で泣く金同一家

しかし、十九世紀に入り、金同伝説は再び変化してゆく。それまで肩書のように書き添えられてきた「外道」の文字が見られなくなり、金同に対するイメージが好転していく。また、断片的であった話がまとめて記され、金同の人物譚が形成されていく過程を見ることができるのである。まず、崔瑗《チェウォン》（一七八八〜？年）の記録を挙げよう。

僧が言った、「淵の中に一本の糸を垂らしても、底まで届きません。蛟龍《こうりゅう》が時々出てきて物や村人を害しますが、雨乞いをするとすぐに効果があります」と。淵は金同淵ともいう。金同は麗末の居士である。伝えていうには、金同は妻子を連れて入山し、淵の上に庵を建てて住み、懶翁と道を争っていた。懶翁が妙吉祥を彫ると、金同はこれを嫉み妬んで、衆徒を率いて鉄釘で壊そうとしたが、忽《たちま》ち雷雨が起きて、金同を淵に沈めると、(金同は)蛟《み》螭《づち》と化し、水は恨みで鬱々として、時に悲しい鳴き声を出した。それで鳴淵《ミョンヨン》と名付けられたが、または鬱淵とも、或いは鳴韵淵ともいう。*15

金同に妻子がいたという話は、以前の紀行文では見られなかった。鬱淵に「龍神」や「神物」など龍の類が棲んでいるという説は以前からあったが、それを鬱淵に落ちた金同であるとした記録はなかった。金同は鬱淵で龍神となり、今も山に生きていると解釈されたのである。妙吉祥の破壊を試みてはいるが、妻子の存在や、蛟龍と化して悲しい鳴き声をあげるといった描写から、この伝説から懲悪の意味は強く感じられない。

これと同様の伝説がこの時期に語られていたことは、李象秀《イサンス》(一八二〇〜一八八二年)の例からもわかる。

僧侶が、「金同居士は仏を信奉して妻子を連れて山中に住み、懶翁と道を競いました。懶翁がすでに妙吉祥を仏地庵前に刻んだところ、居士は鉄杖《てつじょう》で倒そうとしましたができませんでした。これに(居士)は白華庵《ペックワアム》前に六十仏を刻んで、その脇に自分の夫婦像を作りました。これに懶翁は、その前面に三仏岩を彫って彼を制圧したのがこれです」と言った。鳴淵というのは、僧が言うには、「雷が金同居士の家を撃って池を作ったのがこれです」という。*16

三仏岩の側面の像について触れた記録はそれ以前にはなかったが、十九世紀に現れはじめる。李象秀は、国文すなわちハングルによる紀行詩「金剛別曲《クムガンピョルゴク》」でも同様の伝説を詠んだが、その末尾を「前に置かれた逆さの石、息子ら三兄弟の、屈巾祭服《くっきんさいふく》した姿よ」と結んでいる。金同の死を悲しんだ息子たちが、儒教の方法にのっとり祭礼をしている様子を詠ったのだ。息子たちの姿は石と化し、その石は「兄弟岩」と呼ばれたが、これも十九世紀後半の紀行文にいくつか記録がある。金同に対するイメージが肯定的であったことは、金同を指して「法力神通広大」とした十九世紀の紀行文[17]からも察することができる。このように、十九世紀に金同は、家族を養いつつ仏を敬う居士でありながら、儒者の性質をもあわせ持つ人物となり、妻子を残して無念にも鬱淵に沈み龍神と化した、悲劇の主人公へと発展しはじめたのである。

さらに、この変化の流れは二十世紀に引き継がれた。次は、李光洙《イグァンス》（一八九二〜一九五〇年）の「金剛山遊記」に記された金同伝説の梗概である。

> 高麗末期、懶翁と金同が法力比べをした。金同は懶翁を亡き者にしようと、仏像彫刻対決で負けた者は鳴淵潭に身を投げることにした。しかし、金同の刻んだ五十三仏は、懶翁の刻んだ三仏に到底及ばなかった。金同は約束どおり淵に身を投げ、石と化した。金同の三人の息子たちも悲しみに泣き暮らした結果、三兄弟岩と化した。三兄弟岩が雨の夜や月の夜に鳴き声を発することから鳴淵潭と名付けられた。「人をだました罪、死して当然なるも、約束を守りたれば、居士もまた君子なり」

この伝説では、金同は懶翁を殺そうと企む悪者である。しかし、金同は正々堂々と懶翁と対決し、負けると潔く淵に身を投げた。伝説の最後に、朝鮮半島の伝統的な定型詩、時調《シジョ》が詠まれているが、その一節で、金同の人格を「君子」、つまり儒教的な言葉で讃えている。さらにその後、金同伝説は、前田寛により「鳴淵潭哀話」[18]として一つの物語として編まれるに至った。「鳴淵潭哀話」は、懶翁の縁戚にあたる懶華《ナファ》と学識徳望の備わった仏師金同の対決物語で、三仏を見事に彫りあげるも対決に敗れた金同が鬱淵に身を投げ、後を追った妻と二人の息子も石と化すという悲劇を描いている。ここに至って、金同は完全に悪者としての性格を捨て去り、すぐれた人格をもち、彫仏技術にも長けた僧として大衆に認識された。

かつて指空に対抗して罰を受けた外道金同は、いつしか金剛山の敵対者として語られるようになり、また鬱淵に宿る龍神と化し、儒者の徳をもあわせ持つ悲劇の主人公へと変化していった。金同の性格は、時代や語り手によって大きく変化してきたといえる。しかしこれは逆に、人物像や伝説の内容が、金同伝説の核心的な要素ではなかったということも意味する。金同伝説の核心、つまり人々の心に刻まれてきた金同の姿とは何か。それは第二章の冒頭で示した「鬱淵に落ちて死んだ」ことである。

5　金剛山に命を捧げる

金同に限らず、金剛山で生涯を閉じた先人に、人々は特別の関心をもってきた。これについては、金剛山で伝承されていたほかの人物伝承を挙げれば容易に理解できる。金剛山で語られてきた伝説の主人公は、金剛山で生涯を終えた人物ばかりが挙げられるからである。

たとえば、八世紀の新羅僧、真表《チンピョ》律師は、父親と金剛山に入山、鉢淵藪《パリョンス》に留まって修道と孝道を尽くして入寂した人物である。鉢淵寺《パリョンサ》には、彼の行跡を刻んだ石碑[*19]が建てられており、遊覧客はこの石碑を鑑賞し、真表が座したまま入寂したといわれる台座や、入寂後に台座から生えて栄枯を繰り返す松などの伝説[*20]を僧らから聞いた。鉢淵寺は興廃を重ねていたが、とくに十八世紀後半に大きく寺が復興したころには、「孝養《ヒョヤン》峠を毎日超えて母親を孝養しながら修道に励んだ」[*21]、「自身の孝行心を確かめるために、羹《あつもの》を持って瀑布《ばくふ》を走り、羹がひっくり返らねば孝行心があるとしていた」[*22]などというように、律師の孝行心を極大化した伝説が広まっていた。僧が儒者の徳をもあわせ持つ人物として語られてゆくという点で、真表の伝説は、金同と同様の変化の過程を見せてくれる。

ほかにも、新羅最後の王、敬順王《キョンスンワン》の太子が、新羅滅亡の際に金剛山に隠遁した伝説はよく知られている。『三国遺事』（巻二）「金傅《クムブ》大王」に載る伝説であるが、実際に金剛山でも絶えることなく語られ、関連する遺跡もいくつかあった。そして、「ここは真の仏境である、朝鮮に生まれ長くこの仏世界を見たい」といって金剛山で身を投げた中国の使臣、鄭同《チョンドン》の一頭目は、特別の伝説は伝わらないながらも、紀行文で必ず言及される名である。また、金剛山で死んだ人物ではないが、金剛山に長く滞在し、神仙的な生活を追求した陽士彦《ヤンサオン》（一五一七～一五八四年）もいる。彼は寺に滞在するのを嫌い、僧に駕籠《かご》かきをさせ始めるなどしたため、当初は僧たちからの評判が悪かったが、次第に、金剛山で登仙した神仙として伝説化した。

これらのような、金剛山に命を捧げた人物の伝説からは、彼らに対する、人々の憧憬の心情を感じ取ることができる。彼らの死は、教訓ではなく、理想だったのではないか。彼らの死は、人生の終わりを意味していない。金同は淵に落ちて龍神になった。真表の入寂した台からは不思議な松が生えている。敬順王の太子は、山で麻衣草食し消息を絶った。山で身を投げた頭目は金剛山に生まれ変わっただろうし、陽士彦は登仙した。彼らは山と一体となり、今も生き続けていると考えられてきたのである。山に消えた経緯はいかにせよ、人々は、こうした先人の伝説を語りながら、自身も金剛山でこの生涯を閉じ、そしてこの山で永遠に生きたいと願ったのだろう。もちろん、すぐに日常に戻らねばならない人々にとって、この願いが実現する可能性は低い。しかし、その日が自身に訪れることを胸中に描きつつ、山をめぐっていたのではないだろうか。

金同伝説の変化の過程からは、金剛山の経てきた歴史や山に対する人々の信仰が見えてくる。景観を一変させるほどの大災害や戦乱による、山道や名勝の変貌、寺院の興廃など、山の置かれた状況は、伝説の伝承と密接にかかわっていた。また、金同に対する人々の関心からは、金剛山に命を預けた先人に対する憧憬の心情がうかがえた。そして、仏弟子に始まり、龍神、君子など、金同にさまざまな宗教的性格が付与されてきた事実は、金剛山が、仏教、儒教、道教、そして在来宗教の垣根を超越する、複合的な宗教性をもった聖地であることを暗示している。これは、国家宗教が変化してきた朝鮮半島にとって、金剛山の宗教的な位相を理解する上で重要な鍵となろう。本章は金同伝説に焦点を当てたが、金剛山に伝わるほかの伝説の考察とあわせ、金剛山の像をより明確に描くという課題については、別稿に期したいと思う。

注

1　金剛山で語られていた伝説に関する研究には、崔康賢「金剛山説話の一考―主に紀行文を通して見た伝播性について」(『朝鮮学報』33、朝鮮学会、一九七二年）、龍野沙代「金剛山楡岾寺縁起の伝承とその変容」（アジア遊学115、勉誠出版、二〇〇八年）および「金剛山普徳窟縁起の伝承とその変容」（小峯和明監修、金英順編『東アジアの文学圏』、日本文学の展望を拓く、第一巻、笠間書院、二〇一七年）などがある。

2　現代の金剛山案内書などで紹介される金同伝説にも、諸説が混在している。たとえば、金剛山の伝説を集めたリ・ヨンジュン『金剛山伝説』（社会科学出版社、一九九一年、韓国文化社影印）には、三種の金同伝説を載せている。

3　「庵前有深淵、名曰鬱淵、金同所陷也。金同者、麗時富人、平生佞仏、作庵鬱淵上、諸岩面皆刻仏像、供仏齋僧、米駄連属開京。指空入此山、以同為外道、同不服。指空作誓曰、汝是我非則今日我蒙天禍、我是汝非則今日汝受天禍。同曰然。空入宿摩訶衍、夜、雷雨果作。金同寺為水石所乱撃、同与寺仏、寺鍾、寺僧等同時陷入鬱淵云。」（南孝温「遊金剛山記」、一四八五年遊覧、『秋江集』巻五）。

4　諸伝承があるが、大筋は次のようである。「ある長者の家に僧が托鉢に来たが、仏を信じない長者は米の代わりに牛の糞を出した。長者の嫁がそっと米を施すと、僧は嫁に、これから大雨が降るから決して振り返らずに避難するように言った。嫁は子供を連れて山に避難するが、轟音に振り返ると、長者の家は池になってしまっていた。振り返ってしまった嫁もまた石になってしまった」。

5　金同について言及した朝鮮時代前期の数少ない文献として、李冑（一四六八〜一五〇四年）の「金骨山録」（一五〇二年、『忘軒遺稿』）がある。それには、柳好之が金骨山に摩崖仏を彫ったところ山が光を放つことがなくなったことに対して、柳好之を指して「外道の金同のような部類でなければ、山の鬼神を鎮圧する者に違いない」という表現が見える。

6　「壁刻一弥勒、是懶翁之所創」（権喋「丁未東遊記」、一六〇七年遊覧、『亀沙金剛録』）。

7　「三仏像甚偉、懶翁所刻、一面有五十三仏、高麗人金同者捨施刻石」（申翊聖「遊金剛内外山諸記」、一六三一年遊覧、『楽全堂集』巻七）。

8　「妙吉祥下石壁刻弥勒像、乃延祐二年四月也。」（裴龍吉「金剛山記」、『琴易堂集』巻五）。

9　権喋、前掲書。

10　「金同者以幻術与指空相較、空悪之、令石獅発吼、淵龍鼓火、擠而殺之水中云。據秋江記、乃指空事、而到今、僧輩伝訛以為事云。」（李玄錫「東遊録（下）」、一六九二年遊覧、『游斎集』巻八）。

11　閔漬「金剛山詩」第五十七聯および付記（『金剛大本山楡岾寺本末寺誌』楡岾寺、一九四二年）や、南孝温の前掲書など、複数の文献に見える。

12　「僧言、昔有金同者、習外道禅、与普済闘法不勝、済仍擠之潭中。自是水常幽咽如人哀号、称為鳴韻潭、又名金同淵。盖済是如来現化、而同之前身為波旬。故如是受報云。」（李夏坤「東游録」、一七一四年遊覧、『頭陀草』冊十四）。

13 「懶翁成所、而時有金同者、艶其為欲改刻、不修而自亡云。」（崔有海「嶺東山水記」、一六二一年遊覧、『嘿守堂集』巻十八）

14 「時有金東（「東」は「同」と同音）居士者、即外道、而懐忌逞狼、率衆徒第以鉄釘鑿岩背、将以傾仆石像。」（洪百昌『東遊記実』、一七三八年遊覧、ソウル大学校奎章閣）。

15 「僧言、（鳴）淵中有窟垂一團絲、不徹底。蛟龍時出害物村人、祈雨輒応。淵一名金同淵。金同者麗末居士也。諺伝、同挈妻子入山、築庵于淵上、与懶翁争道。懶翁刻妙吉祥、同猜之、率徒持鉄釘欲劈破、天忽大雷雨、駆同沈之于淵、化為蛟螭、水為冤鬱、有時悲鳴。故名鳴淵、又曰鬱淵、或称鳴韵淵。」（崔瑗『東遊録』、一八三八年遊覧、ソウル大学校奎章閣）。

16 僧言、金同居士奉仏率妻子居山中、与懶翁争法。翁既刻妙吉祥于仏地庵、居士欲以鉄杖倒之不得。乃刻六十仏于白華之下、旁作自己夫婦像。翁就其面作三仏以圧之是也。鳴淵者、僧言、雷破金同宅為淵是也。（李象秀「東行山水記」、一八五六年遊覧、『어唔堂集』巻十三）。

17 作者未詳『東遊録』、ソウル大学校奎章閣。

18 前田寛『金剛山』、朝鮮鉄道協会、一九三一年。

19 「関東楓岳鉢淵藪石記」、『三国遺事』巻四。

20 「関東楓岳鉢淵藪石記」にも見られる伝説であるが、山内でも伝承されており、紀行文にも多くの記録がある。

21 李瀓「東遊録」（一七〇〇年遊覧、『弘道遺稿』巻五）や、朴聖源「金剛録」（一七三八年遊覧、『臥遊録』巻六、ソウル大学校奎章閣）など。

22 安錫儆「東行記」（一七六一年遊覧、『霅橋集』）や、宋煥箕「東遊日記」（一七八一年遊覧、『性潭集』巻十二）など。

05

〈聖地〉の近代化と東アジア

染谷智幸

1　はじめに

そこに行けば、どんな夢もかなうと言うよ
誰もみな行きたがるが、遥かな世界
その国の名はガンダーラ、どこかにあるユートピア
どうしたら行けるのだろう、教えてほしい

（ゴダイゴ「ガンダーラ」作詞：山上路夫ほか、作曲：タケカワユキヒデ）

この曲は、一九七八～七九年に放映された日本テレビ系ドラマ『西遊記』のエンディング・テーマとして流れたものである。ガンダーラと言えば仏教の聖地だが、たとえ仏教への信仰がなくとも、この曲は心に染みてくる。それはこのガンダーラへの仰望《ぎょうぼう》が仏教徒だけでなく、誰の心の中にもある聖地への渇望《かつぼう》を呼び覚ますからであろう。

たとえ特定の宗教を持たなくとも、誰もが心に聖地を持っている。これが、聖地を考える上で重要であり、聖地がきわめて魅力的な視座である理由だ。かつて聖地についての建造物・遺跡・文献を広く渉猟した植島啓司《うえしまけいじ》が「聖地に

は宗教以前の深層に起源があるとしか思えない」（『聖地の想像力』集英社新書＊1）と述べたのはまさにこのことであるし、本巻・第5部第4章「金剛山《こんごうさん》像」で龍野沙代が、宗教宗派を超えて神聖視されてきた朝鮮の金剛山の姿を浮き彫りにしたのも、この点に相通じる。

また「その国の名は」「ユートピア」とあるように、聖地は自らの「国」に代表される共同体や日常を超えた何かである。自らの共同体・日常では満たされぬ何かをかなえてくれるのが聖地なのである。本巻・第5部の諸章で「五台《ごだい》山《さん》文殊《もんじゅ》」（第1章）「普陀《ふだ》山《さん》の観音」（第2章）「文芸化された泰山《たいざん》」（第3章）が中国の周辺国家（とくに日本）から仰望された姿はまさにそれを示している。

この、聖地は宗教と共同体（日常）を超えたものというテーゼは、聖地を考える上での肝《きも》であろう。ここでは、そうした聖地の原理が近代にいたってどのような変貌を遂げたかについて考えたい。

2　光圀の媽祖、斉昭の弟橘姫

二〇一二年に上梓した拙著『冒険・淫風・怪異―東アジアの古典小説』（笠間書院）中の「東アジアとは何か―光圀《みつくに》の媽祖《まそ》、斉昭《なりあき》の弟橘姫《おとたちばなひめ》」において、東アジアの海神媽祖が日本でどう受容・展開され近代に入っていったかについて、茨城県にある海神を祀る神社を例にして考察した。ここから改めて話をしたい。

現在、茨城県内の海岸には二つの弟橘姫神社がある【図1】。一つは北茨城の磯原、もう一つは海水浴場として有名な大洗《おおあらい》である。両方ともに景勝地であり、海上からのヤマアテ（自らの位置を測定しやすい山容）として際立った場所にある。漁師を中心に海の民から海路安全・豊漁を祈願するために信奉された聖地であった。

弟橘姫とは『古事記』に出て来るヤマトタケルノミコト（倭建命）の妻である。タケルが東征中に走水《はしりみず》（いまの東京湾の浦賀水道）で海神の怒りに触れ進退きわまった時、入水することでタケル一行を救ったのが弟橘姫であった。その姫の勇気と慈悲の行動が、走水を中心にした地域・海域で姫を海の女神として押し上げた。

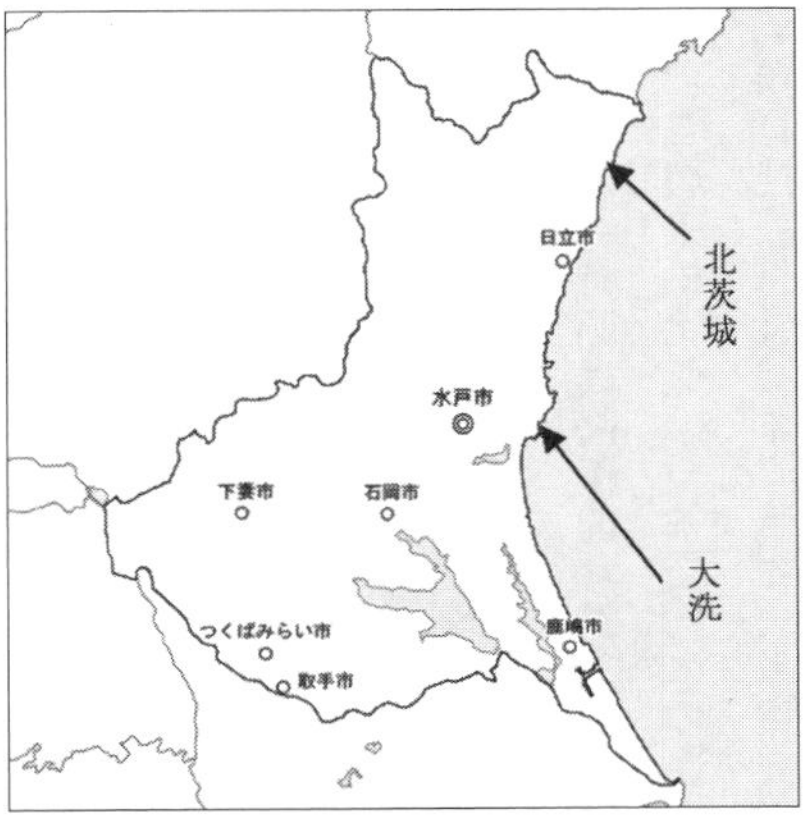

茨城県の地図（二つの弟橘姫神社）

図１　大洗・弟橘比賣神社（元天妃神社・染谷撮影）

この二つの神社の祭神は、最初、弟橘姫（媛・比売）ではなく媽祖であった。元禄三年（一六九〇）、中国・明の僧侶である心越《しんえつ》禅師が、日本に持ち来たったと言われる媽祖の像を、海運の安全を祈願するために、水戸藩二代藩主の徳川光圀がこの大洗と北茨城に安置して神社を建てたのである（『壽昌山《じゆしようざん》祇園寺縁起』『桃源遺事《とうげんいじ》』『新編常陸国誌《ひたちこくし》』等）。ところが、その後の天保二年（一八三一）、水戸藩九代藩主の徳川斉昭が、光圀の祀った媽祖像を引き下げ、弟橘比売（オトタチバナヒメ）を祀ったのである（「乍恐以書書附御訴奉申上候事」）。

旧稿でも強調したように、この祭神交替劇は江戸時代の日本人の対外意識、国際感覚を考える上できわめて重要な問題を提起する。すなわち、中世から近世初期までの日本にあった〈東アジア〉への意識が、近世末から近代（明治期）にかけて日本という国家そのものに向かったのである。この意識を覚醒・醸成したのが、江戸末期の欧米列強による日本や東アジアへの威嚇であったことは言うまでもない。

しかし、この斉昭の媽祖→弟橘の祭神交代はすんなりと受け入れられなかった。それはこの弟橘姫神社を現在でも「天妃《てんぴ》山」と呼んでおり、媽祖への信仰が根強く残っているからである。[*2]

この理由は漁師や現地の民でなくともすぐにわかる。日本近海は東アジアの海であり、媽祖は東アジアの海の女神・守護神だからだ。日本の漁師たちが媽祖を信奉したのは、本巻の第一部「東アジアの往還」でも大きなテーマとなっているように、島国日本での航海は常に漂流の危険があり、その漂流先で我が身を救ってくれるのは日本の神でなく東アジアの神だからである。この「天妃山」の周辺、そして茨城県は言うに及ばず、日本の海岸・湖岸には水神の祠《ほこら》がおびただしくあった。近海の海難・水難であれば、そうした地元の神でよかったが、漂流したらそうはいかない。「天妃」たる媽祖が信仰を集めたのは、そうした東アジアの原理が働いたからだ。そんな当たり前の感覚が斉昭には欠如していたということになる。

3　聖地／遊興／交通

むろん、斉昭は高圧的な君主ではない。常に領民の意識に立とうとしたことは、農人形の逸話*3一つ見てもよくわかる。この弟橘比売の祭神交代についても、領民・船乗りへの配慮を忘れていない。それをよく示すのは、斉昭が大洗の弟橘比賣神社のすぐ脇に一大遊興施設を建設しようとしていたことである。茨城県大洗の弟橘比賣神社の地は交通の要衝であったが、そのためもあって神社のすぐ隣の祝町《いわいまち》には遊里があった。この遊里の経営権は近くの願入寺《がんにゅうじ》のものとされていたが、斉昭は願入寺から経営権を取り上げた上でほかに移し、この跡地に一大遊興施設を作ろうという計画を立てた(『水戸市史』中巻)。後掲したのは斉昭自筆の計画図【図2】で、かなりの広さを確保しているが(実測図に合わせてみれば、縦二百メートル、横三百メートル程度)、重要なのは、図の右側に太く「芝居」と書き込んである点である、すなわち、祝町のような遊里を大きくしただけでなく芝居を取りこんだのである。芝居は遊里と違って女性たちも楽しむことが可能だ。誰もが楽しめる空間にしようというのが斉昭の狙いだったと想像できる。

結局、この計画は斉昭の失脚によって実現しなかったが、実現していれば、島原・新町・吉原など三都の遊郭を超える総合遊興施設になっていたはずである。斉昭がなぜこうした施設を計画したのかは、『水戸市史』に「土地の繁昌、士民の遊楽」とあるように、第一に藩の内需拡大、第二に藩内の民心慰撫《いぶ》であったと考えられる。民心の慰撫と言えば日本三公園の一つである偕楽園《かいらくえん》も斉昭の造園であった。偕楽園と合わせれば、昼夜・雅俗分かたぬ人心の慰撫を斉

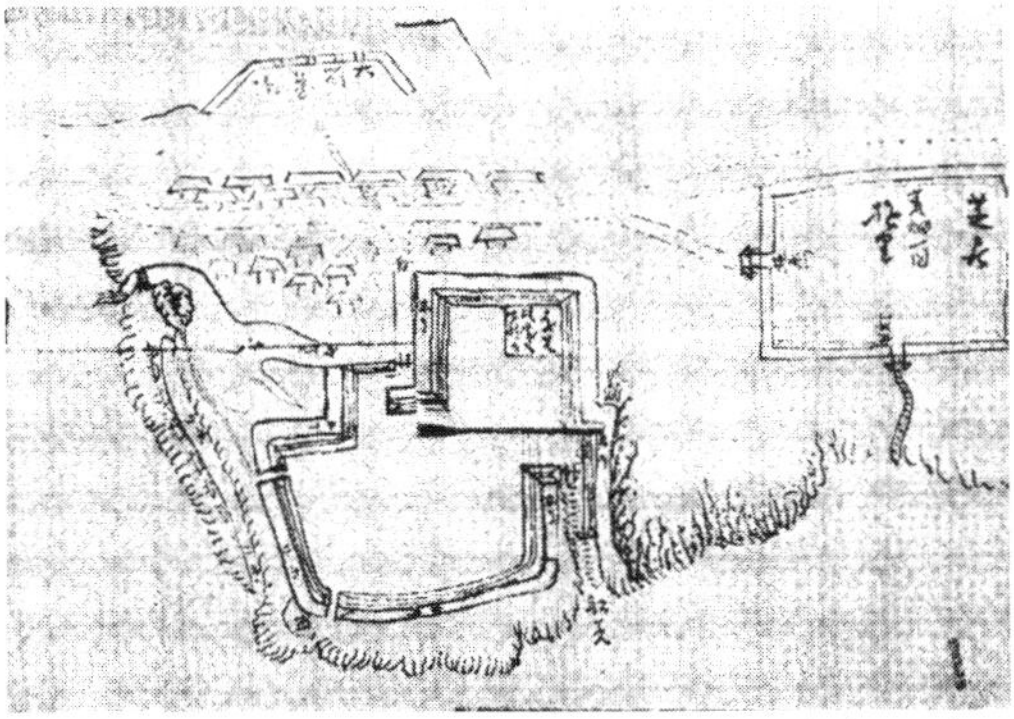

図２　遊興地計画図（斉昭自筆）（『水戸市史』中巻（三）より）

昭はめざしたと理解できる。

こうした庶民の目線を忘れなかった斉昭から、東アジアの視点が欠如していたのは深刻である。それほどまでに当時の欧米列強の日本への圧迫が衝撃的であったのだろう。言うまでもなく、この斉昭の東アジア欠如は、明治以降の日本の舵《かじ》取りをした政治家・文化人たちの思考にも色濃く影を落としてゆく。

いま、斉昭の聖地建立に遊興施設が付随したことについて述べたが、かつて栗田勇が聖地の聖性について「禁欲的で純粋なものでなく（中略）非常に官能的なもの」と喝破したように[*4]、「聖」なるものは「性」「俗」「金銭」とアマルガム（合金）であった。しかし重要なのは聖地の場合、それは人々の動き、交通と深く結びついていることである。

大洗が交通の要衝であったことは先に述べたが、北茨城の磯原も同様で、すぐ傍には天然の良港として名高い平潟《ひらかた》があり、そこには遊里があった。さらには、この平潟と大洗は東北から物資を船で運ぶ中継地点であり、北浦や銚子で川船に積み替えて江戸へと向かう。さらに、この北浦や銚子から江戸への航路には、鹿島神宮や香取神社があり聖なる空間を作りだしていたが、またその付近には潮来《いたこ》を中心に遊里や遊興施設が多数存在していた。

４　近代の鉄道と聖地

聖地とは決して人跡未踏の別天地ではなく、むしろ人々が行き交い、聖俗の交錯する場所であった。江戸時代まで、その聖地への交通を支えたのは徒歩（お伊勢参り等）や船（金毘羅《こんぴら》、鹿島等）であった。明治以降、それが鉄道に代わった。その鉄道の歴史に関してさまざまな言説があるが、鉄道が当初、聖地巡礼の役割を大きく担っていたことはあまり知られていない。

この点を詳述しているのが鈴木雄一郎の『電鉄は聖地をめざす―都市と鉄道の日本近代史』（講談社メチエ）[*5]である。鈴木は「近代大都市の形成に鉄道が大きな役割を果たしたのは、日本だけでなくアメリカやヨーロッパ諸国でも同じだ。ただ、異なる点も少なくない。その一つが、日本の電鉄は必ずしも通勤鉄道として建設されたわけではないということだ。初期の電鉄の中には、当初は神社仏閣への参詣を目的とした参詣電車として建設されたものも少なくない」として、明治中期以降の日本における鉄道開発のありさまを丁寧に追っている。それによれば、現在では都市と近郊を結ぶ名だたる電鉄会社が、スタート当時は寺社参詣を大きな輸送目的としていた（たとえば阪急―箕面の勝尾寺・清荒神《きよしこうじん》清澄寺、京成―成田山新勝寺、京浜―川崎大師、東急―池上本門寺）。とくに驚かされるのは、電鉄モデルとして阪急を作り上げ、東急の五島慶太《ごとうけいた》や西武の堤康次郎《つつみやすじろう》を心酔させた小林一三《こばやしいちぞう》が、当初は社寺参詣を目的とする遊覧電車に力を入れていたことだ。そしてさらに注意しなくてはならないのは、こうした日本の電鉄が寺社周辺の遊興エリア（温泉・遊郭など）を視野に入れていたことである。

要するに日本近代の鉄道は、江戸時代の徒歩・船による聖地巡礼をうまく受け継いだのであった。国の事業としてスタートした鉄道（新橋―品川間・一八七二年）ではあったが、民間の意識と民間企業、そして国策とがうまく啐啄《そったく》して、無理なく鉄道網を広げることができたのである。ところが、この延長線上にある台湾や朝鮮といった植民地での鉄道網の展開を見ると、そこでは鉄道事業の明暗がはっきりと分かれる結果となった。

この植民地鉄道については、曽山毅《そやまたけし》『植民地台湾と近代ツーリズム』、高成鳳《コウソンボン》『植民地の鉄道』、老川慶喜《おいかわよしのぶ》『近代日本の鉄道構想』、鄭在貞《チョンジェジョン》『帝国日本の植民地支配と韓国鉄道』[*6]等の成果が備わる。これらを読むと、鉄道事業が当地でどう受け入れられたか、台湾と朝鮮ではかなり違っていたことがわかる。曽山毅の該書によれば、台湾では寺廟（とくに媽祖廟）参拝がきわめて盛んであった。曽山が「寺廟参拝に多大な利便性を提供し、参拝者の増大に貢献した鉄道」[*7]と指摘したように、日本資本によって敷設された公私の鉄道が寺廟参拝に多く利用されたらしい。ちょうど明治中期以後の日本近代鉄道と同じ状況が出現していたと思われる。ところが、朝鮮については、台湾のように鉄道が民衆に受け入れられた形跡がほとんどない。朝鮮での鉄道事業の展開については、高の該書にある次の言葉に集約される。

時代が進むに連れ、朝鮮人の鉄道利用も絶対的には増加していったと考えられるが、鉄道が日本の軍事的動機から一気に導入され、その後も大陸への通過路確保という性格から、鉄道と地域とのつながりが相対的に希薄なまま推移したことは、鉄道そのものがもたらす普遍的な交通近代化の影響からも、結果的には朝鮮民衆を遠ざけることになったのは否めず、植民地支配をめぐる評価にも複雑な影を落とし続けている。[*8]

稿者も、韓国のさまざまな土地を旅した経験があるが、名所旧跡地や観光地に旅するのに鉄道があまり役立たないことにたびたび不便と奇異を感じたことがあった。否、役に立たないばかりか、名所旧跡の近くを通っているのに、それを無視するかのように山中を走ったりもしていた。軍事的脅威を避けるという意図からすれば、それは当然なのだが、植民地朝鮮の鉄道が、日本や台湾のような、国と民間のような啐啄、聖地との交流を良導しなかったことだけは確かである。

5 結語

台湾の鉄道敷設にあった聖地への視点が、なぜ朝鮮ではなかったのか。ここでそれを考える余裕はないが、現代でも、植民地期の朝鮮半島で行われた日本の鉄道敷設が、朝鮮の近代化に何をもたらしたか、その功罪について盛んに議論されている。また周知のように、現代の台湾と朝鮮の対日感情には大きな温度差がある。とすれば、この聖地の問題は、現代にそのままつながる可能性がある。[*9]

同時に、「はじめに」でも述べたように、聖地は宗教や共同体（国家・民族）を超える存在である。言うまでもなく、いまの東アジアにはさまざまな問題があり、それを乗り越えるためには、宗教・国家・民族の枠を超えた視点が求められている。聖地の問題、とくに本第5部の諸章で取り上げた東アジアの聖地とは何か、その聖地と日本等の周辺諸国の関係はどうあったのかは、そうした視点を設定する上でさまざまな示唆を与えてくれるはずである。

注

1 植島啓司『聖地の想像力』集英社新書、六章「巡礼」、二〇一八年。

2 現在、北茨城の弟橘姫神社は媽祖との合祀という形をとっている。斉昭が媽祖を嫌ったことは資料等から明らかであるので、この合祀は媽祖への信仰が地元では強かった証とみることができよう。

3 斉昭は農民を模した素焼きの人形を作り、朝夕の食事に食膳に置いて農民や国土に感謝の念を忘れなかったと伝わる。

4 杉山二郎・栗田勇・佐々木宏幹「聖地のコスモロジー」、『現代宗教』三、特集「聖地」、一九八〇年。

5 鈴木勇一郎『電鉄は聖地をめざす―都市と鉄道の日本近代史』講談社メチエ、二〇一九年。

6 曽山毅『植民地台湾と近代ツーリズム』(青弓社、二〇〇三年)、高成鳳『植民地の鉄道』(日本経済評論社、近代日本の社会と交通9、二〇〇六年)、老川慶喜『近代日本の鉄道構想』(日本経済評論社、近代日本の社会と交通3、二〇〇八年)、鄭在貞『帝国日本の植民地支配と韓国鉄道』(明石書店、二〇〇八年)。

7 注6曽山の該書三〇一頁。

8 注6高の該書八九頁。

9 注6の該書において、高は朝鮮における鉄道敷設の一番の問題は、朝鮮の人民がこの鉄道敷設に主体的にかかわれなかった点にあるとして、日本側からよくなされる「「近代化してあげたのに」感謝されないのは心外といった趣旨の反論が(日本側から)しばしばなされる」ことに再考を促している(二二六頁)。

06 反逆者たちの聖地

丸井貴史

1 はじめに

反逆者――国家や主君に背く者。身を潜めつつ時代の裏街道を行く彼らにとって、人生は決して平穏なものではない。そうした彼らの波乱に満ちた日々を、東アジアの文学は古来多く描いてきた。

2 中国――水滸伝

その中で最も広く知られているのは、中国の『水滸伝《すいこでん》』であろう。一〇八人の豪傑が梁山泊《りょうざんぱく》に集結し、別天地を形成する物語である。梁山泊は山東《さんとう》に実在した水郷で、『水滸伝』の時代である宋代には多くの盗賊が跋扈《ばっこ》した。では、『水滸伝』の豪傑たちはなぜ世を捨て、この山に入らねばならなかったのか。その一つの典型を、八十万禁軍教頭の林冲《りんちゅう》に見よう。

林冲夫妻が嶽廟《がくびょう》へ参詣に来たところ、妻がある男に横恋慕される。不運なことに、その男は政権を牛耳っている奸臣高俅《こうきゅう》の養子高衙内《こうがない》であった。高俅は息子の恋を叶えるため、林冲を無実の罪に陥れ、折を見て殺害しようとする。しかし計画は失敗し、逆に林冲が高俅の腹心を殺してしまう。殺人犯となった林冲は、こうして世間に居場所を失い、滄州《そうしゅう》の富豪柴進《さいしん》の勧めによって梁山泊へと向かうのである。ちなみに柴進もまた、後に高俅のいとこ高廉《こうれん》の義弟殷天錫《いんてんしゃく》を殺した罪を着せられ、拷問で死にそうになっていたところを梁山泊軍に救われる。

このように梁山泊の豪傑の中には、高俅のために世を逃れざるを得なくなった者が少なくない。彼らの憎悪の対象は、言うまでもなく高俅をはじめとする高級官僚、そしてその奸臣らによる政治である。梁山泊のスローガン「替天行道《たいてんこうどう》」は、そうした巨悪の一掃を目指すものにほかならない。ただし注意せねばならないのは、それが国家への反逆と同義ではないということである。事実、総大将の宋江《そうこう》は一貫して朝廷への帰順を願っており、帰順が認められた後、彼らは官軍となって各地の反乱軍を討伐する。

しかし彼らは、世間とは秩序の異なる地に身を置くことで、その存在を許されていた者たちである。朝廷に降り、梁山泊という聖域を放棄したとき、彼らを待ち受けていたものは何であったか。それは奸臣からの憎悪の視線にほかならない。彼らは遼《りょう》征伐と方臘《ほうろう》討伐によって疲弊させられ（百二十回本ではさらに田虎《でんこ》・王慶《おうけい》討伐の話が加わる）、挙句の果てには高俅らにより、副将盧俊義《ろしゅんぎ》と総大将宋江が毒殺される。国家に対する彼らの忠義は確かに各地の反逆者たちを殲滅《せんめつ》したが、皮肉なことに、それは奸臣の心に安寧をもたらすものであった。腐敗した社会の中に、梁山泊を捨てた彼らの居場所はなく、用が済めばいともたやすく踏み潰されるほかなかったのである。

明末の批評家金聖嘆《きんせいたん》は、梁山泊軍のごとき山賊集団が国を守るという設定を嫌い、彼らが朝廷の招安をうける第七十一回の半ば以降をすべて切り捨て、七十回本『水滸伝』を作った。それは原作から「忠義」の要素を完全に排するものであり、さらに盧俊義の夢の中で一〇八人が一斉に斬首されるという結末までもが加えられた。無論、金聖嘆の意図は反逆者たる梁山泊軍の断罪にあったわけだが、梁山泊を枕に同志揃って迎える最期と、奸臣に使い捨てられる「忠義」のための死と、彼らにとってどちらが幸福であっただろうか。

3　日本——本朝水滸伝

建部綾足《たけべあやたり》『本朝《ほんちょう》水滸伝』【図1】は、日本における『水滸伝』の影響作のうち、初期段階に位置するものである。前篇は安永二年（一七七三）刊。後篇は写本でのみ伝わり、作者の死により未完に終わった。

時は孝謙《こうけん》帝の御代。道鏡《どうきょう》は帝の寵愛を楯に専横を振っていた。それに反発する者たちが中央政権に対抗する勢力を結集しようとするところから、この物語は動き出す。

興味深いのは、反逆者たちの顔ぶれである。まず橘《たちばなの》諸兄《もろえ》と子の奈良麻呂《ならまろ》が官を辞して野に下る。ついで恵美《えみの》押勝《おしかつ》が三尾崎《みおがさき》に立て籠り、道祖《ふなど》王が居館を抜け出し、塩《しお》焼《やき》王も不破《ふわ》内親王とともに姿を消す。彼らは反道鏡の旗の下に連帯するが、史実において奈良麻呂と押勝は政敵であったし、そもそも道鏡が帝の寵を得る前に、諸兄も道祖王も歿している。本作の世界は史実を超越したところに成立しているというべきであろう。

　さて、三尾崎で官軍に敗れた押勝は伊吹山《いぶきやま》に拠点を構える。そして七人の兵を各地に派遣して勢力の結集を図り、自らもまた東国に向かう。一方、奈良麻呂は泰澄《たいちょう》のいる白山《はくさん》に入り、ここもまた反道鏡の拠点の一つとなる。

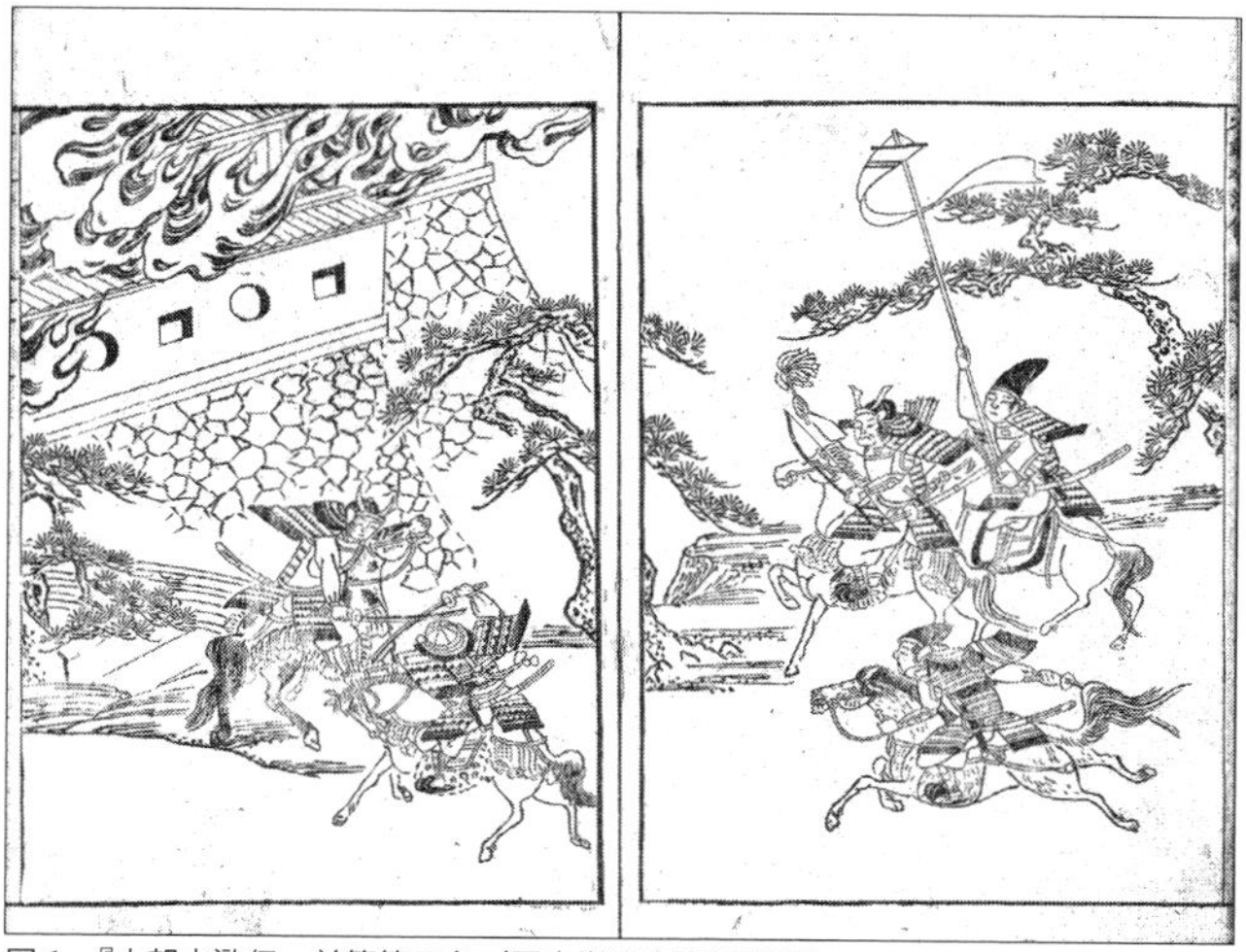

図１『本朝水滸伝』前篇第四条（国文学研究資料館蔵）

　意外なのは、官軍と反逆者たちの戦闘がこの後ただ一度しか描かれないということである。その戦いでは大伴《おおともの》書持《ふみもち》を大将とする官軍が白山に出兵し、副将平群駒丸《へぐりのこままる》が討死、書持も戦闘中に切腹する。実は書持は出陣前に光《こう》明《みょう》皇后から反乱軍に義のあることを暗示され、その意を汲んで心を彼らに寄せていた。そして書持は死して霊となり、押勝に味方するよう兄家持《やかもち》を説得する。

　史実の家持は藤原良継《ふじわらのよしつぐ》らとともに押勝暗殺を計画しており、両者の連携は本来あり得ないことである。しかし書持の死によって、およそ相容れないはずの二人は手を結ぶことになる。すなわちこの唯一の戦闘は、反乱軍の勢力拡大のために不可欠なものであったといえよう。そして本作に一貫して描かれるのも、彼らが版図《はんと》を広げていく過程そのものにほかならない。伊吹山から各地に飛んだ七人の男たちは、紀伊・武蔵・陸奥・土佐などに仲間を得て、日本列島全土から都を包囲しようとする。さらに押勝は蝦夷《えみし》の棟梁カムイボンデントビカラを従え、遣唐大使藤原清川《ふじわらのきよかわ》はなんと楊貴妃《ようきひ》を味方につける。こうして大和政権の統治下にはない者たちまでもが、反乱軍に加わっていく。

遺憾なことに本作は第五十条で中絶しており、中央政権と反乱軍の戦いがどのように展開していくのかは不明である。史実と距離を置く本作の結末を、史実に基づいて推測することも無意味であろう。後篇末尾に続篇の目録が残り、第七十条までの構想はかろうじて理解されるが、この戦いにはほとんど進展がなさそうである。

では、本作が描き出しているものとは何なのか。それはやはり、都を追われた政治的な敗者たちが鎖状に結びついていく過程であろう。その根拠地は伊吹山・白山という二山の霊峰であるが、第一条において百に折った柘《つみ》の枝を吉野の川に流した仙女が、「此《この》百段の枝《え》は只今《たゞいま》の間《あひだ》に世《よ》にいきわたりて、百人のひとゝ生《うま》れ出《いで》ん」と言い、さらに「終《つひ》には我々《われ〱》が住《す》む山に来《きた》り集《あつまら》ん」と述べていることに鑑みれば、反乱軍はいずれ吉野山に集結するものと思われる。あえて『水滸伝』に引きつけて考えれば、吉野は梁山泊のごとき聖地として彼らを守るはずである。

はたして綾足は、彼らの運命をいかに描こうとしていたのか。歴史を振り返ってみれば、古人大兄皇子《ふるひとのおおえのみこ》が謀叛を疑われて死んだ地も、そして大海人皇子《おおあまのみこ》が政権掌握の足がかりとした地もまた吉野であった。

4　朝鮮——洪吉童伝

朝鮮半島に住む人々の誰もが知る英雄洪吉童《ホンギルトン》。その活躍を描いたのが、許筠《ホギュン》作と考えられる『洪吉童伝』である。しかしこの作品には異本が多く、諸本間における内容の相違もはなはだしい。これは多くの物語作者が彼の活躍に参与しようとした結果であるが、本コラムでは現存最古のテクストと考えられる金東旭《キムドンウク》八十九章本を利用する。

ここまでに取り上げた二作は、多くの豪傑が結集して中央政権に抵抗する物語であったが、『洪吉童伝』はそうではない。書名が示すとおり、ここに描かれるのは洪吉童という一人の男の戦いである。では、彼は何と戦ったのか。

吉童は宰相洪《ホン》某と春蟾《チュンソム》との間に生まれた。才貌兼備、武の道にも優れていたが、彼の不幸は母が洪家の下女であったことである。当時の朝鮮においては、母の身分が賤しければ立身はかなわず、その現実は兵曹判書《ピョンジョパンソ》となって国に尽くすことを望む吉童に絶望をもたらした。それゆえに彼は、いっそ不義に身を投じ、悪名を残す方がよいと考えるのである。そしてある晩、父の妾が自らの殺害を謀ったことを契機についに家を出る。父母を愛する吉童にとって悲しい出奔であったはずだが、このとき彼は、一人の英雄として生きる機会を得たことになる。

泰小白山《テソベクサン》の盗賊を従え首領となった吉童は、手始めに海印寺《ヘインサ》の僧たちが不当に蓄えていた財宝を強奪する。そして自らの集団を「活貧党《ファルビンダン》」と名付けると、以後、義賊的活動を展開するようになる。当然ながら朝廷からは討伐軍が差し向けられるが、吉童は決して手荒な抵抗はしない。彼の戦いは国家に対してのものではなく、彼に彼自身として生きることを許さない社会への反逆にほかならなかったからである。

そうした吉童の思いを理解したのは、ひとり国王のみであった。王は吉童に兵曹判書の位を与え、追捕の命令も取り消した。しかし吉童の才智を賞賛し、その忠誠心に心打たれる国王を見て、諸臣は嘆くばかりである。既得権益のもとに身分を保障される者たちは、決して制度・慣習・価値観の変革を認めない。政治の実権を握るのがそうした者たちである以上、吉童の生きる場所は朝鮮国内には存在しない。吉童に残された道は、国外に自らの居場所を手に入れることだった。そして海洋の孤島律島《ユルド》国を征服・統治するのである。

吉童は王として余生を律島国で過ごした。それは確かに安寧の地であったろう。一方で、祖国に切り捨てられた苦い記憶とともにその地があるのも確かなことと思われる。誰よりも祖国を愛した吉童は、律島国にいかなる思いを抱いていたのであろうか。

反逆者――秩序の外に生きる場所を見出す者。彼らが求め続けたものは、抑圧からの解放である。それが善か悪かはまた別の話となるが、少なくとも多くの民衆が彼らに共感を寄せ、彼らの物語に熱狂したことは疑い得ない。その意味において、彼らの反逆は確かに大衆を巻き込むものであったのである。

まさに天下は一大戯場。江湖《こうこ》を舞台に大暴れして、幕が下りれば彼らは静かに去っていく。そうした彼らの生きざまを受け入れる場所として、それぞれにそれぞれの聖地はある。

執筆者一覧

掲載順①現職②専門③主要著書・論文

編著者◉染谷智幸　→奥付

小峯和明（こみねかずあき）
①立教大学名誉教授、中国人民大学高端外国専家
②日本中世文学、東アジア比較説話
③『説話の森―中世の天狗からイソップまで』（岩波現代文庫、二〇〇一年）、『中世日本の予言書―〈未来記〉を読む』（岩波新書、二〇〇七年）、『遣唐使と外交神話』（集英社新書、二〇一八年）

鈴木 彰（すずきあきら）
①立教大学文学部教授
②日本中世文学
③『平家物語の展開と中世社会』（汲古書院、二〇〇六年）、『いくさと物語の中世』（共編著、汲古書院、二〇一五年）、『島津重豪と薩摩の学問・文化―近世後期博物大名の視野と実践』（共編著、勉誠出版、二〇一五年）

水谷隆之（みずたにたかゆき）
①立教大学教授
②日本近世文学
③『江戸吉原叢刊〈第4巻〉遊女評判記4・貞享～正徳』（編著、八木書店、二〇一一年）、『西鶴と団水の研究』（和泉書院、二〇一三年）、「『好色一代男』巻四の二「形見の水櫛」考―『伊勢物語』古注釈との関係」（『江戸の学問と文藝世界』森話社、二〇一八年）

水口幹記（みずぐちもとき）
①藤女子大学教授
②東アジア文化史
③『日本古代漢籍受容の史的研究』（汲古書院、二〇〇五年）、『古代日本と中国文化―受容と選択』（塙書房、二〇一四年）、『前近代東アジアにおける〈術数文化〉』（編著、勉誠出版、二〇二〇年）

空井伸一（うついしんいち）
①愛知大学教授
②日本近世文学、仏教文化
③「「浅茅が宿」の「烈婦」―「玉」として砕ける宮木」（『国語と国文学』95―12、二〇一八年十二月）、「連帯する「孤独」―「菊花の約」の「友」」（『文学論叢』157、二〇二〇年二月）、『「国文学」の批判的考察―江戸のテキストから古典を考え直す』（文学通信、二〇二〇年）

岡 美穂子（おかみほこ）
①東京大学大学院准教授
②中近世移行期の対外関係史
③『商人と宣教師 南蛮貿易の世界』（東京大学出版会、二〇一〇年）、『大航海時代の日本人奴隷』（共著、中央公論新社、二〇一七年）

高橋博巳（たかはしひろみ）
①金城学院大学名誉教授
②近世文人研究
③『京都芸苑のネットワーク』（一九八八年）、『江戸のバロック―徂徠学の周辺』（一九九一年）、『画家の旅、詩人の夢』（二〇〇五年、以上ぺりかん社）

島村幸一（しまむらこういち）
①立正大学教授
②琉球文学
③『琉球文学の歴史叙述』（勉誠出版、二〇一五年）、『おもろさうし研究』（角川文化振興財団、二〇一七年）、『琉球船漂着者の「聞書」世界―『大島筆記』翻刻と研究（叢書・沖縄を知る）』（勉誠出版、二〇二〇年）

金 英順（きむよんすん）
①立教大学兼任講師
②日本中世文学、東アジアの比較文学
③『海東高僧伝』（編著、平凡社、二〇一六年）、「東アジアの入唐説話にみる対中国意識―吉備真備・阿倍仲麻呂と崔致遠を中心に」（『アジア遊学』197、勉誠出版、二〇一六年）、『シリーズ日本文学の展望を拓く

第一巻　東アジアの文化圏』（編著、笠間書院、二〇一七年）

鄭　敬珍（じょんきょんじん）

①檀国大学日本研究所ＨＫ研究教授（韓国）
②近世日韓比較文化
③「一七六四年の朝鮮通信使からみる庶孼文人―「蒹葭雅集図」制作の過程と大坂文人たちとの交遊」（『日本研究』52、二〇一六年三月）、「《蒹葭雅集図》にみる文人世界―18世紀の日韓文人が共有した空間」（『国際日本学』14、二〇一七年一月）、『交叉する文人世界―朝鮮通信使と蒹葭雅集図にみる東アジア近世』（法政大学出版局、二〇二〇年）

角南聡一郎（すなみそういちろう）

①神奈川大学准教授
②仏教民俗学、物質文化研究
③「寺院に伝わる怪異なモノ―仏教民俗学の視座」（『アジア遊学』239、二〇一九年）、「さまざまなモノ研究と民俗学」（『日本民俗学』300、二〇一九年）、「尾張の道場法師伝承―その痕跡に着目して」（『元興寺文化財研究所 研究報告二〇一九』二〇二〇年）

宮﨑晶子（みやざきあきこ）

①茨城キリスト教大学准教授
②東南アジア美術史
③「アンコール期の地方遺跡における観世音菩薩像の役割―『カーランダヴューハ・スートラ』を出典とする彫像を中心に」（『東南アジア考古学』28、二〇〇八年）、「十〜十一世紀における宗教と社会体制―アンコール王朝最大版図へのあゆみ」（『佛教藝術』337、二〇一四年）

菊地章太（きくちのりたか）

①東洋大学教授
②比較宗教史
③『位牌の成立―儒教儀礼から仏教民俗へ』（東洋大学出版会、二〇一八年）、『東アジアの信仰と造像』（第一書房、二〇二〇年）

宮腰直人（みやこしなおと）

①同志社女子大学准教授
②語り物文芸、奈良絵本・絵巻
③「弁慶の地獄破り譚考：島津義久と語り物文芸の関わりから」（『文学』13-5、二〇一二年九月）、「南奥羽地域における古浄瑠璃享受―文学史と語り物文芸研究の接点を求めて」（日本文学の展望を拓く『文学史の時空』笠間書院、二〇一七年）

杉山和也（すぎやまかずや）

①青山学院大学・順天堂大学・鶴見大学非常勤講師
②説話・説話研究史・南方熊楠
③『南方熊楠と説話学』（平凡社、二〇一七年）、『熊楠と猫』（共著、共和国、二〇一八年）

朴　知恵（ぱくちえ）

①明治大学兼任講師、立教大学日本学研究所研究員
②平家物語、崔陟伝
③「延慶本『平家物語』に於ける女人往生」（『文学研究論集』48、二〇一八年二月）、「『崔陟伝』紹介―韓国における先行研究を踏まえて」（『古代学研究紀要』26、二〇一八年六月）

菊地　仁（きくちひとし）

①山形大学名誉教授
②日本古代中世文学
③『職能としての和歌』（中世文学研究叢書11）』（若草書房、二〇〇五年）、「見返る西行―伝承・絵画から和歌へ」（『西行学』4、二〇一三年八月）、「説話と和歌とはいかに結びつくか―『十訓抄』三舟譚の周辺」（『中世文学』63、二〇一八年六月）

志賀市子（しがいちこ）

①茨城キリスト教大学教授
②文化人類学、中国宗教研究
③『〈神〉と〈鬼〉の間：中国東南部における無縁死者の埋葬と祭祀』（風響社、二〇一二年）、『香港道教與扶乩信仰』（原著、訳校、香港中文大学出版社、二〇一三年）、『潮州人：華人移民のエスニシティと文化をめぐる歴史人類学』（編著、風響社、二〇一八年）

小俣喜久雄（おまたきくお）
①大葉大学教授（台湾）
②台日民俗信仰、日本近世文学
③『一中節の基礎的研究』第一巻　正本集（共編、勉誠出版、一九九九年）、『初代都太夫一中の浄瑠璃―音曲に生きた元住職』（新典社、二〇一〇年）、『台湾・開台聖王鄭成功主神廟の研究』（致良出版社、二〇一六年）

福　寛美（ふくひろみ）
①法政大学沖縄文化研究所兼任所員、法政大学兼任講師
②琉球文学、民俗学、神話学
③『歌とシャーマン』（南方新社、二〇一五年）、『奄美群島おもろの世界』（南方新社、二〇一八年）、『新うたの神話学』（新典社、二〇一九年）

澤井真代（さわいまよ）
①日本学術振興会特別研究員
②民俗学、沖縄研究
③『石垣島川平の宗教儀礼―人・ことば・神』（森話社、二〇一二年）、「沖縄の御嶽」（『大島半島のニソの杜の習俗調査報告書　資料編』二〇一八年）、「「シマ宇宙」への通路―宮古、南洋、八重山」（『沖縄文化研究』47、二〇二〇年）

黄　暁星（こうぎょうせい）
①広東技術師範大学講師（中国）
②比較文学と異文化研究、日中交流史
③「明清時代の中琉交流における福建の機能と役割」（『日本言語文化研究』延邊大学、二〇一六年）、「明代嘉靖年間日本遣明使在宁波的文化交流活動―以策彦周良的「初渡集」為例」（『大衆文芸』二〇一八年一月）、「中医薬在琉球的伝播与异域医薬文化交流」（『比較文学と比較文化論叢』二〇一九年八月）

酒井正子（さかいまさこ）
①川村学園女子大学名誉教授
②奄美沖縄の歌文化研究。とくに歌謡の生成と伝承をめぐって
③『奄美歌掛けのディアローグ～あそび・ウワサ・死～』（第一書房、一九九六年）、『奄美・沖縄　哭きうたの民族誌』（小学館、二〇〇五年）、「禁止から尊重、奨励へ～奄美のシマ言葉の変遷」（『口承文芸研究』41、日本口承文芸学会、二〇一八年）

森田雅也（もりたまさや）
①関西学院大学教授
②日本近世文学
③『西鶴浮世草子の展開』（和泉書院、二〇〇六年）、『島国文化と異文化遭遇：海洋世界が育んだ孤立と共生』（編著、関西学院大学出版会、二〇一五年）、『古川柳入門』（監修、同、二〇一七年）

松浦史明（まつうらふみあき）
①上智大学アジア文化研究所客員所員
②東南アジア前近代史
③「真臘とアンコールのあいだ―古代カンボジアと中国の相互認識に関する一考察」（『上智アジア学』28、二〇一〇年）、「刻文史料から見たアンコール朝の仏教とその展開」（肥塚隆編『アジア仏教美術論集　東南アジア』中央公論美術出版、二〇一九年）、「仏教王ジャヤヴァルマン七世治下のアンコール朝」（千葉敏之編『歴史の転換期4　一一八七年：巨大信仰圏の出現』山川出版社、二〇一九年）

中島楽章（なかじまがくしょう）
①九州大学人文科学研究院准教授
②中国社会史、東アジア海域史
③『明代中国の紛争と秩序―徽州文書を中心として』（汲古書院、二〇〇二年）、『徽州商人と明清中国』（山川出版社、二〇〇九年）、『大航海時代の琉球と海域アジア―レキオスを求めて』（思文閣出版、二〇二〇年）

位田絵美（いんでんえみ）
①近畿大学准教授
②近世文学（異文化認識研究・挿絵による仮名草子研究）
③「『和漢三才図会』にみる対外意識」（『歴史評論』592、一九九九年八月）、『挿絵解釈の研究―『大坂物語』を中心に』（和泉書

院、二〇二〇年）

Emanuel Pastreich（えまにゅえる・ぱすとりっち）
①アジアインスティチュート理事長、未来都市環境研究院事務総長（韓国）
②比較文化
③『目に見える世俗―中国の白話小説受容と江戸時代の通俗文学に対する文学批評の起源』（ソウル大学校出版部、二〇一一年）、『武器よさらば―地球温暖化の危機と憲法九条』（東方出版、二〇一九年）、『私は悪を恐れない―二〇二〇年米国大統領選への出馬宣言』（パブー出版、二〇二〇年）

堀部正円（ほりべしょうえん）
①日蓮正宗教学研鑽所研鑽員
②仏教書の書誌学研究
③「近世に出版された日蓮宗関係書籍の一隅（2）―『柿葉』について」（『大崎学報』175、二〇一九年）、『刊本録内御書の書誌学的研究』（山喜房仏書林、二〇二〇年）

森田憲司（もりたけんじ）
①奈良大学名誉教授
②中国近世社会文化史
③『北京を見る読む集める』（大修館書店、二〇〇八年）、『概説中国史』（共編、昭和堂、二〇一六年）、『北京を知るための52章』（共編、明石書店、二〇一七年）

松尾恒一（まつおこういち）
①国立歴史民俗博物館教授、千葉大学大学院客員教授
②民俗宗教、日中文化交流史
③『物部の民俗といざなぎ流』（吉川弘文館、二〇一一年）、『儀礼から芸能へ―狂騒・憑依・道化』（角川学芸出版、二〇一一年）、『日本の民俗宗教』（筑摩書房、二〇一九年）

小島裕子（こじまやすこ）
①鶴見大学仏教文化研究所特任研究員
②仏教文献資料学、法会儀礼、中世歌謡
③「『金剛寺蔵宝篋印陀羅尼経』資料篇・論攷篇」（日本古写経研究所善本叢刊第六輯、国際仏教学大学院大学日本古写経研究所発行、二〇一三年）、「仏伝の軌跡―釈迦の「檀特山修行」という訛伝に刻まれた真実―」（『東アジアの仏伝文学』小峯和明編、勉誠出版、二〇一七年）、「嵯峨清凉寺供養と後白河院の晩年―『転法輪鈔』より、東アジアを見据えた「王」の意識―」（『金沢文庫研究』340、二〇一八年）

張　龍妹（ちょうりゅうまい）
①北京外国語大学教授（中国）
②『源氏物語』を中心とした平安仮名文学、説話、漢文学
③『源氏物語の救済』（風間書房、二〇〇〇年）、『今昔物語集』挿絵本（翻訳、人民文学出版社、二〇〇八～二〇二〇年）

李　銘敬（りめいけい）
①中国人民大学教授（中国）
②日本中古中世説話文学・中日仏教文学
③『日本仏教説話集の源流』（勉誠出版、二〇〇七年）、「『日本霊異記』の文体をめぐって」（『古代文学と隣接諸学』10・瀬間正之編『「記紀」の可能性』竹林舎、二〇一八年）

龍野沙代（たつのさよ）
①早稲田大学・長野大学非常勤講師
②朝鮮半島の古典文学
③「『金剛山楡岾寺事蹟記』にあらわれた元干渉期の護国思想」（『朝鮮学報』208、朝鮮学会、二〇〇八年）、「皆骨山から金剛山へ」（『聖地と聖人の東西』勉誠出版、二〇一一年）、「金剛山普徳窟縁起の伝承とその変容」（『東アジアの文学圏』日本文学の展望を拓く、第一巻、笠間書院、二〇一七年）

丸井貴史（まるいたかふみ）
①就実大学講師
②日本近世文学
③「「白蛇伝」変奏―断罪と救済のあいだ」（木越治・勝又基編『怪異を読む・書く』国書刊行会、二〇一八年）、『白話小説の時代―日本近世中期文学の研究』（汲古書院、二〇一九年）

な

は

▌た

さ

か

地名

あ

や

ら

わ

▌ま

な

は

▎た

さ

書名

A

あ

か

や

ら

わ

■ ま

た

さ

か

索引凡例

本索引は、各巻ごとの本文中の固有名詞を人名（観音・閻魔など神仏・異類名も含む）、書名（資料名も含む）、地名（寺社名、施設名、地獄・極楽など仏教世界も含む）の三種に区分けし、それぞれ日本語式読みの五十音順に配列した。原則として、習熟した読みの例（北京＝ペキン）を除き、各論の本文のルビとは別途に漢字音の読みに統一した。対象語彙は、前近代（19 世紀以前）に限定したが、個別の論によっては近代も含めた場合もある。

人名

A

あ

編著者

染谷智幸（そめや・ともゆき）

茨城キリスト教大学教授。専門分野は日本文学・日韓比較文学。著書に『西鶴小説論—対照的構造と〈東アジア〉への視界』（翰林書房、2005年）、『韓国の古典小説』（ぺりかん社、2008年）、『日本近世文学と朝鮮』（勉誠出版、2012年）、『男色を描く　西鶴のＢＬコミカライズとアジアの〈性〉』（勉誠出版、2017年）、『日本永代蔵 全訳注』（講談社学術文庫、2018年）など。

執筆者（掲載順）

小峯和明／鈴木 彰／水谷隆之／水口幹記／空井伸一／岡 美穂子／高橋博巳／島村幸一
金 英順／鄭 敬珍／角南聡一郎／宮﨑晶子／菊地章太／宮腰直人／杉山和也／朴 知恵
菊地 仁／志賀市子／小俣喜久雄／福 寛美／澤井真代／黄 暁星／酒井正子／森田雅也
松浦史明／中島楽章／位田絵美／ Emanuel Pastreich ／堀部正円／森田憲司／松尾恒一
小島裕子／張 龍妹／李 銘敬／龍野沙代／丸井貴史

東アジア文化講座　第1巻

はじめに交流ありき

東アジアの文学と異文化交流

2021（令和3）年3月12日　第1版第1刷発行

ISBN978-4-909658-44-9　C0320

発行所　株式会社 **文学通信**

〒170-0002　東京都豊島区巣鴨1-35-6-201

電話 03-5939-9027　Fax 03-5939-9094

メール info@bungaku-report.com ウェブ http://bungaku-report.com

発行人　岡田圭介

印刷・製本　モリモト印刷

ご意見・ご感想はこちらからも送れます。上記のQRコードを読み取ってください。

※乱丁・落丁本はお取り替えいたしますので、ご一報ください。書影は自由にお使いください。